D1222572

LE MAITRE DES PEINES : LE MARIAGE DE LA LICORNE
*est le trois cent quatre-vingt-quinzième livre
publié par Les éditions JCL inc.*

Catalogage avant publication de Bibliothèque et Archives nationales du Québec et Bibliothèque et Archives Canada

Bourassa, Marie, 1969-

Le maître des peines : roman

L'ouvrage complet comprendra 3 v.
Comprend des réf. bibliogr.
Sommaire: t. 1. Le jardin d'Adélie -- t. 2. Le mariage de la licorne.

ISBN 978-2-89431-390-9 (v. 1)

ISBN 978-2-89431-395-4 (v. 2)

I. Titre. II. Titre: Le jardin d'Adélie. III. Titre: Le mariage de la licorne.

PS8603.O942M34 2008   C843'.6   C2008-941023-8
PS9603.O942M34 2008

© **Les éditions JCL inc.**, 2008
Édition originale : octobre 2008

LE MAÎTRE DES
PEINES

Le Mariage de la licorne

**

824.95 RB
2009/10

Illustration de la page couverture:

CHANTALE VINCELETTE

Les éditions JCL inc., 2008
930, rue Jacques-Cartier Est, Chicoutimi (Québec) CANADA G7H 7K9
Tél. : (418) 696-0536 – Téléc. : (418) 696-3132 – www.jcl.qc.ca
ISBN 978-2-89431-395-4

MARIE BOURASSA

LE MAÎTRE DES PEINES

Le Mariage de la licorne

**

Roman

LES ÉDITIONS JCL

Note de l'auteure

Certains événements décrits dans ce roman sont des adaptations de faits historiques; de même, quelques personnages ayant réellement vécu sont parfois placés dans des contextes fictifs. Les autres personnages, les situations, ainsi que deux agglomérations décrites dans ce roman sont fictifs. Toute ressemblance avec des personnes connues ou inconnues, existant ou ayant déjà existé, ne peut être que pure coïncidence.

Remerciements

Je tiens à exprimer toute ma gratitude à Dominique Martel, à Jocelyne Fournier et à Bernard Chaput, trois de mes quatre premiers lecteurs, ainsi qu'à Geoffrey Abbott pour avoir éclairé ma lanterne sur certains détails d'ordre technique. Merci du fond du cœur à Jean-Claude Larouche, mon éditeur, pour avoir eu foi en mon œuvre, et à Marc Beaudoin pour ses conseils judicieux. Je suis aussi reconnaissante envers mon employeur, le frère Étienne Rizzo, de même qu'envers mes collègues de travail, Lucie, Luc, Denise, Claudette, le frère Bruno et Michel, qui m'ont donné la chance de bénéficier d'un horaire propice à l'élaboration de ce roman. Je ne saurais non plus oublier Ciuin-Ferrin et mes autres amis clavardeurs pour leur complicité enthousiaste lors de jeux de rôle qui m'ont permis non seulement de voyager dans le temps, mais aussi de mieux cibler certains aspects de mon intrigue et de mes personnages. Enfin, je veux adresser une mention toute spéciale à mon père, Yves, à ma famille et à mes amis pour leur indulgence à mon égard au cours des six dernières années.

M. B.

Nous reconnaissons l'aide financière du gouvernement du Canada par l'entremise du Programme d'aide au développement de l'industrie de l'édition (PADIÉ) pour nos activités d'édition. Nous bénéficions également du soutien de la SODEC et, enfin, nous tenons à remercier le Conseil des Arts du Canada pour l'aide accordée à notre programme de publication.

Gouvernement du Québec – Programme de crédit d'impôt pour l'édition de livres – Gestion SODEC

À ma nièce Véronique,
pour le tumulte de nos silences.

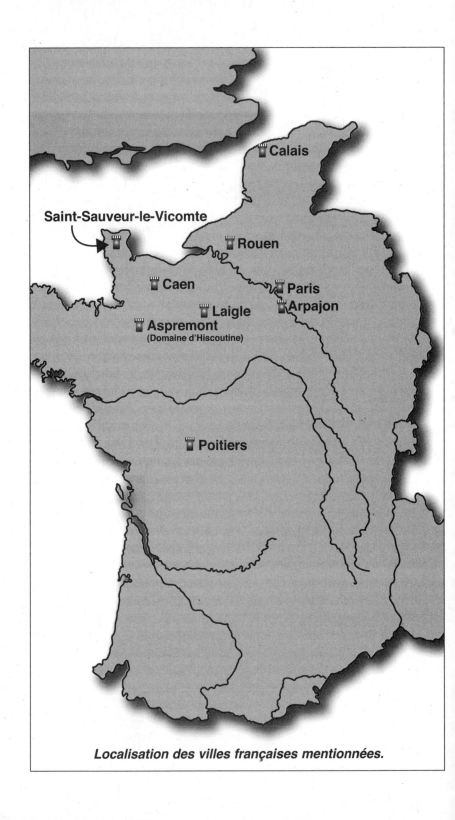

Localisation des villes françaises mentionnées.

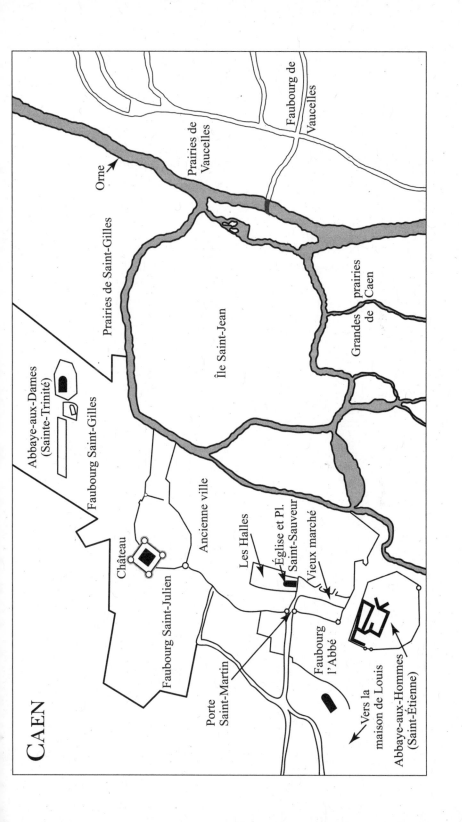

CAEN

Abbaye-aux-Dames
(Sainte-Trinité)

Faubourg Saint-Gilles

Prairies de Saint-Gilles

Orne

Prairies de Vaucelles

Faubourg de Vaucelles

Île Saint-Jean

Grandes prairies de Caen

Château

Ancienne ville

Faubourg Saint-Julien

Les Halles

Église et Pl. Saint-Sauveur

Vieux marché

Faubourg l'Abbé

Porte Saint-Martin

Vers la maison de Louis

Abbaye-aux-Hommes
(Saint-Étienne)

Note de l'éditeur

NOTES:

Seules les notes jugées essentielles à la compréhension immédiate du texte ont été placées en bas de page. Le lecteur pourra, cependant, consulter l'ensemble des notes et compléments historiques à partir de la page 481.

GLOSSAIRE:

Les mots périmés utilisés par l'auteure et ne figurant pas aux dictionnaires usuels ont été regroupés par ordre alphabétique dans un glossaire à la page 497 et suivantes. Dans le texte, ces mots seront suivis d'un astérisque.

Première partie
(1358-1359)

Chapitre I

Gît-le-Cœur

ux environs d'Arpajon[1], octobre 1358
— Maître, appela la voix doucereuse de Desdémone.

La femme lui peignait tendrement les cheveux en arrière avec les doigts. Louis se réveilla. Derrière son dos, il sentit à nouveau le contact du tronc rugueux contre lequel il s'était appuyé pour dormir. Il cligna des yeux. Vêtue de penailles* informes, elle s'était lovée juste à côté de lui. Maintenant, assise plus droite, elle lui souriait. Bien qu'elle eût considérablement maigri, elle demeurait plantureuse. La chaîne qui pendait de son bracelet de fer cliqueta sur l'abdomen du bourreau qui, lui, en portait un identique auquel était reliée l'autre extrémité de la chaîne. Autour d'eux, les branches des arbres dépouillés de leurs feuilles craquaient pour tenter d'effaroucher les lents brouillards de novembre. Un ruisseau sinuait en bas d'une pente émaillée de rochers moussus.

À l'instant où Louis s'apprêtait à rouler de côté pour s'éloigner de la femme, il sentit le contact glacé d'une lame sur sa gorge. Desdémone sourit de plus belle en serrant le manche de sa dague qu'elle lui avait subtilisée pendant son sommeil.

Louis ne bougea pas. Il ne chercha pas à se défendre. Il la regarda dans les yeux et attendit. Il murmura :

— C'est tout simple.

— Je peux le faire, tu sais, répondit-elle entre ses dents serrées.

Son sourire se transforma en grimace.

— Alors, fais-le.

---

1. Voir notes à la page 481.

Sans la quitter des yeux, il leva la tête et lui offrit sa gorge.

— Vas-y, fais-le, dit-il.

Depuis le coin où il avait été mis à l'attache avec le mulet, tout près de la tente, Tonnerre hennit avec inquiétude. Il chercha à se libérer du pieu qui le retenait. La lame produisit un petit « tchic » désagréable en effleurant la pomme d'Adam de son maître. Louis ne se déroba pas. La main de Desdémone se mit à trembler.

La prévôté de Paris avait congédié Louis quelques mois plus tôt. Au lieu de retourner à Caen comme il eût dû le faire, il avait erré sans but dans les campagnes et les forêts environnantes en traînant Desdémone avec lui. Il l'avait contrainte à se prostituer pour leur fournir au moins de quoi assurer leur subsistance. « Pour une fois que ça me rapporte de te laisser à tes bas instincts », lui avait dit celui qu'elle tenait maintenant à sa merci. Louis était sale et négligé : il ne s'était pas rasé depuis plus d'une semaine. De la terre et une barbe clairsemée lui barbouillaient le visage. Et il ne se défendait pas.

Desdémone dit, d'une voix rauque :

— On dirait un suicide. C'est ça que tu veux?

Elle n'eût jamais cru qu'un jour elle allait en venir là avec lui. Le suicide était un acte méprisable, vil, que l'on réprouvait, quelles que fussent les raisons qui pouvaient amener un individu à y recourir. Seul un lâche était capable de s'enlever la vie plutôt que d'affronter l'adversité. C'était certainement ce qu'il avait toujours cru, lui aussi. Or voilà qu'elle découvrait qu'il était un lâche. Pire qu'un lâche, puisqu'il se refusait jusqu'à la dignité de s'enlever la vie de sa propre main. Comme s'il jugeait que cela n'en valait même pas la peine.

Desdémone ne pouvait pas comprendre ce qui se passait dans la tête de Louis. Lui-même n'était plus très sûr de ses pensées.

La colère dévastatrice qui avait depuis toujours fait partie de sa vie s'était brusquement tarie avec le trépas de Firmin. Mais à cette colère s'était substitué quelque chose de bien pire, une sorte d'insensibilité polaire, un dangereux substitut de la méchanceté. Louis découvrait avec étonnement que rien ne l'atteignait plus. Cette impression d'immunité absolue était merveilleuse, enivrante. Quoi qu'il advînt, rien ne pouvait être pire que ce qu'il avait jusque-là vécu et accompli. En franchissant ce stade ultime qui le délivrait un peu plus de sa conscience, il parvenait à s'éloigner davantage, à se libérer de sa qualité d'homme et des restrictions morales dans lesquelles s'empêtrait la nature humaine.

Louis ne voulait pas mourir. Loin de là. Il inspectait sa nouvelle arme, il jouait avec elle, il la mettait à l'épreuve. C'était là ce que Desdémone ignorait. Il lui dit :

— Un peu de cran, voyons. Tu y es presque. Ne me dis pas que tu tiens à moi. C'est ridicule. Je ne suis personne pour toi. J'existe pour rien.

Desdémone conservait juste assez de méchanceté en elle pour avoir soudain une vague idée de ce qu'il était en train de faire. Elle prit peur et jeta la dague sur les cuisses de Louis comme si elle lui brûlait la main. Misérable, elle éclata en sanglots en se laissant choir contre lui. La chaîne de fer cliqueta entre eux. Il ne bougea pas.

— Tais-toi ! Tais-toi, espèce de salaud ! cria-t-elle. Tu vois clair en moi. Ça me fait peur. Tu sais que j'en serais incapable.

— Oui, je le sais.

— Toi et moi, on est de la même trempe.

— Dieu m'en préserve.

Elle embrassa avec une dévotion non feinte la marque en fleur de lys qu'il lui avait faite à l'épaule et qui avait fait d'elle une prostituée aux yeux de la société. Elle se mit à caresser ses épaules à lui, et le bout des mèches raides qui les effleuraient. Elle dit :

— Maudit sois-tu ! Je devrais t'avoir en horreur, toi, le gredin qui a dévoré mon amant comme un vulgaire gigot. Mais je t'aime. Je t'aime et je te déteste, et je n'y comprends rien. C'est comme ça depuis le jour où Magister t'a trouvé. Tu me mets le cœur à l'envers. J'ignore comment tu t'y prends, mais c'est comme ça; et toi, tu te joues de moi. Tu es un monstre. Je devrais trouver le courage de te tuer. Je devrais me libérer de toi et de tes maudites chaînes.

Louis leva les yeux vers les branches enchevêtrées et dit tout bas, d'une voix monocorde :

— Quel ramassis de billevesées. Ha, tu m'aimes. C'est effectivement dommage. Pour toi surtout. Je te croyais plus forte.

— Va au diable !

Desdémone repoussa le bourreau et le gifla avec violence. Il ramassa sa dague et, pensif, en caressa machinalement le fil. Desdémone eut un mouvement de recul. D'une secousse brutale sur la chaîne, il attira à nouveau sa prisonnière contre lui et scanda :

— Ne porte plus jamais la main sur moi, sale vaurienne. Ne me touche plus. C'est compris ?

Desdémone fit un bref signe d'assentiment. Elle sut qu'il n'allait pas y avoir de suicide.

On ne pouvait tuer celui qui ne vivait déjà plus.

Il longea le cloître, parcourut le réfectoire, le dortoir et les cuisines. Là où il n'était pas arrêté par des portes closes, il n'aboutissait qu'à des murs. Il n'y avait aucune issue possible. Les autres, eux, circulaient dans un long déambulatoire en silence, rapidement, comme des spectres vêtus de bure poussiéreuse. C'étaient peut-être des moines et il y en avait beaucoup. Même s'il se mit à errer parmi eux à contresens, ils s'écartaient sur son passage sans se nuire. Personne ne le regardait. Il savait très bien pourquoi : ils avaient honte pour lui.

L'un d'eux s'arrêta brusquement et rabattit son capuce d'un geste rageur avant de dire :

— Qu'attendez-vous pour aller ramasser ce mort ?

Louis sursauta. Ils savaient donc cela aussi. Ils l'avaient tous vu, ce mort. Et c'était la raison pour laquelle ils avaient honte. Mais comment avaient-ils fait pour trouver le cadavre ? Il l'avait bien pourtant caché, cet homme qu'il avait tué de ses propres mains, dans un endroit connu de lui seul.

Il se hâta vers la crypte où avait été abandonnée sa victime et y pénétra.

Le trépas était récent. Louis retrouva l'homme tel qu'il l'avait laissé, étendu sur le dos, la tête rejetée en arrière et la bouche grande ouverte. Des mouches venues de nulle part s'étaient déjà posées sur ses yeux ouverts pour pondre leurs œufs. Une plaie luisait en travers de sa gorge comme un ruban mouillé. L'odeur du sang répandu n'était pas sans évoquer celle d'une boucherie, même si les remugles de ce type d'échoppe variaient selon les espèces animales qui y étaient abattues. L'odeur caractéristique du sang humain dissimulait celle de la pierre tapissée de salpêtre dans cet espace exigu. Au moins trois litres de sang avaient giclé des jugulaires tranchées avant que le cœur vigoureux ne se fût décidé à cesser de battre pour rien. Destin ridicule qui avait ramené l'homme vers le néant d'où il était issu.

Eh quoi ! Avait-il brièvement cru que les choses puissent se passer autrement ? Qu'il eût pu entrevoir cette ultime vérité, peut-être, enfin dévoilée à l'agonisant au moment où il avait expiré et que son visage, pour un bref instant, s'était merveilleusement illuminé avant de se figer pour l'éternité ? C'était ce sur quoi comptaient ceux qui se pressaient autour des échafauds. Tous, ils recherchaient quelque chose qui pouvait justifier la mort et sauver l'âme. Balivernes. Lui, il n'avait jamais vu un seul mourant sourire. La mort ne pouvait être rien d'autre qu'une lutte au terme de laquelle le corps humain se voyait vaincu. Lorsque la mort intervenait, il ne restait plus qu'un corps qui se corrompait. Rien d'autre. C'était une chose hideuse qui venait mettre un terme à une pauvre illusion.

Louis alla s'accroupir près du défunt. Il regarda son visage de pierre. Et ce fut là qu'il se rendit compte que ce mort, c'était lui. Il se sentit sombrer, sombrer, avant d'être happé par le néant.

Louis se réveilla en sursaut.

*

Une fine dentelle grise avait commencé à border le ruisseau aux endroits où l'eau était plus calme. Sans les cascatelles qui fredonnaient tout près de là, sans doute auraient-ils dû casser la glace pour s'y baigner ce matin-là, même s'il n'avait pas encore neigé.

Louis avait écrasé des saponaires séchées qu'il avait préalablement disposées sur un rocher creux se dressant sur la berge. Il s'était entièrement dévêtu à l'exception de son caleçon et il portait toujours la chaîne qui le reliait à Desdémone. Il se leva et s'engagea dans l'eau jusqu'à la taille. Tout autour de lui, l'élément liquide, coincé par les rochers, produisait un courant circulaire avant de s'écouler par une brèche en un mince filet pressé. Les jambes de Louis protestèrent en faisant semblant de ne plus exister. Derrière lui, Desdémone grelottait et se renfrognait.

— Maître, c'est vraiment trop froid. Laissez-moi vous mettre de l'eau à chauffer sur le feu.

Pour toute réponse, Louis la fit tomber dans l'eau d'une secousse impatiente et alla plus avant vers les cascatelles. Il laissa leur fine poussière d'eau glacer sa poitrine nue. Il voulait avoir froid, il voulait que son corps au moins manifeste un quelconque signe pour lui prouver qu'il vivait encore.

Tandis que Desdémone, empêtrée dans ses jupes, pataugeait dans l'eau glacée, Louis ferma les yeux et revit l'image de son propre cadavre qui gisait dans la crypte de son rêve. «C'est le sang du père qui circule dans mes veines. Ma voix dit ses mots à lui. Son mal prolifère en moi. Je suis mauvais.» Cette pensée l'obsédait. Il se rendait compte qu'elle l'empêchait de se dégager totalement, de s'éloigner. Sa haine se redirigeait contre lui-même. Il se sentit enveloppé d'une noirceur glaciale. Le monde entier y bascula. Il n'y avait plus rien, plus rien. Il prit peur pour la première fois de sa vie. Ses genoux ployèrent sous le faix et l'eau monta jusqu'à sa poitrine. Desdémone appela, avec inquiétude :

— Louis?

Il ne répondit pas. Par crainte, elle se retint pourtant d'avancer. Elle l'entendit haleter par deux fois:

— Dieu... aidez-moi.

C'était l'appel pathétique d'un ogre blessé.

Louis avait oublié comment il s'était retrouvé assis sur la berge, en train de se raser sommairement en utilisant la mousse de saponaire qu'il avait préparée et la dague que Desdémone avait peu auparavant tournée contre lui. Il avait oublié la longue marche de deux jours qui les avait menés, lui, Desdémone et les montures, avec tout le fourniment, d'abord aux portes de Paris, puis jusqu'à la grille de l'abbaye de Saint-Germain-des-Prés. Il ne revint à lui qu'une fois parvenu devant elle et parut surpris de l'y trouver.

— Louis, que fais-tu? demanda Desdémone.

Le bourreau se tourna vers elle et entreprit sans un mot de retirer les bracelets qui les liaient l'un à l'autre. Il fourra le tout dans l'un des sacs de selle et dit:

— Va-t'en. Emmène-les à la boulangerie. Donne-les à Hugues. Qu'il vende mes instruments à l'exécuteur de Paris.

— Que vas-tu faire, là-dedans?

— Ça ne te regarde pas. Va-t'en. Tu es libre.

— Mais je...

— Va-t'en, je te dis!

Louis se détourna. Il secoua rageusement la corde de la cloche et frappa à la grille. Il appela:

— Ouvrez!

Tonnerre sursauta et fit un écart. Louis s'en aperçut et, subitement radouci, s'approcha de lui pour lui poser sur le museau sa large paume calleuse. Le cheval s'apaisa tout de suite. Desdémone crut voir vaciller le petit scintillement des prunelles sombres, mais elle n'en fut pas sûre, car il s'était à nouveau retourné vers elle et l'avait empoignée par sa robe de futaine élimée.

— Vas-tu t'en aller! dit-il en la lâchant et en dégainant son épée. Vite! Vite, sinon je t'ouvre le ventre!

Pendant ce temps, le visage rougeaud et inquiet d'un vieux moine était brièvement apparu à la porte d'un réduit. Desdémone prit Tonnerre par la bride et, sans quitter le bourreau des yeux, se hâta de s'éloigner en trébuchant avec l'attelage.

Un cavalier s'approcha et appela:

— Holà, Baillehache!

Louis tourna la tête.

— On vous a cherché jusqu'à Caen. Mais, bon sang, où étiez-vous passé?

— Qu'est-ce qu'on me veut, encore?

— Un message pour vous. De la part du gouverneur Friquet de Fricamp...

Le cavalier jeta une lettre à ses pieds. Le cachet était décoré d'une fleur de lys. Il dit encore:

— ... et du roi de Navarre qui, cet été, a quitté Paris et a, par conséquent, perdu son titre de capitaine. Il vous accorde audience à Saint-Sauveur, allez savoir pourquoi.

— Je n'ai rien demandé.

Le messager haussa les épaules avec indifférence.

— Puisque vous le dites.

Il tourna bride et s'en alla. Louis se pencha et ramassa la lettre demeurée scellée. Il ne l'ouvrit pas. Il se retourna vivement vers la grille et se mit à cogner dessus avec le plat de son épée. Cela produisit d'assourdissantes étincelles. Des moines, attirés par tout ce bruit, commençaient à se rassembler dans la cour. Louis crut reconnaître le frère Lambert parmi eux. Son visage qui était fait pour le rire exprimait un étonnement curieux.

— Mais ouvrez-moi cette saleté de grille, merde! Je demande asile. Augustin! Ouvre-moi ça tout de suite ou j'entre de force et je te fais sauter la tête!

«Il demande asile, lui?» pensa le vieux religieux qui rassembla tout son courage et claudiqua jusqu'au visiteur, avec à la main un demi-flacon de vin de cassis. À regret, il déverrouilla la grille qui le séparait du sinistre personnage. Louis poussa le vantail et s'avança dans la cour. Le moine se jeta de côté aussi vite que le lui permettaient ses vieilles jambes, ses prunelles, rendues opaques par les cataractes, fixées sur l'arme que l'homme avait à la main. Nul autre que l'abbé n'aurait osé lui dire que l'on ne brandissait pas d'armes dans une maison où régnait la paix. Louis finit par se ressaisir de lui-même et rengaina son épée. Il demanda, d'un ton plus calme:

— Est-ce que le père Bernard est encore ici?

— Ou-oui..., messire, mais...

— Il est toujours le maître des postulants?

— Oui, il l'est, mais...

— Je veux le voir. Conduisez-moi à lui.

— C'est que... je... il...

— Quoi?

— Non, rien. Par ici, je vous prie.

— Attendez. La grille, dit Louis, dont le voussoiement sembla quelque peu rassurer le religieux.

— Oh, c'est vrai... merci bien, dit le frère Augustin, qui se hâta de refermer et de verrouiller la grille.

Après quoi, il prit les devants sur ses petites jambes tremblantes et dit :

— Veuillez me suivre.

Le moine ne pouvait s'empêcher d'éprouver de la reconnaissance due au fait que c'était au père Bernard, et non à lui, qu'allait échoir la responsabilité de s'occuper de ce terrifiant individu. Cependant, il songea qu'avant de retourner à son poste, il allait être bon de faire un détour par la maisonnette de l'abbé afin de le prévenir de cette visite pour le moins inhabituelle. Les deux hommes marchèrent en silence, l'un derrière l'autre, le long de plusieurs corridors impeccables. Ils dépassèrent le parloir. Augustin s'arrêta à une porte et cogna.

— *Ave*, dit une voix chevrotante de l'autre côté.

Augustin se tourna vers Louis et lui dit :

— Attendez ici, je vous prie.

Le religieux pénétra seul dans ce qui avait l'air d'une étude. Louis entendit la même vieille voix demander, intriguée :

— Eh bien, frère Augustin, que se passe-t-il ?

Puis plus rien. Le colosse se mit à marcher fébrilement de long en large, les mains derrière le dos, angoissé plus que de raison par les murs et les portes fermées. Il n'entendit pas le peu qu'Augustin put dire.

— Il y a là quelqu'un... un bourrel*, je crois, qui demande à vous voir.

— Un bourrel* ? Tu en es sûr, frère ? N'as-tu pas dégusté un peu trop de ce bon vin de cassis depuis ce matin ?

— Mandez-le, si vous ne me croyez pas, mon père. Vous verrez par vous-même. Et je n'ai pas bu.

— Hum.

— Bon, d'accord, j'admets que j'ai un peu bu, et ma vue n'est plus ce qu'elle était. Mais quand même, il m'aurait fallu être aveugle pour ne pas voir cette épée monstrueuse...

— Une épée ? Serais-tu en train de me dire que cet homme a brandi une épée ici ?

— En plein sous mon nez, mon père, au vu et au su de tous. Cet être démentiel m'a même menacé de me couper la tête si je ne le laissais pas entrer.

— Seigneur tout-puissant. Bon. Ne le faisons pas attendre

davantage. Je ne voudrais pas qu'il en prenne ombrage et que ma propre tête lui fasse envie. Fais-le entrer. Mais je compte sur toi pour aller prévenir l'abbé. Mieux vaut se montrer prudents...

— Non seulement j'y vais de ce pas, mais permettez-moi de vous dire que j'y ai pensé bien avant vous, mon père.

Offusqué, le vieux portier sortit et maintint la porte ouverte pour livrer passage au géant qui dut baisser la tête sous le chambranle pour pénétrer dans l'étude. Le père Bernard se réjouit d'être déjà assis derrière son bureau; ainsi il était assuré que ses jambes faibles n'allaient pas, en fléchissant, trahir sa crainte qui eût risqué d'insulter ce visiteur trop prompt. Il offrit à Louis une tentative de sourire et, disant d'une voix qui tressautait plus qu'avant, montra un tabouret devant le bureau:

— Je vous en prie, mon ami. Prenez place.

Louis obéit. Le tabouret craqua sous son poids. Bernard demanda:

— Que puis-je faire pour vous?

Louis n'y alla pas par quatre chemins. Il demanda, à brûle-pourpoint:

— Me reconnaissez-vous?

— Comment? Si je vous...?

— Oui. Est-ce que vous vous souvenez de moi?

Le père Bernard fronça les sourcils et, d'abord avec une certaine appréhension, il détailla le visage de son hôte. Enfin, le vieux maître secoua la tête et répondit:

— Hélas, non, je regrette.

Il sut tout de suite qu'il avait commis une erreur: visiblement, cette réponse déplaisait à l'homme. Bernard songea qu'il aurait sans doute été plus avisé de mentir et d'essayer, dans la mesure du possible, de lui dire ce qu'il voulait entendre. Ce n'était pas là le genre de gaillard avec lequel on pouvait se permettre de finasser. Cependant, le géant s'était contenté de détourner les yeux. Il dit:

— Peu importe. J'aurais dû m'y attendre.

Bernard essaya de tempérer l'effet de sa bévue.

— Oh, mais n'en soyez pas marri, jeune homme. Le temps fait son œuvre, vous savez, et ma mémoire est défectueuse. Elle n'est plus ce qu'elle était. Si vous éclairiez ma lanterne?

Louis hésita. Après s'être passé le bout de la langue sur les lèvres, il répondit d'une voix enrouée, comme s'il n'avait pas parlé depuis longtemps:

— Ruest.

— Ruest? Vous voulez dire... le fils Ruest? Mais c'est un boulanger, pas un bourrel*.

Louis se leva si précipitamment que le vieux moine s'écrasa contre le dossier de son fauteuil. Il marmonna :

— Laissez, laissez, je n'ai rien dit.

— C'était un boulanger. C'était le fils Ruest. Maintenant c'est Baillehache, et c'est un bourrel*. Tenez, prenez ça.

Sur ce, il jeta la lettre de Friquet sur le coin du bureau, dégaina son épée et la posa bruyamment dessus. Le père Bernard émit un petit couic. Louis défit sa ceinture d'armes et son baudrier de cuir rouge sombre qu'il laissa tomber à terre avec l'étui contenant sa dague. Sous le regard subjugué du maître des postulants, il retira également ses bottes de feutre et planta ses doigts dans son col rigide. Il commença à déchirer ses vêtements pour les enlever. Sa petite fibule* d'étain tomba et roula sur le plancher avant d'aller se perdre sous le bureau.

— Je ne veux plus être le fils Ruest ni Baillehache. Je ne peux plus être un boulanger et j'en ai assez d'être un bourrel*, vous m'entendez? Reprenez-moi.

Étayé par ses poings posés sur le bureau, Louis se penchait au-dessus du vieux moine. Les pans déchirés de sa chemise de coutil ballottaient sous ceux de son floternel* noir et laissaient paraître une poitrine zébrée d'anciennes lacérations que quelques poils bouclés n'arrivaient pas à cacher.

— Je désire être un moine comme avant. Faites-moi travailler le jour et prier la nuit, et dormir sur une natte dans un coin de dortoir. Je promets de jeûner et d'apprendre tout ce qu'on voudra m'enseigner.

— Mais, mon fils, c'est toi-même qui as jadis pris la fuite, dit la voix aimable de l'abbé Antoine qui était entré sans bruit. Louis se retourna pour lui faire face. Antoine lui sourit et regarda ensuite Bernard :

— Vous excuserez cette intrusion, mon père. J'ai frappé par deux fois, mais, n'obtenant pas de réponse, j'ai cru bon de prendre la liberté d'entrer tout de même.

— Euh... vous avez bien fait, dit Bernard.

Antoine s'adressa à Louis :

— Maintenant, mon fils, si tu veux bien m'accompagner jusqu'à mon étude, j'aimerais causer un brin avec toi.

— Bon.

Avant de sortir, Louis fit un signe de tête au maître des postulants et écarta ses effets personnels d'un coup de pied. Il abandonna aussi son épée sur le bureau de Bernard qui la regarda sans oser y toucher.

— Je crains que tu n'aies un peu effrayé ce bon père Bernard. Il n'est plus si jeune, dit Antoine en prenant place derrière une petite table à tréteaux dont le dessus disparaissait sous toutes sortes de parchemins et de livres.

L'abbé souriait et attendait des excuses qui ne vinrent pas. Il dit doucement :

— Tes amis Lambert et Pierre ont appris la nouvelle de ton retour. Ils en sont ravis et sont impatients de fêter vos retrouvailles. Je crois avoir entendu le facétieux frère Lambert parler d'un pillage des cuisines en ton honneur.

— Ah.

Louis baissa les yeux sur ses mains croisées sur ses genoux. Lambert et Pierre... Comme ils paraissaient lointains, les souvenirs que ces noms évoquaient. Des amis? Il ne les connaissait plus. Il ne les avait peut-être jamais réellement connus.

— Ainsi, après avoir erré de par le monde, tu nous reviens avec le réel souhait de te faire moine.

— Oui.

— Oui, mon père, corrigea l'abbé.

Louis reprit avec une certaine réticence :

— Oui, mon père.

— Et qu'est-ce qui te fait croire que tu tiendras bon cette fois-ci?

Louis leva la tête et ses yeux luisirent méchamment.

— Non, pas de ça, mon fils. La colère n'a pas sa place ici.

Le bourreau baissa à nouveau la tête. Un certain temps passa avant qu'il ne consente à dire :

— J'ai fait ce que j'avais à faire au-dehors.

— Cette chose que tu as faite, était-ce la raison de ta fuite?

— Oui.

Antoine joignit les mains devant sa bouche et en frotta pensivement son nez arrondi avant de demander encore :

— Et cette chose est-elle aussi la raison de ton retour?

Surpris, Louis releva la tête en clignant des yeux. Ce petit vieux rondelet était décidément plus futé qu'il ne le laissait paraître.

— Oui, admit-il.

— Je crois que je comprends.

Le bourreau exhala un long soupir. Il se sentait tout à coup très las. Antoine dit tout bas, en détaillant le visage qu'il avait devant lui :

— Les épreuves, bien davantage que le temps, ont le don de

modeler l'âme d'un homme. Tu as beaucoup souffert, Louis. Et tu as changé.

— Mon passé est dur à porter.

— Ton présent est dur à accepter.

Louis acquiesça. Antoine dit encore:

— Et ton avenir est dur à imaginer.

— Oui, mon père.

« Quel avenir? pensa-t-il. S'il savait tout ce que j'ai pu faire pour arriver à mes fins! Et voilà, j'y suis, c'est fini. Je veux apprendre à vivre enfin. »

Ce fut au tour d'Antoine de laisser échapper un profond soupir.

— Permets-moi de t'exprimer le fond de ma pensée, Louis, du père spirituel que je suis au fils spirituel que tu es, dit-il en appuyant sur la nuance.

Le bourreau acquiesça encore, l'invitant à poursuivre.

— Tu es revenu ici non pas pour te faire moine, mais pour demander asile. Cependant, Louis, si le monastère est un refuge contre l'hostilité du monde extérieur pour un fugitif, il n'en est hélas pas un contre le monde intérieur qui est le lot de chacun. Cela dit, le moyen de te délivrer existe bel et bien. Ta seule erreur vient du fait que tu ne le cherches pas au bon endroit.

— Où dois-je aller, alors?

Antoine sourit.

— Nulle part. Il est déjà en toi, où que tu ailles.

— Et qu'est-ce que c'est?

— C'est à toi de me le dire, mon fils.

Ainsi, l'abbé amorça chez Louis un mécanisme d'introspection. Il le regretta tout de suite: les yeux de l'homme parcoururent un vaste espace intérieur et ne se posèrent sur rien. Antoine pensa que le bourreau aurait eu le même regard s'il avait cherché dans une lande morne un arbre, un seul, sur les branches duquel un oiseau aurait pu se percher. Louis se ressaisit et dit:

— Je ne sais pas.

— C'est l'amour, Louis. L'amour.

— Oh, foutaise!

Antoine éclata de rire.

— Je me trompais: tu n'as peut-être pas tant changé que cela, après tout. J'ai toujours raffolé de ton franc-parler. Quoi qu'il en soit de ta perception de l'amour, tu es le bienvenu parmi nous. Tu résideras à l'hôtellerie en attendant les délibérations du chapitre sur ce qu'il convient de faire.

Ils n'eurent pas à attendre longtemps.

Louis eut maille à partir avec l'esprit des lieux et avec les nombreuses questions que lui posaient les moines. Il se trouva subitement incapable de supporter que l'abbé tente de se rapprocher de lui avec sa compassion. Leur sollicitude lui portait sur les nerfs. Le quatrième jour, il trouva une cellule vide dans l'aile des novices et s'y barricada. Nul ne parvint à l'en extraire.

Le géant demeura prostré dans cette cellule qui lui devint aussi hostile qu'une geôle. L'abbaye n'était plus un refuge, mais une sépulture. Il ne pouvait souffrir ceux qui tentaient d'établir un contact avec lui – dont Pierre et Lambert; il haït même celui qui lui apportait deux repas quotidiens, et les jeunes postulants qui jouaient devant sa fenêtre. Les démonstrations de joie lui faisaient peur.

Au bout d'une semaine et demie, Louis n'en put plus. À la nuit tombée, il cambriola l'étude de l'abbé et s'enfuit une fois encore en grimpant parmi les lierres dépouillés qui sinuaient contre les pierres de la muraille. Aucun moine ne sut jamais que l'abbé l'avait pris sur le fait et l'avait laissé partir avec davantage d'objets qu'il n'en avait apporté.

*

Rue Gît-le-Cœur, la boulangerie somnolait dans son écrin de brume comme un gros bijou. Les volets de l'ouvroir étaient fermés depuis peu et il croyait deviner, sur le côté de la maison, la vague lueur d'un feu allumé dans la pièce à vivre qui se trouvait à l'arrière.

Toute la journée, il les avait épiés sans se résoudre à se montrer. Il avait retardé ce moment le plus possible, se donnant comme prétexte d'avoir à recoudre son habit, une tâche qui ne lui avait en fait demandé qu'une demi-heure. C'était maintenant ou jamais. Il tenta de se persuader que cette visite était nécessaire, puisqu'il était porteur d'un message pour eux.

La grille qui menait à la cour n'était pas encore fermée. Il entra. Une lanterne était suspendue à la hauteur de ses yeux au même crochet qu'il avait connu dans son enfance. Le crochet avait rouillé et il n'était plus aussi haut. La cour semblait avoir rapetissé. Louis cogna à la porte. Ce fut Hugues qui ouvrit.

— Salut, dit Louis.

— Salut bien.

Les deux hommes se firent face en silence. Si Hugues était surpris ou avait peur, il se garda bien de le montrer. Cela réconforta quelque peu le bourreau, qui dit:

— Puis-je entrer?

— Oui, bien sûr. On s'apprêtait à souper. Joins-toi à nous.

— Merci, mais je ne fais que passer.

— Clémence, rajoute une écuelle. Nous avons de la visite.

— D'accord. Qui c'est?

Un silence de plomb s'imposa de lui-même à la table autour de laquelle la famille avait déjà pris place. Desdémone était là. Clémence, distraite par le service, gardait le dos tourné. Trois enfants dévisageaient le géant. Louis en fut intimidé. Il enleva son chaperon. Il s'avança vers la jeune femme, qui se retourna enfin et lui échappa son écuelle encore vide sur un pied. Haletante, elle porta la main à sa bouche. Louis dit:

— J'ai à te parler. Je m'en vais t'attendre dehors.

Il se détourna sans un regard pour ceux qui étaient attablés et sortit dans la cour.

Hugues demanda:

— Veux-tu que j'y aille avec toi?

— Qui est-ce, Mère? demanda une fillette qui, revenue de sa surprise, avait profité de la diversion pour tremper sa main entière dans le pot de miel.

Clémence ne l'entendit pas. Elle répondit à Hugues:

— Non. Je ne crois pas que cela lui plairait puisque c'est à moi seule qu'il désire parler.

— S'il te fait du mal, ce suppôt de Satan, je le...

Il jeta un regard anxieux aux enfants.

— C'est peut-être pour moi qu'il vient, intervint Desdémone.

— Ça veut dire que tu vas encore t'en aller? demanda un garçon.

— Je n'en sais rien. Si Louis l'exige, alors oui, je partirai avec lui. Je l'aime.

— Louis? C'est le nom du petit garçon qui habitait ici avant nous, fit remarquer la fillette.

— Celui qui savait faire le pain aussi bien que le papy, renchérit le garçon qui, pendant que Clémence sortait, touillait pensivement sa soupe avec son doigt.

Soudain, il dit:

— Ça n'est pas le même, tu le sais bien. Il y a tout plein de Louis. Celui-ci est un géant. Lorsqu'il rentrera, je lui demanderai si c'est vrai que pour devenir grand et fort comme il l'est il faut manger tous ses haricots.

— C'est bon, les haricots, dit la fillette.

— Pouah! Tu manges des vers de terre aussi.

— Non, c'est pas vrai! J'en ai mangé un seul, et c'était quand j'avais trois ans. Tu m'avais dit que c'était bon comme des marrons confits au miel.

— Baissez le ton, les enfants, intervint Hugues.

La fillette reprit, plus bas cette fois, et, surprise d'avoir la permission exceptionnelle de poursuivre cette conversation à table :

— Je te parie mon orange entière, avec la peau et tout, contre ton sou que s'il s'en fait servir il les avalera jusqu'au dernier.

— Tenu. Père, vous vous trompez de place.

Hugues venait de s'asseoir en face de la porte fermée et il y jetait de fréquents coups d'œil tandis qu'il égrenait distraitement des croûtons dans son potage.

Clémence s'appuya contre le mur, à droite de la porte. Il avait d'abord fallu qu'elle se fasse à l'idée de ce que son beau-frère était devenu. Et maintenant qu'elle l'avait devant elle, il fallait qu'elle s'habitue à son aspect qui, lui aussi, avait beaucoup changé. Louis n'était plus le grand roseau cassant qu'elle avait connu. Il mesurait une toise* et était devenu très costaud. Il dominait les gens d'au moins deux têtes. Cela en soi eût suffi à le rendre intimidant. Il avait tourné la tête en direction du fournil et semblait absorbé dans ses pensées. Lorsqu'il se retourna vers elle d'un geste brusque, elle haleta. Il regarda longuement sans rien dire le visage de sa sœur par alliance qui était éclairé par la flamme givrée de la lanterne.

— Il y a de la farine dans tes cheveux, dit-il sans trop savoir pourquoi.

— Je sais. Mais j'ai depuis longtemps renoncé à essayer de la faire partir. Ce sont des cheveux blancs.

— Oh. Excuse-moi.

— Cela n'est rien, voyons. Nous vieillissons tous.

Pourtant, il était plus âgé qu'elle, il avait été sévèrement malmené, mais il n'avait pas un seul cheveu blanc. Il leva les yeux vers les fenêtres de l'étage. De petits nuages pressés se formaient près de son nez et filaient en vitesse dans l'air qui sentait la neige. Clémence demeurait immobile. Il abaissa à nouveau son regard sur elle.

— Je ne vous veux pas de mal, dit-il doucement.

Elle eut un halètement nerveux.

— Est-ce que... tu désires reprendre ton cheval et ton mulet?

— Oui. Et Desdémone.

— Je sais. Elle espérait ton retour.

— Quoi?

— C'est elle qui a empêché Hugues de vendre tes... tes affaires.

Elle ne pouvait croire que tu étais entré dans les ordres. Nous avons tout caché dans un endroit sûr. À cause des enfants, tu comprends?

— Ça va.

— Louis, je...

Clémence baissa la tête et se mit à triturer son tablier. Elle reprit:

— Nous... Hugues et moi... nous sommes désolés de ce qui t'est advenu.

— Laisse tomber, dit Louis, brusquement.

— Rentrons. Il commence à neiger.

— Attends.

Louis l'arrêta d'un bras et dit:

— La boulangerie est une censive de l'abbaye. Le père a écrit cela dans son testament. Tu le savais?

— Non, je l'ignorais. Hugues ne m'en a rien dit.

— Il aurait dû. Mais peu importe. J'ai vu l'abbé. Tiens.

Il lui remit un parchemin sur lequel elle reconnut la signature des Ruest, un trait sinueux encadré de deux autres semblables mais plus courts, disposés parallèlement. Clémence dit:

— Est-ce que c'est...

— Oui. C'est son testament. Brûlez-le.

— Mais... mais, Louis, comment...

Elle n'osa lui demander comment il avait obtenu ce document.

— Disons que j'ai eu la main heureuse. Contente-toi de savoir qu'il a fait écrire ceci pour m'empêcher de lui succéder en tant que propriétaire en titre de la boutique. Maintenant qu'il y est parvenu, l'abbaye n'a plus rien à y voir.

« Au moins, je n'y aurai pas mis les pieds pour rien », se dit-il.

*

— Je savais que ce moment allait venir. Ta place est autre part, avait dit le père Antoine qui avait surpris Louis en train de fouiller son étude.

Il en avait forcé la porte pour reprendre ses effets personnels que le père Bernard était venu remettre à l'abbé quelques jours plus tôt. Louis avait fait face au petit religieux, calmement, en silence. Antoine avait lu la mort dans les yeux de l'homme avant même d'apercevoir la dague dans sa main. Mais il n'avait pas reculé. Il avait dit encore:

— J'ai quelque chose pour toi.

Louis l'avait laissé se diriger vers un coffre et il l'avait ouvert pour y prendre un document.

— Dieu, dans Son ciel, a déjà du pain en abondance.

Il s'était lentement rapproché et l'avait remis au colosse en lui disant ce que c'était. Il avait précisé :

— Il n'en existe pas d'autre copie.

Cela avait paru émouvoir Louis. Mais il avait dit, d'une voix rauque :

— À quoi bon? Jamais plus on ne me laissera faire le pain.

Sur quoi Antoine avait souri et rétorqué :

— Savais-tu que le mot *compagnon*, en latin *cum panis,* signifie *ceux qui partagent le pain*? Les voies du Seigneur sont sans doute impénétrables, mais j'ai la certitude qu'Il t'aidera à trouver la tienne. Va. Ce papier, je ne l'ai jamais vu. Allez, va et emporte-le, puisque je te l'offre.

Et Louis était parti sans un mot avec sa fardelle* en bandoulière.

*

Clémence secoua la tête, incrédule.

— Louis, te rends-tu compte de ce que tu as fait?

— J'ai repris mes affaires.

— Aurais-tu été jusqu'à... tuer l'abbé?

— Seulement s'il s'était mis en travers de mon chemin. Alors, tu le prends ce papier, oui ou merde?

— Mais toi... tu y renonces? Tu nous offres la boulangerie, juste comme ça?

— Pas tout à fait. Puisque je ne peux plus moi-même faire de pain à cause de mon métier, vous l'exploiterez à ma place. Vous travaillez désormais pour moi. C'est tout ce qui change. Je n'exige que dix pour cent des revenus, à m'être annuellement remis jusqu'à mon trépas. C'est ce qui était auparavant versé à l'abbaye. Le reste devra être équitablement réparti entre vous et les besoins du commerce. Cet arrangement doit rester entre Hugues, toi et moi.

— Tes conditions sont très raisonnables, puisque grâce à toi les besoins de la famille demeurent assurés. Mais permets-moi quand même d'en discuter avec mon mari.

— Comme tu voudras.

Elle ne put que sourire et frotter timidement le bras de Louis. Il détourna le regard. Elle lui prit doucement le poignet et dit :

— Reste à souper avec nous, que mes enfants rencontrent leur oncle.

— Non...

Son bras se rétracta. Il dit, hésitant:

— Ne leur dis pas qui je suis.

— Et pourquoi pas? Ils ignorent que tu es un bourrel*.

— Ils l'apprendront bien assez tôt, s'ils viennent à me revoir un jour. Cela nuirait à la boutique et à vous tous. N'en parle pas. À personne.

La petite femme réfléchit un moment, puis elle dit, en lui souriant:

— C'est promis, grand frère. Viens. Allons souper.

Louis mangea ses haricots en se demandant *in petto* pourquoi le garçon qui était assis devant lui se renfrognait de plus en plus, sans raison apparente. Hugues fut mis au courant des termes de l'entente possible. Elle était conclue lorsque l'orange et le sou changèrent de mains sous les regards intrigués de leurs parents.

— Se pourrait-il que ces enfants s'adonnent au jeu? Ceci ressemble fort à un pari, remarqua Hugues.

— Et on dirait que j'en fais l'objet, dit Louis.

— Vous aimez les haricots, dit la fillette, comme si le lien entre la gageure et les haricots était évident.

Puis, au garçon qu'elle poussa du coude:

— Vas-y, demande-le-lui.

— Non, je n'en ai plus envie, rétorqua-t-il, la mine toujours boudeuse.

Les parents écoutaient l'échange d'un air amusé. Comme Louis n'intervenait pas, Hugues le fit à sa place:

— Demander quoi?

Le gamin soupira et rassembla tout son courage pour se tourner vers l'invité:

— Est-ce vrai que pour devenir grand et fort comme vous il faut tout manger ce qui nous est servi, même les trucs qu'on n'aime pas?

Louis jeta un coup d'œil effaré à son écuelle vide. Il mâchait encore une grosse bouchée de pain dont l'arôme lui troublait l'esprit: c'était le même que celui de son enfance. Un pain de froment parfait, exquis et fondant, de ceux qui avaient fait la réputation des Ruest.

— Euh...

Clémence essayait d'attirer son attention sans être vue des enfants en lui mimant de grands signes d'assentiment. Louis déglutit un peu trop vite et manqua s'étouffer. Il toussa avant de dire, d'un ton enroué.

— Eh bien, à vrai dire, je... moi, je mange de tout, alors...

— Arrête de me donner des coups de pied sous la table, dit le garçon à sa sœur.

— Ça suffit, les enfants. Tenez-vous bien, dit Hugues.

— J'ai une question, moi aussi, dit la fillette à leur hôte.

Elle attendit poliment un signe de sa part avant de la lui poser.

— Êtes-vous le même Louis qui vivait ici et qui était très sage et qui savait faire le meilleur pain de tout Paris?

Desdémone s'étouffa dans son bol de tisane. Les parents adoptèrent une posture rigide, mais n'intervinrent pas. Sans la toux de Desdémone, le silence eût été total, accablant. Car Louis n'arrivait pas à répondre. Il regarda autour de lui; rien n'avait changé. Il était persuadé que toutes les autres pièces de la maison étaient restées les mêmes. Ses souvenirs de petit garçon se mirent à longer les murs. Le regard fixe, il posa son quignon de pain près de son plat et se redressa quelque peu. Sa voix intérieure, celle de l'homme qu'il était devenu, fit peur au petit garçon qu'il avait été et le fit disparaître: «Ta place n'est plus ici. Ne touche à rien et repars bien vite.» Oui, il était temps de partir d'ici. De laisser à d'autres ces lieux qu'ils pouvaient voir d'un œil neuf.

La fillette semblait fascinée par le trouble qu'elle avait causé en lui. Elle attendait, avide, prête à boire chacun de ses mots. Desdémone aussi. Hugues et Clémence se concentraient sur un essuyage pointilleux de leurs écuelles avec leur morceau de pain. Louis dit:

— Non. Ce n'est pas moi. L'autre est mort il y a longtemps...

Il remarqua qu'Hugues lui jetait des coups d'œil anxieux pendant qu'il essayait de trouver une cause plausible à ce décès.

— ... de la peste, précisa Louis.

Les trois adultes parurent soulagés et exhalèrent un soupir. La fillette se remit à agacer les jambes de son frère avec le bout de son pied, en disant:

— Tu vois, je te l'avais bien dit que le papy ne nous avait pas menti.

Une fois les enfants couchés – au moins une heure plus tôt que d'habitude, ce qu'ils furent loin d'apprécier – Clémence s'absenta un court moment pour aller au fournil pendant que les deux hommes s'attardaient à table en compagnie de Desdémone pour bavarder. À son retour, les sujets de conversation étaient épuisés et Louis manifestait tous les signes d'un départ imminent. Sans dire un mot, sa sœur par alliance lui remit un petit paquet soigneusement enveloppé dans une retaille de tissu. Intrigué, Louis le posa sur la table et le déballa. C'était une terrine. Elle contenait des ferments de levain. Le géant, les deux coudes appuyés sur la table et la terrine inclinée vers lui, resta figé. Hugues et Desdémone ne le quittèrent pas des yeux. Clémence lui dit doucement :

— Père et les Pénitents... quand ils t'ont emmené... je suis restée derrière et j'ai pu retrouver le pot. Au campement, dans la tente de Père. C'est la même souche, Louis.

Le bourreau ne bougea toujours pas. Il ne dit rien. Mais il renifla et ses yeux s'emplirent de larmes.

Le lendemain à l'aube, dans la cour, avant que l'équipage ne se mette en route pour Caen, Tonnerre trépigna de joie au contact rassurant de la grande main sur son museau.

Chapitre II

Vitis vinifera

(La vigne)

Quelque part en Normandie, fin octobre 1358

Pas très loin du château de Ganne, en Normandie, l'enfant avait découvert un horizon bordé de collines assez tourmentées qui donnaient envie d'aller voir ce qu'il pouvait bien y avoir de l'autre côté. Les landes et les bruyères ne pouvaient assurément être les mêmes que là où ils se trouvaient.

— Le paysage change. Vois comme est grand cet arbre venu du fond des âges, disait la voix aimée de Lionel dans une forêt comme l'enfant n'en avait jamais vu. On dirait qu'il touche le firmament.

Et la petite fille levait bien haut les yeux et constatait que, effectivement, la ramure du géant moussu s'était prise dans un petit nuage qui ne savait plus quoi faire. La mousse très verte qui tapissait le tronc et les racines à fleur de terre était fraîche au toucher. Elle était aussi douce qu'un tricot délicat. Peut-être avaient-ils atteint la mystérieuse forêt de Brocéliande*.

Jehanne opinait à ce que lui disait la voix aimée, même si en fait elle ne s'apercevait pas tout à fait du changement. Elle n'allait le voir que des années plus tard, en se remémorant ce voyage. Pour le moment, sa mémoire s'ouvrait comme un rideau discret devant une scène aux planches neuves et vernies de frais. Peu à peu, chacun de ces mots nouveaux, de ces noms d'endroits et de ces précieux fragments de paysages allaient revenir s'inscrire dans son herbier.

La brise nostalgique charriant une odeur particulière de pluie et de terre avait le don de toujours ramener aussi fidèlement Lionel à un certain jour d'été d'il y avait plus de trente ans; il pouvait sentir à nouveau la tiédeur de la dalle en pierre sous ses orteils nus et il pouvait revoir avec la même acuité le dessous translucide des feuilles du lilas qui, tel un ciel-de-lit*, s'amusait à jouer au vitrail avec le soleil.

Lionel s'assit sur un rocher et posa près de lui la besace et le bourdon qui étaient ses insignes de pèlerin. Ces objets avaient été bénis à sa paroisse natale de Saint-André-des-Arcs, à Paris, le matin même de son départ. Jehanne, quant à elle, était en charge de leur gourde d'eau. Pour plus de sécurité, au premier lieu de pèlerinage qu'ils avaient atteint, le moine s'était procuré une enseigne de pèlerin. Ainsi, il pouvait profiter de tous les avantages reliés à son état. Il était exempt d'impôt et de droit de passage. Les biens qui étaient sous sa responsabilité avaient été mis, disait-on, sous tutelle épiscopale en attendant son retour. On parlait d'une boulangerie, même si cela ne tenait pas debout. Il y avait cependant quelque chose qui clochait dans cette rumeur : nul n'avait jamais entendu dire que le père Lionel s'était occupé de gérer les biens d'autrui. Lui-même n'avait été vu à proximité d'aucune boutique et l'abbé Antoine faisait celui qui n'avait entendu parler de rien.

Les deux pèlerins voyageaient léger. Il n'était nul besoin de se charger d'une tente et de couvertures puisque les relais ou les hospices émaillaient leur route et que, là où il n'y en avait pas, le dessous d'un pont pouvait très bien faire l'affaire. Mais, l'automne venant, seuls les plus démunis partageaient ces abris précaires avec la bise. En général et même par beau temps, Lionel et Jehanne dormaient peu à la belle étoile. Dans la mesure du possible, le moine se munissait d'une carte identifiant les points d'eau potable de la région qu'ils parcouraient. Il s'était aussi fait délivrer un sauf-conduit par une autorité ecclésiastique; il eût aussi pu faire la demande de ce document auprès d'une autorité civile. Car il était des seigneurs sur les terres desquels un pèlerin pouvait passer sans reparaître à l'autre bout, victimes de voleurs ou de canailles engagées par les féodaux pour prévenir les intrusions; trop nombreux étaient les vagabonds ou les bandits qui adoptaient volontiers l'humble vêture du pèlerin pour aller commettre leurs forfaits en toute impunité.

Le relais où ils s'étaient arrêtés pour se restaurer et se réchauffer un peu était plein de monde. La plupart des clients étaient des hommes. C'étaient tous des manants, probablement des forestiers. On reconnaissait encore chez certains des caractéristiques de leurs aïeux vikings.

La femme de l'aubergiste leur servit à chacun une écuelle de potage bien chaud et du vin qui avait été coupé d'eau à la demande du moine. Jehanne avait commencé à se familiariser avec le goût du vin : parfois, l'eau seule n'était pas bonne à boire.

Tandis qu'ils trempaient un peu de pain dense et sec dans leur bouillon pour le ramollir, la matrone fit remarquer, au grand échalas qui semblait être le tuteur de la petite dont les cheveux, étrangement, étaient taillés à l'écuelle comme ceux d'un garçon :

— Cette enfant est bien jeunette pour prendre la route comme ça, et juste avant les neiges, je vous demande un peu !

Avant que Lionel ait eu le temps de songer à une réponse, Jehanne dit :

— Moi, j'aime bien voyager. Il y a des arbres qui attrapent des nuages, et les gens, ils sont gentils.

La femme et quelques clients eurent pour elle un rire attendri. La matrone répondit :

— Voilà qui fait du bien à entendre, même pour ceux qui ne le sont pas, gentils !

À une table voisine, un rustaud barbu leur jeta un regard de côté. Lui, il ne semblait pas disposé à rire.

Lionel avait grande hâte d'arriver à destination ; il s'agissait d'un hameau fantôme nommé Aspremont[2] qu'ils devaient atteindre assez tôt le lendemain si le temps s'y prêtait. Mais en même temps il appréhendait cet instant plus que tout au monde.

La première chose que Jehanne vit d'Aspremont ne fut pas le village, mais le ruisseau. L'agglomération elle-même était un hameau étriqué perché sur le flanc du coteau en haut duquel ils se trouvaient et dont les masures étaient désertées. C'était un clair avant-midi comme seul savait en concocter un automne guidé par son expérience d'artiste vieillissant. Sous un ciel parfaitement bleu que décoraient deux ou trois petits nuages folichons mais assez prudents pour éviter la cime des arbres, le minuscule cours d'eau ressemblait à un ruban de verre agrémenté d'une infinité de cailloux longuement polis. Chacun d'eux constituait une trouvaille en soi. Lionel s'installa au pied d'un saule qui s'inclinait avec révérence au-dessus de l'ombre qu'il produisait lui-même. Tandis qu'il lisait quelques pages d'un précieux livre qui lui avait été offert par son ami Nicolas Flamel[3], l'enfant batifolait dans l'eau tiédie par le soleil omniprésent. Rien ne pressait, après tout.

— Père Lionel ! entendit-il appeler après un moment.

Il leva les yeux. Jehanne s'en venait vers lui, tenant précautionneusement ses mains en coupe à hauteur de la poitrine.

Un filet d'eau claire en coulait sans qu'elle s'en rende compte et mouillait sa jupe.

— Tenez. Goûtez comme c'est bon, dit-elle en lui présentant ses mains.

Lionel dut refermer précipitamment son livre avant qu'il ne fût éclaboussé. Il rit tout bas :

— Tes vêtements y ont goûté bien plus que je ne le pourrai, à ce que je vois.

— Oh...

Jehanne se pencha, toujours sans ouvrir les mains, pour regarder la longue traînée humide qu'elle avait sur le devant de sa robe. Elle constata le peu d'eau qui lui restait encore dans les mains. Au lieu de la boire elle-même, elle la versa avec tendresse sur une feuille morte de couleur rouille.

— Ainsi, elle va repousser, dit-elle.

Elle se mit à caresser la feuille. C'était là une offrande instinctive, presque rituelle, qui illustrait avec une perfection absolue ce vers quoi devait mener ce voyage. Lionel dut replonger le nez dans son livre. Jehanne ne devait pas voir que l'eau destinée à la feuille avait, par l'effet de quelque magie de Brocéliande*, humecté les yeux du moine.

*

Arnaud d'Augignac avait cette propension à effleurer les toits du bout des ailes sans jamais se résoudre à s'y poser. Lorsqu'il était arrivé à son domaine d'Hiscoutine[4] six ans plus tôt, il n'y était pas demeuré plus d'un mois. Il s'était contenté d'y laisser trois de ses cinq serviteurs et quelques objets personnels dont il disposait encore – parmi lesquels la gente Dame, l'épée ayant appartenu à Garin de Beaumont – avant de disparaître dans la nature. Il n'y revenait qu'à l'occasion, et toujours lorsqu'il avait besoin de quelque chose, que ce fussent des victuailles, un peu d'argent ou des médicaments. Graduellement, ses absences se prolongèrent. Une fois, ses gens passèrent onze mois sans recevoir de ses nouvelles.

Ils étaient cinq à habiter au manoir, mais seulement trois d'entre eux étaient des serviteurs d'Arnaud. Il y avait Margot, la gouvernante, ainsi que son mari, un homme efflanqué, doux de tempérament, à la barbichette grisonnante. Il s'appelait Hubert et avait été jardinier. La troisième personne était leur dernière fille, Blandine. Rondelette et taquine, elle se plaisait n'importe où pourvu qu'il y eût une cuisine bien approvisionnée et quelqu'un à taquiner; elle était amoureuse de Thierry, le maître d'armes du seigneur d'Augignac, et refusait d'épouser un autre homme que lui. Cet amour était réciproque, mais, hélas, le devoir de Thierry l'appelait à accompagner son maître où qu'il allât. Il l'avait donc suivi dans ses escapades, de même que Toinot, l'un des autres hommes d'armes qui avaient fait partie de la petite troupe de ses jeunes années. Cependant, Toinot avait suivi son maître de bon gré. Cette nouvelle existence lui plaisait. De plus, c'était un célibataire endurci.

Les deux autres personnes qui logeaient au manoir étaient des étrangers qu'ils avaient tous été surpris de trouver là. L'un était un vieillard et l'autre, un garçon roux d'une dizaine d'années. Ils venaient d'Écosse.

— Pourquoi *Hiscoutine*? avait demandé Arnaud avec dédain.

Le vieillard, prénommé Aedan, lui avait répondu :

— Cette maison n'avait pas de nom, alors nous lui en avons donné un. C'est la coutume chez nous. Hiscoutine signifie *petite terre* en gaélique.

— En gaélique?

— Vous avez quelque chose contre le gaélique? avait demandé le robuste bonhomme en posant les deux mains sur ses hanches.

— Pas spécialement. Par contre, ce que j'aimerais bien savoir, c'est ce que des étrangers viennent foutir* chez moi.

— Cette maison n'avait ni nom ni habitants, alors nous, on y est venus.

— Qui êtes-vous?

— Aitken des Hautes-Terres*. Lui, c'est mon petit-fils. Il est tout ce qui me reste au monde.

Après presque dix ans passés en Normandie, le vieil Aedan Aitken s'obstinait à porter le kilt et le tartan aux couleurs de son clan: sur un fond de carreaux verts et noirs couraient de larges bandes blanches en alternance avec d'étroites lignes jaunes. Le parler d'Aedan conservait le ton chantant et rocailleux de son pays. Il avait perdu femme, fils, brus, fille et gendre en mer. Ses deux autres petits-fils avaient eux aussi sombré dans les flots. Le seul rescapé du naufrage, à part lui-même, avait été le petit Somhairle[5] qui était alors âgé d'un an. «Le premier et le dernier de la famille», avait dit le vieux en évoquant avec tristesse ces événements. Il regrettait que le Seigneur ne l'ait pas choisi, lui dont

---

5. *Aedan* est la forme gaélique d'Adam, et *Somhairle* est la forme gaélique de Samuel.

la vie s'achevait, plutôt que sa progéniture morte dans la fleur de l'âge. Ce n'était pas l'avis du petit Sam, qui ne conservait aucun souvenir de sa famille, ni de sa mère. Pour lui, ce vieillard était le centre de l'univers.

Arnaud avait été tenté d'évincer les intrus. Aedan lui en avait bien vite coupé l'envie en lui faisant remarquer :

— Sans nous, votre domaine serait aussi délabré que ce que vous avez vu là, en bas de la colline.

Force lui avait été d'admettre que c'étaient là des propos raisonnables. Car le fait était qu'Arnaud n'aimait pas ce qu'il voyait. Aspremont dominait des terres en friche sur lesquelles on discernait encore, de loin en loin, les vestiges affligeants de fermettes dévastées et cernées par de la jeune forêt. Un chemin bordé de peupliers gravissait l'élévation qui constituait les terres du domaine. Derrière leur rideau de branches fuselées, d'autres champs de dimensions plus réduites se déroulaient, eux aussi envahis d'herbages incultes. Plus loin, derrière l'habitation décrépite, bruissait un boisé où courait un ruisseau pressé de rejoindre la mer. Le manoir à colombages se tapissait près du sol comme une grosse belette méfiante. L'aile des serviteurs qui y était adjointe n'était qu'une cahute de torchis et de pierraille dont le toit de chaume souffrait de calvitie. Les murs grumeleux étaient percés de fenêtres aussi étroites que des archères et d'une porte où passaient indifféremment les deux Escots*, la volaille, une unique brebis, le bon vieux chien d'Aedan et une multitude de chats. Un peu en retrait de la maison se trouvaient une grange et une écurie qu'un muret symbolique protégeait davantage des rôdeurs à quatre pattes que des hommes. Plus loin, sur la colline, un vieux moulin à vent désaffecté craquait et gémissait comme une épave en deuil. Ces dix dernières années, la peste, les Anglais, les Français et les compagnies de routiers, qui étaient des pillards organisés, avaient à tour de rôle piétiné la petite collectivité que les calamités avaient déjà appauvrie. Le cas du hameau d'Aspremont n'était pas unique : partout à travers le royaume les campagnes se vidaient. Des villages entiers s'étaient dépeuplés et gisaient, abandonnés, dans leurs nids de labours hérissés d'arbrisseaux sauvages.

Margot et Blandine avaient apporté à la maison un peu de la chaleur hospitalière du Midi ainsi que la touche féminine qui lui avait jusque-là fait défaut. Cela avait débuté par un ménage en règle dans le corps de logis, les combles et l'appentis, pour se conclure par l'aile des serviteurs qui avait été récurée et calfatée tant et si bien qu'elle était redevenue habitable. Sur l'insistance de Margot, ils y avaient emménagé tous les cinq, car, avait dit la gouvernante, il était inconvenant pour des domestiques d'accaparer les quartiers du seigneur.

— Par les couilles desséchées d'un moine, nous ne sommes pas des domestiques, et le seigneur, ce fat, préfère les chemins pleins d'ornières à la chaleur de l'âtre, avait bougonné Aedan.

— Et moi, je veux que les chats puissent aller et venir comme avant, avait réclamé Sam.

Sous les combles, il avait trouvé moyen d'en cacher plusieurs qui, l'un après l'autre, en avaient été délogés à coups de balai par la grosse femme. Sam lui-même avait eu droit à sa part. Lorsque Margot l'avait pourchassé à travers la maison, le balai lui avait fait des auréoles poussiéreuses autour de la tête.

Après avoir soigneusement recouvert la toiture de l'aile avec du chaume neuf et aromatique, Hubert s'était occupé de la grange. À partir de ce moment, brebis et volailles n'avaient plus eu accès à la demeure. Margot avait pu balayer leurs crottes à l'extérieur. Sam avait été soulagé que l'instrument fût occupé autre part: sa tête n'en pouvait plus.

Le gamin était loin de se douter que, sous peu, son univers allait être considérablement modifié.

*

Ils arrivèrent au domaine alors que ses habitants s'étaient mis à pied d'œuvre pour s'assurer de quoi passer l'hiver. Les hommes étaient partis de bon matin braconner en forêt. Les femmes cueillaient fruits et noix sauvages dans le boisé non loin de la maison. Seul Sam était resté dans la cour pour fumer du poisson. Ce fut lui qui, le premier, vit le chariot cahoter péniblement dans l'allée bordée de peupliers. Il se pencha légèrement afin de mieux l'épier derrière son écran de fumée étouffante: deux cavaliers escortaient ce chariot qui était conduit par un petau* maussade. Quelqu'un était étendu dedans.

Sam détala en direction du boisé en appelant de toutes ses forces.

— Margot! Margot! Le seigneur est blessé!

Alors que Thierry et Toinot entraient dans la maison en transportant le jeune noble inconscient afin de l'étendre sur le lit de la chambre des maîtres, Margot, Blandine et Sam entraient à leur tour, hors d'haleine.

— Comment est-ce arrivé? demanda la gouvernante, horrifiée.

Arnaud était gravement blessé à la tête. Ses cheveux et la moitié de son visage étaient couverts de sang. Celui-ci avait séché en croûtes noirâtres. On eût dit qu'il avait reçu un coup de pic.

— Les routiers, dit simplement Toinot avant de sortir de la chambre.

— Je ne comprends pas. N'était-il pas des leurs? demanda Margot à Thierry qui était resté.

— Si. Mais il s'est montré trop arrogant avec l'un de leurs chefs. Je l'avais pourtant prévenu de se garder d'eux. Les routiers n'ont pas d'amis. Ils n'écoutent que leur convoitise.

Blandine apporta un bassin d'eau chaude et des linges. Margot entreprit d'examiner le blessé. Thierry se laissa tomber sur un banc et regarda sans un mot la gouvernante travailler. Blandine avait quitté la chambre, livide, une main sur la bouche.

Après un long moment que seule l'eau rougissante du bassin meubla de ses clapotis, la gouvernante se tourna vers Thierry et dit tristement :

— Le voilà au moins lavé de frais et sa tête est proprement pansée. Je crains de ne pouvoir faire mieux. Il a le crâne ouvert.

— Je sais. Il est perdu.

Arnaud n'avait réagi à aucune de ces manipulations. Il ne se réveilla plus. Au crépuscule, son âme profita du bruyant retour des chasseurs pour filer en douce. Une heure entière s'écoula avant que quelqu'un s'avise de retourner dans la chambre pour l'y découvrir sans vie.

Margot broda hâtivement le linceul à partir de l'un des meilleurs draps de la maison, malgré le fait que l'hiver de ce pays s'annonçait précoce, rigoureux, et qu'en conséquence ils allaient sans doute avoir grand besoin du peu de linge qu'ils possédaient. Les domestiques avaient étendu le corps rigide d'Arnaud sur la table.

La veillée funèbre débutait à peine lorsqu'on cogna à la porte.

— Laisse, j'y vais, dit Hubert avec méfiance.

Hormis Arnaud et ses deux acolytes, personne ne montait jamais au domaine. Il était donc d'autant plus inquiétant de recevoir une visite le jour même du trépas du jeune seigneur.

Un grand moine était planté sur le seuil, tenant la main d'une fillette.

Lionel s'était préparé à dire tout d'un trait à la personne qui allait ouvrir : «Bonjour-je-suis-le-père-Lionel-Le-Muet-de-l'abbaye-de-Saint-Germain-des-Prés. Je-suis-chargé-de-ramener-Jehanned'Augignac-ici-présente-à-son-père-légitime...» C'était faux, bien entendu, mais cela importait peu de toute façon : son petit discours lui resta pris dans la gorge lorsqu'il aperçut le corps sur la table.

— Doux Jésus, miséricorde, dit-il.

D'instinct, Hubert s'écarta un peu afin de permettre à l'ecclésiastique de mieux voir. Le mort reposait, les mains croisées sur son ventre. Un bandage blanc le coiffait comme un bonnet. La fillette regardait avec la même insistance le défunt depuis le seuil de la maison. Elle remarqua également la présence d'un garçon roux parmi les gens en deuil. Lui aussi l'avait vue. Ils se dévisagèrent en silence.

Brusquement, Aedan se leva et s'avança en direction du moine qui semblait intimider Hubert. Il dit :

— Comme vous dites, mon père. Vous l'avez flairé de loin.

— Plaît-il? Mais je...

— Maintenant que votre curiosité est satisfaite, on peut savoir qui vous êtes et ce que vous venez faire ici?

— Aedan! dit Margot, scandalisée.

— Non, laissez..., commença à dire Lionel.

Mais il fut interrompu par Hubert, qui dit sombrement :

— Holà! Hé! S'adresser comme ça à un homme d'Église...

— Veuillez m'excuser d'arriver comme ceci à l'improviste, en un pareil moment. Je ne savais pas. Est-ce que c'est...

— Arnaud d'Augignac. Attaqué par des routiers, compléta Aedan avec brusquerie.

Lionel abaissa un regard alerté sur Jehanne. L'enfant, pétrifiée, n'avait pas bougé. Les lèvres pincées, elle fixait gravement le mort.

— Entrez donc joindre vos prières aux nôtres, mon père, l'invita Margot, qui ne s'était aperçue de rien. Dieu sait s'il en a besoin, le pauvret.

Lionel s'avança et libéra la main de Jehanne. L'enfant ne le suivit pas. Le moine dit, d'une voix tremblante :

— Moi qui ai jusqu'à présent craint de haïr cet homme, me voici prêt à implorer son pardon.

— Que voulez-vous dire par là? demanda Toinot.

— J'ai quelque chose de très important à vous dire.

— Les enfants, allez donc faire un tour, dit Blandine. Ne vous éloignez pas trop, d'accord? Sam, tu prendras une esconse*.

Thierry se tenait en retrait, son visage rendu plâtreux par l'angoisse.

Le sentier qu'avait choisi Sam était mystérieux. La lueur

blafarde de la lanterne leur dévoilait çà et là d'antiques pavés qui semblaient avoir appartenu à un autre monde. Pendant les premières minutes, les deux enfants ne se dirent rien. Mais lorsqu'une vieille tour se profila, à peine visible parmi les grands arbres qui la cernaient de toutes parts, leur gêne mutuelle fut rompue.

— Oh, un bout de château, s'exclama la fillette d'une jolie voix flûtée qui mit tout de suite le feu aux joues de Sam.

Il expliqua :

— C'est ma tour à moi tout seul. Enfin, les autres ne s'y intéressent pas. Attends de voir ce qu'il y a dedans. Comment tu t'appelles?

— Jehanne d'Augignac. Mais j'aimerais mieux être Jehan.

— Moi, c'est Sam. D'Augignac? Alors, ça veut dire que le mort, c'est ton père?

— Je le suppose.

— Pourquoi tu ne pleures pas, alors?

— Parce que je ne le connais pas. Même si c'est dommage qu'il soit mort et que j'aurais bien aimé le connaître. Mon vrai père, celui que j'aime et qui me ferait pleurer s'il mourait, c'est le père Lionel.

— Ça ne se peut pas puisque les moines n'ont pas d'enfants. Mais moi non plus je ne pleure pas quand je pense à mes parents, parce que j'étais un bébé quand ils sont morts.

— Tu parles tout drôle. Ça fait joli.

— On y est. Tiens, prends la lanterne pendant que j'ouvre la porte. Pourquoi veux-tu être Jehan?

— Parce qu'avant, j'étais un garçon.

Du moins, tentait-elle encore de se persuader qu'elle en était un. Sur le point de pousser de tout son poids contre la porte, Sam se figea sur place et dévisagea la fillette. Il se prit à se demander si elle n'était pas du pays lointain d'où venaient les fables pour avoir pu se transformer en fille, pour avoir un moine comme père et pour posséder une voix aussi agréable à entendre qu'une cascatelle d'été. Et, en plus, elle avait l'air d'un ange. Le garçon était loin de se douter que pour elle il évoquait tout à fait les mêmes questions avec son accent, ses cheveux couleur de feu, sa tour... et ses chats.

Il y en avait partout : sur le sol parmi du foin épars, perchés sur des aspérités des murs, sur le rebord des archères ou sur un ancien chemin de ronde qui les dominait à mi-hauteur et auquel on pouvait accéder par une échelle de corde que Sam s'était fabriquée. Là-haut, un gros chat tigré s'était lové sur la poche dégonflée d'une cornemuse. Ces animaux étaient les descendants d'une demi-douzaine de chats qui avaient été amenés au domaine en 1349 pour protéger les habitants de la peste.

La tour en ruine avait sans doute été bâtie trois siècles plus tôt, probablement par les hommes du Conquérant[6]. S'il y avait eu jadis autour d'elle de quelconques fortifications de défense, elles avaient dû être en bois, car il n'en subsistait plus aucun vestige. On ne pouvait distinguer nulle trace d'un travail de terrassement. Le site semblait avoir été érigé en hâte ou par des gens inexpérimentés, ce qui lui donnait un aspect curieux et atypique. Il ne restait plus de la tour que le squelette de pierre, et son toit conique s'était effondré depuis longtemps. À l'intérieur, toute structure de bois en avait été arrachée au fil des années, soit pour servir à la construction ou pour alimenter le feu. La forêt l'avait peu à peu entourée et dépassée. Les cimes se tendaient la main par-dessus, perdant leurs feuilles dorées dans l'ouverture qu'elle leur offrait. C'était une aire de jeu des plus passionnantes.

Une chatte blanche avait mis ses petits au monde dans un coin abrité par une saillie qui avait dû servir de banc. Trois petites créatures duveteuses étaient alignées le long de son ventre et avaient enfoui leur minuscule nez carré sous sa fourrure. Elle reconnut Sam, qu'elle salua d'un clignement de ses yeux topaze, et accepta avec indulgence la compagnie des deux enfants ainsi que leurs jeux qui devenaient de plus en plus bruyants. Sam commença par jouer à la cornemuse les deux mélodies qu'il rendait le mieux, pendant que Jehanne l'écoutait, fascinée, en caressant le dos soyeux du gros matou tigré qu'elle avait pris sur ses genoux. Après quoi ils s'amusèrent à se laisser tomber dans le tas de foin depuis le chemin de ronde. Les chats semblaient être habitués à ce genre de jeu qui devait être l'un des préférés de Sam et ils avaient promptement dégagé l'aire d'atterrissage. Les enfants y jouèrent jusqu'à ce qu'ils fussent trop fatigués pour grimper à nouveau l'échelle. Étendus sur le dos côte à côte dans le foin répandu, ils admirèrent des étoiles curieuses qui passaient par-dessus l'ouverture circulaire de la tour afin de jeter un coup d'œil à l'intérieur.

— Quand je serai grand, je serai un ménestrel, dit Sam. J'irai jusqu'au bout du monde pour voir comment c'est. Viendras-tu avec moi?

— D'accord.

À partir de ce soir mémorable, Jehanne ne sentit plus l'envie de redevenir un garçon.

Lionel n'eût pu choisir de pire et de meilleur moment tout à la fois. C'était comme si tout avait été planifié par le Très-Haut. Maintenant que la raison de cacher Jehanne n'existait plus – il en était secrètement soulagé, car il n'eût su que faire si Arnaud avait refusé de reconnaître sa fille – il fit le récit de l'histoire de la petite héritière[7] aux habitants du domaine, telle qu'elle lui avait été confiée par l'abbé Antoine.

— Non, Thierry, reste ici, dit catégoriquement Margot à l'homme qui tentait de s'esquiver. Ceci te concerne aussi bien que nous.

Thierry n'aimait pas évoquer ce souvenir douloureux. Et de voir maintenant en face de lui cette enfant adorable, cette enfant qui n'eût pas existé s'il avait obéi à son maître, cela le troublait profondément.

En présence du défunt, Margot avait présenté au moine une certaine petite couverture tachée d'encre dont le rouge avait encore l'air frais.

— Je l'ai récupérée quand ils ont mis à l'enfançon trépassé un linceul plus convenable, dit-elle.

Ensuite, tous avaient pu voir la petite cicatrice en forme de larme que la fillette avait à la base du cou.

— Voilà le seul cadeau que son père lui aura jamais fait, dit Margot avec un ressentiment qui eût été une offense à la mémoire de n'importe quel autre mort qu'Arnaud.

Les habitants du domaine ne furent jamais informés à propos des dettes qu'Arnaud avait accumulées au fil des ans, ni du fait qu'elles avaient toutes été mystérieusement liquidées.

Le matin suivant les funérailles, Lionel prit Jehanne à part et l'emmena sans savoir pourquoi en direction du vieux moulin dont les pales dépenaillées tentaient en vain de prendre le vent en étant empêchées par quelque rouage défectueux à l'intérieur du bâtiment.

— Mon enfant, le moment est venu pour moi de reprendre la route. Je pars pour Compostelle.

— Je veux bien. Mais j'aimerais bien que Sam vienne avec nous. Il veut voyager. Je le sais, il me l'a dit. C'est un bien joli nom, Compostelle. Où est-ce?

— Très loin. Ce sera un très long voyage. Il me faut le faire seul, Jehanne. Je dois te quitter et je ne reviendrai pas.

Le regard limpide de la fillette s'ennuagea.

— Pourquoi? Vous êtes fâché contre moi? demanda-t-elle.

Lionel baissa la tête et ne répondit pas. «Non, je ne suis pas fâché, se dit-il, j'ai peur. Je crains les mots que je ne trouve pas et qui pourraient apaiser la souffrance provoquée par ceux que je viens de prononcer. J'ai peur du temps qui fera de toi une femme. Je crains la fatalité qui un jour te remettra à un autre homme, fût-il Dieu Lui-même.»

— Vous ne m'aimez plus, poursuivait Jehanne.

Lionel retint un sanglot.

— Je n'avais pas le droit de t'aimer.

— Emmenez-moi avec vous.

Désespérée, elle s'accrocha à lui et leva vers lui ses yeux gris baignés de larmes. Lionel dit tristement:

— Tu es chez toi, maintenant. Tu n'as plus besoin de moi. Ne me retiens pas, Jehanne, je t'en prie. Tu m'oublieras bien vite. Je ne suis qu'un moine.

Il se détourna en hâte et dit au vent qui faisait toujours crisser les pales du moulin:

— Et même de cela, je ne suis plus tout à fait sûr.

— Je n'existe pas sans vous, mon père, ni vous sans moi, dit derrière lui la voix blessée de Jehanne.

Il se retourna pour regarder une dernière fois cet ange qui avait été l'un des trop rares bonheurs de sa vie. Le vent rabattait devant les yeux suppliants de la fillette de longues mèches d'or brûlé. «Tristan et Iseult[8], se dit Lionel. Je lui ai trop lu d'histoires. Il est temps que je m'en aille.»

— Dieu te garde, ma fille.

*

Hiscoutine, décembre 1358

Il y a de ces lieux où la terre donne l'impression de n'appartenir à personne. Les dimensions de ces endroits et le fait qu'ils soient peuplés ou non n'entrent pas en ligne de compte. Cela se trouve dans l'air même qu'ils exhalent. Pour une raison ou une autre, ces lieux savent conserver une essence ou une individualité qui leur vient d'un lointain passé, d'une époque où l'humain savait se faire humble en divinisant les arbres géants.

C'était la raison pour laquelle le vieil Aedan avait choisi de s'établir à Hiscoutine. Il aimait la forêt qui cernait les champs au centre desquels se dressait la colline du domaine. Même l'hiver, il se plaisait à y folâtrer des heures durant, qu'il eût ou non une tâche à y accomplir. Margot l'avait un jour taquiné à ce sujet en lui faisant remarquer :

— Toi, tu es un homme du bois. Quand tu ne le travailles pas, tu te balades dedans.

C'était la stricte vérité. Aedan passait son temps à fabriquer des objets en bois, dont certains n'avaient qu'une utilité purement décorative. D'ailleurs, c'était là une occupation assez inattendue de la part de ce bonhomme très pragmatique.

— Ça passe le temps et il en ressort toujours quelque chose, même si parfois on ne sait pas quoi, disait-il en regardant pensivement la branche noueuse ou le bout de racine qu'il avait ramené de sa dernière expédition.

De longs copeaux frisés s'accrochaient parfois en catimini dans les vêtements et dans les cheveux de Jehanne, si bien que lorsqu'elle se glissait sous ses couvertures le soir venu, ils crissaient comme de petits insectes.

Comme prévu, la fillette s'était remise du départ de Lionel. Elle avait bien conservé une certaine pâleur que Margot attribuait davantage à l'inactivité hivernale qu'au chagrin. Afin de ne prendre aucun risque, elle lui servait toujours au repas une double ration de purée de marrons que Jehanne partageait en secret avec un Sam ravi.

Sans le fougueux petit Écossais, Jehanne se fut languie de retrouver les arbres fruitiers tordus ombrageant la cour murée de son enfance, où elle s'était tant amusée à chasser des papillons jaunes dans le vignoble qui s'étirait paresseusement sur les pentes douces du Pré-aux-Clercs.

Les céréales manquaient de façon chronique dans ce pays dont les pentes souffraient de pelade. Heureusement, il y avait une abondance de châtaignes à partir desquelles les domestiques fabriquaient une purée grossière et nourrissante qui, à elle seule, constituait un vrai repas. Ils en mangeaient tous quotidiennement. Personne ne se plaignait de son sort, pas même Aedan qui devait ménager sa mâchoire crénelée. Ils avaient passé une partie du mois de novembre à confectionner des chandelles à mèche de jonc avec toute la graisse qu'ils avaient pu conserver. Les hommes étaient vêtus de peau de daim et Jehanne possédait deux robes de futaine dont l'une, la moins usée, était destinée à n'être portée que le dimanche. Margot en avait soigneusement brodé l'ourlet afin d'en camoufler l'usure. L'un des copeaux d'Aedan s'y était clandestinement accroché et se dandinait gaiement au rythme des pas de la fillette qui quittait la pièce. Le vieillard le regarda faire tout en conversant avec Margot qui s'affairait près de l'âtre où flambaient des fagots.

Aedan avait entamé sa vie de grand-père paré d'une chevelure et d'une barbe aux longues moustaches celtiques tombantes qui s'étaient toujours refusées au vieillissement : leur couleur de paille lui rappelait les vastes champs de la ferme prospère où avait palpité son cœur de jeune homme. Ses yeux étaient encore plus rebelles au temps : avec leur vert émeraude, ils évoquaient la jeunesse d'un avril qui allait durer toujours. Sam avait les mêmes.

— Est-ce ma faute à moi si ma tignasse n'a pas blanchi? C'est comme ça. Avant, j'étais roux comme Sam.

— Il faut toujours que tu fasses tout autrement des autres, toi, dit Margot, taquine.

— Le gris est trop banal, ma belle. Il donne le vague à l'âme.

— Merci bien, dit-elle en levant les yeux vers l'une de ses propres mèches qui s'était échappée de sa coiffe.

— Oh, mais ne te méprends pas. Tes cheveux à toi ne sont pas du tout gris. Et je te défends bien de leur laisser prendre cet aspect terne. Poivre et sel, voilà ce qu'ils sont. L'assaisonnement de mes vieux jours.

— Fripon, va. Prends garde à tes paroles. Si Hubert ou les enfants t'entendaient!

Elle jeta un coup d'œil inquiet en direction de la porte. Mais Hubert était parti chasser depuis l'aube. Quant à Jehanne, elle n'avait heureusement rien entendu.

L'épaisse porte du manoir s'ouvrit sur un Sam hirsute, couvert de neige. Il retira son bonnet et prit le temps d'aplatir ses boucles rousses avant de s'avancer vers Jehanne. Les joues rougies par l'air vivifiant et par les jeux, il prit place à table en affichant le sourire insouciant qui arrivait toujours à désarmer la grosse Margot lorsqu'il avait commis quelque bourde. Il n'était pas particulièrement pressé ce jour-là de lui apprendre qu'il était presque parvenu à lancer une boule de neige dans la cheminée.

— Qu'est-ce que tu fais? demanda-t-il à Jehanne.

— J'apprends à faire du bouillon. Tu en veux?

— Demander à Sam s'il veut manger, c'est comme demander à un poisson s'il a envie d'une petite baignade, fit remarquer Aedan.

Sam dit :

— J'aime le bouillon, *seanair*[9]. Hé! Jehanne, j'ai construit des remparts de neige près de la tour! Tu viens jouer?

9.   Grand-père, en gaélique.

47

Du jeune avril, ses yeux à elle avaient opté pour les nacres de ses pluies ensoleillées.

— C'est vrai? Oh, Margot! Puis-je aller les voir?

— Après le raccommodage. Il faut profiter de la lumière. Non, mon enfant, ne discute pas. Sam, mon coquin, retourne l'attendre dehors. Tu laisses des flaques partout.

Le raccommodage souffrit considérablement de la distraction de la fillette cet après-midi-là, si bien que, en désespoir de cause, Margot finit par consentir à envoyer dehors une Jehanne engoncée dans des vêtements lourdauds.

Le preux chevalier Sam se plut tant à user de sa bravoure pour le bien de sa belle, enfermée dans la geôle de la tour, qu'elle fut secourue sept fois avant l'heure du souper.

Chapitre III

Le roi des mouches

Saint-Sauveur-le-Vicomte, hiver 1358-1359

Même de loin, même endommagée comme elle l'avait été par une occupation française datant de dix ans[10], la forteresse était encore impressionnante. La tour trapue du donjon était flanquée d'un élégant châtelet d'un côté et, un peu plus loin de l'autre côté, d'une abbaye bénédictine. La grande forêt domaniale qui enserrait ce joyau ne cédait sa place qu'à une aire marécageuse qui se trouvait assez loin de là.

Le chevaucheur avait rallié le château en passant par Coutances, une ville d'allégeance française, alors que la plupart des cités alentour étaient soit navarraises, soit anglaises. Un sauf-conduit signé de la main de Jacques Froissart, le secrétaire de Charles de Navarre, lui avait permis d'effectuer cette dernière étape du voyage sans danger.

Louis arrêta son cheval et ordonna à sa compagne de descendre.

Il donna une petite poussée à Desdémone dont les pieds avaient été bandés. Il lui avait permis d'effectuer la fin du périple à cheval avec lui, car elle souffrait trop et retardait son avancée. À contrecœur, elle se laissa glisser à terre et reprit sa marche pénible à ses côtés. Louis dit :

— Tu es ma servante, pas ma maîtresse. J'aurais dû te laisser à Caen.

Honteuse, Desdémone regarda à terre. Elle se prit à s'en vouloir de s'être appuyée contre lui pour se reposer un peu. Il avait pris cela pour une marque d'affection. C'en était une, bien entendu, mais elle avait voulu éviter qu'il en eût conscience.

— Je suis très lasse, dit-elle.

— Lorsque nous serons là-bas, je ne veux pas te voir traîner autour de moi, c'est compris? Même si nous devons dormir aux écuries.

— Oui, maître.

Louis se tut et regarda droit devant lui. Il doutait fort de passer plus d'une nuit à Saint-Sauveur. Que le roi de Navarre lui accorde audience l'inquiétait, d'autant plus qu'il n'avait rien demandé de tel. Une audience royale était un immense honneur que l'on dispensait au compte-gouttes à la roture et, à sa connaissance, jamais à un bourreau. Roi et exécuteur se trouvaient aux deux extrémités de l'échelle sociale. S'ils se voyaient, c'était toujours de loin, l'un du haut de son dais et l'autre depuis l'échafaud. L'un donnait des ordres et l'autre y obéissait. Mais l'un des deux seulement avait les mains tachées de sang; ce n'était pas celui qui tenait le sceptre.

À leur arrivée au château, on leur permit de se restaurer, de prendre un bain et de se changer. Après quoi l'homme en noir qui suscitait déjà des murmures, fut seul introduit dans une anti-chambre où attendaient quantité d'autres gens importants, tous vêtus de leurs plus beaux atours. Il se décoiffa poliment et recula dans un coin sans s'asseoir, la main serrée sous le pommeau d'étain de sa canne rouge soigneusement astiquée. Des gens chuchotaient entre eux en lui jetant de furtifs coups d'œil. Visiblement, il était le seul roturier présent dans cette salle et tous semblaient se demander qui il pouvait bien être exactement. Il entendit distinc-tement une femme critiquer son habillement démodé et ses bottes de feutre noir aux poulaines trop courtes. Tant pis. Il avait mis son meilleur habit sous son floternel* et il ne pouvait faire mieux. Peu à peu, l'antichambre se vida. Deux heures passèrent. Louis finit par se retrouver seul, à fixer des yeux une tapisserie aux intimidantes armes de la Navarre.

À la cour de Saint-Sauveur, en dépit d'une forte présence navarraise, on parlait le français de Normandie qui était la langue des maîtres de l'Angleterre. Engoncé dans une mante d'azur bordée d'hermine, le petit roi de Navarre[11] se cala davantage les reins contre les coussins de sa cathèdre*. Les audiences privées s'étaient succédé tout l'après-midi et il n'en avait rien rapporté. C'était toujours la même chose: les gens se confondaient en courbettes et en propos quémandeurs et n'offraient rien de valable en retour. Ses doigts fins et blancs pianotaient d'ennui sur l'accoudoir ouvragé de son siège quand soudain l'huissier frappa le sol de son long bâton décoré et annonça, d'une voix forte :

— Maître Baillehache !

Charles se redressa imperceptiblement sur son siège. Il avait failli oublier. Sa missive datait du début de l'automne, plus exactement du jour même où il avait appris la nouvelle. « Il en a mis, du temps », se dit-il en se promettant de réprimander son hôte pour sa négligence. On ne devait pas traiter aussi à la légère une lettre royale.

Les ventaux ouvragés de la porte s'ouvrirent sur un individu qui, avant d'entrer, jeta autour de lui un regard vaguement inquiet. Il se mit à avancer rapidement, sans autre hésitation. Il portait son chaperon dans une main et une canne rouge dont il ne se servait pas dans l'autre. Ses armes correspondaient à sa stature. Il tenait à la fois du guerrier et de l'ecclésiastique.

— Il va trop près, entendit-il dire par quelqu'un.

Les deux dignitaires qui flanquaient le trône improvisé s'apprêtèrent à le rejoindre pour, si besoin était, l'intercepter à mi-chemin entre la porte et le dais. Voyant cela, Louis s'arrêta et recula d'un pas avant de s'incliner brièvement.

— Sire.

Les deux gardiens reprirent prudemment leur place. Charles de Navarre sembla trouver cette maladresse très amusante. Il rit tout bas et inclina la tête de côté en disant :

— Ah, voici donc maître Baillehache, ce fameux bourrel* dont on nous a tant fait l'éloge.

Louis ne sut que répondre. Il jeta un regard de côté, se demandant qui avait bien pu parler de lui au monarque, et plus encore ce que l'on avait bien pu lui dire. Personne ne chuchotait plus. On attendait de lui qu'il dît quelque chose. Charles aussi attendait. Le bourreau n'avait aucune idée du protocole qui régissait ce genre de rencontre. Sans s'en rendre compte, il regardait fixement Charles de Navarre dans les yeux tout en cherchant quoi lui répondre. Soudain, il eut une inspiration. « Que n'y ai-je pensé plus tôt ! C'est ce qu'ils veulent entendre », songea-t-il.

— Je suis à votre service, sire.

— C'est effectivement ce que le gouverneur de Caen nous a rapporté, répondit Charles en imitant l'expression sévère du bourreau.

Cela fit ricaner quelques dignitaires. Louis tourna légèrement la tête pour leur jeter un coup d'œil. Leurs ricanements cessèrent aussitôt. Le roi frotta pensivement son menton fin avant de poursuivre :

— Il vous tient en très haute estime. C'est d'ailleurs lui qui nous a fait état, par personnes interposées, des loyaux services que vous avez rendus à la couronne.

Le Navarrais parlait comme si la France était déjà sienne. De toute évidence il s'en apercevait et s'amusait à observer la gêne de ses interlocuteurs. Seul Louis ne cillait pas.

— Je n'ai fait que mon métier, dit Louis.

— Voilà une humilité qui est tout à votre honneur.

Le roi pencha la tête de côté et plissa les paupières. «Voyons maintenant si elle est fausse comme celle de tous ces autres paons ambitieux dont on se plaît à m'encombrer», songea-t-il. Pourtant quelque chose en Louis lui avait déjà répondu à ce sujet: était-ce son austérité naturelle ou autre chose de plus subtil? Que pouvait-il bien y avoir de noble en ce roturier pour qu'il imposât le respect sans avoir à ouvrir la bouche? Il n'eût pu le dire. Quoi qu'il en fût, à l'étude, ce personnage devenait de plus en plus intéressant. Il dit encore:

— Son Excellence le gouverneur Friquet de Fricamp nous a dit que vous avez poussé votre loyauté jusqu'à accepter de mettre un parent à mort. Est-ce exact?

Les prunelles sombres du géant sondèrent celles, également presque noires, du jeune monarque. Charles s'en rendit compte et continua à lui sourire malgré une sévérité quelque peu apprêtée. Mais les yeux du bourreau ne lui fournirent aucune réponse. Toujours sans cesser de dévisager Charles, Louis répondit:

— Oui, sire.

— Mais encore?

— C'était un Jacques.

Les membres du conseil se remirent à chuchoter. Louis tourna la tête dans leur direction et ils se turent. Cela fit ricaner Charles, qui fit un signe de tête.

— Très efficace, votre petit truc. Vous devriez assister à toutes mes réunions. Cela m'éviterait nombre de désagréments.

D'un ton sentencieux, il s'adressa aux courtisans:

— Mes amis, les gens de guerre tuent n'importe qui, souvent sans discernement, et sont couverts de gloire. Les bourreaux, eux, ne tuent que des coupables. Pourtant, on les méprise. N'est-ce pas une aberration? Bien. Maître Baillehache, soyez mon invité et, par le fait même, celui de mon hôtesse, la noble dame d'Harcourt. Vraiment, vous m'intriguez.

— Merci, sire.

Il ne pouvait être question de refuser un tel honneur.

— Dites-moi, quel âge avez-vous?

— J'aurai vingt-six ans en mars.

— Nous sommes quasiment du même âge, mais, contrairement à moi, vous êtes vraiment trop bavard. Je n'ai jamais vu ça. On n'arrive plus à placer un mot. Allons souper.

Charles se leva sous une grêle de rires. L'entretien était clos. Louis recula, mais il s'immobilisa dès qu'il se rendit compte que le petit roi marchait tout droit vers lui. Il ne sut que faire. Il regarda à droite, puis à gauche, avant de baisser la tête pour le regarder. C'était très gênant, d'autant plus que Charles semblait s'être intentionnellement trop rapproché. Le roi leva la tête et mit les mains en cornet autour de sa bouche pour crier:

— Il doit y avoir une belle vue, de là-haut!

Tout le monde s'esclaffa. Louis, ébahi et clignant des yeux, libéra le passage à la demande du roi dont la main baguée lui fit dédaigneusement signe de s'éloigner. Il s'inclina sous les rires de toute l'assistance qui se rassembla en cortège pour quitter la salle.

Si les gentilshommes pouvaient s'avilir dans la fréquentation des courtisanes de Saint-Sauveur-le-Vicomte, l'une d'entre elles ne se laissait pas approcher par le premier venu. Isabeau d'Harcourt, née de Mareuil[12], était d'une élégance exquise. Son maintien altier, ses paroles posées et chacun de ses gestes, soigneusement orchestré pour qu'il ne choque pas l'œil, faisaient d'elle l'une des nobles dames les plus convoitées du pays. Car elle était veuve. Son défunt mari, le comte Jean V d'Harcourt, était le neveu de Godefroy le Boiteux à qui avait appartenu la forteresse. Le comte avait été tué trois ans plus tôt. Pourtant, la dame ne s'était pas remariée en dépit de ses nombreux prétendants, dont certains étaient fort en vue. Isabeau préférait de loin la liberté permise par son veuvage de noble qui lui donnait accès plus aisément à des flirts des plus lucratifs. Elle s'était aussi mise à apprécier davantage le fait de tenir bien en main les rênes de Saint-Sauveur, dont l'importance stratégique n'échappait à aucun politicien. Ceux qui ne connaissaient pas Isabeau se laissaient facilement prendre à la douceur veloutée de sa voix, à ses regards tendres et voilés et à ses mouvements qui ondulaient comme les vagues de la mer toute proche. Rares étaient ceux qui savaient ce qu'elle était vraiment. Elle ne le leur permettait pas. Peu de gens avaient pu entendre comme sa voix, aussi sensuelle qu'elle pouvait être, était capable de trancher comme une lame. Sous sa coiffe qui était presque un hennin*, ses cheveux sombres luisaient comme du bronze neuf.

53

Ses yeux avaient l'éclat de l'acier et avaient à eux seuls réussi à mettre de valeureux chevaliers à genoux. Isabeau d'Harcourt était une femme solide. Elle était aussi la maîtresse de Charles de Navarre. La reine étant absente[13], elle avait su en profiter.

La vaste cuisine eût fait l'envie de n'importe quel boulanger. Elle était munie d'une cheminée monumentale, qui était même dotée d'une niche pour garder la boîte à sel au sec. Son sol dallé était facile à nettoyer. On y avait prévu des barres à saucisses qui servaient à protéger les charcuteries des inévitables animaux de compagnie qu'on laissait errer n'importe où en toute liberté. Louis regarda les étagères chargées d'une abondante vaissellerie métallique. Sur d'autres s'alignaient sagement des pots en terre cuite remplis d'huile ou de graisse et des vases en grès pour le beurre. Cela lui rappela le somptueux garde-manger de l'abbaye. Dans un coin, un grand couteau était posé sur le billot à découper les viandes et les volailles. L'entretien du feu, allumé au briquet[14], était dévolu aux soins d'un garçon qui devait le surveiller toute la journée et qui ne devait cesser de tourner les broches à viande tout en se protégeant le visage, de sa main libre, à l'aide d'un pare-feu simplement constitué d'un disque en osier équipé d'un manche. Un ustensile semblable, tout en bois, était posé sur une table non loin de là. Le garçon était aussi chargé de remuer les appétissants jus de viande qui coulaient dans des lèchefrites où nageaient des rondelles d'oignons. Il en arrosait les viandes à intervalles réguliers. Des chaudrons fumaient, posés sur une sole de pierre, sur des trépieds ou pendus à la crémaillère. Dans un coin, un second gamin jetait une brassée d'écuelles en bois souillées dans un cuvier plein d'eau chaude. Un troisième enfant se dévouait à astiquer tous les pots de métal au sable jusqu'à ce qu'ils étincellent.

— Nous ne serons jamais prêts à temps, disait le gros chef cuisinier qui tournait en rond et fulminait tout en supervisant le travail de ses jeunes assistants.

Il paraissait être à la recherche de quelque chose qu'il ne trouvait pas. Sans doute des minutes supplémentaires...

— Bon, et où est passée ma pierre à aiguiser les couteaux?

— Par ici, dit un quatrième garçon qui entra dans la cuisine et bouscula presque le grand visiteur silencieux. Le cuisinier aperçut Louis et, les mains sur les hanches, demanda d'une voix de stentor:

— Qu'est-ce que vous foutissez* là, vous?

Son visage ruisselait. Ses assistants et lui-même n'avaient qu'un aperçu du grand tinel* à travers l'étroite fenêtre du passe-plat.

Presque tout le monde s'était déjà mis à table, et l'activité frénétique des cuisines était vouée à une multitude de petits préparatifs de dernière minute.

Louis demeurait pétrifié sur le seuil. Les cuisiniers avaient tous cessé de travailler pour le dévisager. Il s'éclaircit la gorge et dit :

— Je croyais que c'était ici que je devais manger.

— Quoi ? Mais c'est hors de question. Je ne veux pas de vous ici.

— Très bien. Donnez-moi de quoi manger et j'irai me trouver un coin quelque part.

Le chef n'eut pas le temps de répliquer. Quelqu'un manifesta sa présence derrière le bourreau avec un hum ! hum ! dédaigneux. C'était un majordome en livrée multicolore.

— Vous vous faites attendre, maître.

— Plaît-il ? demanda Louis, confus.

— Veuillez m'accompagner, je vous prie. Le banquet est sur le point de commencer.

Dans la grande salle, on avait disposé trois tables en fer à cheval. Celle du centre, qui reliait les deux branches du « U », était légèrement surélevée par une tribune. Il s'agissait de la table d'honneur. Des gens richement vêtus y avaient déjà pris place et bavardaient tout bas. Le petit roi de Navarre, exubérant et tenant à la main un gobelet, pérorait pour ses nobles voisins de table assis de chaque côté de lui. Il était apparemment enchanté des charmants sourires de sa voisine, une dame d'âge mûr qui avait l'air d'être leur hôtesse. Tout au bout de la table commune, une place encore inoccupée avait été marquée par un napperon brodé. C'était une tradition très ancienne, et tout le monde avait déjà deviné que Charles tenait ainsi à honorer tout particulièrement un étranger.

Louis ne comprenait plus rien. Que l'on envoyât un serviteur exprès pour le quérir était pour le moins inattendu. Il ne fut pourtant pas au bout de ses surprises. Le majordome le conduisit directement à la table d'honneur et lui désigna cette place décorée du napperon. Louis n'en croyait pas ses yeux : être invité à un banquet offert par un puissant était un honneur en soi. Mais prendre place à sa table et partager sa nappe témoignaient d'une intimité qui était inexistante. Plusieurs têtes se tournèrent dans la direction de l'homme en noir tandis qu'il s'approchait. On avait dû faire erreur. Louis resta planté là, incrédule, disciplinant à l'extrême son visage de pierre. Les gens qui étaient installés à proximité de la place vacante commencèrent à remuer nerveusement tandis que quelques murmures scandalisés s'élevaient dans l'air plus silencieux. Louis n'osa s'asseoir.

Isabeau interrompit brusquement les péroraisons du roi, qui faisait comme si de rien n'était:

— Est-ce une plaisanterie? demanda-t-elle entre ses dents très blanches que dévoilait un sourire contraint.

— Pas du tout, ma chère, répondit-il avec légèreté. Je l'ai invité.

Il leva bien haut son gobelet de vin et annonça distinctement pour que tous pussent l'entendre:

— Ah, Baillehache, mon ami. Mettez-vous à l'aise, allez. N'attendez pas de prendre racine.

Louis s'inclina et s'approcha à contrecœur. Il regarda à peine autour de lui en prenant place silencieusement et en hâte, dans une tentative vaine de se faire oublier le plus vite possible. Le roi se rassit, un sourire malicieux toujours dessiné sur les lèvres. Le bourreau baissa les yeux. Il porta des doigts rudes aux franges de l'aristocratique nappe bordée par un liséré bleu. Elle était faite d'un tissu damassé importé d'Orient. Isabeau d'Harcourt le salua vaguement et se pencha, pour chuchoter à l'oreille de Charles:

— Mais c'est un bourrel*.

— Précisément. C'est l'exécuteur de Caen. Un homme remarquable.

Charles se régalait. Une vague de répulsion s'étira du milieu de la table d'honneur jusqu'au bout de la salle.

Les habits noirs de l'exécuteur défiaient, par leur terrifiante sobriété et ce qu'elle représentait, tous ces gens endimanchés dans leurs tenues extravagantes, serrées et courtes, souvent mi-parties de deux couleurs très voyantes. Les gens portaient des poulaines dont le bout recourbé à outrance leur donnait quelque chose du scorpion. Beaucoup portaient leurs cheveux longs en queue et avaient laissé pousser leur barbe. Les têtes des femmes s'ornaient de coiffures encombrantes, chargées de rubans. Leurs manières amidonnées n'arrivaient pas à faire oublier leurs regards matois ou éteints, ni leurs corps flasques sous leurs atours étincelants. Tout cela contrastait avec l'économie et la souplesse des mouvements de Louis qui communiquaient une discrétion toute féline, élégante, racée quoique peu rassurante, à son incontestable force physique. Il tenait du tigre, non pas du charognard.

Le seul voisin de Louis était un évêque grisonnant vêtu de vert, assis à sa gauche. Son teint cireux lui donnait l'allure d'un poireau fraîchement cueilli pour le banquet. En bon chrétien, il lui fit un signe de tête poli.

Un certain calme s'instaura pendant que les derniers retardataires achevaient de prendre place. Certains jetaient occasionnellement un coup d'œil en direction de la table d'honneur, comme s'ils s'attendaient d'un instant à l'autre à voir Louis se mettre à dévorer un cuissot de l'évêque. Ce dernier dit soudain :

— Vous inspirez la crainte, mon fils. Triste nécessité de l'autorité séculière.

Louis le regarda sans répondre : deux trios de serviteurs avaient commencé à circuler, s'arrêtant auprès de chaque convive. Le premier de chaque équipe tenait un aquamanile en terre cuite rempli d'eau parfumée, dans laquelle flottaient de jolis pétales colorés, qu'il versait sur les mains qu'on lui présentait. Le second serviteur de chaque trio tenait au-dessous un bassin qui recueillait l'eau, et le troisième tendait une serviette au dîneur pour lui permettre de s'essuyer. Les équipes partirent du centre, en commençant par le roi, et se rendirent d'abord chacune à une extrémité des tables. Le repas allait bientôt commencer.

— Votre canne. Reprenez-la, je vous prie, dit sévèrement l'ecclésiastique qui regardait fixement Louis de ses yeux exorbités.

La canne rouge du bourreau s'était accidentellement appuyée contre la cuisse de l'évêque. Louis la reprit et se baissa pour la glisser sous le banc.

— Faites excuse, dit-il.

Les serviteurs arrivèrent à temps pour distraire l'homme d'Église. Il lava ses mains tremblantes sous le regard indifférent du bourreau qui attendait son tour. On avait recommandé aux serviteurs de terminer le cérémoniel du lavage des mains avec lui, sinon personne n'aurait plus voulu toucher à la serviette désormais passablement humide. L'évêque eut le temps de remarquer que les mains calleuses du bourreau étaient propres et que ses ongles étaient mieux curés que ceux de bien des nobles présents. Il dit :

— Mon fils, je constate que vous prenez grand soin de votre personne. J'ose espérer qu'il en va de même de votre âme ?

— J'assiste à l'office chaque jour.

— Voilà qui est bien. Mais ce n'est pas tout. Vous me semblez un homme soucieux. Faites-vous suffisamment confiance au Tout-Puissant pour Lui confier tous vos tourments ?

Cette question semblait être le cheval de bataille de l'évêque, car quelques convives retinrent leur envie de rire. Ils avaient hâte de savoir comment le bourreau taciturne allait se dépêtrer. Les sermons étaient rarement les bienvenus lorsqu'on avait le cœur à faire ripaille.

« Tu ne tueras point », avait dit le Très-Haut au peuple de

Moïse. Mais Il ne lui avait jamais rien dit, à lui qui avait tué davantage que quiconque. Des scellés invisibles avaient été apposés sur les portes de l'abbaye où il avait été incapable de retrouver le sentiment de sécurité de ses jeunes années. Peut-être était-il trop peu important pour que Dieu s'en souciât.

Tout cela était trop compliqué à dire à l'évêque. Il répondit donc:

— Oui.

— On doit dire: Oui, monseigneur.

— Pardon.

— Il n'y a pas d'offense.

Louis préférait ce titre à celui de *mon père*. L'autre voisin de l'évêque, un vieillard barbu à face blette, s'immisça brusquement dans la conversation et demanda, avec mépris:

— Permettez. Monseigneur, comment pouvez-vous accepter de vous adresser à ce sinistre individu?

— Charité chrétienne oblige, répondit Louis à la place de l'évêque.

Ce dernier eut un petit rire et dit:

— Voilà qui n'est pas bête, mais j'estime que ma présence ici ce soir n'a rien de fortuit. Je suis à votre disposition si vous avez besoin de vous confesser.

— Merci, monseigneur.

— *Artem mortiferam et deo odibilem.* Un art mortel et haï de Dieu[15]. Pour pratiquer un travail aussi ingrat que le vôtre, un homme a grand besoin du secours de la foi.

— On s'y fait.

L'exécuteur ne satisfit pas la curiosité macabre de l'évêque et de ses deux voisins qui attendaient avec une insistance un peu trop manifeste. Il se contenta de garder le silence et d'examiner la petite cuiller d'argent posée devant lui. Il se demanda ce qu'elle faisait là. En regardant autour de lui, il put constater que chacun des convives en avait une. Peut-être allait-il pouvoir emporter la sienne après usage, puisqu'on n'allait sûrement pas se permettre de détruire un objet aussi luxueux. Il examina avec minutie un dressoir qui avait été installé bien en évidence contre le mur de la salle, devant l'aire laissée ouverte par les tables. Ce meuble de noble, destiné à la seule mise en valeur ostentatoire d'une vaisselle précieuse, était composé d'une partie basse qui fermait à clef pour servir de buffet. Quant à la partie haute, elle était constituée de quatre étagères en forme d'estrade. Ce beau meuble était recouvert d'un textile raffiné. L'étagère du haut était occupée par des objets assez excentriques qui ne devaient sans doute pas intervenir au cours du repas; ils n'étaient pas destinés à un usage culinaire, mais on les avait disposés sur le dressoir afin de rehausser le prestige de l'hôtesse. On pouvait y admirer à loisir, entre autres merveilles, des flacons du Beauvaisis glaçurés* de bleu, ornés de décors rapportés et estampés.

L'évêque soupira: la compagnie taciturne de Louis était non seulement importune, elle s'avérait aussi décevante.

Des serviteurs entrèrent dans la salle en procession, portant plats et vaisselle avec une solennité presque liturgique. Ce qui n'allait pas servir immédiatement était posé sur le dressoir afin de ne pas encombrer inutilement une table qu'on s'évertuait à maintenir passablement dépouillée. Hormis le couteau, objet très personnel que chacun avait généralement sur soi, bien peu d'ustensiles étaient individuels. Gobelets et tranchoirs étaient partagés par deux convives. Sur le dressoir étaient aussi posées des serviettes de table individuelles qui devaient être présentées à quiconque en réclamait. Celles que les serviteurs portaient à l'épaule étaient uniquement réservées au service.

Un échanson s'approcha pour verser dans de délicats verres à tige du *moretum*, un vin léger à base de mûres. Louis reçut le sien propre, ainsi qu'un tranchoir: on avait correctement présumé que personne n'allait accepter de manger avec lui. Il n'y vit d'ailleurs aucune raison de s'objecter.

L'évêque scruta ses voisins immédiats dans l'espoir d'avoir à remettre un gourmand à l'ordre. Mais les convives le connaissaient et s'abstinrent de toucher au breuvage avant le bénédicité. Il fut déçu de voir que Louis n'y touchait pas non plus et qu'il avait pieusement baissé la tête. Après un signe de croix et une prière ânonnée que personne n'entendit, l'ecclésiastique tendit sa main potelée vers le gobelet qu'il partageait avec son autre voisin, un seigneur normand.

Un serviteur posa devant le roi une pâtisserie dont il découpa un morceau pour l'offrir au crédencier, qui y goûta devant lui. D'autres tartes identiques furent immédiatement apportées et coupées en parts égales. Louis constata qu'il s'agissait de tartes cuites au four dont la pâte brisée et blanchie dévoilait une appétissante mixture composée de raisins et d'abricots secs gonflés à l'eau, mélangés à du lait, des œufs et de la crème; le tout était piqueté de muscade et de cannelle. Les abricots étant froids et humides, ils devaient être dégustés en début de repas et être bien arrosés afin d'être convenablement assimilés par l'organisme. La tarte fut accompagnée d'une omelette frite faite de jaunes d'œufs et de cristaux de sucre fondu dans la poêle avec un peu de jus de citron.

Pendant ce temps, Charles de Navarre s'était vu contraint de délaisser ses hôtes pour s'entretenir à voix basse avec la belle Isabeau.

— Mais qu'est-ce qui vous a pris, Charles, d'inviter ici ce gros corbeau? Le bourrel* de Caen. C'est bien celui qui se trouvait à Rouen avec la suite de Friquet de Fricamp, n'est-ce pas?

— Si, c'est le même, dit le Navarrais d'une voix ennuyée.

Il tournait son gobelet dans sa main. Isabeau se pencha davantage. Sa gorge sèche faisait siffler ses chuchotements nerveux.

— Seigneur Dieu! Vous rendez-vous compte que c'est lui qui a exécuté mon pauvre Jean?

— Je sais cela, m'amie.

— On dit qu'il est Beelzeboul* incarné, qu'il n'y a au monde aucun être aussi dénué de sentiments humains, et vous m'obligez à recevoir ce monstre chez moi?

— Ce ne sont là que des fables, vous le savez bien.

— Des fables! Et mon mari, qu'en faites-vous?

— Calmez-vous, ma chère. On nous observe.

En effet, si l'objectif de la dame avait été de capter l'attention d'un auditoire déjà très réceptif au potinage, elle était arrivée à ses fins: plusieurs têtes avaient délaissé les mondanités pour se tourner vers elle et le roi. Ce dernier murmura:

— Le moment n'est guère propice à une telle discussion.

— En tant que veuve de Jean d'Harcourt et hôtesse de ce festin, j'estime que c'est à moi d'en juger.

Charles soupira.

— Très bien, alors. Sachez que j'ai de plein gré provoqué cette extrême proximité des convives avec lui. Mon désir est qu'il puise aux mêmes plats que nous et que nous entretenions avec lui un minimum de sociabilité.

— Mais...

— Écoutez. J'ai mes propres raisons d'agir ainsi, m'amie. Ne m'en tenez pas rigueur. Je vous prierais seulement de bien vouloir vous conformer à ma requête.

Isabeau d'Harcourt se tut subitement, mais ce ne fut ni à cause des visages qui s'étaient penchés au-dessus de la table pour tenter de saisir ses propos ni à cause des paroles impératives de Charles. Louis s'était lui aussi penché et il la regardait droit dans les yeux.

Sa gorge se serra et un frisson lui descendit le long du dos. Charles dit :

— Il nous a fait le coup tout à l'heure en salle du conseil. L'effet qu'il arrive à produire d'un simple regard est stupéfiant. Il faudra que je me souvienne de lui demander comment il fait.

— Surtout pas. Oh, Charles, il est abominable.

Louis se détourna. Penché au-dessus de son plat, il se fourra goulûment un gros morceau d'omelette dans la bouche. Mais, curieusement, il fit cela non sans quelque élégance, entre deux doigts en pince. Il ne paraissait pas remarquer que tout le monde autour de lui mangeait du bout des lèvres, de façon excessivement posée.

— Oh, quel rustre, fit Isabeau.

Charles rit.

— Il a, ma foi, un fort bel appétit.

— Dites plutôt que c'est un vrai glouton.

Le roi remarqua que le voisin de Louis était lui aussi quelque peu incommodé par les manières du géant. De la garniture à tarte commençait à lui dégouliner aux commissures des lèvres. Il se pourlécha bruyamment. Distrait, il mordit à nouveau dans sa pâtisserie. Un raisin sec, tout plissé, se colla à sa lèvre supérieure. Il le recueillit avec sa paume à l'instant où il tombait et se l'envoya dans la bouche d'une chiquenaude. L'évêque le regardait faire avec dégoût.

— Vous aimez? demanda-t-il au bourreau avec une pointe de sarcasme.

— Oui.

Louis raffolait des fruits et il n'avait pas souvent l'occasion de manger des choses sucrées, si ce n'était au miel. Tous ces plats étaient pour lui de véritables friandises. Il les termina bien avant tout le monde et, vaguement coupable de son manque de retenue, il se reprit en sirotant du bout des lèvres son vin de mûres. Quiconque était surpris à le dévisager détournait les yeux dès que Louis le remarquait. C'était gênant. Son malaise persistait malgré l'excellence de la nourriture.

— Vous ennuyez-vous, maître? demanda l'évêque.

— Non, monseigneur.

À un banquet, il était de mise d'entretenir avec ses voisins au moins une conversation polie. Si rire bruyamment était très mal perçu, ne pas rire du tout était pire. Il fallait à tout prix éviter les sujets politiques et ne pas se gratter.

— Vous n'êtes pas très causant.

— Je n'ai rien à dire, répondit Louis.

Un jongleur précéda l'arrivée du second service. Les petits flambeaux qu'il lançait en l'air retombaient en semant des étincelles. Son numéro dura plusieurs minutes et prit fin face au roi devant qui il s'inclina. Une nouvelle procession de serviteurs s'avança avec de beaux arrangements d'œufs heaumés*, des cailles qui avaient d'abord été pourbouillies* dans du lait épicé pour être ensuite enveloppées dans deux feuilles de laurier et cuites au four, ainsi que du lait lardé découpé en tranches épaisses. Une délicieuse odeur de cannelle, de cardamome, de girofle et de galanga flottait au-dessus des petits volatiles amoncelés en pyramide. Louis connaissait bien le lait lardé : il s'en faisait parfois, lorsqu'il pouvait en acquérir tous les ingrédients : il s'agissait de lait que l'on faisait bouillir avec de petits morceaux de lard. Une fois ce mélange refroidi, on y ajoutait des jaunes d'œufs et on poursuivait la cuisson au bain-marie. Il fallait ensuite égoutter le tout à travers un linge afin que le mélange devînt suffisamment ferme pour pouvoir être tranché et frit. Celui que Louis dégustait ce soir-là était de loin meilleur que celui qu'il se préparait, puisqu'il était sucré et saupoudré de clou de girofle moulu.

— Est-ce que vous mangez tout ? demanda l'évêque, exaspéré, en entendant quelque chose craquer sous les dents de Louis.

Le bourreau se contenta de le regarder en silence comme s'il n'avait pas compris, tout en mastiquant ce qui avait tout l'air d'être des os de caille. L'évêque eut sa réponse peu après lorsqu'il vit l'homme en noir tourner la tête pour cracher par terre un morceau de cartilage qu'un chien vint renifler. Louis répondit :

— Quand c'est petit, je l'avale. Ça passe tout droit.

— Miséricorde, Baillehache, épargnez-moi les détails.

Louis haussa les épaules avec indifférence. En ratissant la terre des latrines, il avait lui-même constaté la présence de vertèbres de harengs, ou encore de ces petits os que l'on trouvait dans les pieds des porcs et des moutons, mastiqués, digérés, mais entiers.

— C'est vous qui m'avez posé la question, fit-il remarquer.

Il était affamé et fut satisfait de ne plus avoir à faire les frais d'une conversation que l'évêque, à partir de là, se montra peu enclin à poursuivre. Les autres convives semblaient s'être tous entendus pour faire comme si le bourreau n'existait pas, certains parvenant à camoufler leur embarras mieux que d'autres.

De son côté, Isabeau d'Harcourt s'était calmée. Elle paraissait songeuse. Charles de Navarre discutait avec animation, les yeux tournés vers ses autres voisins, et il ne s'interrompit pas à l'arrivée du second entremets que l'on apporta sur un brancard. C'était une pièce montée qui représentait le lion d'Angleterre, sa patte posée en vainqueur sur un lys doré. À cheval sur le dos du lion était un enfant couronné qui jouait le rôle du roi Charles. Les convives saluèrent bruyamment l'apparition de cette allégorie. Le faux roi descendit de la pièce montée pour aller cueillir le lys doré qu'il enfourna dans la gueule du lion. Après quoi il alla soulever et abaisser sa queue comme le levier d'une pompe. Cela actionna un ingénieux mécanisme qui fit mastiquer le lion. Les vivats et les éclats de rire se répandirent dans la salle, accompagnant les acclamations de Charles qui s'était levé et titubait en brandissant joyeusement son gobelet. Isabeau d'Harcourt souriait de toutes ses dents, ravie que cette petite plaisanterie ait plu à son hôte et amant.

Le troisième service était composé d'un bouillon léger destiné à reposer l'estomac avant de passer aux sauces et à la viande rôtie. Alors que Louis s'apprêtait à boire le sien directement du bol, il se rendit compte que l'évêque utilisait sa petite cuiller d'argent. Il fit donc de même.

Des pièces de divers gibiers nobles étaient accommodées d'une sauce faite à partir de bouillon, de gingembre, de cannelle, de clou de girofle et de graines de paradis broyées ensemble avec un peu de muscade et une tranche de pain grillée, le tout relevé avec quelques gouttes de vinaigre de vin vieux et un peu de vin. Cette sauce dispendieuse produisait dans la gorge et le ventre une délicieuse sensation de chaleur. On avait également apporté un brouet vert d'œufs et de fromage. Des tranches de pain avaient été trempées dans du bouillon de légumes; on y avait pilé un petit bouquet de persil ainsi que des feuilles de sauge, ce qui donnait au brouet sa belle couleur verte; il avait été épaissi avec un fromage de brebis frais qui se complétait d'un peu de gingembre dilué dans du vin blanc; ce brouet chaud nappait des œufs pochés servis dans des coupelles individuelles dont le décor rapporté par-dessus une glaçure* vitrifiée était d'une grande splendeur. C'était encore plus beau que l'engobe* recouvrant des écuelles d'argile.

Louis n'avait jamais pris de repas aussi sophistiqué. Il se sentait un peu plus à l'aise. Le vin vénérable lui réchauffait les veines. Il épingla brutalement un morceau de viande avec sa dague et le porta à sa bouche. Cela fit sursauter l'homme d'Église et il se demanda pourquoi, tandis qu'il rinçait de vin sa bouchée qu'il mastiquait encore. Le roi Charles, lui, s'était apparemment désintéressé du bourreau, maintenant qu'il avait produit son effet et que les gens faisaient poliment semblant de ne plus le remarquer. Isabeau d'Harcourt se détendait, elle aussi. Elle s'était mise à l'observer avec un intérêt circonspect qu'elle ne cherchait plus à lui dissimuler.

Il était trop beau, un vrai sacrilège.

Elle n'avait pas porté attention au service d'un nouveau plat : les serviteurs posaient déjà devant les convives des venaisons de faisan, de sanglier, de lièvre et de daguet. Louis plongea des doigts avides dans une fromentée* au lait et aux jaunes d'œufs constellée de gingembre râpé, d'une pointe de safran, de sel et de poivre. Il se demanda comment il put encore avaler deux pipefarces, c'est-à-dire des crêpes au fromage.

— Cet homme est un ogre, commenta tout haut la voisine de la dame d'Harcourt.

— Il faut l'excuser, ma chère, dit gentiment Isabeau afin que Louis pût l'entendre aussi distinctement qu'il avait dû entendre l'insulte. Je me dois de vous rappeler qu'il s'agit d'un manant. Son manque de retenue peut aussi n'être dû qu'à sa forte stature.

Les gens ne dégustaient en général que de petites portions d'un peu de tout. La goinfrerie était perçue comme malséante. Louis rota discrètement dans son poing fermé et, au lieu de poser les mains sur la table comme il convenait de le faire, il les croisa sous la longière* pour écouter les ménestrels qui précédaient le boutehors*, le dernier service.

Le chant terminé, on présenta des amandes mondées, bouillies avec une pointe d'eau de fleur d'oranger. Tièdes, elles furent accompagnées d'hypocras*. Comme les épices et les sucreries, elles étaient présentées sur des plats et des coupes sur pied, accompagnés de cuillers.

Avant que la dernière amande n'eût été croquée, Isabeau avait pris sa décision. Elle se leva.

Tandis que l'on enlevait les plateaux des tables de leurs tréteaux, Louis tituba jusqu'à l'entrée de la salle.

Une jeune fille vint s'écraser le nez contre sa poitrine.

— Oh ! pardon, fit-elle, rougissante.

Elle devait avoir treize ans. Par-dessus l'épaule de l'adolescente, Louis aperçut deux autres jeunes filles qui chuchotaient entre elles avec animation en échangeant de petits rires nerveux. Une gageure, sans doute.

— Je vous en prie, dit-il en s'inclinant poliment, et il s'écarta pour lui livrer le passage. Mais, au lieu de passer, l'adolescente croisa les mains devant elle et lui demanda timidement :

— Vous... vous ne restez pas pour la danse ?

Louis fit un bref signe de dénégation, légèrement contrarié de n'avoir pu quitter le tinel* sans être remarqué. Ses réflexes étaient trop ralentis par l'effet abrutissant des vins capiteux et de la nourriture copieuse. Il répondit :

— Non. Je n'y connais rien. Si vous voulez bien m'excuser...

— Eh bien, dites donc, vous ne perdez pas de temps, l'ami, dit une voix dégoulinante de mépris.

Louis se retourna. C'était un jeune gentilhomme au maintien excessivement roide. Il dit encore :

— C'est ma promise que vous courtisez là.

— Courtiser ? Moi ?

— Si, vous la courtisiez. Vous n'avez tous deux cessé de vous dévisager tout au long du repas. Ne me faites pas l'affront de contredire ce qui fut évident pour tous.

La jeune fille recula, enchantée du tour inattendu que prenait son audacieuse intervention. Le jeune homme dit :

— Enfin, brisons là. Moi, Philippe d'Asnières[16], je ne vais tout de même pas m'abaisser à me quereller avec le roi des mouches.

Le nobliau avait un exaspérant sourire en coin. Il tendit sa main ornée d'une grosse bague, s'attendant à voir Louis mettre un genou en terre et la prendre humblement en faisant ses excuses. Au lieu de quoi le bourreau regarda la main tendue, hésitant, avant de la serrer avec insistance sans quitter son interlocuteur des yeux. Le sourire de Philippe d'Asnières se figea. La bague lui labourait les doigts. Le sourire en coin déménagea sur le visage de Louis.

— Maraud. Ça, vous me le paierez, mais alors vous me le paierez très cher, souffla le jeune homme lorsqu'il put enfin récupérer sa main endolorie.

— Maître Baillehache, appela la voix forte d'une femme.

Isabeau d'Harcourt s'avançait, un sourire contraint aux lèvres, sa robe à longue traîne caressant doucement les dalles du plancher. Elle s'arrêta devant Louis et dit à l'adolescente :

— Damoiselle, permettez que je me charge de conduire personnellement mon hôte à sa chambre. Il doit être bien las pour avoir envie de nous fausser compagnie de si bonne heure. Allez donc rejoindre messire votre frère. Vous voyez bien qu'il se fait du souci pour vous.

— La garce ! souffla l'une des deux adolescentes qui étaient restées en retrait.

La mine boudeuse, elles laissèrent l'hôtesse escorter hors de la salle un bourreau ébahi. Le roi n'avait rien vu. Après un clin d'œil au nobliau, Isabeau glissa doucement sous l'avant-bras du géant sa main gantée de filoselle. Il se déroba, gêné que quiconque tentât volontairement de le toucher.

Vu d'aussi près, elle le trouvait encore plus intimidant avec cette façon qu'il avait d'abaisser son regard sur ses interlocuteurs. C'était pareil à un effleurement sur sa peau. La dame fut incapable de le regarder dans les yeux et frissonna encore à l'idée que ce même visage, avec ce même regard, eût pu être penché au-dessus de son corps lié à un chevalet* de torture. Il dit:

— Ce n'est pas la peine de vous déranger, dame.

— Si! si! j'y tiens, mon cher.

Au moins, il s'efforçait d'être poli. Il insista:

— Trop aimable. Mais un serviteur peut m'indiquer le chemin.

— Pas en ce moment. Ils se dévouent à préparer la salle pour la suite des festivités.

Isabeau lui reprit le bras et l'invita à traverser un long couloir désert. Il trouva qu'elle le frôlait d'un peu trop près, mais évita de réagir d'une façon qui pouvait être mal perçue. Que l'hôtesse délaissât tous ses invités de marque pour lui consacrer un peu d'attention avait quelque chose de préoccupant. Elle parut comprendre ce à quoi il pensait, car elle rit doucement:

— Pour dire vrai, je ne raffole pas de la danse.

Voilà qui éclaircissait les choses: il servait de prétexte. Eh bien, pourquoi pas, puisque cela lui rendait service. Isabeau reprit:

— Je vous dois aussi des excuses. Non, permettez. J'ai tantôt manqué d'une courtoisie élémentaire à votre endroit.

— Ce n'est rien. J'ai l'habitude.

— On ne s'habitue jamais au mépris, maître Baillehache. Jamais. Cela dit, j'admire votre attitude sereine face à l'ostracisme dont vous faites l'objet. Cela doit exiger de votre part un grand contrôle. N'est-ce pas?

— Je suppose. Mais ça s'apprend comme le reste.

— «Comme le reste.» Je vois ce que vous voulez dire. Quelle horreur. Il est encore bien tôt pour vous retirer. Le roi risque d'en être offensé.

— Je doute que ma présence lui soit aussi indispensable.

— Détrompez-vous, maître. Avec tout ce qu'on raconte à votre sujet!

— Sûrement des fables.

— Peut-être. On vous surnomme Beelzeboul. Vous le saviez?

— Non, je l'ignorais. Peu m'importe ce que les gens disent de moi.

— Parce que vous avez le pouvoir de les faire mourir, dit la femme avec un regain d'hostilité à peine voilé.

Louis cessa de marcher. Il secoua discrètement son bras pour se tourner à nouveau vers elle.

— Que l'on m'aime ou me déteste ne change rien à mes devoirs. J'obéis aux ordres qui me sont donnés, c'est tout.

Isabeau sourit et dit :

— Bien sûr. Notre beau sire a un sens inné de la cautèle. J'ai appris qu'il a l'intention de vous garder auprès de lui pendant un certain temps, comme la curiosité à la fois redoutable et attrayante que vous êtes. Avez-vous une préférence pour les pucelles?

— Qu'entendez-vous par là?

— Ne me dites pas que vous n'avez rien remarqué. Ce serait faire insulte à mon intelligence qui, j'ose le croire, est supérieure à la moyenne. Souffrez d'apprendre que, tout au long du festin, il y a eu au bas mot six jeunes filles qui vous lançaient sans arrêt des œillades dont l'évidence frôlait la vulgarité. Ah, nous devons faire preuve d'indulgence envers cette impudente jeunesse, n'est-ce pas? Cela dit, je conçois qu'un homme de votre... stature puisse se targuer d'avoir l'embarras du choix.

Ce disant, elle plissait les paupières d'une façon très insultante.

— Vous dites n'importe quoi, dit Louis.

— Oh, libre à vous d'en penser ce que vous voulez. Peu m'en chaut. Mais le fait est là. Tout le long du repas, ces jeunes filles ont cherché à attirer votre attention.

— Je n'ai rien remarqué.

— Je vous crois. Vous me paraissiez affamé. Sachez qu'en tant qu'hôtesse, j'ai l'œil à tout. J'ai tout vu à votre place.

C'était inattendu. Louis avait été tôt entraîné à subir passivement calomnies et racontars, à se tenir prêt à se défendre s'il y avait lieu, mais l'attirance macabre qu'il pouvait exercer sur des femmes était quelque chose de nouveau pour lui. C'était un aspect de son métier auquel il n'avait jusque-là jamais eu à faire face.

Isabeau pencha la tête de côté, moqueuse, avant d'ajouter :

— Le roi compte profiter de votre... charisme exceptionnel pour raffermir son pouvoir. C'est la raison de votre présence ici, j'en suis persuadée. L'impact que les contes lugubres ont sur les bonnes gens est plus puissant et durable que maints discours. Qu'êtes-vous au juste, maître Baillehache? Un homme ou Beelzeboul, le roi des mouches qui infestent le gibet?

Louis ne répondit pas.

— D'après ce que l'on raconte, vous vous abreuvez de sang et vous mangez de la chair humaine. Est-ce vrai? Si tel est le cas, je conçois que le banquet de ce soir vous ait paru indigeste.

C'était plus pénible à supporter que les injures d'une foule sans identité propre. Chacune de ses politesses et de ses plaisanteries sonnait faux. Il ne quittait pas des yeux le masque d'arrogance derrière lequel s'était dissimulé le visage craintif qui ne ressemblait en rien aux figures émaciées entrevues, hélas, trop souvent dans la pénombre des cachots. Il n'arrivait pas à comprendre ce qu'Isabeau essayait de faire. Car, manifestement, elle avait peur de lui.

La main de la femme se porta une nouvelle fois vers le bras du bourreau, qu'elle se mit à palper. Il sentit que sa main tremblait. Il se laissa faire. Isabeau dit:

— Vous ne parlez pas beaucoup, maître. Est-ce que je vous déplais?

— Non.

— Dites-moi, comment peut-on accepter de pratiquer un métier tel que le vôtre?

— Chacun doit avoir ses raisons. Les miennes ne concernent que moi.

— J'ai toujours cru que les bourreaux n'étaient que de grosses brutes chauves et stupides. Méchant homme! N'auriez-vous pu sacrifier votre corps magnifique à une cause moins dégradante?

— Plaît-il?

— Si, par exemple, vous étiez entré dans les ordres, j'aurais pu tenter de vous faire défroquer.

Elle se mit à tourner autour de lui, si proche que le voile de sa coiffe lui caressa langoureusement les épaules. Il demeura immobile. Elle rit.

— Quel timide vous faites! On croirait voir une espèce de grand gamin. Allez, venez.

Et elle l'entraîna dans un escalier en colimaçon.

Elle n'avait pas tort: Louis n'avait guère eu l'opportunité d'avoir des relations normales avec le sexe opposé depuis ses quinze ans. Il avait donc conservé à l'égard des femmes le comportement de son adolescence.

Une fois qu'ils furent parvenus à l'étage, Isabeau le guida dans une longaigne* jusqu'à un pas-de-souris*. Elle se tourna de nouveau vers lui.

— C'est là.

— Merci.

Réticente, elle leva la main vers la petite boucle d'étain qui fermait le haut col de Louis. La fibule* était le seul ornement qu'il arborait. Elle avait entendu dire que cet homme n'appréciait pas

68

particulièrement les femmes, mais elle n'avait rien trouvé d'autre à faire pour distraire son attention. Réprimant avec difficulté son dégoût et sa crainte, elle se moula soudain contre lui et lui caressa les épaules en se disant qu'heureusement, il était propre de sa personne. Louis tituba en la rattrapant d'un bras, mais il ne bougea pas davantage. Peut-être y avait-il des chances pour qu'il finisse par se montrer réceptif. Sa voix basse la fit soudain sursauter.

— Que faites-vous?

— Je me suis toujours demandé comment un homme de votre espèce peut s'y prendre pour offenser le ciel d'autre manière que par sa terrible science. Vous êtes très séduisant, maître Baillehache.

— Quoi?

— Étiez-vous donc si distrait ce soir, très cher? Ne vous êtes-vous donc aperçu de rien? Décidément, les hommes sont bêtes. Moi aussi, je n'ai d'yeux que pour vous.

Mielleuse, sensuelle, Isabeau leva vers lui des yeux dont le velours n'arrivait pas à ternir l'acier. Ses doigts fins serpentèrent parmi les mèches raides de Louis et elle pressa contre lui une poitrine ferme qui à elle seule eût suffi à rendre n'importe quel homme fou de désir.

— Charles va boire toute la nuit et il n'en saura rien. Si vous souhaitiez me prendre de force, là, tout de suite, nul ne viendrait vous chercher noise. Moi-même, je ne pourrais rien faire. Vous êtes grand et fort, et votre nom est Beelzeboul.

Isabeau était habile. Aucun homme ne lui résistait jamais. Un sourire cynique s'esquissa sur son visage:

— Tout à l'heure, en vous voyant vous sustenter ainsi qu'un ogre, je me suis dit: «Tiens, allons voir s'il est capable de faire mieux que ce que j'ai vu jusqu'à présent avec ses mains et sa langue.»

Louis ne répliqua pas. Une main délicate sinua entre leurs ventres pour se nicher contre l'organe de l'homme. Isabeau éclata de rire au moment où Louis lui saisissait le poignet et le serrait. Mais aussi bref avait-il été, l'effleurement lui avait permis de constater par elle-même qu'il ne la désirait pas.

— Vous, je vous aurai, dit-elle doucement, méchamment.

— Ça m'étonnerait.

— Comment s'appelle-t-elle, la femme choyée qui possède votre cœur, si tant est que vous en ayez un?

— Elle s'appelait Églantine. Elle n'est plus, dit-il avec dureté.

Les yeux de l'hôtesse jetèrent des éclairs. Elle lui offrit un sourire en coin et dit:

— Vous êtes un mufle.

— Pas plus que vous qui agissez comme une putain.

Isabeau s'écarta brusquement. Un bouquet d'étincelles crépita dans les cheveux sombres de Louis et la dame laissa échapper un cri de mauvaise comédienne : un objet frappa le mur à deux pouces de la gorge du bourreau et rebondit sur les lattes en bois du plancher. Il aperçut un poignard au manche ouvragé et se ressaisit juste à temps : une épée essayait de l'épingler au mur et il dut se jeter en avant pour dégainer son damas avant même de jeter un coup d'œil sur son agresseur.

C'était le jeune d'Asnières. Sa face de furet était tordue de haine jalouse et il était facile de deviner pourquoi : le jeune homme n'avait pas siégé à la table d'honneur, lui. Et aucune jolie pucelle rougissante n'avait gloussé ni cherché à l'intercepter pour attirer son attention. Pas même sa promise.

Les deux hommes s'affrontèrent un instant en silence afin de s'étudier l'un l'autre. Les choses se présentaient plutôt mal. Le jeune noble n'avait pas planifié de se retrouver devant un adversaire plus sobre que lui et prêt à riposter. En général, les bourreaux ne savaient pas se battre. Ils étaient aussi mal dégrossis que leurs armes. Il persifla :

— Il t'est aisé, sale couard, d'abattre un homme lorsqu'on le jette à genoux devant toi et qu'on l'oblige à présenter sa nuque sous le fer de ta hache. Voyons un peu si tu sauras ferrailler* pour de vrai sans pisser dans ton froc !

Louis jeta un coup d'œil soupçonneux en direction d'Isabeau. « Le monstre ! Il a tout saisi, il a deviné que Philippe et moi sommes de mèche », se dit-elle. Il lui fallait trouver autre chose, et vite.

Louis évitait de dilapider sa vigilance en répliques futiles. Il se contentait de se tenir prêt à parer, son épée brandie en diagonale devant sa poitrine. Il la tenait d'une seule main. D'Asnières interpréta ce geste comme une manœuvre d'intimidation, la lourde épée de bourreau étant peu maniable. Mais l'hésitation du nobliau se prolongeait : cela ne jouait pas en sa faveur. Isabeau prit donc la parole, un sourire narquois aux lèvres :

— Quelle admirable patience que la vôtre, maître Baillehache ! Vous laisserez-vous donc injurier de la sorte sans réagir ?

— Je ne me querelle jamais avec mes clients.

— Ah ! le fils de pute, rugit d'Asnières.

Fougueux, il s'élança. Leurs lames s'entrechoquèrent violemment. Le jeune homme était un écuyer bien entraîné au métier des armes et il avait atteint l'âge où il pouvait envisager de gagner ses éperons. Cela contribuait à rendre plus belliqueux

70

encore ce futur chevalier qui rêvait depuis toujours de se démarquer par quelque action d'éclat. La seule chose qui lui manquait, c'était l'expérience du champ de bataille. Louis, en revanche, détenait cette expérience. Il parait coup sur coup avec une adresse peu compatible avec sa condition de manant. Tailladés et estocades, aussi bien rendues qu'elles fussent par son adversaire, ne lui causèrent aucun dommage. Il les neutralisait toutes comme s'il n'était concerné en rien dans ce face-à-face. On ne pouvait lire ni colère ni peur sur ses traits. Cela plongea le jeune homme dans une angoisse glacée. Rien ne se passait comme prévu.

En aucun moment le bourreau ne passa à l'offensive, sauf à la toute dernière seconde du combat, celle-là même qu'il avait guettée depuis le début de l'engagement, une seconde de fatigue ou d'inattention. D'Asnières sut qu'il avait commis une erreur avant même que le plat du damas ne s'abatte sur son poignet. En cette seule seconde il se retrouva désarmé, l'épée du bourreau pointée sur la gorge. Le visage de Louis n'exprimait toujours rien. D'Asnières n'eut d'autre choix que de lever les mains en signe de reddition. Isabeau, soudain, eut très peur. Elle fit un pas dans leur direction pour arrêter le geste fatal qu'elle appréhendait.

— N'avancez pas, dame, dit Louis sans la regarder.

Elle s'arrêta. Louis dit à d'Asnières :

— Faites-moi vos excuses.

— Va au diable !

Il était déjà suffisamment humiliant pour le jeune homme d'avoir été vaincu par un manant. Le picot de la lame se déplaça en lui effleurant la gorge pour percer la peau de façon inoffensive, entre les deux jugulaires. Son visage vira au gris et sa tante retint son souffle.

— Je regrette, mais il ne fallait pas traiter ma mère de pute. J'attends, messire, dit Louis.

— Vas-y, fais-lui tes excuses, dit Isabeau, d'une voix qu'elle avait voulue calme.

— Plutôt mourir !

— Au nom du Christ, ceci n'est pas un jeu, Philippe. Il va le faire, je l'en sais capable.

— Mais bien sûr que j'en suis capable, dit Louis en déplaçant à nouveau légèrement sa lame pour en poser délicatement le fil contre l'une des jugulaires du vaincu. C'est plus facile que l'on ne croit, de tuer un homme. Comme ça. Un tout petit geste et hop, c'est fait.

Isabeau sut tout à coup ce qu'elle allait faire. Elle applaudit du bout de ses doigts gantés, souriant mielleusement à Louis. Elle espéra qu'il ne voyait pas le tremblement de ses lèvres comme elle pouvait le sentir, elle.

— Cher maître. Nul ne m'a jamais dit que les roturiers pouvaient ainsi exceller au maniement des armes.

— Ça va, ça va, je te fais mes excuses, dit précipitamment d'Asnières.

Louis abaissa son arme et s'approcha de lui sans le quitter des yeux. L'écuyer recula contre le mur, alors que le bourreau levait la main vers lui.

— Ne bougez pas, lui ordonna-t-il.

Tenant toujours son épée lame basse dans son autre main, le bourreau prit le jeune homme à la gorge. Mais il ne serra pas. Il le regarda, l'air concentré. D'Asnières haleta. Ses yeux exorbités étaient fixés sur l'homme en noir qui s'apprêtait à l'étrangler. Il sentit le gros pouce et les doigts de Louis appuyer contre deux points précis de son cou, là où se trouvaient les jugulaires. Ce n'était rien de douloureux, mais il y avait dans ce geste quelque chose de vaguement menaçant. Soudain, d'Asnières fut pris d'un vertige et s'écroula. La circulation sanguine des jugulaires bloquée avait brièvement interrompu l'arrivée d'oxygène au cerveau. Louis laissa tomber mollement le nobliau à ses pieds.

— Pour rendre sa défaite plus amère encore, remarqua Isabeau.

— C'est ça.

Isabeau s'en voulait de ne pas avoir évalué correctement la vaillance de son ennemi. Jamais auparavant elle ne s'était trompée. Le but véritable du geste que Louis venait de commettre devint vite plus évident à la dame: il s'était tourné vers elle et l'avait rejointe. Maintenant, isolée avec lui, elle n'osa plus bouger, même lorsqu'elle sentit à son tour contre sa peau les doigts rudes du tueur. La peur lui colla au ventre comme une boue glacée. Elle leva les yeux vers lui, lui offrant volontairement sa gorge. Louis demanda:

— Ça vous plairait d'essayer?

Elle trouva encore le courage de lui sourire d'une manière charmante.

— Vous êtes beaucoup trop galant pour oser vous attaquer à une faible créature.

— Détrompez-vous. Il me faut assez souvent châtier des femmes.

Il se rapprocha d'elle au point que leurs vêtements se touchèrent. Elle rit nerveusement.

— Mais moi, je n'ai rien fait de mal. Pourquoi donc voudriez-vous me châtier? En avez-vous beaucoup dans votre sac, des trucs comme celui-là?

— Quelques-uns, oui.

— Certains pourraient croire que vous lui avez ravi son âme.

— Emprunté seulement. Il ne tardera pas à se réveiller.

Isabeau ne se rendit pas tout de suite compte que les rôles s'étaient inversés: ces effleurements furtifs et ce magnétisme inquiétant qui émanait du regard de Louis semaient le trouble dans son esprit. Il savait. Il était lui aussi très habile, déconcertant même. Du pouce, il caressa la gorge offerte et demanda:

— Que me voulez-vous?

— Savez-vous que vous avez malmené mon neveu? C'est très grave.

Louis ne réagit pas. Elle rit doucement et reprit:

— Je plaisantais. Non, vous avez bien fait. Ce jeune prétentieux méritait une bonne leçon.

— Ah.

— C'est que, voyez-vous, la tâche d'un tuteur est bien ingrate. Surtout lorsqu'on est, comme moi, veuve... et libre. Je veille sur ce garçon depuis son plus jeune âge. Mais vient un temps où l'on doit enseigner à un homme des choses que seul un autre homme peut lui inculquer, sinon ces choses n'auront qu'une valeur de principe. Vous comprenez?

— Je crois, oui.

— Merci de m'avoir aidée.

— De rien.

Louis recula et remit son épée au fourreau. Isabeau lui sourit de plus belle. «Parfait. Il n'y a vu que du feu», se dit-elle. Sa ruse avait pris. Il était moins une. Après tout, elle s'était peut-être trompée sur son compte. Ce Baillehache était sans doute aussi dénué de finesse qu'un gros ours.

D'Asnières roula sur lui-même et se mit à genoux à temps pour apercevoir l'écharpe brodée aux armes des Harcourt que sa tante offrait au bourreau d'un geste gracieux. Étonné, Louis accepta le carré de brocart* et s'inclina poliment. Isabeau dit:

— Je serai fort honorée de voir un preux tel que vous arborer mes couleurs.

— Pardon?

— Veillez à prendre du repos afin d'être dispos pour la joute de samedi, mon champion. Bonne nuit, maître Baillehache.

Ses escarpins ne firent aucun bruit dans le couloir désert. Elle alla rejoindre d'Asnières qui se relevait et lui caressa affectueusement la joue.

— Qu'avez-vous fait là, ma tante?

— Ai-je réellement besoin de t'expliquer, mon neveu? lui demanda-t-elle dans un murmure.

D'Asnières regarda en direction de Louis qui avait toujours à la main l'écharpe délicate d'Isabeau. Elle ressemblait à une petite colombe blanche qui se serait perchée dans la main en pierre d'une statue.

— Oh, je crois que j'ai saisi, dit soudain Philippe avec une admiration non feinte.

Sa tante avait le génie de l'intrigue.

*

— Bonsoir, maître, dit Desdémone en ouvrant à Louis la porte de la chambre à lui dévolue.

La servante avait appris beaucoup plus tôt qu'un coin de plancher près du feu n'allait pas convenir à un invité du roi et que des quartiers avaient déjà été prévus pour lui. La grande chambre où il fut introduit l'intimida dès qu'il en franchit le seuil: un bon feu flambait dans l'âtre, illuminant un lit à baldaquin si vaste que six personnes auraient pu s'y étendre à l'aise. Outre le lit et son petit escabeau, on y avait disposé deux faudesteuils*, un prie-Dieu aux incrustations d'ivoire et une ancienne crédence*. Au-dessus du lit, un crucifix distillait ses luisances vernies à la lueur vacillante d'une chandelle.

La malle usée du bourreau avait été poussée dans un coin, près d'une table où un broc rempli d'eau fraîche attendait. Un paravent tendu d'une ancienne tapisserie avait été ouvert près du mur du fond où une porte donnait sur un étroit lieu d'aisance. Une seule fenêtre mince s'ouvrait sur la cour bruyante. Les nobles hôtes de Charles eussent trouvé cette pièce trop rustique et son isolement eût porté ombrage à un statut social pour lequel ils devaient sans cesse jouer de finesse. Louis, quant à lui, y vit un luxe d'autant plus inquiétant qu'il lui avait été réservé. À elle seule, cette pièce était plus vaste que le rez-de-chaussée de sa maison. Tout y avait été soigneusement récuré et une jonchée fraîche embaumait le plancher. Un agréable parfum de lavande s'exhalait du lit.

— Avez-vous besoin d'autre chose? demanda timidement la servante dont il avait oublié la présence.

— Non. Laisse-moi.

— On m'a demandé d'aller rejoindre les autres domestiques.

— Alors, vas-y.

— Bien. Bonne nuit, dit-elle, déçue, avant de refermer l'huis.

Louis s'avança et mit la barre avant de s'adosser à la porte. Il avait plus que jamais besoin de solitude pour remettre un peu d'ordre dans ses idées. Il détacha sa ceinture d'armes et son baudrier en cuir rouge. Il s'avança jusqu'au lit sur lequel il grimpa pour s'y asseoir. Le matelas de plumes en était moelleux. Il demeura là un moment sans bouger, pensif.

L'élan qu'il s'était donné pour atteindre Firmin ne s'était pas arrêté avec la mort de celui-ci. De bouche à oreille, de rumeur en fable et sans qu'il en ait rien su, le nom de Baillehache avait continué son ascension jusqu'au trône d'un roi. Cela avait contraint son propriétaire à s'infiltrer dans un monde qui n'était pas le sien et il n'aimait pas ça. « Qu'est-ce que je fais ici ? » Cette question sans réponse volait autour de sa tête comme une mouche affolée cherchant une issue. Lui qui s'était fait à l'idée de voir surgir à peu près n'importe quoi dans son existence, ce qui lui arrivait n'était jamais ce à quoi il s'attendait. Après la peste et la guerre, après s'être fait arracher les siens et le pain des mains pour recevoir à leur place un manche de hache, voilà qu'il allait devoir se ridiculiser à des joutes. Il se sentait comme un pion noir sur quelque immense échiquier dont il ne connaissait même pas les règles. Cela l'écœurait. Il n'avait d'autre choix que d'attendre de voir à quel jeu cruel allait encore se prêter le Destin avec lui. Mais cette partie d'échecs semblait ennuyer Dieu, qui avait résolu d'en accélérer la fin en dissimulant des pièces sur Ses genoux.

Louis s'étendit sur le dos, par-dessus l'édredon intact, sa dague soigneusement camouflée sous ses mains qu'il avait croisées sur son estomac.

*

La quintaine* le frappait si fort dans le dos qu'elle lui vidait les poumons chaque fois. Cela n'allait pas du tout : après deux jours d'entraînement, il n'avait pas encore acquis suffisamment d'habileté pour éviter la pesée. Il n'avait encore obtenu aucun résultat satisfaisant. Il était certain d'avoir le dos bleu par les coups, car il n'avait pour armure que sa broigne*. « Ce ne peut pourtant pas être pire qu'à Maupertuis », se dit-il, frustré, après une journée exténuante passée à la quintaine*. Il s'était quelque peu familiarisé avec le maniement d'une lourde lance de joute au bout arrondi et avait vite su comment il fallait l'appuyer au creux du coude et éviter de trop l'abaisser. Heureusement, Tonnerre semblait avoir l'habitude de ce genre d'exercice et il l'y aidait de son mieux sous les regards curieux de quelques serviteurs et garçons d'étable. À quelques reprises, des chevaliers étaient venus assister aux charges plutôt maladroites de ce géant vêtu comme un vulgaire piéton. On s'amusa ferme à ses dépens. Ce ne fut qu'à la fin de ce deuxième jour qu'il parvint à attraper un anneau de fer avec le bout de sa lance. Il allait lui falloir tenir trois lances sur son cheval et affronter un adversaire mobile qui, lui aussi, allait le frapper.

— Celui qui affrontera en lice pareil incompétent en sera sûrement humilié, dit l'un des spectateurs indésirables. Je me demande comment il a bien pu acquérir ce cheval magnifique.

L'homme courbaturé pansa sa monture sans se soucier d'eux ni de leurs remarques désobligeantes. Ils se turent et admirèrent, fascinés, la réserve mutuelle de la bête et de son cavalier. Tonnerre semblait conscient du malaise de son maître et limitait avec une timidité presque humaine ses contacts physiques avec lui. Cela conférait à Louis une autorité indéfinissable, énigmatique.

Quelques jours plus tard, homme et monture paradèrent avec les autres concurrents en champ clos. Les plates des belles armures étaient ternies par des nuages mornes qui gardaient jalousement le soleil pour eux. Louis et Tonnerre ne pouvaient se douter à quel point leur austère sobriété les démarquait des panaches et bannières exubérantes des nobles lignées. L'absence d'enseigne avait d'ailleurs causé à Louis quelques ennuis. On lui avait fait savoir qu'il lui fallait un emblème. Par dérision, les juges avaient choisi pour lui des armes qui n'étaient pas conformes aux règles sophistiquées de l'héraldique. Ils ne se donnèrent même pas la peine d'utiliser convenablement les couleurs qui étaient réparties en deux catégories, émaux et métaux.

— De sable à la potence et à l'échelle de gueules, au chef d'azur à la hache de gueules. Rien ne saurait mieux convenir[17].

Louis avait tout accepté sans discuter et faisait à présent scandale, semant la discorde dans les hourds* qui entouraient la lice, en caracolant avec dignité et en portant son écu tout neuf en chantel*.

Un peu plus tôt ce matin-là, chaque combattant s'était présenté dans une salle où l'on avait enregistré son nom. Un écu de bois portant les armes de chacun avait été identifié et suspendu à un mur. Cela visait autant à démasquer les usurpateurs qu'à simplifier les choses à ceux qui allaient avoir l'honneur de choisir leurs adversaires.

Les joutes allaient commencer avec l'élimination des jeunes gens, fils de nobles ou écuyers inexpérimentés qui en étaient à leurs premières armes. Ils avaient tous entre quinze et dix-huit ans. L'écu noir et rouge de Louis, qui en avait presque vingt-six, avait été suspendu parmi les leurs.

Celui qui se présenta au héraut d'armes portait une armure dont les plates avaient été si soigneusement astiquées qu'elles brillaient comme de l'argenterie et arrivaient à faire oublier leur rareté qui ne couvrait pas suffisamment les mailles au goût de leur propriétaire. Il avisa les écus de bois et ricana méchamment. Plus tard, il allait sans doute rencontrer d'autres boucliers noirs comme celui-là, portés par des aventuriers en quête d'argent ou d'honneur... ou des deux à la fois. Mais celui-là était taché de rouge, le rouge du sang de son oncle par alliance.

Avant que quiconque pût l'en empêcher, le jeune homme décrocha l'écu noir d'un furieux coup d'épée et mit le pied dessus.

— Du calme, messire. Nous avons compris. Ménagez donc votre vaillance pour celui à qui appartient cet écu, dit le héraut.

— J'en ai bien l'intention.

— Au suivant.

Louis s'était armé tout seul entre deux trefs* et une palissade temporaire. Il avait noué à son bras l'écharpe d'Isabeau et avait coiffé un vieux heaume sans visière qu'on lui avait déniché au fin fond de l'armurerie. Cette lourde coiffure devait dater de l'époque des croisades. Il avait attendu l'appel avec Tonnerre, dont la robe lustrée disparaissait sous un houssement* noir. Son harnachement de cuir, tout simple, avait été soigneusement nettoyé et huilé. Louis n'assista pas aux premiers affrontements, dont il entendit le fracas ponctué des acclamations de la foule. Assis sur une clôture branlante à quelque distance de la dernière estrade, il en était à espérer qu'on allait l'oublier dans son coin. Il n'eut pas cette chance.

— Ah, vous voilà, vous!

Baillehache reconnut le page de l'un des jeunes nobles de son équipe. Le garçon cracha et dit encore, après cette insulte à peine voilée :

— Ça va être à vous. Faites vite.

— Qui m'a choisi?

— Le sieur d'Asnières, dit le page avec un sourire méprisant. Le neveu de la belle dame d'Harcourt. Il veut votre peau.

Celui dont c'était le nom fut bien obligé d'admettre que c'était une chose de défier ce bourreau lors d'une tempête d'émotions déchaînées par l'ivresse de la passion, mais que c'en était une tout autre de se préparer à affronter ce cavalier noir qui venait de prendre position à l'autre bout de la lice, attendant le signal comme s'il avait passé toute sa vie à jouter. D'Asnières essaya de ne pas songer à la sorte d'insouciance avec laquelle Louis avait réussi à le vaincre devant sa tante et il se dit que ce jour-là c'était son cheval et non lui qui lui donnait l'air aussi terrifiant.

Le contact d'une hampe de lance que l'on posait dans son gantelet le fit sursauter. L'arme était parfaite et sans nœud. Son extrémité était protégée par un rochet, un fer destiné à frapper sans pénétrer le bouclier adverse, les lances de joute n'étant pas conçues pour tuer. D'Asnières baissa les yeux vers son page qui venait d'être rejoint par son petit collègue messager. Ce dernier dit :

— Ne vous faites pas de souci, messire. Plus ils sont gros et effrayants, moins ils tiennent en selle.

— À la deuxième lance, vous l'aurez meurtri, ajouta le premier page. Il n'a sur le dos que du cuir renforcé.

— Ça va, ça va, la ferme, dit d'Asnières.

Leur besoin de formuler ces encouragements n'avait rien pour le rassurer. Pour alimenter sa hargne vengeresse, il dut évoquer comme un maléfice la silhouette du monstre, se souvenir avec précision de l'âpreté du visage et de la voix trop belle. Il dut rappeler à sa mémoire le scintillement glacial des yeux, ces yeux qui avaient vu la tête tranchée de son noble oncle.

Louis trouvait tout à coup les fentes de son heaume trop étroites. Il n'allait rien voir, il étouffait, la transpiration lui piquait déjà les yeux alors qu'il n'avait rien fait encore. Il songea que ses gantelets rafistolés n'allaient pas tenir le coup.

— Attendez, cria un second page qui ne se matérialisa dans son champ de vision qu'une fois arrivé devant d'Asnières.

Il portait une bande d'étoffe grenat que le jeune noble parut accepter avec soulagement. Elle lui fut nouée autour du bras, au-dessus de sa cubitière*. Du haut des gradins, sa jolie demoiselle prénommée Toinette le salua d'un signe de la main. Cela le réconforta.

Pendant ce temps, sous un dais décoré de lys, Charles dit à Isabeau :

— C'est très aimable à vous d'avoir choisi Baillehache comme champion. Je ne me serais jamais douté qu'un bourrel* puisse tenter de s'illustrer aux joutes.

— Moi non plus. J'ai cru bon de le prendre sous mon aile, parce que le préjugé de mes hôtes à son égard doit lui être bien pénible à supporter. Il doit se sentir bien seul, surtout parmi des gens comme nous. Remarquez qu'il ne s'en est pas plaint. Mais c'est le genre de chose que l'on sait. Voyez, même mon cher neveu ne l'aime pas. C'est lui qui l'affronte.

On sonna du cor pour donner le signal, et un drapeau blanc et noir fut abaissé par un héraut qui se tenait en milieu de lice. Tonnerre sentit les mollets de son maître serrer ses flancs et banda ses muscles. Louis put voir le héraut et son drapeau disparaître de son champ de vision très limité avant que les deux chevaux ne s'élancent l'un vers l'autre. Mais il ne voyait pas d'Asnières. Où était-il donc? Il fallait le trouver, vite. Abaisser la lance. Pas trop. La garder bien appuyée au creux du coude. L'écu protégeait cœur et ventre. Un plumail* rouge devant. D'Asnières. Les deux hommes, légèrement penchés vers l'avant, pointaient leur lance l'un vers l'autre comme des doigts accusateurs. La lance de Louis avait tendance à trop dévier vers la gauche; redressée, elle visait l'écu. Bien. Il approchait. Il était près, trop près. Sa lance devait frapper maintenant. Maintenant!

Un claquement lui remplit les oreilles tandis qu'une secousse brutale lui projetait une douleur rayonnante à partir du creux du coude pour se répandre dans tout le bras et le côté droit de son corps. Son écu, brutalement plaqué contre lui, avait exercé une telle pression sur le bras gauche que Louis crut le membre cassé. Confus et le souffle coupé, il se sentit ballotté, prêt à vider les étriers. Un petit objet lui tomba sur la tête, faisant résonner son heaume. Ce bruit assourdissant l'étourdit davantage. Il se reprit à temps pour se rendre compte qu'il s'agissait d'un fragment de lance. De la sienne, assurément, car il n'avait plus en main qu'un moignon de bois.

Il chercha des yeux son adversaire et le trouva comme lui, toujours en selle et indemne, qui abandonnait son bout de lance cassée avant de tourner bride pour se rediriger en bout de lice. Le bourreau fit de même et attendit qu'on lui donne une nouvelle lance.

— Pas mal. Un début prometteur, dit l'un des dignitaires qui étaient installés sous le dais avec Isabeau et le roi.

D'autres bavardaient entre eux:

— C'est lui, le bourrel*, n'est-ce pas?

— Qui ça?

— Le noir.

— Je n'en sais rien. Il me semble, oui.

79

— Mais si, c'est lui. C'est le champion de la dame d'Harcourt.

— Vous plaisantez? Non, vous ne plaisantez pas. Je viens de voir l'écharpe. Un bourrel*, je vous demande un peu! Sapristi, on aura tout vu.

Louis crut à un coup de chance: la deuxième charge se conclut de la même façon. Était-ce dû à la présomption de son adversaire? Quoi qu'il en fût, il ne leur restait qu'une dernière lance pour désigner le vainqueur.

— Faites attention à d'Asnières, chuchota à Louis le garçon d'écurie qui s'occupait du destrier à la robe de jais. C'est un très mauvais perdant. En tout cas, un bon jouteur qui connait son affaire.

Il se mit à caresser le chanfrein soyeux du cheval qui répondit par un coup de tête affectueux. Le bourreau ne fit que tourner la tête dans sa direction sans dire un mot, ne sachant que penser de cette sympathie soudaine et ne pouvant deviner que certains commençaient à l'admirer pour la qualité inattendue de sa prestation. Il plissa les paupières afin d'observer d'Asnières qui, lui aussi, recevait quelques commentaires.

— Pourtant, vous avez le soleil dans le dos, disait l'écuyer à d'Asnières. Cela devrait l'aveugler un peu. S'il tient encore, messire, vous allez devoir ferrailler*.

— Il ne tiendra pas, grogna le jeune noble. Vérifie ma lance. Mets-y ce que tu sais.

Après l'examen minutieux qui était d'usage avant chacun des affrontements afin de détecter toute défectuosité du matériel, le jeune homme se tint prêt. Il arrivait souvent en effet qu'un nœud ou une fêlure à peine visibles sur une lance puissent compromettre l'issue du combat.

Impatient d'en découdre, d'Asnières avait éperonné son cheval une seconde avant le signal, faisant perdre à Louis un précieux avantage. Le son du cor faisait encore vibrer l'air, se mêlant aux huées que la foule adressait au tricheur, que l'homme en noir lançait à son tour Tonnerre au galop. Toinette, de son banc, rougissait de dépit. Mais le dommage était fait: pris de court, Louis avait mal placé sa lance au creux du coude: elle pointait vers le bas. Il était presque impossible, même à un excellent jouteur, de la redresser à temps une fois en course. C'était trop lourd. La foule retint son souffle.

«Il court lance basse, l'insensé!» se dit d'Asnières, grisé.

— Quelle prétention, vraiment, de se risquer à cette manœuvre aussi audacieuse que périlleuse! dit Isabeau. Je crains fort que mon champion ne soit qu'un triste vantard.

La poitrine noire trop exposée était une cible si tentante que d'Asnières ne fit pas tellement attention à la lance. De toute façon, ses calculs étaient exacts: il allait être trop tard pour que son adversaire pût la relever à temps. Le jeune homme jubilait. Un flot d'adrénaline déferla dans ses veines.

Mais le bourreau fut capable de relever sa lance. Le coup que d'Asnières s'apprêtait à porter en fut dévié et les deux lances se fracassèrent quand même une nouvelle fois en rencontrant les boucliers.

D'Asnières ne comprit pas ce qui se passait. Il entendit la brute gémir sous la force de l'impact et disparaître pour faire place au ciel laineux. Le jeune noble tomba de cheval presque trop doucement, avec un humiliant bruit de ferraille. Étourdi par la secousse résonnante de sa cervelière*, il roula sur le dos. Il vit le flanc de Tonnerre et l'une des jambes de son cavalier passer tout près. Philippe se remit péniblement debout. Louis n'avait pas été désarçonné. Il laissa tomber son moignon de lance avec son gantelet et se courba en posant la main sur son épaule gauche que son écu cachait encore. Pour d'Asnières, la défaite était d'autant plus cuisante que la foule acclamait bruyamment le bourreau. Sa propre tricherie s'était retournée contre lui.

Louis se laissa glisser de cheval. Sa main réapparut. Elle était rouge de sang.

— Allez, sale bâtard! hurla Philippe d'Asnières. Voyons un peu si tu sauras encore te montrer vaillant à l'épée. En garde!

— Il ne peut pas, il est blessé, criaient des voix de femmes depuis les hourds*.

Des hommes scandaient: «Baillehache! Baillehache!» C'était trop. D'Asnières se mit à assener quelques coups inoffensifs visant à provoquer une réplique chez son adversaire qui haletait. Louis se protégea sans un mot, puis il finit par consentir à dégainer son épée. C'était donc signe qu'il acceptait de relever le défi. Il tint l'écu de son bras blessé, et sa main droite serra à elle seule la prise en cuir de son damas.

— L'imbécile! dit Charles. Il ne s'en sortira pas.

D'Asnières sut où était son avantage et en profita. De plus, il avait eu sa leçon. Il n'allait pas se faire avoir une deuxième fois. Lucide et rationnel, le jeune combattant ne laissa pas parler sa colère dans une offensive désordonnée. Louis s'en rendit bien compte en étudiant ses premiers coups et les quelques parades qu'il lui fit faire. L'écuyer connaissait les parties vulnérables de son harnois et il savait comment s'y prendre pour bien les protéger. Le seul désavantage de cette armure, une certaine lourdeur, était justement compensé par l'excellente protection qu'elle conférait et dont était dépourvu le bourreau. Il dit à Louis :

— Tu vas le regretter, mon gars. Le tournoi tue et la joute épargne, mais moi, je ne t'épargnerai pas. Ça, je te le garantis.

Le choc de leurs lames produisait des étincelles. D'Asnières cherchait à fatiguer Louis en le contraignant à parer sans répit. Cette prudence fielleuse n'inspirait que dégoût.

D'insouciante, de moqueuse même, dame Isabeau était devenue pensive.

— Quelle raison le pousse ainsi à ce combat acharné ? demanda Charles.

— Je l'ignore. L'orgueil, sans doute, ou la simple habitude d'avoir à prouver par la force qu'il a le droit d'exister ?

Le roi de Navarre tourna les yeux vers elle longuement au risque de manquer la suite du combat. Isabeau, elle, évita son regard. Elle avait les yeux fixés sur son écharpe qui frémissait au bras de son champion. Ils conversèrent à voix basse :

— C'est bien davantage qu'une politesse que vous lui avez faite là, n'est-ce pas, m'amie ?

— Mais non.

— Mais si. Ça ne fait rien. Je vous avais dit qu'il en valait largement la peine et j'en détiens à présent la preuve.

Louis avait adopté un comportement plus agressif : les coups de taille et d'estoc se multiplièrent, mais sans succès. Il transpirait abondamment sous son heaume, et la tache sombre sur sa broigne* s'élargissait.

Tandis que Louis esquivait un coup porté à la cuisse, l'épée de d'Asnières décrivit un arc de cercle et l'atteignit à l'épaule blessée, que le bouclier avait brièvement découverte. Le hurlement du géant fut couvert par les protestations de la foule. Louis chancela.

D'Asnières n'offrit pas à son opposant la chance de déclarer forfait. Il se mit à frapper sans relâche, se riant des projectiles dont les spectateurs commençaient à le bombarder. Il pouvait très bien se passer de leur estime si Baillehache mourait de sa main. Ce dernier se recroquevilla et fut incapable de se redresser. Il avait lâché son bouclier afin de tenir son épée à deux mains. Un coup de travers porté aux mollets gainés de cuir et Louis tomba à la renverse. Il se tourna sur le côté.

Le jeune écuyer s'approcha pour clouer son adversaire terrassé au sol. Au moment où il s'apprêtait à pointer du bout de sa lame l'épaule blessée du bourreau, il lui ordonna :

— Jette ton arme.

Mais Louis refusa. Il se retourna brusquement sur le dos et frappa de toutes ses forces son assaillant à la jointure du coude, là où deux plates d'acier étaient rivetées ensemble. Sans sa manche de mailles, d'Asnières aurait eu l'avant-bras sectionné. Mais le coup fit tout de même beaucoup de dégât. Il déforma la carapace de fer, réduisant la mobilité du bras. Louis s'était relevé et, avec la vitesse d'attaque d'un serpent, il se mit à frapper au même endroit. Sa vue se brouillait et il arrivait tout juste à tenir debout. D'Asnières reculait, et là se trouvait son salut. Louis frappa, frappa sans répit en ahanant jusqu'à ce que son adversaire trébuche dans un bout de sa propre lance. Philippe s'écroula une nouvelle fois. Le picot de l'épée de Louis se posa sur son colletin*, sous les hourras redoublés de la foule.

Passé un premier moment de stupeur, le bourreau se souvint qu'il convenait de relever la visière du vaincu, ce qu'il fit à l'aide de la pointe frémissante de sa lame.

Le bras rompu de Philippe d'Asnières pendait de travers dans ses plates tel un gros crustacé sanglant.

— Non! non, pitié, rugit le blessé.

Louis enleva son heaume et sa cale* d'une main gauche malhabile. Des mèches trempées lui tombèrent mollement sur le front et y adhérèrent tandis qu'il baissait les yeux, d'abord sur le jeune noble, puis sur le fragment de lance dans lequel les pieds de ce dernier étaient restés empêtrés. Il se pencha pour prendre le bout de bois peint en bandes de couleurs vives. L'embout en était encore muni du rochet qui y avait été fixé: sous un faux arrondi de verre brisé avait été camouflée une pointe d'acier conçue pour porter un coup fatal. Louis ne la brandit pas de sa main tremblante, et pourtant les spectateurs comprirent. Ils se mirent à huer d'Asnières de plus belle.

— Par messire saint Michel, m'amie, dit Charles à une Isabeau dont le visage était devenu blanc comme un linge, votre neveu n'est qu'une canaille. Il eût dû être disqualifié. Mais Baillehache ne fera pas grâce.

La découverte de ce rochet truqué était suffisante pour que l'exécuteur décidât, et ce sans le moindre remords, de passer le tricheur par le fil de son épée. C'eût été son droit et personne n'eût songé à le lui reprocher. Pourtant, le bourreau se contenta de jeter le bout de lance sur la poitrine du vaincu et se détourna, quittant le champ clos sans saluer personne. Il ne remarqua pas les spectateurs qui l'ovationnaient pour sa clémence ni l'écuyer royal qui lui avait été dépêché pour s'occuper de Tonnerre.

On mit une demi-heure à retrouver Louis, qui s'était terré dans un coin où il avait apparemment commencé à se soigner lui-même avant de perdre connaissance.

*

Isabeau lissa les plis de sa robe de camocas*. Elle baissa la tête et respira profondément avant de cogner à la porte. Elle ne fut qu'à demi surprise de voir Baillehache lui ouvrir en personne.

— Bonjour, maître. Votre servante passe tout son temps aux cuisines, même en soirée comme maintenant. Il ne faut donc pas vous étonner si vous êtes obligé de tout faire vous-même. Comment vous portez-vous?

— Bien.

— Et votre épaule?

— Mieux. Merci.

Isabeau rit tout bas. Elle ne doutait pas que Louis eût répondu la même chose si son épaule avait été complètement disloquée. C'était un coriace.

— Que puis-je faire pour vous? demanda-t-il.

— C'est que... j'ai une molaire qui me fait un peu mal. J'ai ouï dire que les gens de votre métier connaissent de bons remèdes contre les maux de dents.

— De remède pour cela, je n'en connais qu'un: c'est d'extraire cette dent.

— Oh...

Elle regretta de n'avoir pu trouver mieux comme excuse à sa visite. Il attendait là, sans l'inviter à entrer. C'était vraiment un malappris et elle se trouva soudain bête d'être venue jusque-là. Mais il était trop tard pour reculer. Elle dit:

— Eh bien, dans ce cas, pouvez-vous m'examiner?

Louis la regarda un instant sans rien dire. Le médecin du roi était au château, son barbier aussi; pourtant, c'était lui qu'elle venait voir. Étrange. Enfin, il ouvrit complètement la porte et lui permit d'entrer.

— Merci, dit-elle.

Il referma la porte derrière elle et la verrouilla. Cela rendit Isabeau nerveuse. Elle regarda autour d'elle. Rien n'avait changé dans la chambre, exception faite de la présence d'une vieille malle. Il flottait dans l'air une légère odeur masculine qui n'était pas sans rappeler celle du terreau. Elle se tourna vers lui.

— Asseyez-vous, dit-il en lui montrant de sa main tendue l'un des faudesteuils*.

84

Elle obtempéra et, tout en se demandant quel risque elle allait prendre si elle lui avouait tout de suite la vérité, le regarda allumer une chandelle sur son bougeoir avec un brandon cueilli dans l'âtre. Car elle n'avait absolument pas envie de se faire arracher une dent pour rien, surtout pas par lui.

Le dentiste inquiétant s'approcha avec son bougeoir à la main. Il posa près d'elle une affreuse paire de pinces qui ressemblait davantage à un objet servant à la torture qu'à un instrument médical et dit :

— Ouvrez la bouche.

Cela avait décidément été une mauvaise idée. Jamais auparavant Isabeau n'avait eu conscience avec autant d'acuité de la vulnérabilité du patient qui devait accepter de se confier aux soins d'une autre personne.

La sévérité du visage penché au-dessus du sien était accentuée par les ombres que la chandelle y dessinait. Louis avait froncé les sourcils et elle put voir se refléter dans ses yeux sombres deux petites flammes d'or. Soudain, elle sursauta : il lui avait pris le menton afin de lui tourner la tête de côté.

— Du calme, dit-il et, sans avertissement, il lui planta l'index dans la bouche.

Elle frémit au contact des poils minuscules de sa phalange qui lui chatouillèrent la lèvre supérieure. Elle sentit le gros doigt appuyer de façon répétitive contre une dent.

— Celle-là ?

Isabeau hésita et dut se résoudre à essayer de parler avec le doigt de Louis dans la bouche. Elle parvint à articuler :

— Est un pfeu henhible.

— Il y a une tache. Pas grosse. Ça m'étonne même qu'elle vous fasse mal. Que décidez-vous ?

Le bourreau se redressa.

— Je... est-ce que... si on attendait une autre fois ?

— Comme vous voudrez.

Il ramassa son instrument et le rangea. Isabeau ne bougea pas de son siège. Maintenant qu'elle avait mis le pied dans cette chambre, elle n'avait pas l'intention d'en sortir tout de suite, surtout après avoir échappé de justesse à une terrible épreuve. Si au moins il pensait à lui offrir à boire, elle aurait une raison de rester. Il y avait un cruchon de vin entamé qui attendait sur une petite table, près d'un grand bol en grès emprunté aux cuisines. Le silence était embarrassant. Pour elle, en tout cas, car lui ne semblait pas pressé de le meubler. Il se contentait de se tenir debout devant elle, maladroit. La dame sut que ce n'était pas par rudesse, mais plutôt parce qu'il ne savait simplement pas comment s'y prendre en société. Elle dit :

— Je tenais à vous remercier pour la façon dont vous avez défendu mes couleurs. C'était admirable. Admirable et inattendu, je dois dire. Vous avez pris de court bien des gens.

Il ne fit qu'un signe de tête. Il était soulagé que cette journée soit enfin derrière lui et espéra qu'il n'aurait plus jamais à se soumettre à une épreuve similaire.

Isabeau le revit clairement en début de joute, se présentant à cheval devant elle, tenant sa lourde épée en travers du pommeau de la selle. L'écu, dont nul ne s'était moqué sauf les juges, luisait, et son bras était décoré d'une écharpe qui, après une heure, lui était revenue plus précieuse qu'avant. Les cheveux du bourreau dansaient sous la brise. De sa posture et de son regard hypnotique émanait une dignité presque royale, et pourtant sobre. Il s'était respectueusement incliné devant elle. Isabeau avait passé la nuit suivante à rêver de cette image. Il avait sans cesse trotté dans sa direction sur son destrier noir et l'avait fixée jusqu'à ce qu'elle ne vît plus que sa poitrine. Alors elle l'avait perdu de vue dans les mailles noires de sa broigne*. Il l'avait étreinte. Lui, le bourreau. Cela avait été un rêve merveilleux. Ses sentiments l'avaient trahie et elle ne pouvait rien y faire.

— Les palefrois m'ennuient, maître. M'offrirez-vous demain le plaisir d'une balade sur votre fougueux destrier ?

— Euh... d'accord.

Il avait entendu dire que c'était la mode.

La dame d'Harcourt s'étonnait de sa propre audace. Si la proximité du bourreau demeurait inquiétante, il lui facilitait quand même les choses sans le savoir. Il gardait un calme stoïque en dépit de la violence dont elle l'avait vu capable. Il prenait le temps d'étudier soigneusement chacune de ses paroles laconiques.

— Baillehache. Est-ce un nom chrétien ?

— Je n'en ai pas la moindre idée.

— S'agit-il de votre vrai nom ?

— C'est sans importance. Mon nom sera effacé par celui de mes successeurs.

— Ah, je crois que je comprends. Vous devez cacher votre véritable identité pour protéger les vôtres en cas de représailles.

Il ne la contredit pas. Elle avait elle-même trouvé réponse à sa question, et cette réponse faisait aussi son bonheur à lui. Sans un mot, il se détourna afin de mettre à chauffer dans l'âtre une pierre plate. Après quoi il entreprit de touiller le contenu du bol avec une cuiller en bois. C'était une pâte d'un beau jaune doré, assez liquide.

— Tenez donc, vous cuisinez en plus. Qu'y a-t-il là-dedans? demanda Isabeau, vivement intéressée.

— Levain, farine, lait, œufs et sucre de Chypre réduit en poudre.

— Où donc avez-vous pris tout cela?

— Je l'ai volé. Sauf le levain.

— Vraiment? Et à qui l'avez-vous volé?

— À vous.

Isabeau éclata de rire.

— Vous n'avez vraiment aucun scrupule. Mais j'admets que je commence à apprécier votre sens de l'humour. Quel est votre prénom?

Tout en continuant à agiter la mixture légère qui avait été mise en repos, il jeta à Isabeau un regard de côté.

— Louis.

— Ah, Louis. Pour être franche, je préfère cela à Baillehache. Puis-je vous appeler Louis? En retour, je vous accorde la permission de m'appeler Isabeau. C'est là une grande faveur.

Au lieu de répondre, il alla s'accroupir devant l'âtre. Personne ne l'appelait plus par son prénom depuis si longtemps. Cela lui fit un drôle d'effet. La dame se leva et le suivit afin de le regarder faire avec son plat. Elle s'accroupit prudemment à son tour pour éviter de trébucher dans ses jupes. Il versa un peu du mélange sur la pierre chaude et le laissa s'étendre langoureusement en grésillant.

— Hum, comme cela sent bon. Vous savez donc tout faire?

— Mes parents étaient boulangers.

Elle tourna la tête vers lui. Il était concentré sur le matefaim qu'il retournait déjà à l'aide d'une spatule, exposant son ventre d'un brun doré et constellé de petites bulles d'air. Ce paria qui avait fait d'elle une veuve avait un jour été un garçon ordinaire. C'était difficile à imaginer. Mais, en même temps, cela produisait un effet rassurant sur Isabeau. Un Beelzeboul* fils de boulanger était beaucoup moins effrayant.

— Passez-moi le tranchoir. Là, sur la table.

Isabeau dut se relever pour prendre la planche de bois usé qu'elle posa près de lui. Il y déposa le premier matefaim cuit et en versa un second sur la pierre.

— Goûtez-y, si ça vous dit, fit-il.

— Merci bien, mais je préfère vous attendre.

— Alors, mettez-le au chaud. Là.

Il déplaça le tranchoir plus près de l'âtre et continua d'empiler des matefaims en silence. La chambre embaumait.

— Vous ne parlez guère, n'est-ce pas? fit remarquer Isabeau qui avait dû finir par se relever à cause des courbatures.

Louis ne répondit pas. Contrite, elle dit :

— Je suis désolée. C'est le genre de commentaire ridicule dont on doit sans cesse vous rebattre les oreilles.

— Ça va.

— Seulement, vous conviendrez qu'il est difficile de trouver un sujet de conversation avec un homme tel que vous.

— La plupart des gens ne se donnent pas cette peine. C'est prêt. Mais vous allez manquer votre souper.

— Vous aussi.

— Non. Pas moi. Je préfère manger ici.

— Et moi, je préfère goûter à vos matefaims.

Louis posa le tranchoir sur la table et approcha les deux faudesteuils*. Il l'invita d'un geste à s'asseoir devant lui, ce qu'elle fit.

— Je n'ai pas pris de hanap, dit-il avant de boire un peu de vin à même le goulot du cruchon.

Il le lui tendit sans façon. Elle en but et trouva cela drôle. Elle inclina coquettement la tête et dit, songeuse :

— Plus je vous regarde, moins je trouve que vous convenez à l'idée qu'on se fait de vous.

— Ah bon.

Il roula un matefaim et mordit dedans pendant qu'Isabeau précisait sa pensée.

— Peut-être imagine-t-on à tort que les bourreaux ne sont que des brutes sanguinaires.

— Certains le sont. La plupart d'entre eux sont des condamnés qu'on a graciés.

— Et vous, comment en êtes-vous venu là?

— Je suis aussi un condamné qu'on a gracié.

Elle réprima un frisson.

— Pour quel délit?

— Je m'en suis pris à un noble.

— Oh, mon Dieu.

Elle posa la main sur son cœur comme si elle s'attendait soudain à le voir se lever pour lui sauter dessus. Au lieu de quoi il dit :

— N'ayez crainte, il s'en est sorti. Mangez. Ça refroidit vite.

Elle fit comme lui et roula l'une des épaisses crêpes avant d'y mordre.

— Hum, c'est délicieux. Si l'on m'avait dit qu'un jour j'allais manger de la nourriture préparée par un bourrel*!...

— Justement. Puisqu'on en parle, pourquoi le faites-vous? Pourquoi êtes-vous là?

Cette visite qui se prolongeait n'était pas convenable, et tous deux le savaient. Isabeau n'avait pas envie de lui expliquer la véritable raison de sa présence. Pas tout de suite, en tout cas. Elle choisit la forme de mensonge la plus efficace: elle opta pour la vérité.

— Charles... Le roi m'a déléguée pour vous informer de deux ou trois choses. La première concerne son souhait de vous voir assister à ses audiences quotidiennes. La seconde est de nature plus... personnelle.

— Je vous écoute.

— C'est au sujet de mon neveu Philippe.

— D'Asnières.

— Oui. Écoutez. Vous avez déjà vu par vous-même comment il est. Il a commis une bêtise. J'ignore de quoi il s'agit exactement. Cela a quelque chose à voir avec du Guesclin[18]. Mais Charles soupçonnait quelque chose de louche depuis un certain temps déjà, et son comportement inacceptable à la joute n'a fait qu'exacerber ses doutes et le motiver à en savoir davantage. Il exigera donc que vous... le mettiez à la question.

Louis ne dit rien. Il finit sa crêpe et repoussa son tranchoir avant de prendre le cruchon de vin. «Voilà qui explique cette visite», songea-t-il. Isabeau continua:

— Je connais votre opinion à son sujet, maître, et vous avez bien raison.

— À vrai dire, je n'ai pas d'opinion.

— Moi, si. Philippe n'est qu'une tête brûlée qui tient à se démarquer coûte que coûte.

— Je connais ce genre d'hommes.

— Il ne pense pas à mal. Il ne sait même pas ce qu'il fait. Seulement, je vous demanderais de ne pas profiter de la situation pour...

Elle ne put terminer sa phrase. Il le fit à sa place.

— ... pour lui faire subir la torture à outrance.

— C'est cela, dit-elle dans un souffle. J'irai même plus loin en vous demandant de bien vouloir lui épargner ces tourments. C'est mon unique neveu et il m'est très cher. Je ferai tout ce que vous me demanderez. Tout. Je vous en conjure, ne lui faites pas de mal. Nous pourrons nous arranger pour que Charles n'en sache rien.

Isabeau prit dans les siennes la main du bourreau. Elle la tint comme un objet précieux.

— Louis...

— Dame, il y a peu de place pour autre chose que la souffrance dans ma profession. Mais sachez que je n'en inflige pas inutilement.

Il se leva. Sa main demeura emprisonnée dans celle de la femme.

— Tout ce que je peux faire, c'est de prier avec vous pour qu'il cède avant qu'on en vienne là, dit-il.

Alors que Louis s'éloignait de la table et que son bras demeurait tendu vers Isabeau qui le retenait, la femme, soudain suppliante, essaya de le tirer vers elle.

— Je vous traite en ami malgré ce que vous avez fait à mon défunt mari et j'ai évité de vous juger comme l'ont fait tous les autres. En obéissant à cet ordre horrible, vous torturerez deux personnes et non pas une seule. Vous me ferez aussi mal à moi, comprenez-vous? À moi qui ne vous ai rien fait...

— Tous les criminels font du mal à leur famille.

— Mais vous ne comprenez pas. C'est à vous que je pense.

— À moi?

— Ce que j'essaie de vous dire, c'est... Je ne peux supporter l'idée de vous savoir à l'œuvre. Pas maintenant que je vous connais un peu mieux. Louis, je vous aime.

L'aveu l'estomaqua. Il fut à ce point pris au dépourvu qu'Isabeau parvint enfin à le rapprocher suffisamment d'elle pour s'agripper à ses vêtements ajustés. Elle avait peur de ce qu'elle venait de dire. C'était avouer sa vulnérabilité, se montrer perméable à un désir qu'elle eût dû réprimer, ignorer à tout prix. Rien n'était plus dangereux que l'amour pour une femme de tête. On se laissait trop faiblement aller à y goûter comme à l'un de ces champignons qui donnent eux aussi la mort. Des champignons irrésistibles, attrayants comme des jouets d'enfant et qui naissent en un instant au plus secret de la nuit.

— Non, arrêtez, dit Louis d'un ton abrasif.

Une poigne ferme se referma autour des bras d'Isabeau et l'éloigna de ce corps qui, elle s'en apercevait, n'avait manifesté aucune réaction de désir. Comme au soir du banquet. Était-il donc en mesure de se maîtriser à ce point? C'était démoniaque. Le bourreau la regarda intensément et dit:

— Partez. Cela vaut mieux.

Pour la première et unique fois de sa vie, la dame fut raccompagnée à la porte avec une prévenance presque inquiétante. Isabeau était trop saisie: elle se laissa faire. Elle n'éclata en sanglots qu'une fois de retour dans ses propres quartiers.

Dans la salle d'audience, Charles de Navarre pianotait avec impatience sur le bras sculpté de sa cathèdre*. Sur sa tête brillait une couronne en or magnifiquement ouvragée et constellée de pierreries. Il était enveloppé d'un manteau de velours azur semé de fleurs de lys en fils d'or. Les bords en étaient garnis d'hermine. Dans la salle étaient regroupés une douzaine de dignitaires: conseillers, clercs et membres de la famille royale. Une Isabeau tremblante se tenait parmi eux. L'homme entravé qui se tenait devant l'estrade, où siégeait le petit roi, courbait l'échine, et ses yeux rougis ne se posaient que rarement sur Charles, qui ne prêtait qu'une oreille distraite à ses explications évasives. Il devenait de plus en plus évident pour tous ceux qui assistaient à l'audience que l'accusé s'adressait non pas au roi, mais à l'homme qui se tenait debout, bras croisés, à la droite de la cathèdre*. Lui écoutait attentivement, sans le quitter de son regard perçant. Il imposait un respect qui eût dû échoir au roi, ce dont il ne semblait pas avoir conscience. Charles, quant à lui, souriait, satisfait de l'effet produit par la présence sinistre du bourreau se tenant à ses côtés tel un gardien maléfique. C'était cet effet-là qu'il avait souhaité. Il dit:

— Philippe, Sa Majesté la reine affirme avoir reçu votre page à Vernon. Veuillez m'expliquer ce qu'il y faisait et ce qu'il y fait toujours.

— Mais, Votre Majesté, puisque je vous dis que je n'en sais rien! Je lui avais donné congé et... et voilà. C'est par vous que j'ai appris où il est allé. Il ne m'a rien dit, à moi.

Le roi tourna la tête et fronça ses sourcils charbonneux. Dans son visage de plâtre, ses yeux noirs se découpaient comme sur un masque.

— Baillehache! appela-t-il.

— Sire, dit le colosse qui se détacha de son coin vaguement ombreux pour faire face au roi avant de s'incliner.

— Va faire ton devoir, dit le roi.

— Bien, sire.

Louis nota ce nouveau tutoiement. Il ne sut qu'en penser. Il se détourna et descendit de l'estrade. Il prit d'Asnières par son bras valide, l'autre étant immobilisé dans des attelles, et l'emmena sans un seul regard pour Isabeau d'Harcourt.

— Non! Grâce! Ma tante, faites quelque chose, supplia le jeune homme.

Charles dit à sa maîtresse:

— Ne vous inquiétez pas, m'amie. Il s'agit seulement de la

question préparatoire. Une formalité. Louis le conduit à la salle des tortures où il se contentera de lui montrer sa panoplie d'instruments effrayants et de lui en expliquer l'usage.

— Avancez, messire, avancez, dit Louis d'une voix calme, affreusement neutre.

Les deux hommes quittèrent la salle et disparurent dans un escalier en colimaçon. Dans la salle d'audience, le silence se fit.

Le souhait d'Isabeau fut exaucé : ils revinrent au bout de quinze minutes. Louis soutenait par le bras un Philippe aux jambes flageolantes. Une tache d'humidité d'allure suspecte descendait le long de ses hauts-de-chausses en satanin* violet ainsi que sur ses bas-de-chausses, dont une des jambes était violette et l'autre jaune d'or. Il avait flanché à la vue de la chaise munie de sangles en cuir sur laquelle le tortionnaire avait eu l'intention de l'attacher.

Louis lui avait glissé les doigts dans une espèce de petit pilori à main qui lui avait immobilisé les phalanges et lui avait décrit dans le détail une torture consistant à insérer à petits coups des aiguilles sous les ongles. Il avait ensuite précisé au pauvre bougre :

— Vous comprenez, j'ai l'épaule en bouillie. Il me faut quelque chose de pas trop exigeant comme travail.

— C'est bien trouvé, avait dit Philippe en s'efforçant de faire le brave.

— En effet. Les doigts sont ce qu'il y a de plus sensible. Vous n'aimeriez pas savoir ce que j'arrive à faire avec un simple casse-noisettes. À titre personnel, maintenant, je vous préviens que si vous osez encore lever la main sur moi, je verrai votre sang de bellâtre. Et nous saurons s'il est vraiment bleu ou pas.

Cela avait été suffisant. D'Asnières avait avoué ses contacts fréquents avec du Guesclin, qui lui avait promis gloire et richesse en échange de sa collaboration.

En dépit de ces graves aveux, personne à la cour ne fut surpris d'apprendre quelques jours plus tard, à la fin d'une audience, que Charles avait accordé son pardon au neveu de sa maîtresse. Alors que la salle se vidait, Charles dit à Isabeau et à Philippe :

— J'organise ce soir un petit souper intime, sans façon, avec quelques invités seulement et de bonnes bouteilles de mon pays. Cela vous plairait-il?

Les deux nobles se hâtèrent d'accepter l'invitation avec force courbettes. Ce n'était ni plus ni moins qu'une réhabilitation pleine et entière de Philippe, qui avait promis de ne plus recommencer ses errements. Le roi acquiesça avec un sourire. Il appela :

— Et qu'en est-il de toi, mon ami?

Le visage de d'Asnières s'allongea, et Isabeau fit semblant de ne pas entendre. Car Charles avait rappelé Louis avant que celui-ci ne cherche à s'éclipser.

— Sire?

— Te joindras-tu à nous pour déguster... je ne sais pas, moi, l'un ou l'autre de mes invités?

Isabeau rougit jusqu'à la racine des cheveux. Les yeux félins du roi scintillèrent.

— Je plaisantais. Mais je constate avec aise que notre chère hôtesse sait apprécier un trait d'esprit, surtout lorsqu'il prend deux sens. Il faut savoir rire, dans la vie, n'est-ce pas?

— Oui...

— Toi davantage que quiconque mérite une pinte de bon sang. Diantre, très chère Isabeau, ne vous pâmez pas. Cela m'a échappé.

— Pardonnez-moi, beau sire, si je n'apprécie guère ce genre de blague.

— Au fait, ne ris-tu jamais, Louis?

— Pas très souvent, non.

— Il ne me semble pas t'avoir déjà vu rire. Enfin... Alors, ce souper? Puis-je compter sur ta présence?

— J'y serai, sire.

— À la bonne heure! Jean Fernandon, mon écuyer tranchant, sera, hélas, absent. Tu rempliras donc son rôle. Je te saurai gré d'endosser un tablier propre et de veiller à ne rien couper qui ne soit comestible.

— Oh, Charles! s'exclama Isabeau.

Louis s'inclina et quitta précipitamment la salle.

Charles se tourna vers Isabeau et dit:

— Vous avez vu? J'y suis presque parvenu.

— À quoi?

— Mais à le faire rire, pardi!

— Peut-être, mais sa façon de parler m'est presque une injure.

— À mon avis, c'en est une, bougonna Philippe.

Isabeau rectifia:

— Non. Il est taciturne, c'est tout.

Charles opina:

— Il s'en tient au strict minimum, comme s'il craignait de trop en dire. Quoi qu'il en soit, c'est un homme dont j'admire l'intégrité.

Isabeau cligna des yeux et regarda son amant. Elle demanda, avec douceur:

— Comment, vous aussi vous l'admirez, Charles?

— Eh, que voulez-vous? Même un roi peut parfois avoir besoin d'un modèle, d'un complice. Vous-même, très chère, n'avez-vous pas avec lui embrassé l'écu* à la joute?

*

— Dis-moi, Louis, qui donc t'a enseigné à si bien te battre? demanda Charles de Navarre.

— J'ai appris le behourd* à Saint-Germain-des-Prés. Le reste vient d'un vieil homme qui n'est plus. Garin de Beaumont[19], qu'il s'appelait.

Troublé par ce nom qui réveillait en lui l'arôme des romarins du Midi, Louis se pencha pour ramasser une brindille. Il se baladait aux abords de la forêt domaniale en compagnie d'Isabeau et du roi. Même pour cette simple promenade, les deux nobles s'étaient parés de beaux atours: le monarque portait un pourpoint d'estanfort lie-de-vin; ses jambes étaient gainées de hauts-de-chausses en velours génois de la même teinte et ses chausses noires étaient serrées sous le genou par des jambières aux aiguillettes d'or; il était coiffé d'un chaperon en velours lie-de-vin dont les cornettes, habituellement nouées derrière la nuque, lui protégeaient à présent les oreilles; sa main gantée tenait le bras de dame d'Harcourt. La chaude mante bordée de renard qu'Isabeau portait, sous laquelle froufroutait du samit vert, produisait des reflets mordorés. Le couple marchait côte à côte, tandis que Louis suivait derrière.

Le souper de la veille avait été intéressant, à un point tel que le couple illégitime mais illustre avait de nouveau invité Louis pour déjeuner ce matin même. Isabeau l'avait empêché de trop réfléchir en lui saturant l'esprit des noms de tous ceux qui y avaient aussi été conviés.

La journée promettait d'être belle. La froidure avait quelque peu relâché son emprise sans pour autant recouvrir sa faiblesse avec des monceaux de nuages comme elle le faisait si souvent. Le ciel très bleu où s'attardait un seul petit nuage curieux distillait une lumière qui conservait quelques vestiges de ses dorures de l'aube. Très haut au-dessus des cimes, un fauperdrieux* tournait en rond et s'ennuyait. Charles disait:

— Chez moi, à Pampelune, le soleil chauffe aussi fort en hiver qu'en été. Vous m'accompagnerez un jour tous les deux à mon châtelet d'Olite[20]. Vous avez constaté par vous-même comme mes

_____

20. Résidence des rois de Navarre. Ce château existe encore; il est devenu un hôtel.

vignes rendent un vin somptueux. Même les Anglais ne peuvent se passer du vin de Navarre. Ils font commerce avec les Espagnols de mon royaume pour en importer, ainsi que de l'if, le meilleur de la chrétienté, pour fabriquer leurs arcs. Vraiment, c'est un véritable pays de cocagne que le mien.

Charles s'arrêta brusquement pour se tourner vers Louis.

— Mais tu as déjà vu tout cela, toi.

— Un peu.

— Je suis le maître absolu des gorges pyrénéennes. Tu dois connaître ce chemin qui mène de Saint-Jean-Pied-de-Port à la vallée de Roncevaux?

— Euh... pas vraiment.

— Voyons, Charlemagne en personne a déjà pris cette route. Elle franchit le cours de l'Arga pour déboucher à Pampelune. Non? Ça ne t'est pas familier?

— Je crains que non.

— Il y a un col et ses environs qui font partie de ma Merindad de Ultrapuertos. C'est une enclave de la Navarre et un lieu stratégique du plus haut intérêt... Mais je lis dans tes yeux que quelque chose te tracasse, ai-je raison?

— Sire?

— Louis, tu n'es pas ici depuis longtemps, et pourtant je te considère déjà comme un ami. Très peu de gens ont ce privilège. Un grand nombre de mes dignitaires et de mes barons se battraient à mort pour se mériter le titre d'ami du Mauvais.

Il rit, les yeux brillants, et reprit :

— Pourquoi j'ai jeté mon dévolu sur toi? La raison en est bien simple : c'est à cause de ton honnêteté et de ta franchise. Et de quelque chose d'autre aussi, dont la nature exacte m'échappe encore. Enfin, bref, exprime-moi donc sans crainte ta pensée.

— Sire, puisque la Navarre est le pays de cocagne que vous dites, pourquoi convoitez-vous celui des autres?

Charles s'esclaffa, alors qu'Isabeau, indignée, cachait délicatement sa bouche bée derrière ses doigts fuselés. Charles dit :

— Vous voyez? Vous voyez, m'amie? C'est ce que j'apprécie le plus chez cet homme : crac! La vérité pure et simple, franche, sans toutes ces circonlocutions qui ne visent qu'à ménager votre orgueil. C'est à la fois brusque et délicieusement candide.

Son rire s'interrompit aussi subitement qu'il avait éclaté et il dit :

— Mais prends garde, Louis. C'est aussi extrêmement dangereux d'énoncer pareil commentaire à son roi.

— Pardon, sire, mais vous m'aviez demandé mon avis. Ça l'est.

— Tu n'as pas à me demander pardon. Tu es mon ami. Mais montre-toi tout de même prudent. Cette pensée, eût-elle été formulée par un autre que toi, eût valu un séjour plus ou moins prolongé en geôle à son auteur. Avec, bien entendu, tous les privilèges qui s'y rattachent et que tu connais mieux que moi.

— Oui, sire.

— C'est quand même dommage. Parce que ce qui est le plus admirable dans ta question, cher ami, c'est qu'elle est tout à fait justifiée. Elle me ramène à mes motivations premières que j'ai trop vite tendance à oublier au profit d'objectifs secondaires. Tu me fais réaliser pleinement que rares sont ceux qui arrivent à saisir toute la complexité de ces manœuvres politiques.

Le trio se remit en marche.

Depuis qu'il avait commencé à assister aux séances du conseil, Louis apprenait à mieux connaître le monarque qu'il servait. Charles était un homme prompt qui prenait ses gens par surprise avec des ruses et des rages spectaculaires. Cela laissait pantois tout le monde autour de lui, et Louis avait une longueur d'avance sur les autres, car il savait encaisser sans réagir. Ce qu'il aimait chez le roi, en revanche, c'était sa façon de méditer l'un ou l'autre problème qu'on lui soumettait : il y mettait très peu de temps et, une fois émises, ses opinions avaient force de loi. Tout était simple avec Charles de Navarre.

— La pire erreur de mes cousins Valois qui règnent désormais sur la France, c'est d'avoir mésestimé la valeur de la féodalité. Elle eût pu être leur meilleure alliée. Philippe le Bel, lui, n'avait pas besoin d'elle. Il était puissant. Par conséquent, il pouvait se permettre de la désarmer. Mais les Valois ne sont pas puissants. Eux qui ne savent pas se défendre ont eu le tort de désarmer la féodalité et, une fois la guerre venue, le roi Jean n'a rien trouvé de mieux à faire que de lui rendre son épée. Elle ne subsiste plus depuis longtemps que par principe. Elle n'est qu'orgueil, faiblesse et vanité. Elle ressemble à une gigantesque armure vide qui menace et brandit la lance, mais qui s'écroule dès lors qu'on l'effleure. Quel affreux gâchis.

Le jeune monarque soupira et jeta un coup d'œil nostalgique au ciel hivernal.

— À partir du moment où j'ai su sans l'ombre d'un doute que le trône de France ne serait jamais mien, je me suis tourné vers Édouard d'Angleterre à qui j'ai cédé, entre autres, la Brie et la Champagne. Toutefois, j'ai pris soin de ne pas céder les quelques places que je détiens en Île-de-France. Inutile d'aller au-devant des ennuis en m'isolant au sud avec ces deux têtes couronnées avides qui se bousculent l'une l'autre aux portes de mon royaume. Que l'un gagne haut la main et, pfut! j'en serai quitte pour me faire dévorer par lui.

Isabeau semblait avoir l'habitude de ces réflexions faites à voix haute, car elle fit comme si elles ne requéraient pas de réponse. Cela devait sans doute être le cas. Louis s'abstint lui aussi de parler pour des raisons évidentes. Charles poursuivit avec emphase.

— Or, ne pouvant me dresser ni contre l'un ni contre l'autre, même pour la sauvegarde de mon royaume, mes seules armes demeurent les traités.

Il s'arrêta de nouveau et laissa Louis arriver à sa hauteur avant de s'expliquer.

— On m'accuse de félonie parce que je négocie avec l'un pour ensuite me tourner vers l'autre. Certes, j'utilise la situation à mon profit. Qui donc m'en blâmerait? Des centaines de marchands en font autant et on ne leur en tient pas rigueur. Mais qu'un roi s'avise de les imiter et, oh là là! c'est la catastrophe. Qu'en pensez-vous?

— C'est le simple bon sens, dit Isabeau.

— Eh bien, oui. J'ai pour mon dire qu'il ne s'agit là que d'une sage précaution. Puisque c'est déjà la guerre de toute façon et que je ne puis m'approprier la couronne de France, moi, un Capet, je ne vais sûrement pas me gêner pour aider le cousin d'Angleterre à déplumer l'usurpateur valois et, par la même occasion, m'enrichir un tantinet à ses dépens.

Tout au long de la promenade, Isabeau d'Harcourt se tordait le cou pour émailler les pas de Louis avec des sourires amicaux. Si Charles l'avait remarqué, il s'était jusque-là poliment abstenu d'en faire mention. Ce fut probablement la raison pour laquelle il prit ses compagnons marcheurs au dépourvu en disant:

— C'est comme en amour. On ramasse ce qui nous convient de l'une et de l'autre et, si l'on s'y prend bien, on finit par s'en trouver enrichi. Tenez, moi, par exemple, je suis le plus heureux des hommes puisque j'ai à la fois la reine et l'amour.

— Oh, Charles, quel taquin vous faites! dit Isabeau en donnant une petite tape sur le bras du roi qui l'avait attirée contre lui pour l'étreindre.

Elle put voir que Louis avait tourné la tête pour regarder en direction du boisé, comme s'il s'y trouvait tout à coup une nymphe qui avait égaré son arbre. Les cheminées du château tout proche effilochaient des rubans parfumés.

— Ah, que valent à un homme les plus vastes conquêtes et les plus riches trésors s'il n'arrive à se gagner le cœur de sa dame? L'amour est plus puissant que le plus puissant ost*. C'est par lui que naissent et se désagrègent les empires. Je peux commander une armée, mais pas l'amour. Tu ne dis rien, mon ami?

— J'écoutais, sire.

— Ah bon. Tu écoutais. Mais encore?

Louis haussa les épaules et dit:

— C'est tout. J'écoutais.

— Ton opinion, Louis.

— C'est comme vous dites.

— Réponse de lèche-botte! Ne me déçois pas, bourrel*. Je te sais capable de mieux que cela. Comment se nomme ta belle?

— Je n'en ai pas.

— Oh, le menteur! Tu ne prétends tout de même pas me faire gober une fausseté pareille?

— J'ai dit la vérité, sire. Je suis seul. Si vous voulez bien m'excuser, il faut que j'aille me soigner. Ça m'élance.

Il porta la main à son épaule et s'inclina avant de se détourner rapidement sans même attendre son congé. Le couple le regarda traverser le préau et disparaître derrière le mur de la cour.

— Je ne crois pas l'avoir déjà entendu se plaindre de sa blessure, dit Isabeau.

— Ça en dit long. J'ai l'impression que c'était l'excuse toute trouvée pour cacher une autre blessure, plus grande, celle-là.

— Vraiment? Pouvez-vous m'expliquer?

— N'avez-vous pas remarqué avec quelle audace il s'est permis de m'exprimer son opinion en matière de politique, alors que, dès que nous avons abordé ce sujet un peu plus personnel, il s'est dérobé avec une maladresse inouïe?

Isabeau commençait à avoir chaud en dépit de la neige qui crissait sous les pas et scintillait comme du verre pilé. Elle réfléchit soigneusement afin d'éviter de commettre un faux pas et dit enfin:

— Il ne savait peut-être pas quoi dire.

— Oh, détrompez-vous, m'amie. Il avait sa réponse. Aucun doute là-dessus. Seulement, il n'a pas jugé bon de nous en faire part. C'est un homme fascinant qui ne se laisse, hélas, pas connaître aisément. Il y a quelque chose en lui qui me déconcerte, une sorte de bouillonnement que je n'ai jamais vu en quiconque. Et Dieu sait si j'ai vu bien des gens.

— Il est insaisissable.

— Et, pour vous, désirable.

Le nez d'Isabeau cessa de produire sa chaîne de petits nuages. Charles dit encore :

— Voyons, Isabeau! Il faudrait que je sois le dernier des imbéciles pour ne pas m'en rendre compte. Écoutez. Allez donc le voir.

— Quoi?

— Mais si. Pourquoi pas? Après tout, nous ne sommes pas mariés.

— Il a tué mon mari.

C'était la vérité. Jean d'Harcourt avait pris une part active au tristement célèbre banquet de Rouen en 1356, où un complot ourdi contre le roi de France avait été découvert; Jean et d'autres participants avaient immédiatement été accusés de traîtrise, et Louis avait été sommé de les mettre à mort.

— Ah, chère Isabeau, dit Charles. Telle est la puissance de l'amour que nous venons tout juste d'évoquer, n'est-ce pas? Ne cherchez là rien de raisonnable, car vous ne trouverez pas. Ni royaume ni ost* ne résistent à l'amour. Croyez-vous que la voix enrouée de votre pauvre conscience le pourra? Une voix qui débite une ânerie d'ailleurs, puisque notre ami n'a fait que son devoir.

— Êtes-vous bien sûr que vous ne m'en voudrez pas, Charles?

— Aucunement.

— Merci, dit-elle avec douceur.

Ils se firent face et se prirent les mains.

— C'est tout de même un bourrel*, dit Isabeau.

— Mais vous l'aimez?

— Oui...

— Alors, je le respecte. Quel qu'il soit.

Il lui posa un baiser sur les lèvres et dit encore :

— Je ne souffrirai pas de lui céder ma place dans votre cœur. Je... je crois qu'il en a bien besoin.

*

L'homme mince était assis à une table sur laquelle une chandelle achevait de se consumer. Un évêque s'était installé dans le meilleur fauteuil et observait attentivement la domestique qui se tenait debout en face d'eux. L'homme mince dit à l'ecclésiastique :

— Souvenez-vous de ce qu'a dit hier le roi en pleine réunion du conseil. Il a dit : « Cet homme-là a l'étoffe d'un chancelier. » Nous n'avons plus le choix. Il nous faut agir.

Il poursuivit en s'adressant à la servante.

— Je compte sur toi. La façon dont tu t'y prendras ne me concerne en rien, en autant que tu aies soin d'éviter la violence. Fais seulement en sorte que cet être méprisable tombe en disgrâce sans compromettre notre hôtesse. Les ordres m'en viennent directement d'Olite.

— Je pense savoir ce qu'il faut faire, dit la femme en souriant. Il n'aura pas du tout mal, bien au contraire. Et elle non plus.

L'évêque se racla la gorge. Le dessus de son crâne dénudé rougit.

— Que le Tout-Puissant vous pardonne cette indécence, dit-il.

— Je conçois que cela vous choque, monseigneur. Mais nous autres, femmes, savons toutes que la vraie politique ne se fait point autour de la table du conseil, mais plutôt dans l'intimité de l'alcôve.

— J'ai ouï dire que cet individu possède la grâce d'être insensible aux plaisirs de la chair, dit l'homme d'Église.

— Aucun homme ne peut être complètement insensible. En tout cas, c'est ce que nous allons bientôt avoir l'occasion de découvrir.

La servante de Louis fit entrer Isabeau. La dame laissa la domestique sortir et fermer la porte derrière elle. Elle était seule avec le bourreau dans la chambre impeccable où ne traînait aucun effet personnel. Elle s'avança sans bruit.

C'était elle, Desdémone, qui lui était arrivée avec la meilleure idée. Le plan était si simple qu'Isabeau s'en était voulu de ne pas y avoir songé elle-même. Car Louis avait systématiquement repoussé chacune de ses avances. Sans se montrer grossier ni désagréable, il avait tâché de toutes les manières possibles de lui faire comprendre qu'une relation avec lui n'était pas convenable et qu'il n'était amoureux ni d'elle ni de personne. Il avait fermement refusé le moindre contact physique, ne fût-ce qu'un effleurement et, depuis un mois, il esquivait toute rencontre avec l'adresse d'un chat.

Baillehache était assis dans l'un des faudesteuils* qui avait été déplacé de façon à faire face à l'âtre. Elle put le voir de profil. Il avait la tête légèrement inclinée de côté et semblait absorbé dans sa contemplation des flammes. Un instant, elle fut tentée d'oublier ce qu'elle venait faire.

Elle lui fit face sans prononcer un mot. Il ne bougea pas. Les flammes se reflétaient dans ses prunelles sombres à demi cachées par les paupières qui n'étaient pas tout à fait closes. Le regard de Louis était anormalement fixe. Mais on eût dit qu'il suivait Isabeau dans ses légers déplacements qui faisaient à peine froufrouter sa longue robe. Pourtant les yeux ne cillaient pas : il semblait mort.

Saisie d'angoisse, Isabeau se pencha précautionneusement au-dessus de lui. La poitrine de Louis semblait se soulever et s'abaisser doucement; peut-être cela n'était-il qu'un effet de la lueur dansante des flammes.

Elle avança une main hésitante. On eût dit qu'elle s'apprêtait à caresser le visage d'un gisant. Ce fut d'ailleurs l'effet qu'elle ressentit lorsque sa main frôla une joue qui avait la dureté du bois.

Le bourreau sursauta. Il cligna des yeux et son regard, soudain, redevint vivant, braqué sur elle. En un éclair, il avait empoigné la main de la femme tandis que le fil de sa dague se posait sur la gorge involontairement offerte, prêt à sectionner la jugulaire.

— Vous! dit-il.

L'expression de Louis, qui achevait de se réveiller tout à fait, montrait une surprise contrariée.

— Pardonnez-moi cette intrusion, maître, dit-elle d'une voix rendue chevrotante par la peur et par le contact froid de l'acier contre sa peau.

Il lui eût été difficile d'oublier qu'elle rendait visite à un tueur professionnel. Le bras de l'homme ne s'abaissa pas et il la maintint fermement dans sa position inconfortable, penchée au-dessus de lui. Elle dit encore, en tentant de lui offrir son sourire le plus séduisant:

— Que craignez-vous donc d'une faible femme comme moi?

— La crainte n'a rien à y voir. On ne surprend pas ainsi les gens dans leur sommeil.

Louis retira son arme et se leva lentement. Isabeau dit:

— Ainsi vous dormiez? Cela signifie que ce que l'on raconte est vrai.

— Quoi donc?

— Vous dormez les yeux ouverts.

Le médecin juif de Jean de Picquigny lui avait déjà fait part de ce constat après Poitiers.

— Je le sais.

— Alors, vous m'avez vue.

— Oui, mentit-il.

Par habitude, Louis contribuait à entretenir certaines fables à son sujet. Cela pouvait toujours être utile. Il dit:

— J'ai pourtant ordonné à ma servante de ne laisser entrer personne. Je lui ferai tâter de ma canne.

— Non, je vous en prie, Louis, ne faites pas ça. Ce n'est pas sa faute. J'ai beaucoup insisté pour vous voir et elle n'a pas pu me refuser.

— Bon. Eh bien, que me voulez-vous?

Louis prit dans sa poche un mouchoir de lin propre qu'il lui tendit. La dame fit un pas en arrière. Il dit rudement, en secouant le mouchoir :

— Allez, prenez. Je vous ai un peu égratignée.

— Oh, fit-elle, et elle accepta le mouchoir dont elle s'épongea la gorge.

Elle regarda la petite tache rouge dans le tissu et tenta de reprendre contenance.

— Merci. Voici : je désirais tout simplement vous convier à un petit souper en tête à tête. Non, rassurez-vous, il n'y a derrière cela aucune tentative pour vous faire changer d'avis sur... sur ce que vous savez. Permettez-moi de vous inviter en ami.

Louis l'observait attentivement. Ses paroles s'accompagnaient d'une gestuelle vive et nerveuse qui était en total désaccord avec sa vraie nature. Une analyse plus poussée révélait des indices sur ce que dissimulait la façade toujours soigneusement entretenue que cette femme du monde affichait en société : ses yeux papillonnaient avec une fébrilité inquiète, elle ne cherchait ses mots qu'en sa présence à lui et elle ne cessait de triturer la dentelle vaporeuse qui ornait son corsage, tandis que le reste de son corps était contraint à une immobilité voulant faire croire au plus grand calme.

Malgré tout cela, il ne savait que faire. Un refus risquait d'offenser ses hôtes. D'autant plus que Charles, non content de lui prodiguer sans cesse toutes sortes de largesses, l'avait laissé profiter depuis les joutes d'une liberté presque totale. Louis n'avait jamais abusé ni des unes ni de l'autre, et cela en intriguait plus d'un à la cour, dont le roi lui-même.

— Allez-y. Je vous rejoins, dit-il enfin.

— Avec une prise telle que moi à votre hameçon, je n'en doute pas un seul instant. Mais nous pouvons nous y rendre ensemble.

— C'est inutile. Je n'ai aucune envie de veiller à votre place sur votre réputation.

Il l'escorta jusqu'à la porte sans porter la main sur elle. Isabeau ne résista pas. Une fois le seuil franchi, elle se retourna pour faire face à l'homme. Mais la porte lui claqua au nez.

« Il ne perd rien pour attendre, l'animal ! » se dit-elle.

*

Desdémone disposa en forme de fleur une douzaine de petites tranches de venaison tendre apprêtées à la cantharide. Cela compléta la préparation d'un plat qui fut présenté aux tourtereaux. Elle avait cuisiné des beignets à la moelle qui avaient exigé une assez longue préparation : de petits tronçons d'os de bœuf avaient été pochés dans le bouillon jusqu'à ce que la moelle fût suffisamment ramollie pour être extraite avec un couteau à lame très fine; la moelle avait été immergée dans l'eau glacée et les morceaux plus gros avaient dû être hachés avant d'être à nouveau brièvement pochés dans le bouillon à l'aide d'une écumoire; pendant qu'ils avaient été mis à refroidir, Desdémone avait façonné une pâte épaisse avec de la farine, du sel, des jaunes d'œufs et de l'eau; elle avait assaisonné le mélange de moelle, qui gagnait à être bien relevé, avec les inséparables cannelle, clou de girofle, gingembre et muscade, auxquels était venue s'ajouter de la maniguette, c'est-à-dire la graine du paradis; la servante avait patiemment enrobé chaque morceau de moelle avec la pâte et fait frire le tout dans du saindoux très chaud pour empêcher le gras de la moelle de fuir. Elle avait consacré une partie de la journée à l'élaboration de ces mets[21], tout en réfléchissant à la vengeance qu'elle s'apprêtait à assouvir. Louis allait payer pour l'amour qu'il lui refusait depuis toujours.

— Vous m'avez un peu prise au dépourvu en acceptant mon invitation, et j'ai fait préparer quelque chose de rapide aux cuisines, dit Isabeau avec insouciance.

Tendres à point, les beignets bombaient leur croûte dorée. Desdémone versa sur les tranches de venaison une onctueuse sauce jaune piquetée de poivre noir qui était faite à partir de moutarde verjutée.

Les appartements d'Isabeau étaient plus spacieux que les siens. Elle les avait décorés avec un goût exquis. Elle veillait à ce que le ménage y fût soigneusement fait chaque jour et il ne lui avait pas été très ardu de veiller à la préparation de ce repas soigneusement planifié.

— Oh, j'oubliais. J'ai prévu un cruchon de vin blanc, Desdémone.

Louis porta une tranche roulée à ses lèvres. La première bouchée ne le fit presque pas réagir et il continua poliment à manger. Isabeau dit :

— Hum, ce plat n'est pas réussi. C'est vraiment trop salé, ne trouvez-vous pas?

— Ça va. Merci, répondit Louis après avoir dégluti.

Ils mangèrent en silence. Peu à peu, le plat se dégarnit. Louis se raclait la gorge de plus en plus souvent, essayant de se faire discret.

— Avez-vous revu mon neveu dernièrement?

— Non.

— Moi non plus. Je me demande ce qu'il fait. J'espère qu'il ne s'est pas mis en tête de continuer ses activités douteuses après avoir vu ce vers quoi les soupçons du roi risquent de le mener.

— Il y en a qui n'apprennent jamais.

— C'est, hélas, la triste réalité.

Le silence retomba. Louis n'était pas de ceux qui s'efforcent d'entretenir une conversation; il ne parlait que si on s'adressait à lui. Isabeau dit:

— Maintenant que nous sommes entre nous, dites-moi: est-ce vrai, tout ce qu'on raconte à votre sujet?

Louis leva les yeux vers elle.

— Est-il vrai, par exemple, que vous vous alimentez de chair humaine?

Elle croisa les bras et se les frotta comme si elle avait froid. Il prit le temps de réfléchir à ce qu'il devait répondre et vit que le mieux, comme toujours, était de donner à une vérité un aspect suffisamment flou pour entretenir l'image:

— Ça m'est arrivé.

Une seule fois alors qu'il mourait de faim. Mais cela, elle n'avait nul besoin de le savoir. Isabeau n'était pas seule passée maître dans l'art de biaiser.

— Oh... quelle horreur! Comment avez-vous pu?

— Ne me demandez pas cela à moi.

— C'est vrai, dit-elle précipitamment, empressée de se reprendre pour ne pas lui déplaire. Vous avez raison. Je n'aurais pas dû vous parler de ça.

Louis but un peu de vin et la regarda faire. Le sujet abordé, au contraire, l'amusait beaucoup sans que rien n'y parût. Qu'au moins tous ces mauvais souvenirs servent à quelque chose.

Isabeau dit enfin, un maigre sourire aux lèvres:

— Par contre, j'ai aussi entendu dire que vous protestez fréquemment contre la présence d'enfants lors d'exécutions.

Il fit un signe d'assentiment.

— Pourquoi?

Cette idée à elle seule la réconciliait avec le reste, aussi horrible que ce fût, car cela prouvait que cet homme avait malgré tout le cœur à la bonne place. Mais Louis se contenta de regarder ailleurs en se raclant la gorge. Isabeau dit:

— Décidément, ce repas me donne soif. Désireriez-vous un peu de jus de fruits à l'eau-de-vie de mirabelles[22]?

— S'il vous plaît.

Elle agita une clochette et communiqua sa requête à la servante nerveuse qui revint presque aussitôt avec une aiguière sur un plateau. Elle posa le tout sur la table en compagnie de deux coupes assorties. Louis se sentit désaltéré à la seule vue du breuvage que la domestique leur versait. Elle dut d'ailleurs resservir le visiteur presque immédiatement.

— Le sel était plutôt bien représenté ce soir, n'est-ce pas? dit Isabeau tandis que Louis vidait sa seconde coupe.

— Veux-tu bien me dire ce que tu fais là?

Louis leva sur Isabeau un regard humide et interrogateur.

— Ce que je fais? demanda-t-il.

Et à nouveau une sorte de grognement se fit entendre.

— Je ris.

— Tu ris? Mais ce n'est pas un rire, ça! répliqua Isabeau dont l'hilarité se fit beaucoup plus bruyante.

Deux heures s'étaient écoulées depuis le début du repas, et Louis sirotait tranquillement sa quatrième coupe de jus à l'eau-de-vie. Le feu aux joues, l'hôtesse triomphait.

— Que veux-tu... je ne sais pas rire, alors je ris mal, dit l'homme dont le corps mou fut secoué par un autre rire, presque silencieux celui-là.

Une ébauche de sourire et le visage détendu, différent, de Louis la troublèrent davantage qu'elle ne voulut l'admettre. Elle cédait pourtant volontiers au désir que provoquait en elle la vue de cet homme assis tout de travers sur une chaise droite à haut dossier. Mais elle ne se rapprocha pas. Pas encore.

— Tu... tu lui ressembles beaucoup, dit Louis.

— À qui?

— À elle. Églantine.

— Qui est-ce, Églantine?

— Elle aussi savait comment s'y prendre pour me faire ingurgiter des trucs. Ah oui.

Il voulut appuyer la tête contre le dossier et se la cogna. Son regard se porta vaguement sur Isabeau qui soudain commença à être intriguée par son état. L'effet était très rapide. Il la distinguait mal à cause des trop nombreuses chandelles qui l'éclairaient par-derrière et produisaient une sorte de halo qui n'y était pas auparavant. Ses yeux se fermèrent un instant.

— Louis, qui est Églantine? demanda Isabeau d'une voix douce.

— C'était ma femme, Églantine, répondit Louis.

Il s'enrouait.

— Mais elle n'était plus comme ça, elle, poursuivit-il. Elle est morte. C'est comme ça. Je l'aimais, tu comprends, et il ne fallait pas. Parce que je suis maudit. Maintenant c'est Desdémone qui m'aime. L'hypocrite. Se battre contre vous autres, c'est perdu d'avance. Elle... elle est comme toi.

Il se redressa, avala d'un trait ce qui restait dans sa coupe et la reposa brutalement sur la table. Isabeau but une gorgée et vint s'asseoir par terre, juste à ses pieds. Sa longue robe coula en plis soyeux sur le plancher dallé.

— Si elle est comme moi, cela veut dire qu'elle t'aime aussi, dit Isabeau en lui posant la main sur un genou.

— Oooh, non... s-sûrement pas. Moi, je ne l'aime pas. Et toi non plus, je ne t'aime pas. Je n'aime personne.

Il regardait la main délicate dont le majeur était orné d'un jonc gravé.

— Voyons, Louis, tu ne peux pas ne pas m'aimer. Je suis Églantine.

Les doigts fins d'Isabeau cherchèrent l'une des mains du bourreau. L'ayant trouvée, ils l'emprisonnèrent entre deux paumes tièdes. Louis ne résista pas. L'éclat méchant de ses yeux se voila.

— Ton jus de fruits... hypocrite, dit-il en souriant.

— J'ai bu la même chose que toi, mon beau Louis. C'était un philtre d'amour. Retournons au jardin d'Éden tous les deux. Avant la pomme.

— Le jardin...

Elle lui caressa la joue.

— Il n'existe pas, le paradis. L'arbre non plus. Il n'y a ni bien ni mal. Il n'y a que ce qui est, dit Louis avec lenteur.

— C'est vrai.

Elle se leva et il la perdit brièvement de vue.

— Hé! appela-t-il, fixant une tache sur le plancher.

— Attends, Louis. Je suis juste là.

Il l'entendit remuer de la vaisselle, puis sa main baguée le toucha doucement à l'épaule.

— Ne bouge pas. Laisse-toi faire, ordonna une voix délicieuse tout près de son oreille.

Les yeux clos, Louis abandonna sa tête à des effleurements doux et sensuels. Il sentit une mèche de ses cheveux s'agripper à la bague d'Isabeau. Ardente Isabeau, qui le força à appuyer la tête contre son ventre. Il ouvrit les yeux et la vit, penchée au-dessus de lui. Le visage d'Isabeau avait disparu. Une enfant qui n'existait plus depuis longtemps l'avait remplacée. Elle était toute menue et ses cheveux avaient la couleur du blé. De longs cheveux d'or fondu qui lui chatouillèrent le front. Elle sourit. Il vacilla.

— Mon beau Louis, lui souffla l'enfant qui avait une voix de femme.

Elle approcha un tout petit flacon des lèvres de l'homme. Un liquide brûlant lui envahit la bouche. Quelques gouttes transparentes lui coulèrent à la commissure des lèvres.

— Tu m'as eu, dit-il en se remettant à rire.

Isabeau tendit le bras pour remettre le flacon vide à la servante qui attendait, invisible depuis le coin où elle se tenait.

— La vengeance des hommes est terrible, celle des femmes est cruelle, énonça-t-il.

Cinq minutes plus tard, Louis gémit :

— L'enfant. Montre-le-moi, je t'en prie... Églantine.

Isabeau fronça les sourcils. « Qu'est-ce que cela veut dire ? » pensa-t-elle.

Louis s'écroula. Sans perdre de temps, les deux femmes se mirent au travail.

Le matin était sale et disloqué. Il éclairait vilainement le plancher jonché de couvertures et de vêtements froissés. Une robe de soie pendait sur un tabouret renversé. Dans un coin, il aperçut sa propre tunique près de laquelle une coupe vide avait roulé. Juste à côté de lui, une masse de cheveux emmêlés, couleur de bronze. Louis se mit debout et tituba. Solennellement, comme un carrousel, la chambre commença à tourner autour de l'axe qu'il était. Il baissa les yeux sur ses chausses : elles étaient détachées et lui descendaient le long des jambes. Le corps parcouru de frissons, il fut incapable de les rattacher. Son cœur se mit à lui marteler cruellement la tête. Un affreux goût de bile se répandit sur sa langue. Soudain, la pièce interrompit sa danse folle : Isabeau s'était réveillée. Elle se retourna sur le dos et il put voir que l'un de ses poignets était encore lié à la patte du lit. Elle caressa du bout des doigts la bosse qu'elle avait sur la tête. Ses yeux d'acier étincelèrent de haine.

— Je comprends tout, maintenant. Gardes ! Au violeur ! À moi !

Pris de panique, Louis voulut s'enfuir, mais il trébucha dans ses chausses et s'affala de tout son long au moment même où quelqu'un faisait irruption dans la pièce. C'était Philippe d'Asnières. Louis se débattit dans ses vêtements et tenta en vain de se relever : d'Asnières s'était mis à le bourreler de coups de pied enthousiastes.

— Il serait bon d'appeler la garde, dit-il à la servante qui froissait l'ourlet de son tablier d'une main nerveuse.

D'Asnières tint le bourreau en respect avec sa lame en

attendant des renforts. Deux hommes d'armes furent introduits dans la chambre par Desdémone et se saisirent de Louis.

— Un instant, dit d'Asnières, tandis que l'homme était fermement maintenu debout par les deux gardes.

Le jeune homme lui administra un coup de genou dans les organes génitaux.

— Voilà pour toi, sale pervers!

Le bourreau poussa un cri et se rejeta en arrière avec une force surhumaine. Les gardes le retinrent vainement: les manches de sa chemise se déchirèrent. Ils le laissèrent donc s'étendre et le lâchèrent, reculant avec inquiétude. Les autres firent comme eux. Isabeau entreprit de défaire elle-même, avant que l'on ne s'avisât d'y prêter attention, le lien trop relâché qui, en principe, la retenait au lit.

Après s'être plié en deux, le corps de Louis s'était arqué d'une façon invraisemblable et ses membres étaient agités par des spasmes rythmiques qui le faisaient grogner. Les deux femmes s'éloignèrent davantage en criant tandis que les hommes, y compris le jeune Philippe, bravèrent leur peur, leur curiosité se faisant la plus forte. Il était en effet inconcevable qu'un homme comme celui-là pût perdre la maîtrise de ses réactions. Pourtant, preuve en était faite par le visage blême, les yeux révulsés qui ne montraient que du blanc et les mâchoires serrées à outrance. De l'écume blanche parvenait à se frayer une sortie entre les lèvres minces de l'homme inconscient.

— Il est possédé! Appelez un prêtre, dit d'Asnières.

Cette fois, tout le monde s'éloigna. Seule Desdémone trouva le courage de s'accroupir auprès de Louis pour tenter en vain de le tourner sur un flanc. Elle se mordait les lèvres et grelottait comme si elle était prise de fièvre. Tout ne se passait pas comme prévu.

— Une créature diabolique, dit d'Asnières en jetant un regard appuyé en direction de sa tante. Voilà qui explique bien des choses.

Isabeau frottait un poignet qui n'était endolori qu'en imagination.

— Tais-toi, jeune sot! gronda-t-elle.

L'évêque invité fut bientôt déniché et ramené par l'un des gardes. Il apportait avec lui un rituel et quelques objets indispensables pour procéder à un exorcisme.

— Emmenez-le et plongez-le dans l'eau froide, ordonna-t-il aux gardes.

Puis, à d'Asnières:

— Quant à vous, donnez-lui des gifles, fustigez-le, n'importe quoi pourvu qu'il reprenne ses esprits.

— À vos ordres, monseigneur, dit le jeune noble, ravi.

Les hommes eurent du mal à transporter le géant convulsé jusqu'aux écuries où ils trouvèrent une auge remplie d'eau propre à laquelle ils ajoutèrent quelques pelletées de neige avant d'y immerger Louis. Tandis que le prêtre tournait autour de lui en récitant des incantations, Philippe d'Asnières gifla violemment le malade plusieurs fois. Il sembla y prendre beaucoup de plaisir. Louis finit par ouvrir les yeux complètement, sans toutefois cesser de respirer bruyamment. Il ne semblait pas lucide.

Les deux mains de l'écuyer se refermèrent autour du cou du bourreau inconscient et serrèrent. Nul ne trouva à y redire. Louis, le visage contracté, émit à nouveau de petits grognements étouffés et se mit à se débattre. Ses mains trempées sortirent de l'eau pour tenter de desserrer l'étau. D'Asnières, dégoûté par le contact des mains de sa victime autour de ses poignets, fut pris d'une rage destructrice.

— Crève. Mais crève donc, dit-il, en donnant de violentes secousses.

— Ça suffit, d'Asnières, dit l'évêque. Arrêtez!

Le jeune homme lâcha prise. Avant de reculer, il gifla le malade une autre fois. L'évêque s'interposa.

— J'ai dit: ça suffit. Gardes!

On éloigna l'écuyer pour permettre au prêtre d'asperger Louis avec son goupillon.

« C'est allé trop loin », se dit l'homme d'Église.

— Vous savez ce qu'il vous reste à faire, sire, murmura l'évêque.

— Oui, oui, je le sais, et je sais aussi que vous me faites violence!

Charles avait peine à maîtriser sa fureur, car il flairait trop tard les effluves de ces manigances vicieuses qu'on avait ourdies derrière son dos.

— Vous pouvez disposer, monseigneur. J'attends quelqu'un d'autre.

Il ordonna aux gardes:

— Ramenez-le dans ses quartiers. Pas en geôle. Qu'il dorme un peu.

Louis n'eut aucune réaction lorsque les deux gardes le transportèrent jusqu'à son lit sur lequel ils l'étendirent. On fit venir à son chevet le médecin personnel d'Isabeau, dont la manche était ornée d'une rouelle* cousue. Charles avait exigé de lui un rapport complet. Ce rapport ne mit pas longtemps à être fourni:

— Vos renseignements son exacts, sire. Il y a effectivement les signes physiques d'un viol sur la personne de la dame d'Harcourt.

C'était à n'y rien comprendre, d'autant moins qu'Isabeau, qui fleuretait ouvertement avec Louis, avait été systématiquement éconduite par ce dernier. Que Louis l'eût prise de force ne tenait pas debout. Le médecin continua :

— Cependant, je doute que l'exécuteur de Caen soit en cause. Il a été jadis sévèrement torturé au niveau des parties génitales et ailleurs. Son état présent ne lui permet pas de commettre un viol[23].

— Voulez-vous dire qu'il est impuissant ?

— Oui, sire.

— Oh, misère. A-t-il repris conscience ?

— Oui, sire, peu après mon examen. Mais il demeure confus. Il s'agit d'un épisode d'amnésie comme il en survient quelquefois après une crise de haut mal qui, je le soupçonne, est l'une des séquelles des mauvais traitements qu'il a subis.

— Ce n'est donc pas un cas de possession ?

— Je ne peux, hélas, pas me prononcer à ce sujet, sire. Tout ce dont j'ai la certitude, c'est qu'il a été atteint d'une crise comparable lorsque j'ai soigné sa blessure à l'épaule. La vue du fer à cautériser l'a plongé dans un état d'anxiété qu'il s'efforçait de réprimer devant moi. Sa crise s'est déclenchée juste après l'application du fer.

— On raconte que c'est un avertin*. Qu'en dites-vous ?

— Je ne le crois pas. Le comportement de cet homme est normal. À tout le moins aussi normal qu'il peut l'être dans les circonstances.

— Très bien.

La barbe du vieillard frissonna et il dit, d'une voix émue :

— Telle est la volonté de Yahvé, sire. *Morah*.

Le roi ne comprit pas.

— Gardez tout cela pour vous, d'accord ? Ne dites rien à personne de ce que vous avez vu. Si par malheur j'apprenais que vous avez parlé... Par tous les saints, le pauvre bougre. Ayons au moins le respect de garder tous ces malheurs pour nous.

— Je me tairai, sire.

*

— Permettez-moi de rappeler à votre mémoire la sinistre réputation de cet individu, dit un peu plus tard à Charles l'évêque que le roi avait cru prudent de consulter.

Il avait précisé :

— Réputation qui peut très bien déteindre sur vous et vous porter grand préjudice.

Il y avait très peu à rajouter. Quels que fussent les motifs qui avaient donné naissance à ce complot, jalousie ou désir de vengeance, le dommage était fait.

Charles de Navarre remercia ses gens et fila discrètement jusqu'aux quartiers de Louis. Il frappa à la porte et, n'obtenant pas de réponse, entra.

Louis reposait paisiblement en chemise de nuit, le dos appuyé contre plusieurs carreaux. Il tourna la tête vers lui et fronça les sourcils. Son cœur battait la chamade. Il avait l'impression que quelque chose lui avait échappé, quelque chose de vaguement familier dont il aurait dû aisément se souvenir. Il savait également qu'il aurait dû reconnaître cet homme qui entrait et savoir ce qui se passait.

— Comment te sens-tu? demanda Charles poliment.

— Fatigué. J'ai mal partout. Partout. Églantine est revenue?

— Qui ça?

Le bourreau ne répondit pas et regarda ses mains croisées par-dessus l'édredon.

— Écoute, Louis, on s'est joué de toi. Rien de cela n'aurait dû arriver.

— Oh, on n'y peut rien.

La voix du bourreau était sans timbre, comme s'il ânonnait quelque chose qu'il avait appris par cœur. Charles mit cela sur le compte de sa lassitude et de sa déception.

— Pour le moment, il y a très peu que je puisse faire, tu comprends, dans la situation où je me trouve. Je suis coincé entre l'arbre et l'écorce. Mais je saurai bien trouver une solution.

Louis ne fit qu'un vague signe d'assentiment. Ce comportement ne déconcerta pas le roi outre mesure puisque le bourreau était par nature économe de ses gestes tout autant que de ses paroles. Il fut donc aisé à Louis de camoufler le fait qu'il n'avait aucune idée de quoi il pouvait bien être question. Charles dit:

— Je tenais à ce que tu le saches. Cela ne fait que confirmer ce que j'ai toujours su: n'ayant pas été corrompu par les intrigues, tu ne t'es pas suffisamment méfié. Même moi, je m'y suis fait bêtement prendre. J'ai réellement cru qu'elle était amoureuse de toi. J'aurais pourtant dû savoir qu'elle était de mèche avec son benêt de neveu. Enfin, quoi qu'il en soit, je puis t'assurer qu'Isabeau regrettera amèrement de m'avoir privé ainsi de ton soutien. Je m'apprêtais à te nommer conseiller, mais toute cette histoire vient annihiler cette idée, car mes ennemis ne pourraient qu'en profiter pour me discréditer. Que de grandes et belles choses eussions-nous pu accomplir ensemble!

Louis fixait des yeux la flamme tremblotante de son chaleil*.

— Je ne comprends pas, dit-il du même ton morne.

Charles se leva et lui donna sur la main deux petites tapes rassurantes. Il dit :

— Ça ne fait rien. C'est moi qui suis trop pressé. Repose-toi, mon ami. Demain, tu y verras plus clair.

Isabeau était ravie : il ne se souvenait de rien. Il devait s'être cru victime d'un malaise puisqu'il n'avait parlé de rien et que, quelques jours après l'incident, il vint la rencontrer dans ses appartements. Il mit genou à terre devant elle.

— Mon beau Louis, je me faisais beaucoup de souci pour toi, dit-elle en lui repoussant les cheveux par en arrière et en lui caressant la joue.

Il devait lui être resté juste assez de réminiscences inconscientes pour qu'il pût apprécier cela. C'était amplement suffisant. Il se laissa faire un moment, puis il posa sa main sur la sienne. La grande main descendit vers le poignet qu'elle prit afin d'abaisser doucement le bras d'Isabeau. Louis entreprit de retrousser la manche évasée de sa robe. À elle seule, cette caresse subtile était ardente, irrésistible. Isabeau haleta et rendit grâce tout bas aux talents culinaires de Desdémone. En fin de compte, il en connaissait peut-être davantage sur les femmes qu'un garçon de quinze ans.

— Dites-moi tout, dit Louis qui déposait tout le long de l'avant-bras nu et rose une chaîne de petits baisers qui produisait un chatouillement exquis... sinon je briserai vos petits os.

L'autre main de Louis empoigna le bras offert juste au-dessus du coude et il se releva pour poser le pied sur le barreau du siège d'Isabeau.

— Quoi ? fit Isabeau, étourdie par ce revirement subit.

— Ordre du roi. Il y a eu un ratage dans votre petit coup monté. Il vaut mieux que vous parliez, dame.

Les mains rugueuses s'assurèrent une meilleure prise en contraignant Isabeau à se pencher en avant et à poser le coude en travers de sa cuisse à lui. Ce geste n'était qu'une menace. Mais au lieu d'y répliquer avec une bordée d'injures, Isabeau dit doucement, d'une voix tremblante :

— Non... Louis, je t'en conjure, écoute. Je... j'ignorais que tu étais atteint de cette maladie.

— Il ne s'agit pas de ça.

— J'avais appris de source sûre que tu avais une préférence pour les pucelles. On m'a suggéré de... de mettre en moi des intestins de pigeons pour recréer l'illusion de ma virginité.

Elle éclata en sanglots, tellement cette démarche écœurante lui paraissait à présent saugrenue. Elle n'avait pu lui être conseillée que par une personne dont le désir était de se moquer d'elle. Elle poursuivit, à travers ses pleurs :

— Vas-y, casse-moi le bras si tu veux. Mais cela ne changera rien au fait que je désirais seulement te donner un instant de bonheur.

— En m'empoisonnant avec votre thériaque*?

— Ce n'était pas du poison. Tu n'aurais dû en éprouver qu'un fort sentiment d'euphorie. Mon seul tort est d'avoir cru ce qu'on m'a dit. Je voulais tant que tu me fasses l'amour! C'est elle qui m'a procuré la drogue. C'est elle qui m'a frappée et attachée. Je m'en suis souvenue dès que les effets de l'eau-de-vie ont commencé à se dissiper. Je me souviens que tu étais à terre.

— Qui, elle?

— À mon réveil, j'avais les yeux bandés. Elle a fait entrer quelqu'un. Un homme. C'est lui et non pas toi qui m'a violée. Je suis innocente, Louis. Elle m'a menti. Cette malebouche* s'est jouée de nous, je t'en fais serment. Pardonne-moi.

— De qui parlez-vous?

Mais il savait déjà, au tréfonds de son être. Le nom affleura à ses lèvres en même temps qu'il s'esquissa sur celles d'Isabeau :

— Desdémone.

Louis se mouilla les lèvres du bout de la langue et lâcha le bras de la dame. Ses doigts laissèrent des traces rouges sur la peau d'albâtre. Isabeau pleurait tout bas. Elle pouvait encore entendre la voix vulgaire de la servante lui dire :

— Quelqu'un a dû lui nouer l'aiguillette*, mais moi je saurai bien vous le faire archonner* comme étalon au printemps.

Isabeau leva les yeux vers lui et dit :

— Mon erreur a été de mésestimer la puissance de son amour à elle.

— Quel ramassis de niaiseries, dit Louis en se penchant légèrement et en prononçant avec soin chaque syllabe.

La dame s'essuya les yeux avec le dos de ses mains en un geste de petite fille et renifla.

— Oh, je sais bien que c'est ce que tu en penses. Que peux-tu connaître de l'amour, toi qui n'as jamais pu que te battre? Qui peut t'en vouloir d'avoir simplement voulu survivre? Mais, ce que je ne comprends pas, c'est... c'est...

— Ne cherchez pas. Il n'y a rien à comprendre. Quant à la servante, son sort est réglé.

— Tu vas la tuer?

— Mieux que ça. Je vais faire en sorte qu'elle regrette chaque instant qui lui reste à vivre. Chaque jour elle appellera la mort et la mort ne viendra pas.

— Non, Louis, dit Isabeau, fervente. Pas la mort. Elle t'appellera, toi. Tout comme moi je t'appellerai.

— C'est du pareil au même.

Elle étouffa un sanglot. Soudainement, elle se sentait inexplicablement solidaire de Desdémone malgré le complot qu'elle avait ourdi à leurs dépens. Elle demanda tristement :

— Ne nous as-tu donc pas aimées un tant soit peu?

— L'amour, il y a longtemps que j'ai cessé d'y croire.

Le ton était dur, sans appel.

— Comment cela est-il possible? Que... qu'il...

— Ça suffit. Je m'en vais.

— Non, Louis, attends.

Isabeau se mit en travers de son chemin. Du poing, il frappa la table avec impatience.

— Quoi, encore?

Elle lui fit bravement face.

— Partout, les gens disent de toi que tu es un être sans merci ni conscience. Mais j'ai la certitude qu'il ne peut exister nulle part des gens totalement, absolument voués au mal. Il n'y a personne d'assez convaincant pour m'y faire croire.

Louis s'avança. Le cou d'Isabeau se para soudain du plus vil collier qu'elle eût jamais porté: deux poignes rugueuses se refermèrent doucement autour. Il demanda, tout aussi doucement :

— Voulez-vous parier?

Elle haleta alors qu'elle se sentait engloutie, annihilée par l'obscurité des prunelles de l'homme. Louis dit encore :

— Vous préféreriez mes caresses, dame d'Harcourt. Mais je vous quitte. Dieu fasse que vous ne me revoyiez plus jamais.

Il libéra Isabeau, se détourna et marcha jusqu'à la porte. Un petit plat de faïence se fracassa juste au-dessus de sa tête et la dame s'écria :

— C'est ça, va-t'en! Disparais, sale vicieux! Je te préférais saoul!

Chapitre IV

Un cadeau royal

Hiscoutine, octobre 1359

— Sam! Sam!

La petite Jehanne dévalait la pente à folle allure, si bien qu'elle se prit les pieds dans de longues herbes et disparut à la vue du gamin. Elle brandissait un parchemin qui souffrit quelque peu de sa dégringolade.

— Regarde, dit-elle après s'être relevée, essoufflée et hirsute, en brandissant la lettre sous le nez de Sam à qui elle enseignait la lecture.

Le gamin dit:

— Oh, écoute... c'est écrit trop serré. Je n'y comprends rien. Lis-le-moi pour cette fois.

— Tu as vu le sceau? Cela vient du roi[24]! Je l'ai chapardé à Margot avant de le lire devant tous. Il faut que tu viennes l'entendre, toi aussi.

Une fois tout le monde réuni dans la pièce à vivre, Jehanne entreprit laborieusement la lecture du message. C'était un texte officiel enjolivé de formules interminables qu'un mélange d'excitation et d'appréhension lui faisait lire tout de travers. Finalement, elle abdiqua et cria presque:

— Le roi me fait présent d'un métayer et de six familles de serfs pour repeupler le village!

— Qu'est-ce que c'est, un métayer? demanda Sam.

— Je n'en sais rien. Mais ce doit être important, puisque c'est le roi qui me l'envoie.

— C'est peut-être un seigneur ou un baron.

— Ou un chevalier.

— Ce n'est rien de tout ça, dit Aedan sèchement, dès qu'il fut capable de placer un mot. Louis Baillehache. Notez l'absence de particule. Ce n'est qu'un roturier. Un fermier, ou ce qui en tient lieu, puisqu'il est originaire de Paris.

Le brin de foin qu'il s'était planté dans la bouche s'agita tandis qu'il rajoutait, méprisant:

— Ma petite damoiselle, c'est très louche, tout ça. Apprenez qu'un roi ne fait jamais de cadeau. Il y a autre chose dans cette lettre. Lisez-la bien. Il y est question de formariage*. Je vais vous dire, moi, ce que j'en pense: on nous envoie ce sang de navet* pour nous surveiller, pour nous dépouiller du peu que nous sommes capables d'engranger. Charles veut imposer tailles et gabelles sur nos broussailles. Il veut nous empêcher de braconner dans ses forêts, voilà. Il veut se les garder pour chasser le cerf avec trompes et meutes.

— Comment? Mais sans la chasse, de quoi allons-nous bien pouvoir vivre? demanda Blandine dont le visage poupin blêmit d'une façon alarmante.

— La lettre dit qu'il est déjà en route et va venir habiter avec nous, rajouta Jehanne.

— Doux Jésus, il faut que je fasse le ménage! s'exclama la bonne Margot.

— Comme si nous n'avions rien de plus important à faire en ce moment! Et où diable logerons-nous ce rapace? demanda Aedan en crachant son brin de foin.

— Il y a encore la grande chambre sous les combles. J'y mettrai un brasero*.

— Mais c'est notre repaire secret, protesta Sam.

— Désolée, les enfants, mais vous devrez dorénavant vous contenter de la tour. Il faut bien qu'on le mette quelque part.

Après le souper, Sam et Jehanne s'y retrouvèrent effectivement. La fillette avait apporté une lampe et achevait de lire la lettre avec l'application d'une écolière apprenant sa leçon. Sam vint la rejoindre sur les vestiges du chemin de ronde où gambadaient quelques chatons à la courte queue dressée.

— Quelque chose ne va pas là-dedans, dit Jehanne.

— Ah bon?

— Bien entendu, le roi ne pouvait pas savoir. Il ne me connaît même pas. Je trouve d'ailleurs curieux que tout à coup il daigne s'occuper de moi.

— Tu parles comme une dame!

— C'est parce que j'en suis une, Sam.

Le gamin fut mouché. Après un moment de silence, il demanda :

— Qu'est-ce que ça dit qui ne va pas?

— Tu as entendu ton grand-père? Le roi veut que j'épouse ce métayer.

Sam se figea.

— Quoi? Mais... et nous? C'est moi, ton fiancé!

— Je le sais bien. Il faudra que je le lui explique, que c'est toi que j'aime malgré le fait que tu n'es pas un noble. Je suis sûre qu'il comprendra, d'autant mieux qu'il ne l'est pas, lui non plus.

— Et s'il ne veut pas comprendre, je me battrai en duel avec lui!

Sam sauta en bas pour brandir un râteau à foin comme une épée et en pourfendre son rival invisible sous le regard affectueux de sa belle. Jehanne reprit :

— Nous serons courtois, Sam, dit-elle d'un ton catégorique imitant celui d'un adulte.

Elle se sentait fière de devenir le centre d'intérêt d'un personnage si important.

— Il sera fort peiné lorsque je lui opposerai mon refus. Margot m'a dit d'être aimable et de ne plus rapporter de papillons à la maison.

Elle soupira avec résignation.

— Mais des vers pour la pêche, on le pourra? demanda Sam.

— Je le suppose. Margot dit que j'ai trop l'air d'une paysanne et que je lui déplairai.

— Tant mieux! Viens, allons jouer à la chevalerie.

— Je ne peux pas, dit la fillette tristement. Margot veut prendre mes mesures pour me coudre une robe neuve.

— Bah, elle ne s'est jamais donné la peine de t'en coudre une pour notre jeu, fit Sam, piteux.

Il s'en retourna vers l'écurie, donnant des coups de pied à un caillou qui protesta en allant se perdre dans les ronces.

— Attends-moi! cria la fillette en le rejoignant avec le parchemin et la lampe qui s'était mise à fumer. J'ai une idée : faisons de tout cela une partie de notre jeu.

— Hein? Quoi?

— Mais oui. Écoute. Lui, il est le mystérieux Galahaad, beau et chaste comme un ange, qui s'inclinera devant ma volonté parce qu'il saura reconnaître en toi Perceval. Perceval, tout comme toi, n'est pas né chevalier. Il l'est devenu à force d'être preux.

— C'est une bonne idée. Mais crois-tu qu'il aura envie de jouer, lui?

— Je ne sais pas. Mais qu'est-ce qui nous en empêche, nous? Il n'en saura rien, puisque c'est notre jeu à nous.

*

Presque un an s'écoula avant que Louis, qui était de retour à sa petite maison rouge de Caen, n'entendît de nouveau parler du roi Charles. Sitôt de retour là-bas, il avait repris du service avec le zèle d'autrefois comme s'il n'y avait jamais eu d'interruption. Comme s'il ne s'était jamais fait appeler *mon ami* par un roi.

L'ouvrage n'avait pas manqué. Il avait arpenté les rues de la ville pour massacrer rats et chiens errants, mais il avait pris soin d'épargner ses collègues ailés ou à quatre pattes, félins et charognards. Si ces derniers étaient utiles à la communauté pour leurs talents d'éboueurs, Louis avait de sa propre initiative décidé de ne pas tuer les chats, qui l'aidaient à dépouiller la ville de ses trop nombreux rongeurs.

Bertine[25], dite la Torsemanche, se faisait maintenant appeler *dame*; par son zèle et sa nature généreuse, elle s'était acquis le cœur de sa maquerelle qui avait fini par lui léguer l'affaire. Sa maison était florissante. Elle n'avait pas oublié à qui elle devait d'avoir pu mener une vie normale.

— Le moment est venu de me régler ta dette, lui avait dit son bienfaiteur en donnant une petite tape sur son bras réparé.

— Je n'ai qu'une parole, maître. Ma maison est bien tenue et j'ai accumulé vos deniers hebdomadaires dans un coffret que je vous apporterai. Les comptes sont en ordre.

— Bien.

— À combien chiffrez-vous l'assistance médicale qui m'a permis de m'assurer une retraite dont je n'osais seulement rêver il y a encore si peu de temps?

— Il ne s'agit pas tout à fait d'argent mais d'une nouvelle pensionnaire que j'aurais à te confier.

— Hum, voilà une requête un peu inhabituelle qui demande réflexion. C'est que, vous comprenez, je ne peux accepter la première venue sans de bonnes références. La réputation de ma maison, vous comprenez. Mais puisque ça vient de vous...

— Je comprends. Assieds-toi... Bien. Non seulement ça vient de

---

25. Bertine est une prostituée dont Louis a soigné le bras (voir tome I). Rappelons que l'exécuteur avait à charge d'éviter les abus dans les maisons closes de la ville où il exerçait.

moi, c'est à moi. Mais je ne veux pas d'elle là où je m'en vais. Tu y trouveras ton compte, car, vois-tu, je crois que les frais qu'elle t'occasionnera te seront rendus à plus ou moins brève échéance.

— Vraiment? Puis-je savoir de quelle manière?

— C'est très simple: donne-lui l'ouvrage dont personne ne veut. Astreins-la aux tâches serviles et aux clients douteux. Ainsi, tes filles convenables se trouveront libérées de ces désagréments et pourront te rapporter davantage de bénéfices.

— Voilà qui n'est pas bête. Je n'ai jamais songé à employer une domestique, le besoin ne s'en étant pas fait spécialement sentir. Mais vu comme ça...

— Tu vois, il ne s'agit même pas d'un vrai remboursement, puisque je te rends un autre service.

Louis versa deux gobelets de vin et lui en offrit un. Elle but et lui fit un clin d'œil.

— Vous avez vraiment l'âme d'un patron, vous! J'y réfléchirai. Puis-je la rencontrer?

— Mais, bien entendu!

Louis se leva et sortit dans la cour arrière pour appeler:

— Desdémone! Viens ici.

La servante se présenta à lui. Il l'examina de haut en bas et arracha le bouton de rose qu'elle avait accroché à son corsage. Elle se laissa faire en se mordant les lèvres.

— Entre, dit-il.

Il la suivit de près pour refermer la porte derrière eux. Il dit à Bertine:

— Plus tout à fait jeune, mais elle est vaillante et elle a du métier.

— En effet, ça se voit par son maintien, dit Bertine.

Il tira sur le col de sa robe grise que serrait à la taille un cordonnet de cuir afin d'exposer son épaule marquée d'une fleur de lys. Il avait lui-même fustigé Desdémone, comme les bourreaux étaient tenus de le faire; il avait eu comme d'habitude à fournir les fers, le brasero* avec son combustible, la pelle, les tenailles, le soufflet et l'onguent à partir de ses ressources personnelles.

Il précisa, à l'adresse de Bertine:

— Seulement, montre-toi prudente: ne l'écoute jamais. Ça n'en vaut pas la peine. Elle est aussi menteuse qu'une girouette brisée. Sa seule raison d'exister est le travail.

— Compris.

— On me l'a offerte comme servante. Si tu ne la prends pas, je lui couperai la main et je la flanquerai à la porte. Car elle m'a spolié. Je suis seul ici et j'entends rester ainsi.

Cette demeure était son seul refuge.

Ainsi, Desdémone entreprit-elle de longues années de service en maison close. Avant de prendre congé de son ancien patron, elle lui susurra :

— Puisque ni moi ni la d'Harcourt n'avons pu t'avoir, personne d'autre ne t'aura. J'y verrai, sois-en sûr.

Louis lui répondit :

— Le vent tourne, girouette, et, comme d'habitude, tu ne le suis jamais. Charles de Navarre m'a écrit.

Il sortit de sa poche un document plié et le secoua doucement devant les yeux de la servante.

— Pour me récompenser de ma loyauté, le roi s'est fait conseiller d'employer son droit de chambellage à me *donner* en mariage à une pauvre fille noble.

Un demi-sourire sardonique aux lèvres, le bourreau avait regardé les deux femmes filer en douce et refermer derrière elles la grille de fer qui protégeait son petit univers clos.

Il avait repensé à la visite qu'il avait dû rendre au roi afin de lui témoigner sa reconnaissance pour le présent qui lui était fait. La brève cérémonie – véritable parodie de l'antique hommage féodal visant à frapper l'imagination des témoins présents, gens du commun et, Charles l'espérait, celle de l'humble roturier que Louis était – s'était déroulée dans le tinel* de Saint-Sauveur-le-Vicomte. Louis avait dû s'agenouiller devant le roi pour lui baiser les pieds. Après quoi il lui avait tendu les mains et lui avait récité :

— Je vous jure fidélité, aide et conseil. Vous m'assurez de quoi vivre.

Le roi l'avait courtoisement aidé à se relever et avait répondu :

— J'accepte. Je m'engage à te défendre, toi et tes futurs biens, mais tu travailleras pour moi et tu seras en mon pouvoir.

Charles lui avait remis la poignée de terre symbolique qui scellait ce contrat verbal et le lien de vassalité. Sans l'avoir à proprement parler anobli, le roi avait conféré à Louis certains pouvoirs qui dépassaient ceux d'un simple métayer ou vavasseur*. C'étaient presque ceux d'un seigneur qui, certes, allait régner sur un très petit domaine[26]. Les seules conditions imposées étaient qu'il accepte de prendre pour épouse l'héritière de ce domaine et qu'il contribue à la revitalisation des terres environnantes grâce à l'aide qui allait lui être fournie.

— Nous savons tous que Dieu a établi trois classes, chacune remplissant la tâche qui lui est naturellement dévolue pour le bien de l'ensemble : le clerc prie pour le salut de nos âmes, le chevalier combat pour nous et le paysan travaille pour que nous puissions manger.

Louis avait levé les yeux. Charles avait ajouté :

— En principe, la fonction du noble n'est pas tant de combattre pour son seul intérêt, mais de défendre les autres classes et d'assurer le maintien de la justice et de l'ordre. En cela, tu es particulièrement bien situé pour comprendre la valeur de cet anoblissement. Je compte sur toi pour en faire bon usage.

— Je ferai de mon mieux, sire.

— Bien. Je t'ai fait octroyer six familles de serfs affranchis en plus des quelques serviteurs qui sont déjà affectés aux besoins de ta maison. Traitement d'ami, la terre t'appartient en propre. À toi échoit la tâche d'en recenser les aires cultivables et de les répartir parmi tes gens.

— Merci, sire.

Évidemment, il n'avait pu être question de refuser ce cadeau, et le moment n'était guère choisi pour admettre qu'il ne connaissait rien à la culture, sans parler de ses conditions de vie qui n'étaient propices qu'au célibat.

Charles avait dit :

— Les arrangements nécessaires seront faits avec le gouverneur Friquet de Fricamp pour que tu sois en mesure de continuer à exercer ton office normalement, avec permission de quitter la ville pour tes terres lorsque tu en manifesteras le désir. Elles ne se trouvent qu'à une dizaine de lieues au sud de Caen ; on peut donc s'y rendre à cheval en trois heures. Deux même, au galop ou si la route est bonne. Bien entendu, tu continueras à bénéficier de toutes les exemptions visant à adoucir la servitude de ta fonction, taxes, droits de pressoir et que sais-je d'autre. En outre, je t'octroie les privilèges du mainbour*.

Le roi avait parlé d'abondance, prenant soin de présenter son don en détail autant aux dignitaires qui l'écoutaient qu'à celui à qui il était destiné. Le tout avait été officiellement consigné et remis à qui de droit.

— D'Augignac, cela vous dit-il quelque chose ? avait demandé le roi.

Louis avait tout juste cillé, mais cela n'avait pas échappé à l'œil perspicace de Charles, qui avait eu un sourire en coin et avait dit :

— Eh oui, j'en ai beaucoup appris sur ton compte, Louis. J'ai mes sources. Ceux qui savent garderont le silence. C'est dans leur propre intérêt. Quant aux autres, Dieu les préserve de l'apprendre trop vite. La fille de l'infortuné outil du Destin que fut ce seigneur obligé de consentir à ta remise de peine, surtout.

Louis avait une nouvelle fois acquiescé. Le Mauvais avait demandé, un peu durement :

— Mon cadeau te plaît-il ?

— Oui, sire. J'ai toujours voulu avoir un vrai jardin. Là-bas, je l'aurai.

Le bourreau était demeuré bouche bée sur son dernier mot et il s'était demandé comment il avait pu laisser bêtement échapper une remarque aussi inappropriée : on lui parlait d'une fille à marier, de champs à cultiver, du travail harassant de la paysannerie et d'une lutte quotidienne pour assurer la subsistance d'un hameau, et lui, il avait parlé de roses. Charles avait éclaté de rire et avait récité, comme un petit poème :

— Mazette, voyez-vous ça ! Baillehache le pragmatique qui rêve d'un jardin quand il n'a pas encore de pain sur sa table. Oyez, mes amis ! « Beelzeboul* aime les fleurs. Du coup, j'en ai moins peur ! »

L'audience s'était terminée avec l'annonce par le roi de son départ imminent pour Mantes, où il avait l'intention de résider un temps afin d'y parachever la récupération de ses possessions normandes.

*

*A*ux environs d'Aspremont, novembre 1359

Déjà le silence d'un hiver précoce planait sur la lande morne. Les deux cavaliers purent le surprendre au sortir d'un bosquet, malgré la ramure cuivrée des chênes qui persistait à démentir son approche. Le vent froid du large, telle une couturière distraite, avait en courant sur cette plaine libre de tout obstacle échappé partout de grandes charpies de brouillard que les cavaliers devaient quelquefois déranger lorsqu'elles ne s'étaient pas accrochées à flanc de coteau. Çà et là, un champ non récolté s'amusait à faire voler au vent sa chape de moineaux cendrés.

Parfois, l'homme de tête s'arrêtait au milieu du chemin peu fréquenté afin d'étudier le paysage. Son compagnon, docile, s'arrêtait aussi et continuait à respecter le silence. Sous un chaperon informe, la chevelure sombre de l'homme de tête dansait au vent comme la crinière noire de sa monture. La bête encensait avec dignité pour manifester sa joie d'avoir enfin laissé derrière elle les balades sans histoire dans les rues de Caen.

Une heure avait passé depuis qu'ils avaient quitté le tracé de la grand-route venant de la ville, avec sa rassurante parure d'ormeaux tortus. Ils durent bientôt se résoudre à traverser une étendue molle parsemée de joncs rigides et de marsaults avant de trouver un endroit où ils pouvaient s'arrêter pour manger.

L'homme de tête s'assit sur un tronc à peu près sec et sortit du pain de sa besace. Son compagnon l'imita, tandis que les deux chevaux s'éloignaient un peu pour brouter l'herbe tardive d'un coin de prairie en friche.

Thierry avait été dépêché la veille pour aller rejoindre Louis à Caen, plus précisément à une auberge en bordure de la ville. Telles avaient été les dernières instructions que Jehanne avait reçues et qui avaient été rédigées par les soins d'un écrivain public.

Après leur brève pause, ils se remirent en route. Louis suivit des yeux une volée de moineaux qui dessinait en l'air un tracé complexe avant de se poser un peu plus loin, dans un sillon plus prometteur. Il descendit de cheval et marcha jusqu'à un champ de blé. Les céréales dorées, intactes, y ondulaient paisiblement. Au bout d'un sentier creusé d'ornières, il put apercevoir les restes calcinés d'une chaumière. Sa main remonta le long d'une tige de blé pour en caresser l'épi de ce geste machinal de l'ancien boulanger cherchant d'instinct le contact avec l'élément nourricier. Ces céréales trop mûres étaient en train de se perdre : ce qui avait été épargné par les animaux allait sous peu disparaître dans les sillons à la moindre brise. Les doigts de Louis pressèrent l'épi qui s'égrena sans effort dans la paume de sa main. Il porta les quelques grains veloutés, encore sains, à sa bouche.

— C'est l'œuvre des routiers de Robert Canolles[27], expliqua Thierry.

Tout en mâchant son blé sucré, Louis se remit en selle en s'aidant de l'étrier et regarda l'homme d'armes sans un mot. On ne pouvait deviner ce qu'il pensait. De son côté, Thierry ne pouvait détacher son regard du visage de celui dont il avait été la victime, quelques années plus tôt, lors de la capture de Garin de Beaumont.

— On y est presque, maître. Le manoir se trouve juste là-haut, au bout du chemin, dit encore Thierry.

Louis se tourna vers l'endroit que son compagnon de voyage lui désignait. Deux rangées de peupliers effilés frémissaient sous la brise, l'attendant de chaque côté de l'allée défoncée comme des serviteurs aimables mais un peu nerveux.

— C'est bon, dit Louis.

Tonnerre s'ébroua. On eût dit qu'il avait compris que leur voyage tirait à sa fin. Il avait hâte de recevoir une bonne ration de picotin et, tout comme les deux hommes, de passer une nuitée au sec entre des murs solides.

« La voici donc, cette disgrâce que l'on m'offre comme un présent », songea Louis. En cet instant précis, alors qu'il trottait entre les arbres derrière lesquels s'étendaient une douzaine d'hectares de champs fertiles, il lui était presque aisé d'oublier la possible importance stratégique du domaine qui avait offert à Charles la solution idéale pour éloigner le bourreau devenu trop encombrant. Il lui était aussi aisé d'oublier que les grands de la cour l'avaient cru mû par une ambition qu'il n'avait pas et que l'honneur du jeune monarque était désormais sauf: ce qu'on avait interprété comme une erreur de jugement de sa part était à présent transformé en décision raisonnable, et tout le monde y trouvait son compte. Le titre honorifique, équivalant à celui de baron, avait beau être trop généreusement attribué, il en coûtait si peu, désormais.

Louis leva les yeux vers la fumée qui, au sortir d'une cheminée, simulait une retaille de brouillard. Il les abaissa sur le manoir lui-même. C'était une maison faite pour durer toujours. Ses murs épais semblaient surgir de terre, et son toit avait l'air solide. Derrière le logis s'étirait une aile délabrée faite de torchis ou de pisé qui, l'été, devait être envahie par le lierre. « Au moins, ça ne fait pas ventre* », songea-t-il avec satisfaction. C'était là l'essentiel; car la végétation sauvage envahissait le pourtour de l'habitation. Une pointe d'allégresse totalement incompatible avec ce qu'il voyait se répandit en Louis. Pendant un bref instant, son destin et tout le travail qui l'attendait au bout du chemin cessèrent de l'inquiéter.

Car, au faîte du coteau, en même temps que la maison, il aperçut un moulin à vent désaffecté.

— Les voilà! Ils arrivent!

Sam sauta dans une meule de foin neuve qu'il avait engrangée dans la vieille tour pour le seul plaisir d'avoir un point de chute plus moelleux. Il s'élança à travers le pré en pente en direction du manoir alors que les cavaliers trottaient, impressionnants, dans l'allée aux peupliers envahie d'herbages bouclés. Il courut à en perdre haleine afin de les devancer et fit irruption dans la grande pièce.

— Ils arrivent, ils sont là!

— Combien sont-ils? demanda Margot.

— Deux. Thierry avec un autre. C'est sûrement lui.

— Comment? Il n'a pas d'escorte armée? demanda Toinot.

— Il a un grand cheval, l'homme. Un destrier. Le plus beau que j'aie jamais vu!

124

— Tu sais ce qu'il te reste à faire, petit, dit le vieil Aedan qui se leva de table en grognant.

Il épousseta les copeaux qu'il y avait semés. Sam offrit à son grand-père un sourire ravi.

— Si, je le sais!

À lui allait échoir l'honneur de s'occuper des montures.

Margot tentait désespérément de rafraîchir la mise de Jehanne, pour qui cette journée avait été la plus longue de sa vie : impeccable dans sa robe neuve taillée dans le meilleur lainage qu'on avait pu obtenir, d'une chaude couleur dorée qui soulignait la beauté de sa chevelure, elle devint tout à coup étrangement calme. Margot fut ainsi en mesure de replacer une boucle folâtre qui s'était échappée de ses longues tresses. L'enfant, privée de jeux afin de ne pas se salir, avait dû passer de longues heures à se morfondre. Elle n'avait pu cependant résister à la tentation d'aller se glisser furtivement dans la tour pour y faire quelques sauts peu après le goûter, ce qu'avait dénoncé un brin de foin fiché dans l'une de ses nattes.

— Que de taches de rousseur, mon enfant! dit la matrone. C'est bien dommage. Voilà ce qui arrive à force de jouer dehors ainsi qu'un petit vilain, et sans capeline, encore.

— Ma capeline ne tient jamais.

— N'empêche que ce comportement n'est pas convenable pour une demoiselle de votre rang. Je vous ai trop gâtée. Dire que vous pourriez avoir le même teint que votre pauvre mère. Belle comme un cygne, qu'elle était.

— C'est trop lassant, d'être une demoiselle. J'aime mieux jouer. Et plus tard, quand je serai grande, je me ferai trouvère. Tout comme Sam.

— Mais qu'est-ce que c'est que toutes ces bêtises? Miséricorde, petite, n'allez surtout pas raconter pareilles sornettes à votre prétendant. Que va-t-il penser? Tenez, les voilà. Vite, vite!

La grosse femme se hâta de lisser les jupes de Jehanne.

— Bien. Vous n'avez rien oublié de ce qu'il faut faire? Non? Est-ce que j'ai de la poussière sur le nez? Allons. Montez, vite! Et n'oubliez pas de redescendre gra-cieu-se-ment, comme je vous l'ai montré.

— Mon bouquet, dit Jehanne en allant hâtivement ramasser sur la table un bouquet de fleurs sauvages qu'elle avait soigneusement préparé.

Un copeau oublié par Aedan s'y accrocha et taquina la main tremblante de l'enfant. La petite ne le sentit pas : une boule s'était formée dans sa gorge et menaçait de l'étouffer. Une fois en haut de l'escalier, elle s'accroupit derrière la rampe. Elle vit que Margot avait entrebâillé la porte et surveillait le travail des domestiques qui s'étaient rassemblés pour accueillir les deux cavaliers. La gouvernante souffla :

— Seigneur Dieu, il est grand à faire peur !

— Laisse-moi regarder, s'il te plaît, supplia Jehanne depuis sa cachette.

Elle rajouta, sans transition :

— Oh, il faut que j'aille faire pipi.

— C'est trop tard. Fallait y penser avant. Il approche.

— J'ai oublié tout ce qu'il faut dire, Margot !

— Chut !

La servante recula enfin et ouvrit la porte avant de faire une révérence à l'intention de l'individu qui entra sans bruit en baissant la tête pour traverser le seuil. Il fut étonné, vu la rusticité relative des lieux, de mettre le pied sur un plancher de grandes dalles en pierre où se devinait encore, ici et là, une rebelle d'un rouge passé strié de noir. L'ensemble devait jadis avoir composé un dessin quelconque.

Jehanne se sentait sur le point de défaillir tant elle était nerveuse. L'homme salua Margot d'un signe. La domestique referma la porte. Ils étaient maintenant seuls tous les trois. C'était le signal.

L'enfant évita de regarder l'inconnu afin de ne pas trébucher dans l'escalier, ce qui eût constitué pour Margot l'humiliation suprême. La tête vide, serrant bien fort son bouquet, elle concentrait son attention sur chacune des marches et sur chaque pas qu'elle faisait, regrettant de laisser derrière elle l'abri rassurant qu'avaient été la rampe et la pénombre des combles. Elle ne sut comment ses jambes arrivèrent à la porter à travers la pièce jusque devant l'homme qui n'avait en apparence rien du Galahaad attendu. Il ressemblait plutôt à Mordret ou à quelque autre méchant de légende.

— C'est vous ! s'exclama la fillette en levant vers lui un regard lumineux.

L'homme se décoiffa poliment devant elle en se demandant ce qui se passait.

— Mon homme noir, dit encore l'enfant, d'une voix émue.

— Jehanne, appela doucement Margot.

— Oh, pardon !

La fillette crut bredouiller son mot de bienvenue qui pourtant sonna juste et clair, quoiqu'un peu timide.

— Maître Baillehache, soyez le bienvenu. Je suis Jehanne, fille unique du seigneur Arnaud d'Augignac. Votre présence ici est pour moi un grand honneur. Il me tarde de... de vous...

La fillette se passa la langue sur les lèvres et jeta un coup d'œil furtif en direction de Margot : la suite de son petit discours venait soudain de s'effacer complètement de son esprit. Alarmée, elle regarda son prétendant. Ce très grand homme d'allure sévère, qui avait adopté une posture rigide, n'allait sûrement pas lui être d'un grand secours.

Nul n'eût pu soupçonner qu'il se sentait aussi nerveux qu'elle. De ses deux mains, il tournait son chaperon devant lui et se tenait légèrement voûté, peut-être dans une tentative inconsciente de se rendre un peu moins intimidant pour elle.

La fillette avait atteint cette période intermédiaire où les rondeurs laiteuses de la prime enfance ne sont pas encore remplacées par les premiers modelages de la puberté. Des taches de rousseur constellaient son minois adorable et son petit nez qui semblait avoir été relevé par une chiquenaude taquine. Deux nattes effilochées, presque blondes, lui pendaient dans le dos. La petite bouche entrouverte laissait entrevoir une incisive adulte qui attendait encore sa voisine.

« Comment se fait-il qu'elle me connaisse, cette teigne ? Je ne l'ai jamais vue de ma vie », se dit Louis avec une agressivité défensive. Il n'en croyait pas ses yeux : on voulait le marier à une enfant ! Cette perspective était d'autant plus effrayante pour lui qu'il avait toujours eu tendance à éviter les enfants, car il savait qu'il leur faisait peur. Il n'aimait pas cela. Il n'eût pourtant pas dû s'étonner de l'âge de Jehanne puisque Charles de Navarre lui-même s'était fait donner sa femme en mariage alors que celle-ci n'était âgée que de sept ans.

— Je ne me souviens plus du reste, marmonna l'enfant en regardant à terre comme une écolière fautive devant son professeur.

— D'apprendre – à – vous – servir – et – de – devenir – votre – épouse – fidèle, chuchota distinctement la voix rauque de Margot.

Mais Jehanne fit mine de ne pas l'avoir entendue. Elle dit spontanément, en regardant Louis dans les yeux pour la première fois :

— J'espère que vous vous plairez ici et que vous n'aurez plus de peine. Nous, en tout cas, on y est très bien.

Le bouquet, toujours frais, changea de mains. Louis dut, pour le prendre, laisser tomber son couvre-chef à ses pieds. Il eut la vague impression que c'était plutôt à lui d'offrir un bouquet et il en fut davantage intimidé. Jehanne recula d'un pas et fit une révérence rapide qu'elle avait failli oublier tant elle était contente d'en avoir terminé avec les formalités d'accueil. Louis dit, en s'inclinant :

— Damoiselle.

C'était tout. Lui n'avait pas songé à préparer un petit discours. Cela rendit Jehanne fière du sien, tout incomplet qu'il fût. Coquette, elle lui tendit une main menue et lui sourit. L'homme hésita avant de la prendre du bout de ses doigts rudes et de s'incliner pour permettre à ses lèvres minces d'en effleurer la peau soyeuse.

— Oh, cela chatouille, fit-elle en échappant un rire adorable.

— Merci de m'accueillir, parvint-il à dire.

— Vous êtes bien grand! Il vous faudra faire attention de ne pas décrocher mes guirlandes qui sont là-bas. Quel âge avez-vous?

— Jehanne! Ce sont des choses qui ne se demandent pas, dit Margot, indignée.

S'adressant au bourreau, elle poursuivit :

— Veuillez l'excuser, maître. Vous comprenez, elle est bien jeunette et...

— Ça ne fait rien. J'ai vingt-six ans, damoiselle.

— Oh, c'est très vieux...

— Jehanne!

— Quoi? C'est vrai. Moi, j'ai sept ans. Cela signifie que nous avons dix-neuf ans de différence. C'est beaucoup, mais Margot m'a dit que les choses se passent ainsi chez les nobles.

Elle s'approcha de lui. Il ne bougea pas et n'eut pas le temps de répondre. Jehanne leva les yeux et demanda encore :

— Baillehache, c'est un bien drôle de nom. Est-ce que cela veut dire que je vais m'appeler Jehanne Baillehache si je me marie avec vous?

— Si? intervint Margot.

— Quel est votre prénom? demanda la fillette qui ignorait sciemment la domestique.

— Louis.

Le colosse tripotait le bouquet, ne sachant trop que faire de ses grandes mains. Il devait baisser les yeux pour regarder cette petite fiancée au visage de lutin, qui dit :

— Puis-je vous appeler Louis tout de suite?

Cette fois, Margot n'y tint plus :

— Miséricorde! Ça suffit, Jehanne. Notre hôte est sûrement fatigué. Désirez-vous aller vous rafraîchir un brin avant le souper, maître?

— S'il vous plaît, dit Louis avec reconnaissance.

Il avait grande envie d'un bain, car il sentait le cheval; son floternel* en tiretaine et ses habits noirs étaient poussiéreux.

— Pourquoi vous appelle-t-on maître et non pas monseigneur ou messire, comme les autres nobles? Oh! Là, le chaton que je cherchais.

Elle alla ramasser sous la table une minuscule bête égarée dont la queue courte et effrontée pointait presque le dessus de sa tête rayée.

— Mon enfant, ne vous avais-je pas dit que je ne voulais pas voir de ça dans la maison? demanda Margot.

— Si, mais je ne retrouvais plus Michou. Il se sera sans doute réfugié dans mon panier à repriser.

Elle planta un baiser sur la petite truffe humide du chaton et dit à Louis:

— À tout à l'heure. Je m'en vais jouer à la tour avec Michou et Sam.

— Non, Jehanne, revenez... oh et puis zut...

Margot secoua la tête avec découragement: l'enfant était déjà sortie à la course.

Sam l'attendait. On eût dit qu'elle s'en était plus ou moins consciemment doutée. Les jambes ballantes et la mine boudeuse, il était assis sur une partie de l'ancien chemin de ronde qui avait résisté.

— Tu l'as vu? demanda la fillette.

Elle grimpa dans l'échelle et alla s'asseoir à ses côtés. Elle fourra le chaton sous la chemise du gamin.

— Oui, je l'ai vu. Je ne l'aime pas.

— Pourquoi?

— Je ne sais pas. Il est mauvais. Il a l'air d'un diable, avec des yeux qui ressemblent à des escarboucles*. En plus, à son âge, ça pourrait être ton père. Heureusement qu'il ne l'est pas.

— Moi, je le trouve gentil, même s'il me fait un peu peur. Je n'ai jamais vu quelqu'un d'aussi grand.

— De quel droit vient-il me voler ma femme, ce diable géant?

Tout cela sous prétexte qu'il était l'ami du roi. De plus, Sam en voulait à Louis de posséder un cheval trop magnifique pour lui. Les méchants ne méritaient pas d'aussi beaux destriers. L'amertume rongeait le cœur du garçon. Il jeta à Jehanne un regard en coin, avant de remarquer:

— Tu es trop jeune pour te marier.

129

— Sûrement, mais toi aussi.

— Tu ne lui as encore rien dit, n'est-ce pas?

— Attention au chaton, il veut sauter en bas de l'aleoir*.

Sam cueillit la petite bête aventureuse que sa mère réclamait en creusant dans le tas de foin. La fillette répondit:

— Je n'ai pas pu. En plus, Margot était là. Je pense qu'elle ne nous prend pas au sérieux, tu sais.

— Il le faudra bien un jour. Ou alors, c'est que ce bonhomme te plaît. Baillehache. Un nom de forestier!

Son ton était celui de la dérision.

— Si nous l'invitions à se joindre à nous? Il pourrait jouer le rôle du méchant.

— On n'a pas besoin d'un méchant.

— C'est faux. Tu te plaignais que tu en avais assez de faire jouer nos personnages manquants par les chats.

— Seulement parce que le Rayé n'arrête pas de se sauver quand j'en suis à le passer par le fil de l'épée.

— Tu sais bien que c'est parce qu'il a peur du bâton.

— De toute façon, les adultes ne jouent jamais avec nous.

Buté, Sam ne se soucia pas du sabot qu'il venait de perdre dans le foin au-dessous de lui à force de trop secouer les jambes. La chatte détala. Ils demeurèrent silencieux un moment, puis Jehanne dit:

— As-tu remarqué sa grande épée? S'il acceptait de jouer avec nous, tu pourrais peut-être apprendre avec lui le métier des armes. Pour de vrai.

Le garçon, songeur, se mit à flatter du plat de la main la poche dégonflée de sa cornemuse. Il n'ignorait pas que certains hommes, issus de la roture, recevaient parfois les éperons après s'être démarqués par une quelconque action d'éclat. C'était peut-être cela qui lui était arrivé, à *lui*.

Jehanne récupéra une nouvelle fois le chaton rayé qui s'était mis à miauler. Le gamin finit par demander, d'une voix hésitante:

— Tu crois qu'il me laisserait monter son coursier?

Même le souper n'eut pas son allure habituelle. Le joyeux fouillis de conversations entretenues par sept personnes et l'assortiment de victuailles posées pêle-mêle sur la table étaient remplacés par un silence de chapelle, et seul leur hôte était assis au bout de la table, sur une chaise à haut dossier que Jehanne n'avait jamais vue auparavant. Les cheveux de Louis étaient humides et il avait passé un habit de coutil noir impeccable, réplique exacte du précédent, qui avait dû voyager à l'abri dans l'un de ses sacs de selle. Il était rasé de frais et vraisemblablement baigné. Il se leva pour saluer Jehanne, dont la mise s'était déjà un peu flétrie. Elle alla se laver les mains à l'aide d'un broc qui avait été posé à cette fin sur une tablette. Une fois que l'enfant se fut assise, il fit de même. Leur gêne réciproque s'amplifia, nourrie par une ambiance que les domestiques invisibles avaient cherché à rendre trop guindée. Cela jurait avec l'hospitalité toute simple à laquelle tout le monde s'était habitué dans la chaleureuse quiétude de la grande pièce.

Si Louis se sentait un peu à l'étroit dans son nouveau rôle de maître de maison, il n'en laissait rien voir. Après tout, ce titre n'allait réellement lui appartenir qu'après le mariage. Or, il ne pouvait en être question avant plusieurs années, ce dont il était d'ailleurs fort soulagé. L'union allait être précédée de longues fiançailles avec cette enfant devant qui il n'arrivait pas à éprouver autre chose qu'un profond malaise. Il ne se sentait pas fait pour le mariage.

— Notre chère est modeste, maître, mais nous avons au moins de quoi passer l'hiver, dit Margot tandis qu'Hubert, l'ancien jardinier qui faisait office de majordome, apportait un cruchon de vin clairet, un pot de haricots aux oignons sauvages et un plat de volaille en sauce.

— Cela me convient, dit Louis.

Il entreprit de manger sans ajouter un mot. Il était davantage habitué à la table paysanne, qui se caractérisait par des potées, des ragoûts, une forte domination des légumes, des féculents, des céréales et un peu de viande, plutôt qu'aux raffinements des banquets où abondaient viandes rôties, fruits et arômes d'Orient.

Louis s'empara d'un quignon de pain qu'il eut de la difficulté à rompre et en porta un peu à sa bouche. Son expression se figea à peine et il continua à mâcher longuement avant de parvenir à l'avaler. C'était râpeux comme du bran de scie. Il s'éclaircit la gorge avec du vin avant de lever les yeux vers Jehanne, qui lui sourit. Il se passa la langue sur les lèvres et repiqua du nez vers son plat. La fillette se pencha en avant et jeta un coup d'œil inquiet vers la cuisine avant de chuchoter, en se forçant la voix :

— Venez-vous d'une abbaye, vous aussi, maître?

— J'y ai passé un certain temps, oui.

— Moi, j'y suis restée très, très longtemps. Là-bas non plus, on n'avait pas le droit de parler pendant les repas. Ici, il n'y a pas beaucoup de règles. Je préfère cela, dans un sens, même si mes anciens amis me manquent énormément. Ici, on peut bavarder tant qu'on veut à table et il y a Sam et des animaux et la tour et... et vous, maintenant. Margot m'a dit que c'était à vous « d'établir les nouvelles règles », comme elle a dit.

Elle se pencha en avant et chuchota assez fort pour qu'il pût entendre :

— Je vous en prie, n'en établissez pas trop, d'accord?

Le paisible Hubert toussota pour camoufler son envie de rire. Il se hâta de replacer sa serviette sur son bras et réassura sa posture rigide.

— J'essaierai, dit Louis en tendant la main vers la bouteille de clairet.

Hubert s'avança. Louis le laissa servir, malgré l'héroïque descente d'une nouvelle bouchée de pain qui commençait à l'étouffer. Jehanne dit :

— Une fois, j'ai perdu une dent de lait dans le pain. Ce n'était pas trop grave, puisqu'elle branlait. Ça a fait « crac » et j'ai un peu saigné dedans. Ça m'a fait très peur.

— Qui fait le pain ici?

— Mais... personne. Nous l'achetons au village voisin, lorsque parfois quelqu'un de la maison doit s'y rendre.

Jehanne fut inquiète de voir Louis froncer les sourcils.

— C'est inadmissible, dit-il. Il y a autour de nous une abondance de blé qui bientôt se mettra à pourrir sur pied.

— Nous n'en avons pas besoin, puisqu'il y a la chasse et tout plein de noix. C'est plus facile, dit Jehanne.

Louis tourna la tête vers Hubert.

— Fais venir les autres.

— Oh! Cela veut dire que nous pouvons tous souper et bavarder ensemble, comme avant? demanda Jehanne.

Nul n'eût pu dire si telle avait été l'intention de Louis au départ, mais il répondit :

— Je n'y vois pas d'inconvénient.

Jehanne le remercia d'un sourire radieux. Il n'y avait là rien d'anormal pour lui, de toute façon, et il fut satisfait de voir que cet arrangement plaisait fort à l'enfant.

Une fois que tout le monde eut pris place à table, sauf Sam qui n'était pas là et Aedan qui affichait ouvertement son hostilité en demeurant debout, Louis dit :

— J'aurai besoin de vérifier les provisions que vous avez amassées pour l'hiver. Je veux de quoi qui nous tienne au corps.

— Nous avons abondance de châtaignes, de noix et de venaison.

— Bien. Mais c'est loin de suffire.

Louis prit le quignon de pain et le leur montra en disant :

— Ne vous avisez plus de me présenter du pain aussi médiocre. C'est une dépense doublement honteuse et j'ai idée que nous ne pouvons nous la permettre. Dès demain matin, nous allons tous nous mettre au travail au champ.

Les sourcils d'Aedan réagirent à cette annonce comme deux petites chenilles inquiètes.

— C'est une blague, j'espère? demanda-t-il.

— Au contraire, je suis très sérieux.

Louis n'était pas sans connaître la raison de cette réticence. Le blé trop mûr était très difficile à récolter; sous le tranchant des faucilles, les grains tombaient pour aller se perdre dans le chaume que l'on récupérait d'ailleurs par bottes isolées pour les modestes besoins de la ferme, laquelle n'avait possédé jusque-là qu'une haridelle, un âne et une brebis.

— Nous allons broyer ce grain au mortier et faire notre propre farine dès cet automne, en attendant que j'aie fait restaurer le moulin.

Margot jeta un coup d'œil vers la porte à battants de la cuisine, restée ouverte derrière le dos du vieil Aedan, qui ricana.

— Ne devient pas paysan qui veut! Vous allez nous crever dans ces champs pour rien et vous avec, c'est moi qui vous le dis. La moitié de ce blé est en train de noircir.

Louis tourna la tête dans sa direction.

— La solution est fort simple : le triage. Nous évitons de cueillir de mauvais grains. C'est facile, avec le chaubage*.

— Vous déraisonnez, insista Aedan. Nous allons nous briser l'échine pendant un jour entier pour ramasser de quoi faire un pain gros comme une couille d'Anglesche.

— J'ai déjà fait de pires besognes.

Louis avait déjà expérimenté la technique du chaubage* sans se faire prendre en traversant certains petits champs qu'il avait dévalisés en compagnie de Desdémone.

L'expression condescendante du vieillard se cassa. Il considéra Louis, ou plus exactement ses mains, avec plus d'attention : leurs callosités n'étaient pas sans évoquer celles d'un bûcheron. Il dit finalement :

— Je vous crois. Qu'êtes-vous au juste? Un ange déchu?

Le métayer ne cilla pas sous le soufflet. Blandine retint son souffle. Même la petite Jehanne semblait consciente de l'insolence du vieillard et avait cessé de manger.

— Comment oses-tu, vieux mécréant? dit Margot.

— Je ne dois rien à personne. Les Escots* appartiennent à leur clan, pas à un maître. Les Normands aussi sont libres[28].

— À propos, il n'y a pas de Normands ici, dit Blandine en exagérant son accent du Midi qui n'en avait nul besoin.

Aedan continua comme si l'interruption n'avait pas eu lieu :

— Si je suis venu vivre ici après le naufrage, c'est parce que le maître était loin.

C'était la vérité : le père d'Arnaud, Raymond III, qui avait possédé le domaine avant lui, n'y avait jamais mis les pieds.

— Ferme-moi cette porte, tu veux bien? dit Margot.

— Le maître n'est plus loin, dit Louis calmement.

Margot oublia Aedan et la porte demeurée ouverte. Quant au vieillard, il n'entendit pas l'ordre. Louis prit le temps de mâcher et d'avaler une autre bouchée, avant de dire :

— Pour répondre à ta question, l'Escot : déchu, il se peut que je le sois. Mais ai-je l'air d'un ange?

Jehanne se souvint alors d'une image de sa prime enfance encore toute proche : le père Lionel qui lui tâtait les omoplates d'un air incrédule et qui avouait ne pas comprendre pourquoi ses ailes ne poussaient pas.

— Pas du tout, dit-elle en riant, soulagée qu'il n'ait pas pris la chose trop mal. L'ange, c'est moi!

— C'est discutable, dit le vieil Aedan, dont les yeux bleus brillèrent malicieusement.

— On peut voir si vous êtes un ange, dit encore l'enfant.

Elle se leva sans aucun égard pour le protocole et se dirigea spontanément vers Louis. Elle leva la main vers l'une de ses épaules. Le métayer eut un mouvement de recul qui n'échappa à personne. La main de Jehanne se retrouva coincée entre l'omoplate du géant et le dossier sculpté de sa chaise.

— Ça suffit, Jehanne! dit Margot, vaguement inquiète. Retournez à votre souper.

La fillette contrite obéit avec une docilité inhabituelle. Décidément, les grandes personnes étaient bien compliquées. Elle n'avait rien vu d'inconvenant à son petit jeu. Sam l'eût compris, lui.

Une curieuse attente s'installa, et Margot toussa dans son poing fermé en regardant Aedan. Ce dernier, d'abord surpris, parut soudain se souvenir de quelque chose et marmonna :

— Excusez-moi un moment. J'ai oublié... hum... de fermer la porte de la grange.

Louis donna son accord d'un bref signe de tête et fit semblant de ne pas remarquer que tout le monde, à l'exception de Jehanne, suivait le vieil homme. Il fut tenté de demander combien il fallait de gens pour fermer une porte de grange et pourquoi ils devaient pour cela passer par la cuisine et l'aile des serviteurs, mais il se ravisa. Cela n'avait aucune importance.

Les serviteurs se regroupèrent dans l'aile plus fraîche.

— Pauvre Jeannette, murmura Blandine. C'est une brute qu'ils lui donnent en mariage.

— J'aime pas sa tête. Une vraie gueule de traîne-potence. Par les couilles desséchées d'un moine, nous n'avons pas besoin de ce culvert* ici.

Aedan cracha par terre et écrasa sa salive avec la pointe de sa heuse rapiécée.

— Hé! là, n peu de tenue, protesta Margot.

— Nous autres, Escots*, valons mieux que cette race sans noblesse qu'on désigne du nom de Français. Nos ancêtres auraient dû la vaincre, la France, au lieu de s'allier à elle. Ce n'est pas un peuple, c'est un mélange abâtardi. Voyez comme la petite Angleterre la domine déjà, alors que nous, nous sommes parvenus à l'écraser à Bannockburn[29]. Ces Franklins* ne savent démontrer que de la bravade qu'ils font passer pour du courage.

— Tais-toi donc un peu, vieil insensé, dit Margot. Il va t'entendre. Maintenant, sortez. Vous aussi, Hubert et Blandine, allez, ouste. J'ai des recommandations à faire à Thierry et à Toinot.

— Ouais, bonne idée, répliqua Toinot en faisant craquer ses jointures. Même si on se doute un peu de quoi il s'agit. Ne t'en fais pas, je saurai m'y prendre avec lui s'il tente quoi que ce soit.

— Chut, prévint Margot.

Elle attendit que les autres fussent sortis, referma la porte de l'aile et demanda :

— C'est bien lui, n'est-ce pas?

— Oui. Je l'ai reconnu dès l'instant où je l'ai vu, même s'il a beaucoup changé, fit Thierry.

— Dieu. Mais comment est-ce possible? soupira Margot. Bon, voyons voir : le mieux, dans les circonstances, c'est de ne faire semblant de rien. Car il nous faut nous souvenir que le roi est derrière tout ça. Donc, dans l'intérêt de Jehanne, oublions tout : nous ne savons pas qui il est ni d'où il vient; ne cherchons pas non plus à savoir par quelle ruse il a bien pu obtenir ce titre. Laissons les choses aller et voyons au fur et à mesure ce qu'il convient de faire. Vous êtes d'accord?

Les deux hommes opinèrent gravement.

— Eh bien, voilà. Oyez comme Jehanne est en train de causer

gentiment avec lui. La chère enfant ne voit rien de tout ça, elle. Bénie soit la candeur de son âge!

— Pourquoi êtes-vous en colère? demandait la petite voix de Jehanne à brûle-pourpoint.

— Je ne suis pas en colère, dit Louis qui appréhendait tout à coup d'être à nouveau isolé avec elle.

— On dirait que vous l'êtes. Est-ce que c'est à cause de Sam?

— Sam?

— Je suis la princesse et lui, le chevalier. Même s'il n'arrive pas à tenir sur l'âne. L'autre jour, il est tombé dans le ruisseau. Nous avons une tour juste à nous. Venez, je vais vous montrer.

Elle contraignit Louis à abandonner un demi-gobelet de clairet et lui fourra son lourd floternel* en tiretaine noire dans les bras. Avant que Margot eût pu intervenir, elle avait passé sa mante et sa capeline et entraînait par la main un Louis éberlué jusqu'à la porte d'entrée, où elle décrocha une lanterne.

— Nous n'avons plus faim, lui cria-t-elle en tenant bien serré la grande main qui cherchait sans cesse à se dérober.

L'homme se laissa docilement emmener. Il n'avait eu que le temps de jeter son floternel* sur ses épaules et devait le retenir de sa main libre. Le vent arracha la capeline de Jehanne et, tel un chat enjoué, s'amusa à la faire danser au bout des deux rubans qui la retenaient à son cou, tandis que le couple mal assorti gravissait en courant la pente menant à l'orée de la forêt.

Les dernières lueurs du jour déclinaient rapidement. Une tour qui ressemblait à un cierge poussiéreux fut bientôt en vue entre les arbres. Les couinements maladroits d'une cornemuse taquinaient le vent qui, soudain, se montrait furtif et s'était mis à rôder parmi les ronces. L'instrument se tut dès que les gonds rouillés signalèrent l'ouverture de la porte.

Louis leva les yeux: un gamin dépenaillé le dévisageait du haut de ce qui avait dû être autrefois un chemin de ronde. L'enfant était roux et bien fait. Son nez court était retroussé sous d'abondantes taches de rousseur et lui donnait un air de farfadet. Ses yeux d'émeraude, semblables à ceux de son grand-père, adressèrent des reproches à Jehanne.

— Le Rayé n'a plus peur du bâton, dit-il en ramassant un gros chat qui pendit avec résignation entre ses bras grêles.

Louis arriva enfin à dégager sa main de la tendre emprise de Jehanne. Tout en enfilant correctement son floternel*, il avança avec lenteur dans l'aire envahie de foin pourrissant. En regardant en l'air, il put apercevoir un grand cercle de ciel barbouillé de suie. Un bruit de chute assourdie lui fit baisser les yeux de nouveau sur la vieille meule de fourrage. Sam venait d'y sauter. Sa cornemuse était demeurée sur le chemin de ronde. Elle ressemblait à une petite bête assoupie.

— Cette tour est à nous, dit-il à Louis. À Jehanne et à moi.

Le garçon d'étable lui fit face, les mains sur les hanches. Déjà, son défi s'enjolivait de la beauté d'une fable : cet ogre terrifiant, armé de la plus grande épée qu'il eût jamais vue, allait se voir vaincu par nul autre que lui-même grâce à sa seule vaillance, trempée par son amour pour sa belle. L'idée qu'avait eue Jehanne de l'amener n'était peut-être pas si mauvaise, après tout.

— C'est Sam, dit Jehanne à Louis.

— Somhairle Aitken, précisa le gamin en gonflant orgueilleusement la poitrine.

Louis détailla les traits du garçon avec une minutie silencieuse, désagréable. Neuf ou dix ans, sans doute. Aussi beau et altier que lui-même avait dû être vilain pour avoir été obligé de vieillir trop vite. Louis aima le visage franc et ouvert, où l'hostilité se faisait aussi aisément comprendre qu'une enluminure dans un livre d'heures. Sam et Jehanne étaient des êtres supérieurs, issus d'une autre race. Quelque part dans un passé enfoui, le garçon indigne qu'il avait été frémit. Quelque chose en eux lui rappelait les Bonnefoy. Il ressentit avec toute l'acuité du présent l'affreuse impression qu'il n'était pas à sa place en un tel lieu. Il recula d'un pas.

Jehanne avait rejoint la cornemuse en haut.

— Vous feriez un bon méchant, dit Sam à Louis, qui sursauta au contact inattendu de la porte dans son dos. Il prit conscience seulement alors qu'il avait reculé jusque-là. Et que Sam, souriant, l'y avait suivi sous le regard intrigué de Jehanne. Il semblait bien qu'ils jouaient déjà à la guerre tous les deux. Le petit Écossais demanda :

— Avez-vous peur des chats ?

— Non...

Sam se sentait comme pris d'ivresse. Le nouveau maître était inexplicablement intimidé. Peu importait par quoi. Le garçon décida d'en profiter et dit, tout bas :

— Un jour, je deviendrai un vrai chevalier. Je vais occire tous les méchants que je verrai.

L'homme le toisa de telle façon que, subitement, Sam rougit de confusion. Il se sentit mal à l'aise comme s'il avait menti. Un nouveau son mat détourna leur attention : Jehanne s'était laissée à son tour choir dans le foin et elle roulait en bas de la meule.

— Que faites-vous donc?

— Rien, dit Louis qui demeurait adossé contre la porte.

— On joue, alors?

— Pas moi. D'être allé à la guerre me suffit.

Sam faillit en laisser s'évaporer l'armure magnifique qu'il venait de forger pour son personnage de preux guerrier.

— C'est vrai? Où ça? demanda-t-il, les yeux écarquillés.

— Maupertuis.

Le personnage valeureux de Sam se mua immédiatement en une sorte de Philippe le Hardi[30] qui, au lieu du roi de France, s'apprêtait à protéger la reine sur le champ de bataille. Sa reine Jehanne à lui.

Ce beau rêve fut dérangé par la présence même de celui qui l'avait évoqué. Les quillons du damas suspendu au baudrier attirèrent le regard à la fois haineux et admiratif du gamin.

— Montrez-moi ça, dit-il.

Louis ne voulait pas déplaire à ces enfants. Il s'avança et dégaina son épée qu'il tint d'une main, lame basse.

— Woh! On dirait une *claidheamh mr**. Vous avez une armure?

— Plus exactement une broigne*.

— Faut que je voie ça!

— Mes effets sont dans une malle qui doit m'être apportée par charrette demain.

L'un des chats vint renifler les heuses du nouveau venu et ondula autour de ses chevilles. Louis dit:

— Veuillez m'excuser. Il se fait tard et j'aurais besoin de dormir.

— Bonne nuit, dit Jehanne.

Il s'inclina légèrement et tourna les talons. Il ne rengaina son arme qu'une fois qu'il fut sorti de la tour pour se fondre dans l'obscurité.

— Il craint les chats, dit Sam, qui retourna à sa cornemuse.

Jehanne monta s'asseoir à ses côtés et l'écouta jouer un moment.

— Tu souhaitais devenir un ménestrel, dit la fillette.

— Je puis être les deux, maintenant. À la fois guerrier et musicien. Savais-tu qu'à Venise, les rues sont faites avec de l'eau?

— C'est vrai? Cela doit être drôle à voir.

— Nous irons là-bas un jour. Tiens. Écoute.

La cornemuse se mit à bégayer un air qui lui était peu familier sous l'écoute attentive des deux enfants. Dehors, au creux de la forêt, la mélopée nocturne des loups commençait.

Margot enveloppa une pierre chaude dans une vieille retaille de cuir qui avait dû appartenir à un tablier de forgeron. Elle la remit à Louis.

— Tenez, pour réchauffer votre couche.

La gouvernante veillait à ce qu'il y eût toujours dans l'âtre quelques-unes de ces pierres que l'on pouvait emporter avec soi pour chauffer rapidement de petites quantités d'eau ou de soupe. On pouvait également s'en réchauffer les pieds. Lorsque la pierre refroidissait, on enlevait le cuir afin d'être directement en contact avec elle. Par temps froid, l'effet d'une pierre durait plusieurs heures. Une fois refroidie, il fallait qu'on songe à la remettre au feu pour la nuit ou pour le jour suivant de manière à ce qu'elle soit prête pour son prochain utilisateur. Il y en avait continuellement en rotation pour tout le monde, de jour comme de nuit.

— Merci, dit Louis.

— Hubert vous a également préparé un brasero*.

La grande pièce, avec ses deux fenêtres à chaque bout, toutes deux recouvertes de parchemin ciré, n'était pas sans évoquer le repaire de son enfance. Il posa son bougeoir et se changea près du brasero* circulaire. Par habitude, il prit dans sa besace un sachet d'herbages aromatiques dont il saupoudra les braises. Une petite fumée bleutée et parfumée comme de l'encens alla se perdre dans le tressage en chaume du toit. Il marcha en direction de l'une des fenêtres dont il ouvrit les volets.

Il n'y avait tout autour qu'une terre d'encre, rendue méconnaissable par les mystères de la nuit. Loin, à l'autre bout du préau, derrière un enchevêtrement rigide de branches dénudées, il discerna la lueur vacillante d'une autre chandelle qui palpitait comme la sienne. Il demeura longtemps seul au milieu du chant des loups, avec une cornemuse d'humeur romantique qui rêvait encore.

Beaucoup plus tard, la chandelle de la tour finit par s'éteindre et la musique se tut. La clameur des loups parut encercler la maison. Elle alla s'amplifiant, se rapprochant. Louis se rendit compte que la flamme de sa chandelle tétait laborieusement un bout de mèche qui disparaissait dans le support de son bougeoir. Elle devint bleutée avant de s'éteindre à son tour. Il referma doucement ses volets et appuya le front contre le cuir frais. Il constatait à quel point la compagnie de cette nouvelle maisonnée lui avait occupé l'esprit toute la journée. Il avait soudain peur de se retrouver seul avec ses pensées.

*

H̶iscoutine, deux semaines plus tard

À chaque pas que Louis faisait, Aedan, Hubert, Toinot et Thierry devaient en allonger deux. Le groupe d'hommes traversa la cour parsemée d'arbustes épineux qui, à la nuit tombante, ressemblaient à de petits bonhommes accroupis. Il y avait des aubépines, du houx et les inévitables roncières. À l'exemple des Anglais, la ramée et la végétation sauvage enserraient la terre de près et y régnaient en despotes.

Les hommes s'arrêtèrent à la porte du moulin. Louis leur fit face et dit :

— Le pain que vous mangez donne dans la soupe une colle noire et amère. Même avec du sel, il est infect et c'est pourquoi je l'ai utilisé pour faire des beignets. Cela l'a rendu un peu plus mangeable.

— Ça, vous pouvez le dire, dit Aedan qui ne s'était pas privé de ces délicieuses pâtisseries frites pendant le peu de temps qu'ils en avaient eu. Bon Dieu, qu'ils étaient bons, ces beignets. Même la Margot n'en revenait pas.

Louis reprit :

— J'ai pu vérifier que les blés du pays d'où provenait ce pain ne sont pas à blâmer ; ils ont été récoltés à temps et ils sont sains. L'explication est simple : c'est qu'on ne sait plus comment s'y prendre pour fabriquer la farine et pour s'en servir. Les méthodes des vieux sont en train de se perdre.

Une pointe de nostalgie l'assaillit, alors que, l'espace d'une seconde, il revit la meunerie des Bonnefoy avec sa fine poussière d'or qui parlait d'une abondance révolue.

Aedan opina en jetant un rapide coup d'œil aux autres.

— Vous êtes moins sot que je ne l'avais cru, pour un sang de navet*, dit-il.

Louis ne releva pas cette remarque et poursuivit :

— Je peux tout de suite vous certifier qu'ils utilisent un levain trop faible, voire pourri, et leur pétrissage est sans soin. Leur four est récent et mal conçu. Sa voûte est trop haute. Le pain y cuit de façon inégale. Mais le pire n'est pas là.

Il désigna le moulin.

— Le meunier du village où vous vous approvisionniez brûle la farine sous ses meules.

— Tout se tient, dit Aedan.

— En effet. À bon moulin, tout fait farine. C'est pourquoi nous allons nous empresser de remettre ce bâtiment en état. Hubert, tu seras notre meunier.

— Hein? Quoi? fit le doux Hubert d'un air effaré.

— Et, en attendant que le moulin soit fonctionnel, nous allons utiliser les broyeurs en granit que j'ai eu la fortune de dénicher en ville cette semaine[31].

— Mais écoutez, c'est que moi, je n'y connais rien, dit le mari de Margot. C'est pas à mon âge qu'il faut changer de métier. Déjà que le climat d'ici ne me réussit guère.

— Je l'ai bien fait, moi, fit remarquer Aedan. Par la boudine ratatinée de ton grand-père, j'étais déjà plus âgé que toi quand j'ai quitté l'Écosse.

— Vieux lèche-botte, marmonna Thierry à Hubert. Ce que peuvent faire une demi-douzaine de beignets avec les principes d'un homme...

— Ça s'apprend, dit Louis. Tout comme moi j'apprendrai de vous comment cultiver la terre.

Il fallait se rendre à l'évidence qu'en moins de deux semaines, bien des choses avaient changé au domaine. Hubert lui-même devait découvrir, après réflexion, qu'il possédait juste assez de sens des affaires pour trouver l'idée du moulin attrayante. Thierry se trompait en croyant que Louis s'était acquis une certaine admiration de l'Escot grâce à ses seuls beignets, des pâtisseries qu'il avait lui-même confectionnées à la cuisine, au grand étonnement de toute la maisonnée. On eût dit que le métayer savait être partout en même temps. Cela avait commencé par la laborieuse récolte du blé.

— Des ordres comme ça, avait bougonné Aedan, c'est facile à donner, mais surveillez bien comment ce hobereau* parasite va trouver moyen de se défiler demain matin, lorsque le moment sera venu de réaliser son beau projet. Il va nous laisser tout le boulot sur les bras.

Le soir venu, Aedan, bon enfant, avait ravalé ses propos peu élogieux et ils étaient rentrés ensemble, fourbus mais très contents d'eux-mêmes.

Ensuite, il y avait eu sa malle que Louis s'était mis en tête de monter sans aide à l'étage pour ne pas déranger les autres dans leur travail. C'était un coffre solide, ceint de fer et renforcé par des coins également métalliques aux angles. Et il était plein. Jehanne l'avait regardé s'éreinter dans l'escalier. Elle en était venue à la conclusion qu'il était capable de tout faire. Louis était même parvenu à gagner l'estime du rébarbatif Toinot, qui avait dû convenir qu'il n'allait plus oser tabasser Louis comme il l'avait fait durant son bref emprisonnement.

Grâce à ses dernières économies, Louis avait pu revenir avec une pleine charretée de navets. Cela avait bien fait rire Aedan. Une fois les légumes tranchés et mis à cuire, l'industrieux métayer en avait fait une soupe nourrissante, épaissie avec de la farine de marrons broyés. Dès qu'il le pouvait, il achetait à bon prix un peu de poisson marin, selon ses disponibilités : hareng, carrelet, merlan, morue, cabillaud ou turbot, ce poisson plat et rond qui avait l'air si maladroit. Louis passait des heures interminables dans les sous-bois dégarnis à fouiller sous les feuilles mortes avec sa canne pour dénicher quelque écureuil ou hérisson en début d'hibernation qui allait pouvoir être apprêté en pâté ou en sauce. Margot devait plonger les hérissons en eau chaude avant de les préparer, car ils avaient tendance à se courber. Leur viande était presque la seule qui pouvait se consommer crue. Louis chassait ces petites bêtes à la fronde ou à la pique et conservait ses flèches pour les oiseaux ou le gros gibier, s'il avait la chance d'en trouver. À la belle saison, la forêt devait regorger de volatiles de tout acabit. Le lièvre était la consolation du chasseur qui était encore bredouille au milieu de l'après-midi. Le ruisseau devait déjà avoir rangé sa panoplie de bijoux – brochets, barbeaux, grands esturgeons et anguilles qui zébraient habituellement ses eaux peu profondes. La venue de la saison maigre n'avait pas empêché Louis de dénicher quelques soles et des écrevisses. Il avait même trouvé une raie et il avait pris soin de ne pas montrer sa grosse tortue aux enfants. Enfin, il avait ramené, en même temps que ses meules, de quoi démarrer une petite basse-cour ; il avait prélevé de son propre poulailler de Caen deux jeunes oies et quelques poules couveuses, mais il avait dû acheter coq et jars au marché. Bientôt, ils allaient pouvoir se régaler d'œufs et de volaille. Il contribuait au garde-manger en rapportant sa part de volatiles tardifs, surtout des perdrix, des pigeons et des tourterelles, en attendant l'abondance estivale promise par la forêt et les marécages environnants. Il rapportait également des noix – même si ce travail était traditionnellement dévolu aux femmes et aux enfants – et il ne quittait jamais la maison pour aller en forêt ou en ville sans une nacelle de cuir servant à la pêche. Il avait commencé à ramener de la ville quelques épices et condiments abordables, ainsi que des salaisons de bœuf et de porc que les habitants du manoir n'avaient plus eu la chance de goûter depuis belle lurette. En outre, il avait commencé à faire pousser des herbes en pot.

Blandine et Margot s'étaient retrouvées, étonnées, à échanger avec lui des secrets culinaires, et leur estime pour lui s'en était améliorée d'autant.

— Je n'aime pas ses yeux, mais les choses se présentent mieux que je ne le croyais, avait dit Blandine à la gouvernante.

Même si les fruits lui manquaient davantage que tout autre délice qu'il avait goûté à la table royale, Louis se trouvait fort satisfait du peu qu'il avait été en mesure de récolter. Le rude labeur physique qu'il exigeait de lui-même et de sa maisonnée requérait un important apport en nourritures qui augmentaient la chaleur, et permettait la digestion d'aliments dits grossiers, comme les céréales et les légumes, de même que les raves, des nourritures très terrestres, froides et sèches. C'était dans l'ordre des choses. Il était normal que le paysan, base de la société, se nourrît de la terre, base des éléments.

Pourtant, entre le moulin et la forêt, à l'opposé du chemin que l'on prenait pour se rendre au hameau, Louis avait découvert un autre trésor qui était jalousement enlacé par des arbrisseaux audacieux ayant quitté le couvert de la forêt : dans une clairière à peine ébauchée et envahie de ronciers, un ancien verger subsistait. Louis y vagabonda longuement et put également se rendre compte qu'y avaient déjà poussé toutes sortes de baies, fraises, framboises, mûres et groseilles, et que les buissons avaient une chance d'en produire encore, pourvu qu'on empêche le taillis de les étouffer.

Le bourreau se laissa glisser au pied d'un tronc noueux et leva les yeux vers le ciel pommelé. Il n'en revenait pas de sa chance. Le roi Charles n'avait aucune idée de la valeur du cadeau qu'il lui avait fait. Pas un instant il ne lui vint à l'esprit que tout autre homme que lui eût trouvé trop harassante la tâche de ramener ces terres abandonnées à leur prospérité d'antan. Que c'était là le travail d'un paysan, et non pas celui d'un fonctionnaire de justice.

Louis pensa à sa mère. Adélie eût aimé cet endroit. Il tenta de rappeler à lui le souvenir de son visage tant aimé, afin de s'imaginer à quoi il eût ressemblé maintenant, auréolé de cheveux argentés. Mais l'image ne vint pas. Il tourna la tête en direction du moulin dont il pouvait voir deux des pales effilochées. Le joli visage d'Églantine se refusa à sa mémoire, lui aussi. Il n'arrivait plus à revoir son jardin tel qu'il avait été. Il était devenu petit, poussiéreux, étriqué. Tout cela était désormais trop loin. Cela avait fait partie d'une vie révolue où il n'avait plus sa place.

Soudain, aux images floues qu'il avait en vain essayé de reformer se substitua celle, très précise, d'un minois enfantin. Il sursauta et se remit sur pied. La petite Jehanne d'Augignac venait d'arriver et lui souriait en lui offrant une pomme sauvage.

*

143

Le dimanche matin suivant, Louis s'attarda à l'écurie plus longtemps que d'habitude. Il prit place sur un tabouret et souleva l'un des pieds de la vieille jument.

— C'est bien ce que je pensais. Regarde, dit-il à Sam qui se tenait debout à côté de lui.

Le garçon se pencha pour examiner le sabot de plus près.

— Oui, j'ai vu cela. Mais j'ai beau frotter, ça ne part pas.

— Ce sont des champignons. Ils ne partiront pas tant que tu laisseras aux chevaux ces litières presque toujours humides. Ce n'est pas tout de les nourrir, de les abreuver et de les bouchonner.

— Je nettoie aussi. Et puis, j'ai aidé à récolter des boisseaux de cévade*.

— Évite de trop leur en donner. Ça leur gonfle le ventre.

Louis se leva et emporta le tabouret pour vérifier les sabots de Tonnerre.

— Lui aussi commence à souffrir de ta négligence. Un bon garçon d'écurie doit veiller à étendre chaque jour de la paille fraîche dans les stalles. C'est compris?

— Oui, dit Sam, la mine boudeuse.

— Comment?

— Oui, *maître*, corrigea le garçon avec réticence.

— Bien. Va m'attendre dehors.

Le gamin alla rejoindre Jehanne qui arrivait à la porte. Il se tourna vers Louis qui était toujours assis sur son tabouret pour examiner les sabots du destrier. Le gamin lui jeta un regard hostile et, en sortant, chuchota à la fillette:

— On dirait un corbeau sur une souche.

Quelques minutes plus tard, Louis sortit en guidant la jument placide. Cela ne pouvait signifier qu'une chose: qu'il permettait au garçon de seller lui-même Tonnerre et de l'emmener. Malgré l'amertume que les réprimandes du maître avaient suscitée, il ne parvint pas à contenir son enthousiasme et il se hâta de pénétrer dans la stalle du beau cheval noir.

Hélas, les choses ne se déroulèrent pas comme Sam l'eût souhaité. Si Tonnerre accepta de le suivre hors de l'écurie, ce ne fut pas sans armer les lèvres*. Et, une fois dehors, il se mit à armer avec tant de vigueur que le garçon dut finalement abandonner les guides à son maître. Nul n'arriva à comprendre pourquoi Tonnerre s'était comporté ainsi. Pas même Louis. Ce fut sans doute la raison pour laquelle le métayer n'adressa au gamin aucun reproche. Sam en fut d'ailleurs étonné.

144

Après leur promenade à cheval, ils laissèrent les deux bêtes prendre un peu l'air dans le préau derrière la maison.

Un peu de jeune neige était tombée la veille, mais elle avait déjà disparu pour laisser place à une humidité somnolente. La nature n'était plus qu'un canevas triste qui attendait que son peintre eût nettoyé ses pinceaux : les derniers jaunes cuivrés s'étaient déjà dilués dans l'eau de novembre, mais le blanc et les doux pastels de l'hiver ne les avaient pas encore remplacés.

Louis aimait ces journées d'automne dédaignées des promeneurs à cause de l'absence de soleil. Elles étaient si calmes. C'était le premier véritable jour de repos qu'il s'accordait depuis son arrivée au domaine. Les dimanches précédents, il avait toujours fait en sorte de quitter la maison pour les champs avant l'aube et avant que les autres ne fussent levés. Mais, ce matin-là, il n'y avait pas eu d'échappatoire possible. Margot y avait veillé et s'était levée une demi-heure avant lui pour l'épingler à ce sujet.

— Savez-vous quel jour on est ? lui avait-elle demandé.

— Non.

— On est dimanche.

— Ah. C'est vrai.

— Ce n'est pas parce que nous sommes loin de tout que l'on doit oublier de respecter le jour du Seigneur.

— Bon.

Louis avait alors traîné dans la maison, désœuvré, si bien que Margot avait commencé par regretter de l'avoir remis à l'ordre. Elle n'avait pas soupçonné à quel point sa présence silencieuse et son regard scrutateur pouvaient être pénibles à supporter à la longue. C'était donc avec soulagement qu'elle avait accueilli l'idée d'une promenade à laquelle les enfants – non conviés, bien entendu – s'étaient spontanément joints. Ils laissèrent les deux montures caracoler dans le préau et partirent à pied.

Sans trop y avoir pensé, le trio se retrouva dans le boisé et dépassa la tour. À partir de là, ils durent marcher en file sur l'ébauche d'un sentier. Louis prit les devants et distança quelque peu ses compagnons dont la conversation intense ne se trouva aucunement perturbée.

Ils grimpèrent un escalier de pierres plates avant d'atteindre un sentier qui serpentait dans la petite colline. La végétation, lasse et froissée, brunissait. De longues herbes rêches crissaient sous la brise. Obstinées, elles allaient être les dernières à ployer l'échine sous la neige. On trouvait encore, dans certains replis secrets du sentier, de ces adorables feuilles dont les bouleaux aux membres blancs faisaient généreusement l'aumône. Elles ressemblaient à des monnaies sarrasines semées sur le sol de la caverne d'un Templier. L'écorce charnelle de ces arbres avait les reflets crémeux de la soie; elle donnait à tout enfant qui se respectait l'envie irrépressible d'en emporter un lambeau dans sa poche.

Louis ne prêtait aucune attention aux charmants babillages de Jehanne. Il lui fallut un moment pour se rendre compte que, pour une raison connue de lui seul, Sam avait fait demi-tour et que c'était à lui que la fillette s'adressait. «Que me veut-elle?» se dit-il, alors qu'il lui faisait face avec une subite inquiétude.

— C'est vrai qu'il y a des fontaines de vin, chez le roi? demandat-elle, faisant sans le savoir référence au faste débridé des Valois.

— Je n'en ai pas vu. Il me semble que c'était plutôt chez le roi Jean.

— Cela doit être beau à voir, une fontaine de vin. Moi, je préférerais quand même voir un ruisseau de dragées. J'aime bien les dragées et les choses sucrées, pas vous? Dites, est-ce que vous nous ferez encore de ces beignets au miel?

Le mauvais pain était fini depuis longtemps. Mais il sut sans l'ombre d'un doute, avant même de répondre à l'enfant enjôleuse aux prunelles lumineuses, qu'il allait utiliser de la bonne farine laborieusement moulue pour lui confectionner de nouveaux beignets tendres.

— Sûrement, oui.

Il recula. Quelque chose l'inquiétait. Il ne savait pas quoi. Mais cela venait d'elle et c'était dangereux. Il n'avait éprouvé rien de tel en compagnie de Desdémone ou d'Isabeau.

«Laisse-la approcher. Étudie-la. Foudroie-la. C'est ce qui a toujours fonctionné», se dit-il.

Il entraîna Jehanne vers les masures d'Aspremont, ce caillot insignifiant de civilisation qu'il avait mandat de faire prospérer sous l'œil vigilant d'une minuscule église sans âge, dont le clocher faisait également office de beffroi, et sous la protection d'un simple postil*. Personne n'était en vue. Les serfs avaient dû se terrer dans leur chaumière au centre de laquelle devait fumer un pauvre feu de branchages. Une brunante paresseuse tombait de plus en plus tôt sur des toits réparés en hâte. Du bois trop vert avait été empilé sous des auvents. Au bout de l'unique avenue, une chèvre malingre bêlait dans son enclos à demi affaissé. Louis savait que rien de cela n'allait résister à l'hiver et que, s'il ne venait pas aider ces gens à s'installer convenablement, ils allaient tous crever de faim ou de froid avant la Chandeleur*.

Ce fut très probablement la raison pour laquelle les habitants d'Hiscoutine ne virent pas le maître vaquer à quelque travail autour du domaine pendant près de dix jours. Il se levait tôt et partait de bon matin pour ne revenir qu'à la nuit tombée, fourbu, une esconse* à la main. Et même là, avant de souper et d'aller se coucher, il demandait un rapport de ce qui s'était fait pendant la journée. Il allait vérifier le blé et les noix qui avaient été récoltés, avec les dernières pommes sures qui avaient l'imprudence de s'attarder aux branches hautes, hors de la portée des animaux. Il faisait un inventaire du gibier chassé et des poissons attrapés. Il donnait ses instructions sur ce qui devait être séché, fumé ou salé et sur ce qu'on pouvait manger ce jour-là. Il surveillait avec un soin extrême ce qui menaçait de manquer dans le garde-manger afin, s'il pouvait se le permettre, d'en faire provision lors de sa prochaine visite en ville. Rien n'échappait à sa vigilance.

Les villageois ne tardèrent pas à profiter des fruits de ce labeur. L'un des paysans étant malade, Louis préleva dans ses propres réserves un boisseau de blé qu'il apporta à la famille. Tout au long de ces dix jours d'absence, il envoya les autres au champ et travailla avec eux. Il les aida à préparer leur maison, du moins sommairement, pour l'hiver. Le reste, dont il leur fit une énumération détaillée, allait devoir attendre au printemps. Il assura les six familles qu'il allait leur rendre visite plusieurs fois au cours de la saison froide et qu'elles pouvaient le contacter au manoir en cas d'urgence.

Une sorte de magie opéra. Les gens se prirent à apprécier ce baronnet réservé qui, sans façon, venait partager avec eux la misère de leurs basses besognes.

Jehanne aussi commençait à l'apprécier, au fur et à mesure qu'elle apprenait à la connaître. Louis lui manquait quand il n'était pas là. Dès le quatrième jour de son absence, elle s'était mise à errer d'une fenêtre à l'autre dans l'espoir de voir revenir la grande silhouette noire qui déjà lui était devenue familière. Sam en avait conçu une jalousie naissante : il expliqua à Jehanne que, si Louis ne revenait pas, c'était parce qu'il l'avait capturé pour en faire un épouvantail qu'il avait planté dans un champ. Jehanne ne lui avait plus parlé du reste de cette journée-là.

Le sixième jour, Aedan avait ordonné à son petit-fils de cesser de bouder et d'occuper la fillette une fois que toutes leurs tâches allaient être terminées. Les deux enfants avaient fini par sortir pour aller faire un tour, bras dessus, bras dessous. Cette image naïve qu'ils lui avaient offerte lui avait à la fois réchauffé et serré le cœur. Il avait soupiré en disant, comme pour lui-même :

– By God, she's way too sweet for that man[32].

Les raisonnements de la vie pouvaient décidément être difficiles à suivre. Peut-être Jehanne était-elle, après tout, le genre de dentelle qu'il fallait pour donner au meuble trop austère un aspect plus chaleureux?

Lorsque Louis rentra, tard le dixième soir, tout le monde était déjà au lit. Il grappilla de quoi grignoter afin de ne déranger personne. Il alla s'asseoir avec un demi-cruchon de vin blanc au coin du feu qu'il tisonna. Un petit craquement dans l'escalier le fit se retourner. C'était Jehanne. L'enfant avait espionné son retour depuis sa cachette derrière la rampe. Elle s'approcha à pas de souris, s'efforçant avec exagération de ne pas faire de bruit. Elle portait une robe de nuit rose à boutons de fleurs brodés avec du fil vert tendre. C'était l'un des vêtements neufs que Margot lui avait cousus, car la gouvernante jugeait que l'enfant en possédait trop peu à son goût pour une personne de haut lignage. Elle trouvait qu'il fallait éviter qu'elle eût l'air trop pauvre devant son prétendant, même si c'était futile puisque ce dernier était obligé d'aller travailler aux champs comme un paysan.

Une main toute menue se posa sur le genou de Louis. Il sursauta. Jehanne le regardait d'un air angoissé, sans rien dire. C'était extrêmement désagréable. Il parvint enfin à demander:

— Qu...qu'y a-t-il?

— Je n'arrive plus à dormir. J'ai fait un mauvais rêve.

— Ah.

— Puis-je rester avec vous?

— C'est que... c'est comme vous voulez. Mais je n'y suis pas pour longtemps.

Louis serra les deux branches en acier d'un casse-noisettes. Une grosse noix, invisible dans sa main, céda avec un petit toc assourdi. Il préleva l'amande presque intacte dans sa paume et la croqua. L'enfant dit:

— Sam dit que vous passez votre temps à travailler parce que vous ne savez rien faire d'autre.

— Sam dit ça, hein?

— Oui. Il a raison. Les grandes personnes n'ont jamais le temps de s'amuser.

— J'ai été envoyé ici pour travailler. Alors, je travaille.

— Moi, je déteste passer toute une journée à broder. C'est

---

32. « Par Dieu, elle est beaucoup trop douce pour cet homme. »

ennuyeux et ça me donne mal partout. Il y a une chose que j'aimerais vous demander. C'est très, très important.

Louis plaça une nouvelle noix entre les dents du casse-noisettes.

— Faites donc, dit-il.

Jehanne demanda :

— Voulez-vous ne pas seulement travailler et être mon ami ?

La noix craqua en faisant jaillir partout de petits éclats bruns dont certains saupoudrèrent les genoux de l'homme. Cette question avait beau être toute simple à poser, la réponse, elle, n'était pas forcément facile à exprimer. Elle n'attendit pas et poursuivit :

— C'est vrai que vous n'avez pas d'amis ?

Pour elle comme pour tout enfant, rien ne pouvait être pire que de n'avoir pas d'amis, que d'être seul au monde.

— Euh..., fit Louis.

— Pas un seul ? Parce que moi, vous savez, je veux être votre amie.

Cet adulte qui ne savait jamais quoi dire attirait la sympathie de l'enfant. Jehanne avait envie de le prendre sous son aile avec cette affection qu'on ne pouvait éprouver que pour un être imparfait.

Elle grimpa à côté de lui et s'inséra entre lui et le bras du fauteuil. Elle posa la tête contre son bras et caressa le bougran* de sa tunique. Elle planta un auriculaire minuscule dans l'accroc qu'elle y découvrit.

— Vous portez de drôles d'habits. On dirait presque ceux d'un moine. Pourquoi sont-ils toujours tout noirs ? C'est triste, le noir.

— Parce que c'est comme ça. Venez. Il se fait tard.

— Ce n'est pas grave, puisque je n'ai plus sommeil. Êtes-vous le bonhomme sept heures* ?

— Allez, venez. Il faut vous mettre au pieu, dit Louis un peu rudement. Il se leva et se pencha au-dessus d'elle en se demandant par où la prendre pour la reconduire à sa chambre. Car Jehanne refusait de bouger. Il serra maladroitement son petit poignet pour lui faire quitter le fauteuil et, tellement il craignait de le briser, le lâcha dès qu'elle fut debout. Enfin, il la poussa doucement devant lui. Elle finit par abdiquer. Enfin, presque :

— Bon, d'accord, j'y vais. Mais à une condition : que vous veniez me lire une histoire.

Avant qu'il eût pu répondre, elle lui prit la main et l'entraîna dans sa petite chambre douillette qui se trouvait au rez-de-chaussée. Elle ralluma un bout de chandelle à son brasero*, ramassa un livre sur son coffre et le lui remit avant de se couler sous ses couvertures avec une pierre chaude. Louis prit place sur le coffre qui avait été poussé près du lit. Il ouvrit le livre. C'était un objet luxueux comme il en avait rarement vu; les courts textes en étaient ornés de grandes et belles images très colorées. Jehanne s'assit et lui sourit alors qu'il commençait à tourner les pages. C'était une sorte de bestiaire composé sous forme de conte qui se déroulait par segments sous ses yeux grâce aux images. Il finit par remettre le livre à la fillette et admit :

— Je ne sais pas lire.

— Ce n'est pas grave. Moi, je sais. Voulez-vous que moi, je vous le lise?

L'homme acquiesça. Elle plia les genoux et y appuya le livre ouvert à la première page. Elle se mit à lire avec grand soin, en suivant chaque ligne avec le bout de son doigt. Louis se pencha en avant et écouta. Il y était question d'une licorne éprise d'une manticore*.

Cette fable enfantine l'émut beaucoup.

Quelque chose de différent, de passionnant régnait dans l'air comme une magie. La fillette se coucha sur le côté. Elle tendit la main vers le ventre de Louis et caressa la boucle de sa ceinture rouge. Son petit index fit le tour du fermoir qui, attaché, était heureusement inoffensif. Ce geste délicat et naïf raffermit la décision que Louis venait de prendre.

*

Cela commença avec de petits riens. Avant les neiges, les enfants se mirent à trouver un peu partout dans des recoins inattendus de la maison et de la cour des jouets qu'ils ne se rappelaient pas avoir vus auparavant : une corde à sauter munie à chaque extrémité d'une poignée en bois poli, quelques galets soigneusement choisis, des osselets, six billes d'agate, une balle rapportée par un chat, un esteuf* qui n'avait visiblement jamais servi et deux cerceaux de fer dont on se servait pour fabriquer des tonneaux et qui faisaient des jouets très populaires.

Au début, nul n'eût pu soupçonner la provenance de ces objets anodins : les galets et les billes dataient peut-être d'avant les routiers, période de faste légendaire qui était inconnue d'eux; le reste avait pu avoir été égaré par quelque enfant du village, même si cela eût été étonnant, vu leur pauvreté. Lorsqu'un soir Sam trouva un tambourin qui l'attendait sagement à côté de sa cornemuse, le doute ne fut plus permis. De son côté, Jehanne vit quelque chose de métallique briller au creux du tas de foin et découvrit une paire de cymbales.

— C'est maître Baillehache, j'en suis sûre, dit la fillette.

— Comment peux-tu le savoir? demanda Sam.

— Je le sais, c'est tout.

— Ce gueux-là n'a pas une tête à faire des cadeaux. Moi, je pense qu'ils peuvent aussi bien venir de *seanair** que de Margot. D'Hubert, de Thierry, même. Eux aussi vont parfois en ville. Par contre, ça m'étonnerait qu'ils viennent de Toinot. Il est bien trop bougon.

Margot, à tout le moins, n'y était pour rien. Elle désespérait de jamais arriver à faire de Jehanne une vraie demoiselle. Les prouesses dont l'enfant était le plus fière et qu'elle relatait à son prétendant attentif n'étaient pas de celles dont elle eût voulu voir l'enfant se vanter: Jehanne grimpait mieux aux arbres que Sam, elle courait plus vite que lui et était imbattable aux concours de marelle qui se disputaient avec les enfants du hameau. Hélas, elle crachait moins loin que le petit Écossais et il lui tardait de réussir aussi cet exploit.

Un matin, alors que la température avait confiné les jeux des deux enfants à l'intérieur, la patience de la gouvernante fut mise à rude épreuve. Tambourin et cymbales menaient grand tapage dans la pièce à vivre et quelques chatons clandestinement admis faisaient une sarabande avec la balle de cuir. Louis mit accidentellement le pied sur des billes oubliées qui détalèrent sous ses pieds et le firent presque tomber à la renverse. Il se retint à une étagère qui, malheureusement, n'était pas prévue pour supporter un poids de plus de cent kilos. Le géant en fut quitte pour s'accroupir dessous et se protéger la tête d'une averse de casseroles. Pris de panique, les chats s'éparpillèrent précipitamment. Jehanne, hilare et échevelée, vint rejoindre Louis en dansant à travers la maison avec sa corde à sauter qui frôlait dangereusement de trop nombreux obstacles.

— Vous vous êtes fait mal?

— Non, mais qui a laissé traîner ça par terre? C'est toi? demanda-t-il en se redressant et en toisant Sam.

Jehanne, soudain inquiète, s'assagit. Le gamin délaissa son instrument et se leva.

— Ouais, dit-il avec un air de défi.

Louis se retourna vers Aedan, qui se leva à son tour.

— Fais-lui réparer l'étagère, ordonna Louis.

— Avec joie, maître.

Il ajouta, à l'adresse de Sam:

— Viens là, petit vaurien. Crois-moi, tu t'en sors à bon compte, parce que moi je te tannerais le cuir.

— Ce n'est pas moi qui l'ai brisée, cette étagère.

— Contente-toi de faire ce qu'on te dit, petit, et ne réplique pas, dit Aedan.

Louis songea à la raclée qu'il eût reçue de son père s'il avait, lui, osé s'adresser de la sorte à un adulte. De nouveau il se sentit grelotter sous les combles de la boulangerie, le nez bouché par du sang coagulé et le dos meurtri. Lui, le garçon indigne. Mais Sam n'était pas indigne. Aucun autre enfant que lui-même ne devait jamais l'être.

— Bon à rien. Va travailler, dit une voix de jadis qui fit sursauter Louis.

— Maître, est-ce que ça va? demanda l'Escot qui s'approchait, vaguement préoccupé par le regard trop brillant que l'homme rivait sur son petit-fils. Vous ne vous êtes pas cogné trop fort, au moins?

— Si, si! Ça va. J'avais la tête ailleurs, dit Louis d'une voix enrouée.

Il se détourna et sortit en vitesse dans la cour pelleter une allée qui n'en avait nullement besoin.

La bouche du gamin se fendit en un large sourire et il souffla à Jehanne:

— Eh, tu as vu sa main? Elle s'est mise à trembloter comme celle d'une vieille mémé.

Chapitre V

La route du pèlerin

*N*ovembre 1359

Le ciel sans horizon avait secoué sa mante de ses derniers oiseaux retardataires. En prêtant l'oreille, on pouvait percevoir les sons ténus que produisait chacun des premiers flocons pelucheux qui se choisissaient un sillon pelé pour s'insérer dans les rares touffes de chaume, parmi lesquelles se dressait parfois, avec obstination, l'échine malingre de quelques tiges. Mais, très bientôt, on n'entendit plus rien: la neige engloba tout. «Neige qui reste en attend d'autre», disaient les vieux. Ainsi l'hiver s'installa-t-il pour de bon dans un paysage cistercien dépouillé de toute créature vivante, exception faite des hommes qu'il dédaignait peut-être.

La température se mit à chuter vers le milieu du troisième jour. Le ciel lavé de frais se montra brièvement. Il s'était cousu de nuages nacrés aux contours flous comme on ne pouvait en voir qu'en cette saison. Le vent se leva et le cacha de nouveau à la vue du monde. On eût dit que la neige, grisée par le succès de son entrée en scène, avait de son propre chef pris l'initiative d'offrir une seconde représentation. Un blizzard se préparait.

Dans une allée qui n'était plus, des traces de pas se déroulaient, s'emmêlaient comme les grains d'un interminable chapelet. Une main noueuse, rouge de froid et d'engelures, enveloppée de bandelettes sales, serra davantage le bourdon qui soutenait le marcheur dans son avancée pénible. Sa cloche* de velours décorée d'un insigne en forme de coquillage était décolorée, en lambeaux; ses sandales avaient été déformées par les bouts d'étoffe qu'il s'était enroulés autour des pieds. Il tenta de retrousser son manteau trop grand pour éviter de trébucher dedans et ajusta pour une millième fois la courroie de sa besace. Débordant du capuchon élimé, on pouvait discerner un profil de patriarche et une barbe grise en jachère à laquelle s'agrippaient des flocons insistants. Le marcheur s'arrêta pour regarder autour de lui. Le grand chien tacheté qui le suivait à distance respectueuse, tête basse, en profita pour s'allonger. Une longue mèche de cheveux sales retomba sur le front de l'homme. Il n'y avait rien en vue.

L'homme ne réfléchissait plus que par son corps. Il était devenu un assemblage de nerfs et de muscles douloureux. Quel est le pas qui décide de tout? Celui qui dit: «Arrête, c'est assez», ou bien celui qui dit: «Tiens bon, on y est presque»? Vient un moment où le choix s'impose de lui-même en dépit de la volonté, après que des milliers de pas eurent été égrenés.

Quelque chose tomba aux pieds de l'homme. Cela ressemblait à une mince retaille de bronze dentelé. Il leva les yeux. Près de là, planté un peu en retrait de la rangée de peupliers, un jeune chêne geignait sous les assauts du vent. Une autre feuille pendue à sa branchette frémissait, dérisoire. Tout comme lui.

C'est là qu'il l'aperçut, l'espace d'une seconde. Une silhouette imprécise dans la tourmente. Elle ne grelottait pas sous les rafales. Elle était solidement arrimée, immobile dans la neige comme un roc. Le marcheur joignit avec peine les mains sur son bourdon. Des flocons vinrent se prendre dans ses cils et simulèrent des larmes. Alors que son cœur s'apaisait, l'appel en lui s'intensifiait, suivait le vent et s'élevait parmi les volutes de neige, tentant d'atteindre pour lui cette silhouette qui ne bougeait pas. Qui n'entendait pas.

Il recommença à marcher. Pas à pas. Lentement. Il lui fallait à tout prix quitter l'allée pour rejoindre la silhouette. Soudain, sa jambe s'enfonça dans un vorace tapis de neige. «Arrête, c'est assez», lui ordonnèrent ses pas. Il leur obéit et vacilla avant de s'écrouler sans bruit. La gourde callebasse* qui était accrochée à son bâton s'enfonça près de lui dans la neige qui lui était étrangère. Le chien demeura là où il se trouvait.

Dormir un peu. Juste un peu. Dès cet instant où le marcheur cessa de lutter, la morsure du vent s'adoucit pour céder sa place à la caresse pétillante de la neige et à une bienheureuse torpeur. Il s'endormit. L'aboiement d'un chien se fit entendre quelque part vers sa droite. Ce ne pouvait être le sien. Il remarqua que le vent était devenu plus âpre. C'était sans importance: il ne souffrait plus. Mourir de froid pouvait être étrangement miséricordieux une fois que l'on acceptait de renoncer à combattre.

Le chien aboya une nouvelle fois, tout près. Puis le silence revint. L'homme se rendormit. Il fit un rêve. La grande silhouette qui se dessinait dans la pénombre s'agitait et appelait, mais il n'entendait pas. Comme lui, elle n'avait de voix que le vent. Le soleil voilé de nacre s'éteignit. On eût dit qu'un nuage trop pressé l'avait soufflé. Le marcheur sentit une main qui l'empoigna par ses vêtements et le retourna brusquement sur le dos avant de lui administrer de petites tapes sur les joues.

— Réveillez-vous, dit une voix inconnue.

Le voyageur, qui avait toujours la tête tournée vers le champ, rouvrit faiblement les yeux. La silhouette qu'il y avait aperçue ne s'y trouvait plus. Il put voir les dernières traces de ses propres pas. Elles disparaissaient dans un enchevêtrement de gestes pénibles jusqu'à son chien qui s'était assis aux côtés de celui qui lui cachait le soleil. Lentement, il leva les yeux sur le nouveau venu. C'était lui.

— *Deo gratias*[33], dit le voyageur.

Des larmes coulèrent dans sa barbe pleine de petits glaçons. Louis l'aida à s'asseoir.

— Bougez. Ne vous rendormez pas, ordonna le géant qui le contraignit à patauger dans la neige en le soutenant par les aisselles afin de l'aider à se relever.

— Ça ne veut plus, dit l'homme d'une voix pâteuse tandis que Louis l'épaulait solidement.

— Pouvez-vous marcher?

— De cette façon, je puis m'y essayer.

Ils s'ébranlèrent. Louis respecta la claudication de l'homme qui avançait en s'aidant du bourdon serré dans sa main libre. Son sauveteur s'était occupé de ramasser la gourde et la besace couverte de neige. Le grand chien tacheté les suivit tête basse. L'homme murmura, d'une voix tout juste audible :

— Le chemin qui mène au ciel est déjà le ciel[34].

— Un coquillard* mal en point, annonça Louis en entrant avec l'homme dans la maison bien chaude.

— Doux Jésus! débarrassez-vous, s'exclama la gouvernante qui leur tournait autour comme une grosse poule anxieuse. Si c'est pas malheureux de voyager par un temps pareil!

Louis lui donna des instructions :

— J'ai besoin d'une bassine pour ses pieds. Pas de neige, mais de l'eau tiède. Apporte du vin chaud et trouve-lui des vêtements secs. Fais vite.

---

33. « Grâces soient rendues à Dieu. »

— Tout de suite, maître.

Il guida son hôte jusqu'à son grand fauteuil que Margot s'était hâtée de déplacer plus près de l'âtre de la grande pièce. Le chien se laissa tomber aux pieds de son maître. Louis s'accroupit devant l'homme et se hâta de lui libérer les pieds des sandales ainsi que des bandelettes de tissu trempé et à demi gelé; il se mit à les lui frotter.

— Sentez-vous quelque chose?

— Non...

Les pieds du voyageur étaient exsangues. Margot revint avec la bassine qu'elle déposa devant eux. Louis dit, en se redressant:

— Trempez-les et attendons. Halte-là, personne d'autre que Margot n'entre ici jusqu'à nouvel ordre, dit-il en levant les yeux vers la porte dans l'encadrement de laquelle venait d'apparaître comme par magie un groupuscule de curieux.

La voix de Blandine se fit entendre:

— On dirait une sorte de pèlerin, et il est aussi barbu qu'un Escot.

— Alors, ça veut dire que c'est un homme de bien, dit Aedan.

La porte se referma et Louis dit au voyageur:

— Montrez-moi vos mains.

Le bourreau dut peler ses bandelettes pour être capable de lui examiner les doigts. Il en profita aussi pour jeter un coup d'œil à ses oreilles et à son nez. Il fut soulagé de ne trouver nulle part ni tache ni décoloration de la peau qui eussent dénoncé un début de nécrose, mais la partie n'était pas encore gagnée pour autant.

— Il était temps d'y voir, dit-il en s'accroupissant de nouveau devant l'homme grelottant et somnolent qui n'entendait peut-être pas. Il se remit à lui frotter les pieds vigoureusement. Margot fut de retour avec une petite casserole de vin qu'elle mit à chauffer dans l'âtre.

— Aïe! aïe! cria le voyageur qui, soudain, s'anima. Margot se hâta de ressortir et n'oublia pas de refermer la porte.

— Ça se met à m'élancer d'une façon insupportable, dit le visiteur.

— Soyez reconnaissant. Sans cette douleur, vos pieds étaient perdus. C'est signe que la circulation se rétablit.

— Oh... dans ce cas, je rends grâce au Seigneur pour cette douleur, de même que pour toutes les autres que j'ai pu ressentir.

L'homme abaissa sur son sauveteur un regard intense. Louis se releva et s'éclaircit la gorge. Le retour de Margot avec des vêtements pliés appartenant à Hubert fut accueilli avec soulagement.

— Il lui faudra de grands chaussons aussi, car ses pieds vont enfler, dit Louis.

La grosse femme répondit, avec une bienveillance toute maternelle :

— Bien entendu. Maintenant, nous allons sortir un moment pour vous permettre de retirer ces hardes trempées. Épongez-vous bien avec cette touaille* avant de vous rhabiller. Ensuite, vous goûterez un bolet de bon vin chaud. Ça va vous faire du bien. N'est-ce pas, maître?

— Hein? fit ce dernier.

Il gardait les yeux rivés sur le visage de l'homme qui avait enfin repoussé son capuchon raidi.

— Oh! vous savez, je ne suis pas particulièrement pudique, dit le voyageur qui commençait à se tortiller pour s'extraire de ses chausses sans avoir à se lever.

— Peut-être pas, mais ayons tout de même un minimum de décence. Allez, maître. Venez.

Elle pinça la manche de Louis pour l'entraîner hors de la pièce dont elle referma la porte. Quelque chose dans le regard du métayer incita la servante à s'en éloigner un peu sans poser de questions.

— Ça va, vous pouvez rentrer, dit la voix du visiteur au bout de quelques minutes.

Louis arrêta Margot d'un geste rapide et dit :

— Laisse-nous seuls. J'appellerai au besoin.

— À votre guise, maître.

L'étrange personnage, très las, avait fermé les yeux et s'était appuyé la tête contre le dossier du fauteuil. Un merveilleux bien-être commençait à l'envahir en dépit des élancements. Il entendit la porte s'ouvrir et se refermer tout doucement. Le raclement d'un meuble que l'on déplaçait sur le dallage, quelques mouvements discrets, puis plus rien. Il ne venait pas à l'esprit de Louis que l'homme eût pu désirer qu'on lui accorde un peu plus de temps pour se reposer. Comme le visiteur n'en réclamait pas, Louis se contenta d'attendre avec lui.

Enfin, le voyageur consentit à rouvrir les yeux. Louis avait déplacé un tabouret pour s'asseoir en face de lui. Il tenait un bol dans chaque main et ses yeux étaient de nouveau braqués sur un visage émacié où étincelaient des prunelles sombres et fiévreuses.

— Buvez, dit-il en lui tendant l'un des bols.

Les mains endolories entourèrent le récipient avec maladresse, et le voyageur but à petites gorgées un peu du vin que la cuisson avait rendu foncé et plus sucré. Louis le regarda faire un moment avant de boire lui-même. Lorsqu'il déposa précautionneusement le bol sur ses genoux, le visiteur leva les yeux vers Louis et demanda :

— Vous m'avez tout de suite reconnu, n'est-ce pas ?

Louis acquiesça et répondit simplement :

— Le bibliothécaire.

Lionel sourit.

— J'ai plaisance de vous revoir, frère Louis qui ne savait pas ses *Pater*.

Louis n'eut aucune réaction. Le pèlerin se passa la langue sur les lèvres, avant de demander :

— Dois-je vraiment tout dire ?

— C'est préférable, oui.

— Je m'en doutais. Mais, vous savez, je crains fort de vous embêter. Ce n'est pas une très bonne histoire.

— Aucune importance, en autant qu'elle soit véridique.

— Pour ça, elle l'est.

Lionel soupira et regarda pensivement le contenu de son bol qui fumait encore.

— Je viens à vous de ma propre initiative, maître, après un long pèlerinage qui m'a mené, après une halte de quelques jours à Estella[35], jusqu'à Saint-Jacques-de-Compostelle.

Sur ce, il se pencha pour prendre dans sa besace raidie un fragile coquillage blanc qu'il avait ramassé sur le rivage en tant que preuve. Il le montra à Louis. Ces coquilles minces et rainurées, délicates faïences de l'onde, étaient devenues la marque distinctive des pèlerins de Compostelle. Le visiteur dit :

— J'ai laissé là-bas comme ex-voto* quelque chose qui vous appartient. Des chaînes volées auxquelles était attaché Firmin avant de quitter son cachot pour l'exécution. Je les ai portées en tant que cilice. Je vous en demande pardon.

— Ce n'est rien. J'en ai d'autres.

— Je sais. Toujours est-il que j'ai porté celles-là tout au long de mon voyage. Il vous faut savoir que je n'ai pas quitté les ordres. J'appartiens toujours à la communauté de Saint-Germain-des-Prés.

— Et vous n'êtes pas muet, dit Louis hors de propos.

— Non. Il s'agissait d'un vœu que j'ai depuis rompu.

— C'est regrettable.

— Je suis bien de votre avis. Est-ce mon chien qui a aboyé tout à l'heure ?

— C'est lui qui est venu me chercher. Qui vous envoie ?

— Comme c'est étrange. Depuis que je l'ai, Guinefort n'a jamais aboyé. Juste retour des choses.

— Guinefort?

— Eh oui, je lui ai donné le nom du saint lévrier, protecteur de la progéniture humaine[36].

Le moine but son vin. Il s'étira pour poser son bol vide sur la table et s'essuya la bouche de sa manche. Il soupira.

— Je suis un vieil homme, désormais. Toute ma vie, je l'ai passée à l'abri derrière les murs d'un monastère, jusqu'au jour où j'ai dû accompagner quelqu'un à l'échafaud...

— Est-ce pour ça que vous êtes venu? demanda Louis brusquement.

— S'il vous plaît, ne m'interrompez pas. J'ai bien conscience que je mets beaucoup de temps avant d'en venir au fait, mais soyez assuré que j'y viens. Vous étiez dûment prévenu que mon histoire vous embêterait.

— Bon, bon, ça va, allez-y, dit Louis qui se resservit du vin sans songer à en offrir.

Il en avala comme s'il était à peine tiède et non pas brûlant. Le moine reprit :

— Ce jour-là, le jour de l'exécution de Firmin, j'ai découvert que ce qu'on avait pris pour du mysticisme chez moi n'était en fait que de la lâcheté. Je suis un couard, maître, et le Tout-Puissant s'en est aperçu. J'ai fait mon temps là-bas, à l'abbaye.

Cette dernière phrase avait été dite sur un ton mélancolique. Le silence tomba entre eux, seulement ponctué par les craquements du feu. Louis l'invita à poursuivre d'un signe de tête. Cela fit sourire Lionel, qui dit :

— Vous feriez un excellent confesseur.

— J'en ai l'habitude. Continuez.

— Même mon pèlerinage fut un mensonge. J'y ai cherché la mort. Je l'ai espérée, commettant une imprudence après l'autre en toute impunité. Car le Créateur ne voulait pas de moi. Il avait d'autres projets dont j'ignorais la nature. Je suis revenu sur mes pas et je me suis mis à errer, au lieu de simplement retourner à mon abbaye comme j'eusse dû le faire. Maintes fois on m'a pris pour un moine gyrovague*. Cela a fait en sorte que je me suis mis à redouter la société des autres, et dès lors j'ai vécu seul. Seul avec...

Lionel se demanda où il allait pouvoir trouver la force de regarder à nouveau dans les yeux ce personnage qui incarnait tout ce qu'il n'était pas, lui. Il déglutit péniblement et reprit :

— ... avec toutes ces images et ces cris qui n'ont cessé de se rappeler à ma mémoire, comme ces cicatrices anciennes qui certains jours se manifestent en redevenant douloureuses. Vous voyez ce que je veux dire?

— Oui.

— Cela s'est mis à me hanter d'une façon insupportable. Mais le pire de tout...

Il s'arrêta et leva sur Louis les yeux d'une victime.

— Nul n'a compris ce que c'était vraiment. Une vengeance. Personne ne s'est interposé pour retenir votre main. Pas même moi.

— Bon! Et que voulez-vous que j'y fasse? Que je pleure?

— Ne vous fâchez pas.

— Je ne suis pas fâché.

— On dirait que vous l'êtes.

Louis se leva et prit la cruche de vin qu'il déboucha pour en verser dans les deux bols. Il en remit un à son hôte et prit une gorgée de l'autre avant de se rasseoir. Lionel y trempa ses lèvres gercées.

— C'est un excellent vin. Merci.

— Je l'ai ramené de Caen, dit Louis.

— Il en valait largement la peine. Bien. J'estime que vous êtes en droit de savoir ce qui m'amène à vous parler de quelque chose qui nous déplaît à tous deux. Mais auparavant j'aurais une question à vous poser.

— Allez-y.

— Cette vengeance vous a-t-elle au moins un peu soulagé? demanda Lionel doucement.

La main du géant serra le bol dont il but machinalement une gorgée. Si Lionel remarqua la lueur malsaine dans le regard de son interlocuteur, il fit semblant de rien, malgré la peur qui lui nouait les entrailles. Louis dit, les mâchoires serrées:

— Faites bien attention, moine. Ne vous aventurez pas trop loin. Il est de ces choses qu'il vaut mieux taire. Si vous voulez savoir, j'ai idée que Dieu ne veut pas de vous parce que, peut-être, un autre vous attend à Sa place.

Le religieux porta le bol à ses lèvres de ses mains tremblantes et il but à grandes gorgées comme il ne l'avait jamais fait de sa vie. Lorsque le bol fut vide, il le remit de côté et dit, en ricanant nerveusement:

— Voilà. Regardez ce que vous me faites faire. Je commets le péché d'ivrognerie. Mais je compte sur l'indulgence du Tout-Puissant, qui saura mettre ma faute sur le compte de la peur. Cela dit, vous avez vu juste.

— Comment?

— Quelqu'un d'autre m'attend, c'est exact. Seulement, je doute que nous ayons songé à la même personne. J'ai passé tout ce temps à chercher celle que j'avais tout bêtement laissée derrière moi. Et c'est aujourd'hui que j'ai trouvé.

— Qui cherchiez-vous? demanda Louis d'un air soupçonneux.

— Jehanne, dit le père Lionel, tout sourire.

— Quoi?

— C'est Jehanne que je cherchais.

— Vous la connaissez?

— Oui. Elle a été confiée à notre abbaye peu de temps après votre départ. C'est à partir d'ici que mon histoire devient un peu plus intéressante pour vous.

Et il la lui raconta au grand complet, y compris la part qu'y avaient prise Margot et Thierry. Lorsqu'il en eut terminé, la cruche de vin était vide et ce n'était pas Louis qui lui avait fait le plus honneur. L'hôte taciturne, qui avait écouté le récit avec attention, manda Margot et lui réclama une certaine petite couverture tachée d'encre rouge. L'objet soigneusement plié comme une relique fut secoué et examiné avant de s'en aller négligemment rejoindre les deux bols vides sur la table. «Le voilà qui perd contenance. Il était temps», se dit Lionel dont l'angoisse pouvait enfin se permettre de se dissiper. Il se leva à son tour et chancela. Louis dit à la servante:

— Fais venir l'enfant.

La gouvernante sortie, il dit au moine:

— Si vous êtes venu jusqu'ici pour empêcher mes fiançailles avec elle, vous perdez votre temps. Je m'y soumets de par la volonté du roi. Allez donc traiter avec lui.

— Je n'en ai nul besoin, dit le moine.

Il s'était mis à cligner des yeux. Dans le foyer, une bûche encore humide sifflait en produisant un peu de fumée âcre. Il se frotta vigoureusement l'œil droit jusqu'à ce qu'il devînt larmoyant et dit doucement:

— Vous me voyez ravi à la perspective de ce mariage. Permettez-moi de vous offrir tous mes vœux de bonheur.

Louis ne fut pas dupe de ce ton formel qui, venant de la bouche de cet homme d'Église, sonnait faux.

— Trêve de mondanités. Venez-en au fait. Qu'attendez-vous de moi?

— Comme le dit si bien Notre-Seigneur, «*Je ne suis pas venu pour accomplir ma volonté, mais la volonté de Celui qui m'a envoyé*[37]».

— Père Lionel!

Jehanne fit irruption dans la pièce et se jeta dans les bras du vieux moine. Ce dernier l'enlaça timidement. L'irritation de son œil droit se communiqua mystérieusement à son voisin. Louis fit semblant de ne pas voir les grosses larmes qui allaient se perdre dans la barbe grise et mouillée que les glaçons avaient délaissée. Il détourna le regard et referma la porte.

— Vous êtes revenu pour de bon, n'est-ce pas? demanda la fillette en levant vers l'homme des yeux à peine moins larmoyants que les siens. N'est-ce pas, père Lionel?

— C'est justement ce dont je m'entretenais avec ton promis, mon enfant. Mais auparavant j'aurais quelque chose à lui montrer. Me le permets-tu?

— Mais oui, mais oui. Oh, mais c'est ma couverture de bébé! Margot m'a tout raconté, vous savez. C'est de l'encre qu'il y a dessus. Mon père l'a renversée. Il était très pauvre et ma mère est morte en me mettant au monde, alors les moines m'ont adoptée.

Elle s'était tournée pour faire face à Louis.

— Avez-vous vu ceci, maître? demanda Lionel, en ouvrant timidement l'amigaut* de la robe de Jehanne pour lui dégager l'épaule.

— Non, dit Louis dont les prunelles sombres se posèrent sur une petite cicatrice en forme de goutte à la base du cou gracile.

Jehanne dit:

— On dirait du sang, hein? Ça reste, même si je me frotte très fort. Mais ça ne me fait pas mal du tout.

— Cette petite cicatrice, expliqua Lionel, est la seule chose qui a permis à cette enfant de réclamer son héritage, car elle lui a été accidentellement faite devant témoins.

Cette fois, le doute n'était plus permis. Les soupçons du bourreau furent soudain dirigés vers un autre moment de sa vie, un moment dont il eût préféré ne pas revoir les vestiges. Il demanda:

— Où voulez-vous en venir?

— À Arnaud d'Augignac, dit Lionel.

Jehanne opina vigoureusement et dit à Lionel, d'un air résolu:

— C'était mon papa. Ça m'a fait de la peine qu'il soit mort et je me demande souvent comment il était. Mais c'est vous que j'aime.

— On vous envoie pour venger Beaumont, dit un Louis stoïque.

Il avait récemment eu la surprise de découvrir la gente Dame de Garin parmi les objets personnels qu'Arnaud avait laissés.

— Non, mon fils. Vous n'avez agi que sous la contrainte et, par conséquent, je n'ai aucune intention de vous accuser de quoi que ce soit. Je tenais seulement à vous dire que je suis au fait de tout ce qui vous est advenu ces dernières années. Je sais ce qui s'est passé pour que vous soyez devenu... ce que vous êtes.

— Qui d'autre le sait?

— À ma connaissance, seulement Margot, Thierry, Toinot et moi-même. Or, nous sommes tous les quatre à votre service. Nous ne dirons rien. Mais je crois que nous devrons aussi en informer Blandine et Aedan afin qu'ils puissent, eux aussi, prendre garde de ne pas commettre l'imprudence d'évoquer la chose devant... certaines personnes dont nous devons protéger l'innocence.

Les yeux de la petite Jehanne papillonnaient de l'un à l'autre. Elle cherchait à saisir de quoi il pouvait être question. Jamais elle n'avait vu Louis aussi perturbé. Il dit :

— Fort bien, allez-y. Puisque vous savez tout à mon sujet, sans doute vaut-il mieux que ma collaboration vous soit acquise.

— Vous m'avez mal compris, maître. Au risque de me répéter, vous n'avez rien à craindre de moi. Le chantage n'a rien à voir avec ma présence ici. Mon intention n'est pas de vous menacer de dévoiler votre identité à votre promise si vous refusez de m'accorder telle ou telle faveur. Je suis un vieil homme. Je n'ai pas rompu mon vœu de silence pour assouvir une quelconque ambition personnelle. C'est là pour moi chose futile et sans intérêt. Je ne suis venu ici que pour une seule raison : pour vivre enfin. Et non plus pour seulement exister.

Le bénédictin serra Jehanne contre lui et dit encore :

— Sur ce, j'ai une requête à vous faire.

— Dites toujours.

— Le souhait de mon abbé est que je me fasse aumônier. Permettez-moi de demeurer chez vous et d'être le vôtre. Votre village est isolé et j'ai pu constater que la chapelle est abandonnée.

Louis pencha la tête pour réfléchir sans remarquer que la petite Jehanne se portait en avant, déjà prête à se jeter dans ses bras. Il dit enfin :

— C'est bon. Prenez les arrangements nécessaires avec l'abbé.

Radieux, Lionel libéra la fillette qui, avant que Louis eût le temps d'esquisser le moindre geste, se mit à sautiller autour de lui en criant de joie. Le moine susurra, l'œil moqueur :

— Vous avez tous sûrement grand besoin de la parole divine.

— De silence divin plutôt, en ce qui me concerne, répondit Louis.

Le corps de Lionel fut secoué par une hilarité inaudible.

— Jamais je n'aurais songé qu'un jour on me demanderait de me taire !

Pendant que Jehanne se jetait à nouveau dans les bras du religieux, Louis en profita pour filer. L'enfant tourna la tête et jeta un coup d'œil sur la porte qu'il avait refermée.

— Saviez-vous qu'il ne sourit jamais, jamais, mon père?

Cette question remua des vases qui gisaient au creux d'un étang depuis longtemps en dormance. L'âme de Lionel s'en trouva brouillée. Il ferma les yeux.

— L'effet que peut produire en soi pareille question d'enfant. C'est bien cela que je suis venu chercher. Mais, Seigneur Dieu, que ça fait mal.

— Je ne comprends pas, dit Jehanne, en levant vers lui son regard pur, empathique, pailleté de gemmes.

Elle était le rayon de soleil qui pénétrait dans les profondeurs de l'étang et qui changeait ses vases en poudre d'or. Lionel s'accroupit devant la fillette et lui prit le visage de ses deux mains encore gourdes. Il répondit :

— Il a oublié comment sourire, ma fille. C'est comme si son âme ne voyait plus la lumière du jour.

Et le regard de Lionel se porta vers la petite couverture dont les taches écarlates le firent frissonner.

— Moi, je l'aime bien, dit Jehanne, même s'il ne sait pas sourire. Il est grand et gentil. Parfois, je lui lis des histoires... Père Lionel, pourquoi pleurez-vous?

*

Sur la table rustique, une tablette attendait de recevoir la fin d'une phrase qui comportait déjà une faute d'orthographe. Cette tablette se composait d'une petite planche de bois dont le centre était soigneusement creusé et poncé de façon à recevoir une pellicule de cire sur laquelle on pouvait réécrire indéfiniment à l'aide d'un stylet. Aedan l'avait fabriquée à la demande expresse du moine. La main de la fillette, qui était responsable de la faute d'orthographe, tripotait distraitement le manche dont était muni l'un des côtés de la tablette, ou vagabondait en direction du cordon attaché à l'autre extrémité qui lui permettait de la porter autour du cou.

Lionel, maintenant rasé et tonsuré de frais, tenait un livre ouvert en se promenant de long en large dans «son étude». Ainsi appelait-il la chambrette meublée d'une natte qui lui avait été dévolue dans l'aile des serviteurs et qui lui servait davantage de bibliothèque que de chambre à coucher. Il se pencha au-dessus de son élève et continua à lui donner la dictée sans se préoccuper de la faute. L'important était que l'on comprît ce qu'elle écrivait, car il n'existait pas de règles fixes en matière d'orthographe. La calligraphie de Jehanne avait grandement souffert de son manque de pratique des derniers mois.

Un léger bruit leur fit lever la tête à tous deux en direction des volets que Louis avait fait ouvrir afin d'en profiter pour changer l'air confiné et enfumé de la maison, tandis que la température s'était adoucie à cause de la neige qui avait cessé de tomber peu avant l'aube. Jehanne appuya le menton dans sa main libre et laissa son regard nostalgique errer à l'extérieur, vers la neige des prés encore intacte.

— Oh, père Lionel, il fait si bon dehors. Puis-je aller jouer avec Sam?

— Ma fille, tout le monde travaille en ce moment, même Sam. Le maître l'a envoyé à l'écurie. Reprenons.

Docile, la fillette se garda d'insister, mais elle ne se gêna pas pour afficher une contrariété muette. Son stylet grinça en écorchant l'un des bords de la tablette. Lionel regarda l'enfant avec un demi-sourire attendri et fut un moment tenté d'accéder à sa requête. Mais il se retint à temps.

— Tu n'es pas encore consciente de l'immense privilège qui t'est offert de t'instruire, mon enfant. Ton cas en est un d'exception. Normalement, ce serait à ton promis que je devrais enseigner, car seuls les hommes ont accès à toutes ces connaissances.

Il désigna les quelques précieux manuels qui étaient disséminés un peu partout à travers sa chambre. Lionel était de son temps. On lui avait inculqué, comme à tous les clercs, l'idée que la femme était inférieure à l'homme et marquée par le péché originel. Certains affirmaient même qu'elle n'avait pas d'âme. Mais cela, Lionel n'arrivait pas à s'en persuader. Comment Dieu, dans Son infinie sagesse, aurait-Il pu songer à concevoir une créature aussi vile pour coexister avec l'homme qui, déjà, avait suffisamment d'ennuis à combattre Satan? Non, décidément, cette doctrine qui condamnait la moitié de l'humanité et faisait d'elle une chose bancale, vouée à la géhenne, était une aberration. Mais l'humble moine se gardait bien d'exprimer tout haut son avis là-dessus. Il se contentait d'agir dans le sens qu'il croyait le bon et d'évaluer par lui-même les résultats de son expérience. Il avait conclu que le mieux à faire, quel que fût le sexe de l'individu, était de transcender par l'amour cet état d'infériorité qui trop souvent faisait de l'être humain une bête. Après tout, ce n'était là rien de plus que ce que Jésus était venu enseigner au monde.

Une balle de neige fila à travers la chambre comme une comète suivie d'une queue de neige folle et s'écrasa sur le mur, manquant de justesse le moine qui s'était penché à temps. Jehanne bondit en direction de la fenêtre et vit Sam qui pétrissait déjà une seconde pelote de neige et s'apprêtait à la lancer.

— Non, Sam! Arrête, tu as failli frapper le père Lionel! s'écria la fillette qui avait envie de rire rien qu'à voir l'air éberlué du moine.

— Quoi? Tu n'es pas seule là-haut? cria Sam.

Pour toute réponse, le garçon reçut en pleine figure les vestiges fondants de son premier projectile.

— Non, dit Lionel, qui avait remplacé Jehanne à la fenêtre. Il s'essuyait les mains et souriait au gamin, qui bredouilla:

— Oh... je suis navré.

— Ce n'est rien, voyons. Mais un bon professeur doit savoir reconnaître le moment de s'avouer vaincu.

Lionel se retourna vers son élève.

— Allez, va, ma fille. Va-t'en t'amuser un brin. Ça suffit pour aujourd'hui.

— Merci, mon père!

Elle lui étreignit les jambes avant de filer au rez-de-chaussée. Une fois seul, le bénédictin sourit à la tablette de cire sur laquelle la phrase inachevée demeurait bouche bée. Il se trouvait fort satisfait d'être en position d'assouplir certaines règles de son ordre en toute impunité et il eut un peu honte de constater que la première qui avait sauté, c'était celle qui interdisait les contacts physiques.

Au village, le premier signe de vie à réapparaître dans les venelles fut une marmaille ravie, qui immédiatement alla s'éparpiller en poussant force cris de joie. C'était aussi le cas au manoir. Un garçon dégingandé étreignit une fillette. Il la souleva et la précipita dans la neige. Un rire frais, cristallin, s'éleva de la petite forme effondrée qui en redemanda. À ce moment, un autre garçon se montra dans l'allée, courant et trébuchant dans la neige molle. Un troisième gamin suivait les traces de celui qui le précédait et, naturellement, il parvint à le rejoindre avec plus d'aisance. Ils roulèrent ensemble dans un joyeux tintamarre, s'assenant mutuellement de faux coups de poing et de pied qui faisaient voler des gerbes de neige autour d'eux. Le garçon dégingandé les aperçut et façonna une grosse boule de neige qui alla s'écraser dans le dos de l'un des chamailleurs. Cette attaque ne tarda pas à recevoir sa riposte: une pluie de balles de neige dures s'abattit sur l'Escot. Même Jehanne se mit de la partie. Mais la balle qu'elle lança partit dans la direction opposée à celle de sa cible et fit tomber sa propriétaire trop hilare.

De son côté, après avoir vaguement pelleté, Louis avait versé sur ses chemins ébauchés autour de la maison et des dépendances des bassinées d'eau chaude; deux seaux de cendres étaient plantés dans la petite congère. Une fois les chemins tracés, il s'apprêtait à les joncher de cendres afin d'éviter les chutes.

Alors qu'il battait en retraite, Sam fonça tête baissée dans les jambes de Louis qui, pelle à la main, venait juste de ressortir.

— Hé! l'Escot, tu as peur de nous? Tu vas te jeter dans les bras de ton maître?

Sam rajusta tout de travers son bonnet couvert de neige et grogna:

— Je m'en vais vous montrer, moi, si j'ai peur.

Les gamins s'égaillèrent en criant sous l'avancée de Sam qui, fier comme un paon, ne remarquait pas qu'ils fuyaient à cause de Louis dont l'ombre s'étendit et précéda un déversement de cendres.

— Hé! là, attention! dit le garçon qui trébucha dans une congère avant de déguerpir.

Cela n'avait pas échappé à quelqu'un qui avait tout vu depuis la fenêtre ouverte de la cuisine.

— Il y a un différend entre Louis et Sam, n'est-ce pas, ma fille? demanda Lionel à Margot.

La gouvernante posa ses mains graisseuses de chaque côté de son évier plein de vaisselle et soupira.

— Vous devinez tout, vous, hein, mon père? On n'a guère besoin de vous en dire beaucoup.

Depuis quelques jours à peine que le moine était arrivé, il avait déjà su se rendre indispensable aux gens de la maison, à un point tel que ces derniers se demandaient comment ils avaient pu faire pour supporter leur existence jusque-là. Lionel semblait avoir tout allégé par l'effet de sa seule présence. Cet homme, qui pouvait tout aussi bien avoir trente-cinq ans que cinquante, n'avait en réalité pas d'âge. Ce qui frappait de prime abord chez lui, c'étaient ses yeux: ils savaient exprimer l'inexprimable. Son regard était celui d'un survivant, d'un survivant qui avait appris que la mort n'est pas la pire des choses. Aedan en avait dit:

— On dirait un mage vaincu aux paroles d'or. Il m'inspire un étrange respect.

Le soir même de son arrivée, Lionel s'était fait demander par le vieil Écossais:

— Êtes-vous une sorte de druide, ou quoi?

— En voilà une question intéressante, mais que signifie-t-elle?

— Je ne sais pas, moi. Est-ce que vous traînez... supposons, des philtres magiques dans votre besace?

— Oh, loin de là. Il y a là-dedans tout ce que je possède.

Et, hormis quelques objets de première nécessité, le moine avait extrait de sa besace des objets du culte et quelques précieux livres offerts par son ami Nicolas Flamel.

Tout le monde avait remarqué comment des mots ordinaires sortaient de sa bouche enrichis, plaisants à l'oreille. Cet homme-là était fait pour être écouté.

Margot poursuivit:

— Oui, mon père, vous avez vu juste. Il y a bien une inimitié entre eux, mais je ne peux me l'expliquer. Le maître ne nous parle guère. Vous êtes bien bon d'être venu vous occuper de nous. Cela ne doit pas être facile.

— J'ai été désigné pour cette tâche. Le Seigneur doit pour cela avoir ses raisons. Un aumônier s'en va pendant de longues périodes; il vit parmi les plus démunis et partage leur misère[38]. Mais il partage aussi leurs joies...

— ... qui, hélas, se font plutôt rares par ici.

— J'étais quasiment seul et ma vie s'est soudain peuplée. C'est là pour moi une joie suffisante.

La gouvernante sourit au moine et se fit intérieurement la promesse qu'elle allait concocter pour lui une bonne sauce aillée. Il n'y avait rien de tel pour redonner des forces à une personne âgée ou affaiblie s'apprêtant à affronter un hiver rigoureux. Tous y trouveraient leur profit, puisque cette sauce accompagnait aussi bien le poisson que les viandes fortes telles que le gibier qu'ils consommaient en quantité. Elle mit donc au four des têtes d'ail non épluchées, soigneusement enveloppées. Très vite, la cuisine embauma. Elle émietta dans une terrine du pain bis qu'elle arrosa de bouillon chaud. L'ail cuit fut mélangé au pain imbibé et Margot en fit une sorte de potage moelleux avec le reste du bouillon, du sel et d'un peu de précieuses épices – gingembre, cannelle et clou de girofle – rapportées en faibles quantités de Caen.

Les habitants du manoir avaient, par la force des choses, repris l'habitude d'entendre le bénédicité avant chaque repas. Au père Lionel incombait la récitation de la prière. Tout le monde baissait alors dévotement la tête.

Ce soir-là, au souper, un panier de pains plats trônait au centre de la table. Il s'agissait d'une denrée précieuse, laborieusement acquise, puisqu'elle provenait des grains qu'ils avaient glanés à l'automne. Louis les avait lui-même moulus entre les deux meules de granit et avait confectionné les pains à partir de la farine grossière que ce long travail avait produite. Dès la fin du bénédicité, Lionel, qui était assis en face de Louis à l'autre bout de la table, prit l'une des petites miches plates dans le panier. Il hésita avant de la tendre au métayer silencieux qui se contenta de le regarder sans bouger. Le moine dit, en souriant :

— Au boulanger la grâce de bénir le pain[39]. Si vous le voulez bien...

Lionel ajouta un peu timidement :

— ... mon fils.

Louis jeta un rapide coup d'œil autour de lui avant d'accepter de prendre la miche. Il traça un rapide signe de croix sur la croûte avant de séparer le pain en morceaux qu'il distribua. Contrairement à l'usage, il n'ajouta rien à la prière déjà récitée par le moine.

Après le repas, Louis s'en alla au moulin et y passa le reste de la soirée.

Ce fut là, le lendemain avant-midi, qu'un courrier en provenance de la ville alla le retrouver. Deux heures plus tard, Louis se mettait en route pour Caen. Il fut absent une semaine.

Malgré le fait qu'il passait le plus clair de son temps au moulin – ou bien en ville, car il y allait assez fréquemment et n'y passait jamais moins de trois jours – la promiscuité à laquelle l'hiver contraignait les habitants du manoir amena ces derniers à réaliser avec encore plus d'acuité combien leur maître pouvait s'avérer distant et sévère. Jehanne elle-même n'osait pas s'adresser à lui plus que nécessaire. Louis ne participait jamais aux conversations. Il ne se confiait pas à eux. S'il était là, il se contentait de les écouter parler et n'ouvrait la bouche que pour donner des instructions ou dire où il allait. Sinon, il ne répondait à leurs questions que si elles lui étaient directement adressées.

À son retour, il ramena diverses pièces de métal et de bois, un peu d'outillage et des provisions sèches. Il montra le contenu du petit traîneau à Aedan et dit :

— J'ai tout ce qu'il faut.

— Ouais! Alors, quand est-ce qu'on commence à le rénover, ce moulin?

— Aussitôt que possible.

Les autres sortirent également dans la cour pour jeter un coup d'œil sur ce que le maître avait rapporté.

Il était parfois facile d'oublier que ces expéditions en ville ne se déroulaient pas sans heurts. Louis omit de raconter qu'il avait été agressé à Caen alors qu'il se rendait à l'île Saint-Jean par voie d'eau avec un passager. Dès qu'il avait atteint la rive, il avait dû trouver l'écrivain public afin de lui faire rédiger une missive destinée au bayle :

« Messire le bayle, je vous annonce que le dénommé Leblond, détenu par moi pour tentative de vol et attaque contre ma personne, a péri, car j'ai dû en faire justice. Il se trouvait avec moi sur le bac quand il m'a assailli. Il a perdu pied et est tombé à l'eau. Malheureusement pour lui, c'est avec mon boulet auquel son pied était enchaîné que ce voleur est parti. »

La lettre était signée d'un pictogramme en forme de hache et s'accompagnait d'une note de frais pour l'acquisition d'un nouveau boulet.

Il était heureux que Louis ne fît pas trop fréquemment d'humour. Le bayle en avait eu la chair de poule.

L'atmosphère du manoir était détendue et la réserve de ses habitants s'était quelque peu relâchée par l'effet du bon vin qu'ils étaient en train de siroter au moment du retour de Louis. Lionel paraissait aussi excité que Sam à la vue de tous les objets hétéroclites protégés par une toile. Il dit, en désignant Aedan qui avait déjà entrepris la confection d'un grand cadre en bois que le métayer lui avait commandé :

— Décidément, messire le charpentier que voici est en train de se bâtir une réputation avec son maillet et du chêne bien poncé.

— Qu'est-ce que c'est encore que ce machin? demanda l'Écossais en soulevant l'un des objets.

— Une signole*, répondit Louis.

— Oui, bon, je le sais bien que c'en est une. Je ne suis ni aveugle ni idiot. Mais c'est pour quoi faire? Et le cadre? On n'a pas besoin de ces trucs-là dans le moulin.

— Ça me regarde.

Louis lui prit l'objet des mains et le rejeta dans le traîneau. Tout le monde demeura interdit par ce brusque retour à la réalité. Ce fut Aedan qui y réagit avec le plus de vigueur :

— Par les couilles desséchées d'un m....

— Aedan! l'interrompit Margot.

— Oups! Pardon, mon père.

— Il n'y a pas d'offense, en ce qui me concerne en tout cas, dit Lionel avec un sourire fripon.

— Mais, bon sang, Baillehache, ce que vous pouvez être

170

emmerdant, à la fin, dit encore Aedan. Comme rabat-joie, on ne fait pas mieux. Bon. Allez, faisons une partie de bras de fer et je passe l'éponge.

D'un geste taquin, il appuya le poing contre l'un des biceps du métayer. C'était une blague. Louis hésita imperceptiblement en lui jetant un coup d'œil vaguement amusé. «Enfin quelque chose d'humain», pensa Lionel. Pour cette seule raison, il sourit à son tour.

Pendant que Sam s'occupait de l'attelage, les autres entrèrent. On servit à Louis un gobelet de vin. Après avoir bu, il s'assit en face d'Aedan et posa un de ses coudes sur la table. Il attendit, bras levé, un rictus aux lèvres.

— Ah ben, ça par exemple! À la bonne heure! s'exclama l'Écossais, ravi.

Entourés de spectateurs avides, les deux hommes prirent position. Hubert et Thierry engagèrent des paris. Jehanne se faufila entre eux et se tint timidement près de Louis en se demandant si elle avait le droit de souhaiter qu'Aedan gagne.

— Prêt? demanda le vieil homme. Louis se contenta de donner son accord en faisant un signe de tête, et leurs deux mains serrées se mirent à vibrer.

Toc! firent les phalanges d'Aedan en frappant durement le bois de la table. Il protesta :

— Ce n'est pas du jeu! Je n'étais pas prêt.

— Si, tu l'étais, dit Louis.

— Non, je ne l'étais pas. Je n'ai fait que vous demander si vous, vous l'étiez.

Sous l'hilarité générale, Louis leva les yeux au plafond et but un peu de vin.

— Allez, jeune blanc-bec. On remet ça. Cette fois, je vais vous avoir, dit Aedan en reprenant position.

Beau joueur, Louis releva de nouveau le défi. Il serra solidement la main d'Aedan, qui dit :

— À trois. Un... deux... trois. Merde!

Le bras de l'Écossais s'abaissait dangereusement. Les joues rouges, il parvint à le ramener à la verticale et même à l'incliner un peu dans l'autre direction. Pendant ce temps, Sam rentra et se dépêtra fébrilement de ses vêtements d'hiver. Et soudain, toc!

— Bon sang de merde, mais qu'est-ce que j'ai qui ne va pas aujourd'hui? dit le vieil homme dont la barbe se hérissait.

— Moi! Moi, je veux essayer! s'exclama Sam.

Même à deux mains, le garçon n'en vint pas à bout. Jehanne se glissa plus près et chatouilla discrètement le flanc du colosse. Toc! fit l'avant-bras de Louis contre la table.

— J'ai gagné, j'ai gagné! hurla Sam.

— Tricheur, dit Margot.

— Je n'ai pas triché. Je n'ai rien fait.

Louis finit son gobelet de vin et se leva. Il enfila son floternel* et dit:

— Margot, mets de l'eau à chauffer. Je vais prendre un bain.

— Tout de suite, maître.

Il ressortit. Nul n'eut besoin de regarder dehors pour savoir où il allait. Sam et Jehanne n'en firent pas de cas. Ils continuèrent à jouer ensemble au bras de fer sous les regards amusés du père Lionel, de Thierry et de Toinot. Pendant ce temps, Margot installa dans la cuisine la grande cuve et la tapissa d'un fond de bain*. Le souper allait en être quelque peu retardé, car Louis avait l'étrange manie d'exiger pour son bain quotidien une intimité qui n'était connue que des seuls reclus et ermites.

L'intérieur du moulin avait été dépoussiéré et débarrassé de ses vestiges. Bientôt, il allait pouvoir revivre. Mais c'était à tout autre chose que son propriétaire pensait, sa signole* à la main et le regard rivé sur les engrenages reliés à l'axe. Quelque chose l'agaçait. Les dents de bois s'imbriquaient parfaitement l'une dans l'autre jusqu'à l'une d'elles, qui s'était ébréchée. Un bout de planche brisée s'était glissé dans les rouages et empêchait l'axe de tourner. Louis n'ignorait pas que, même s'il parvenait à retirer ce bout de bois d'entre les engrenages, le moulin ne serait pas pour autant fonctionnel. Trop de pièces étaient endommagées et le mécanisme devait être complètement neutralisé avant que quelqu'un ne s'avisât d'y travailler. Mais il n'arrivait pas à détourner son attention du bout de bois dans lequel mordait l'engrenage qui grinçait à chaque coup de vent.

«Ça fait comme les perches de mes assistants au chevalet*», se dit-il, d'abord distraitement, en repensant au cylindre percé de trous dans lesquels les aides devaient insérer leurs longs bâtons de façon à ce que la tension des cordes fût maintenue. Il cligna des yeux. Sur l'axe qui essayait de tourner avec obstination se superposa l'image d'un autre treuil qui, lui, était actionné par des prisonniers.

Il appuya pensivement le bout ferré de sa canne entre deux dents d'engrenage et en sentit les poussées répétitives. Il reprit sa canne et l'appuya à nouveau au même endroit en imaginant que l'engrenage était fonctionnel. Ce geste pouvait soit bloquer l'engrenage, soit casser la canne si elle n'était pas assez solide. Mais le treuil était actionné par de simples pôles. Sa canne pouvait donc suffire. En imagination, il la laissa devenir une sorte de petit levier qui n'empêchait pas de tourner la manivelle, mais qui pouvait s'abaisser et se mettre en place tout seul à chaque cran pour maintenir la tension.

— Mais oui, dit-il tout haut.

Soudain, l'image devint très claire. Il laissa tomber sa canne et s'approcha des roues dentelées pour les examiner de plus près. «Oui, c'est parfaitement faisable», se dit-il avec une grimace en coin. Il ne lui restait plus qu'à trouver un forgeron et à essayer de lui faire comprendre les subtilités du mécanisme d'encliquetage à rochet auquel il venait de songer.

Même l'agréable détente que lui offrait l'heure du bain n'arriva pas à distraire Louis de cette nouvelle idée qui l'obsédait. Enfin, il allait être en mesure de «travailler» seul au chevalet*, sans le piètre secours d'individus récalcitrants ou ivres. Tout ce qui restait à faire, c'était de trouver le moyen de concrétiser une invention qui allait, de surcroît, pouvoir s'étendre à de multiples autres usages.

— Ouah, dit une voix derrière lui.

Louis éclaboussa le plancher autour de la cuve en se retournant dedans et s'empara de sa tunique qu'il avait laissée tomber près de là. Il s'en cacha quelque peu avant de lever les yeux sur la personne qui se tenait dans l'embrasure de la porte.

C'était Sam. Il avait eu le temps d'apercevoir le dos du métayer, sur lequel un réseau enchevêtré de cicatrices anciennes dessinait une toile blanchâtre par endroits, rougie à d'autres. Les bras, les jambes et la poitrine de l'homme comportaient également de nombreuses cicatrices, et Sam ne s'y connaissait pas suffisamment en la matière pour pouvoir faire la différence entre de glorieuses blessures de guerre et les marques infamantes de la torture.

— Qu'est-ce que tu fais là, toi? murmura Louis d'une voix blanche.

— Euh...

L'intrus reçut en pleine figure la tunique noire de Louis, qui rugit:

— Sors!

Sam eût obéi sans cela. Ce qu'il venait de voir avait suffi à semer le trouble dans son esprit.

*

La situation du père Lionel était des plus inusitées : dans n'importe quel ordre religieux, un membre pouvait se faire envoyer dans une maison de province tout en continuant d'appartenir à la communauté où se trouvait le supérieur central. Ce n'était pas le cas des bénédictins, chez qui on faisait profession pour un monastère à l'exclusion de tout autre. «Il n'est pas du tout avantageux aux âmes des moines de se répandre au-dehors», disait la règle[40]. C'était la raison pour laquelle le père Lionel s'efforçait, autant que cela lui était possible, d'appliquer les préceptes vénérables que le saint avait élaborés avec grand soin huit siècles plus tôt. Par exemple, il mettait un point d'honneur à passer dans sa «cellule» garnie de livres plusieurs heures par jour, qu'il calculait selon celles de l'office. Ces moments de solitude et de silence étaient indispensables à la vie contemplative et il eût été incapable de cohabiter sans elle dans le manoir bruyant, souvent peuplé de voix d'enfants. Le moine mangeait sa ration journalière dans une écuelle individuelle et, à quelques exceptions près, il continuait à boire son vin et sa bière coupés d'eau. Au lieu de la luxueuse houppelande que portaient souvent ses frères d'ordre avec une ostentation inconvenante, il se contentait d'une vieille aumusse* à capuchon noué. Elle avait remplacé sa cloche* de pèlerin qui était hors d'usage.

Il consacrait un grand nombre d'heures à l'élaboration des prêches qu'il prononçait dans la minuscule église du village. Le sermon populaire avait beau être le moyen de communication sociale privilégié par l'Église, parfois Lionel avait l'impression que ses quelques paroissiens n'en retenaient pas grand-chose. Cela ne les empêchait pourtant pas d'assister fidèlement à l'office quotidien. Grands et petits s'étaient pris à aimer le doux et timide père Lionel qui s'amenait de bon matin, sa coule noire empoussiérée de neige et la tête pleine d'idées fantasques qu'il présentait avec tant d'ardeur qu'on était forcé d'y croire, même si on ne les comprenait pas toujours.

Raymond Lulle, Dante et maître Eckhart, avec ses sermons allemands, avaient laissé leur marque sur l'époque et, secrètement, dans la modeste bibliothèque du manoir que Nicolas Flamel ne se faisait jamais défaut d'alimenter dès qu'il le pouvait. Ainsi le moine isolé put-il être en mesure de développer des connaissances, voire une philosophie nouvelle à l'intention des laïcs. Il ne s'agissait plus seulement de transmettre un message cent fois ânonné du haut d'une chaire, mais d'exposer un savoir qui pouvait toucher tout le monde, particulièrement ceux qui, selon la belle métaphore utilisée par Dante, n'avaient pas eu le privilège de participer aux banquets où l'on servait le «pain des anges», c'est-à-dire d'accéder à l'enseignement de la culture savante et religieuse des clercs.

— Tout ce en quoi nous avons cru, tout ce que nous avons révéré, tout cela semble s'achever, disait le père Lionel. Que ce soit papauté, croisades ou chevalerie, l'idéal se perd. La foi est ébranlée. L'ancienne féodalité part en débandade. Notre société se fondait sur deux modèles : l'empereur et le pape. Or, l'empire s'est effondré par la faute de la peste et de la guerre; le pape n'est plus que le valet d'un roi vaincu. Pourquoi? Pourquoi la pensée humaine, une chose admirable s'il en est, se sent-elle moins révoltée que découragée? Ne vous interrogez-vous pas comme moi sur toutes ces horreurs qui sont en train de l'abattre, voire de l'éteindre?

Les gens se mettaient à s'interroger. C'était passionnant, il fallait en convenir. Personne ne disait ces choses, ni même ne s'en rendait bien compte.

— Que nous reste-t-il donc? La foi, me direz-vous. Mais quelle foi? Il ne nous en reste plus guère, puisque la fin du monde a déjà été fixée, par certains qui l'espèrent bien fort, à l'an 1365. N'avons-nous rien de mieux à faire que de vouloir en finir, tout bêtement comme ça, et de laisser le monde en plan parce qu'il nous déplaît par notre propre faute? Est-ce un monde grabataire comme celui-ci que nos mains tendues et nos prières ferventes tiennent tant à offrir au Tout-Puissant qui est un Dieu de Vie?

On eût dit qu'une fois que les mots avaient été prononcés par le père Lionel, tout devenait clair et les gens trouvaient une explication plausible à leurs malheurs. Dès lors il devenait possible d'y remédier. On reprenait goût à la vie et on se demandait pourquoi on avait perdu courage.

Les paroles passionnées du père Lionel faisaient du bien à tout le monde sauf à lui-même. Quelque chose manquait. C'était comme une soif qu'aucune merveilleuse abstraction, qu'aucun livre enluminé ne pouvait assouvir.

Hiscoutine, quelques jours plus tard

— J'ignore pourquoi, mais il est des fois où il me fait pitié, ce pauvre homme, dit Margot alors qu'elle jetait un coup d'œil par les volets de la cuisine qu'elle avait brièvement ouverts.

Elle en était à parachever le souper et tous les autres étaient déjà à table, sauf Louis, qui était en ville, ainsi qu'elle et Hubert qui s'affairaient encore. Ce dernier aussi regarda par la fenêtre. Il ne répondit pas à sa femme et se contenta de regarder le moine arriver, tête basse, jusqu'à la porte. Il alla lui ouvrir avec l'empressement du sauveteur envers le naufragé.

— Bonjour, mon père. Entrez donc. Vous arrivez juste à temps pour partager notre repas.

Lionel, confus, bredouilla :

— Oh, je suis désolé. Je n'avais pas pensé au souper.

À l'abbaye, il n'avait toujours pris qu'un seul repas par jour, celui du midi; mais comme il avait oublié de se présenter à l'heure ce jour-là, il s'était préparé à attendre le lendemain avant de pouvoir manger. Margot s'en venait l'accueillir, un torchon à la main. Elle tiqua. Lionel s'en aperçut et se justifia :

— C'est que, voyez-vous, depuis que je suis seul, je ne mange que lorsque j'y songe. À quoi bon prendre son repas quotidien à heure fixe lorsque l'on n'a guère faim?

Il leur avoua candidement avoir pris son dernier repas l'avant-veille, juste après matines*, et rajouta :

— C'est la seule raison de mon indélicatesse. Ne m'en tenez pas rigueur. Je n'ai pu fermer l'œil de la nuit dernière. Il me faut vous parler.

— Mais bien sûr, bien sûr. Prenez place. Avant-hier. Si c'est pas effrayant.

Margot se hérissait d'indignation comme une mère poule outrée par le comportement irresponsable d'un rejeton.

Aedan essuya ses grandes moustaches d'or mat contre l'une de ses manches pour les dépouiller de la parure neigeuse qu'une gorgée de bière y avait laissée et remarqua :

— Je vais vous dire : c'est le climat d'ici qui ne vous réussit pas.

— Oh, rassurez-vous. Je me porte comme un charme.

Il mentait. Il regrettait fréquemment les soleils d'autrefois et la clémence des hivers méridionaux, le parler des bonnes gens du Languedoc, souvent incompréhensible mais si plaisant à l'oreille, de même que les flots de la mer bleue qui se déployait telle une précieuse soie du Levant et à laquelle on avait accès en quelques jours. Ici, le souffle maritime était omniprésent, mais c'était celui d'une mer acariâtre, tantôt languissante, tantôt furieuse, presque toujours secrète; cela se devinait par cette méfiance avec laquelle elle laissait traîner ses grandes écharpes de brume pour se soustraire aux regards comme une pucelle farouche.

Lionel baissa les yeux sur son écuelle que Margot avait garnie de ragoût à l'appétissant bouillon foncé. Après les grâces, il prit du bout des lèvres un petit cube de viande dont les fibres juteuses étaient tendres à point.

— C'est délicieux, ma fille. Je ne crois pas avoir déjà goûté un aussi bon pot-au-feu.

— Merci bien. Cela a cuit tout l'après-midi. J'y ai mis de l'ail ainsi que des épices que maître Baillehache nous a rapportées de la ville. Mais baste. Vous aussi, vous nous faites mijoter.

— Excellent trait d'esprit, bravo. Mais vous avez raison. J'ai de la difficulté à suivre mes pensées, aujourd'hui. Nous parlions de climat. Si je vous ai donné l'impression que celui d'ici ne m'allait pas, c'est probablement dû au fait que je songeais à Calahorra. J'y ai séjourné au cours du périple qui m'a mené à Compostelle, et j'y ai vivement prié, après quoi j'ai gagné Olite avec un groupe de pèlerins. Là, nous avons été reçus par les gens de messire Charles[41]. Cette visite a été l'un des moments forts de mon voyage.

Les dîneurs écoutaient ce récit avec un intérêt non feint, car les histoires du père Lionel menaient toujours à quelque chose d'inattendu, même le récit de voyage en apparence le plus anodin. Tout en s'efforçant de ne pas négliger son repas – il n'avait guère l'habitude de parler en mangeant – il continua :

— Dans un sens, mon pèlerinage a contribué à effacer certaines des images qu'il y a en moi. Ou à tout le moins est-il parvenu à en estomper un peu les contours trop crus. Car il s'agit d'images qu'il me vaut mieux oublier si je désire conserver ma santé.

— Pourquoi ? Ça n'allait pas bien, au monastère ? demanda Aedan.

— Je n'ai pas dit ça. Mais afin de me pardonner toutes ces tâches serviles auxquelles j'ai toujours dû m'astreindre, je réfléchis beaucoup.

Il rit.

— Le maître m'a affirmé qu'il n'y a rien de plus nuisible.

— Quel maître ? Baillehache ?

— Qui d'autre ?

— C'est bien de lui, ce genre de remarque. À propos, savez-vous ce qu'il est en train de me faire faire, celui-là ? demanda Aedan.

— Non, aucune idée.

— Un chevalet*.

— On va faire de la peinture ? intervint Jehanne de sa voix flûtée.

Tous se turent subitement. Ils avaient failli oublier la présence des enfants. Margot dit :

— Jehanne, Sam, puisque vous en avez terminé, pourquoi ne sortiriez-vous pas prendre un peu l'air avant d'aller au lit ?

Ne tenant déjà plus en place, les deux enfants ne se firent pas prier, même si cela signifiait qu'ils allaient manquer la suite de l'histoire. Il était effectivement fort rare qu'ils aient la permission de sortir le soir après souper. Cela ne faisait que rendre la perspective d'un jeu nocturne plus attrayante encore. Une fois qu'ils furent sortis, engoncés dans leur habillement hivernal et nourrissant leurs soupçons à propos d'un chevalet* en guise d'étrenne, Aedan reprit le fil de la conversation là où il l'avait laissé.

— Ouais. Il y a un chevalet* démonté dans le moulin. Et ce n'en est pas un pour la peinture, croyez-moi. C'est pour ça qu'il défend aux petits d'entrer dans le bâtiment. Rien à voir avec les rouages brisés. Ce truc-là, c'est nouveau, qu'il a dit. Je l'ai vu y poser une espèce de crochet à viande et un seul cylindre, au lieu de deux, sur quoi il m'a fait installer un bidule qu'il a ramené de la ville. Cela produit un clic-clic quand il le tourne pour enrouler la corde.

— Pour l'amour du ciel, l'Escot, taisez-vous, dit Blandine dont le visage était soudain livide.

Ils savaient tous ce qui les attendait si les enfants venaient à apprendre quoi que ce fût. Rien n'invitait davantage à la discrétion que l'éventualité d'une malédiction de bourreau. Les années de pratique de Louis lui avaient appris nombre de choses utiles, entre autres celles d'utiliser à bon escient les superstitions des gens. Cela lui avait rendu un fier service le jour même où les domestiques avaient fait cette sordide découverte du chevalet*. Lorsqu'il les avait surpris tenant conciliabule dans la cuisine, il avait tendu vers eux une main terrifiante, le regard braqué sur eux, et avait menacé :

— Prenez garde à vous, misérables, que je n'aie pas à vous maudire. J'ai prévenu Satan. Si vous dites un mot de plus là-dessus, je vous conduirai moi-même aux portes de l'enfer.

À l'évocation de ce souvenir encore frais à leurs mémoires, Blandine haleta et dit encore :

— Il en est capable, j'en suis certaine. Je n'aime pas ses yeux. Ils sont tellement... éteints. Non, pas éteints. Ce n'est pas le bon mot. Ce ne sont pas les yeux d'un homme. On dirait qu'ils fouillent en dedans. Je n'aime vraiment pas ça.

— Je vois ce que tu veux dire, répondit Margot. Tu as raison. On dirait que ça lui arrive d'être... je ne sais pas, ailleurs, peut-être. Comme si nous n'existions pas pour lui. Il est ou bien fou, ou bien dangereux. Nous devons absolument trouver un moyen de le faire partir d'ici.

— Il n'est pas fou. Mais je le crois néanmoins malade, renchérit Thierry.

— Je sais qu'il y a quelque chose, commença Lionel, qui s'était
tu jusque-là.

Ils se tournèrent tous vers lui pour entendre son conseil. Le
moine prit son temps pour dire, d'une voix dont l'inflexion était
alentie sous l'effet d'une profonde méditation :

— Il a rejoint les rangs de ces hommes qui, pour avoir manqué
de l'essentiel, sont devenus ce que nous appelons des monstres. La
violence est un mode de vie, pour lui, à la fois en tant qu'homme
qu'en tant que bourreau. Et un bourreau n'est pas facile à aimer,
j'en conviens.

— Un bourreau cruel, devriez-vous dire, corrigea Aedan.

Lionel le regarda si intensément que le vieillard regretta ses
paroles. Et cela ne lui arrivait pas souvent.

— C'est un fils de Caïn. Aucun doute là-dessus, renchérit le
moine.

— Ouais.

— Cela dit, ne sommes-nous pas tous des fils de Caïn, mon cher
Aedan? Abel n'a pas eu de descendance.

Le vieillard resta muet. Lionel reprit :

— J'ignore si notre maître est cruel ou non. Je ne suis pas
encore arrivé à le savoir. En revanche, ce que je sais, c'est qu'il l'a
effectivement été et n'a pu trouver autre chose comme réponse à
la vacuité de son existence.

Aedan dit :

— Je n'y comprends rien. Blandine, crois-tu qu'une bonne bière
m'y aiderait?

— Essayons toujours, dit la servante dont le rire très commu-
nicatif avait le son joyeux d'un ruisseau de printemps. Lionel
poursuivit :

— Au risque de déplaire aux bien-pensants, je considère que la
cruauté en soi n'est pas plus blâmable qu'une autre pulsion, qui,
elle, est favorable à la vie. Les deux sont profondément liées à la
condition humaine.

— Là, je ne vous suis plus du tout et je crois que la bière ne me
servira à rien, dit Aedan en regardant le contenu de son gobelet
d'un air soupçonneux. Mais, bon, j'en boirai quand même.

— C'est que j'essaie moi aussi de comprendre, dit Lionel.
Voyons un peu.

— Vous dites que, si ce Baillehache est réellement un monstre,
c'est parce que sa cruauté s'est développée à cause...

— ... de l'absence des conditions qui auraient permis à l'amour
et à la compassion de se manifester. Nous pouvons qualifier le

méchant maître Baillehache de vicieux tant qu'il nous plaira, car, en effet, la méchanceté est un vice. Mais, chers amis, il n'en reste pas moins un homme. Il n'est pas un monstre et n'a pas non plus régressé à l'état de bête si ce n'est au sens strictement allégorique du terme. Il n'est pas motivé par des instincts animaux; les animaux ne possèdent aucune malice en tant que telle. Ils ne tuent que pour vivre.

— Lui aussi, il tue pour vivre, dit Hubert. Même qu'on le paie pour cela.

— C'est vrai, mais ne nous égarons pas. Ce à quoi je veux en venir, c'est qu'il nous est trop facile de conclure que le maître a échoué, qu'il n'a pas réussi à devenir ce qu'il aurait pu ou dû être. S'il se comportait comme un saint, Dieu me pardonne, croiriez-vous en à sa sainteté? Moi, non. Elle aurait été en total désaccord avec les possibilités de son existence. À sa naissance, une plante possède autant de chances d'être étouffée et privée de soleil que de s'élever vers la lumière; tout dépend des conditions favorables ou défavorables qui président à sa croissance.

— Je pense que je suis déjà saoul et je n'ai même pas bu deux gorgées de cette satanée bière. Oups! pardon, mon père!

— Ce n'est rien. Je sais très bien que ce que je dis là vous semble très aride, car ce ne sont que des abstractions. Moi-même j'y ai mûrement réfléchi et je ne suis pas encore certain de pouvoir m'y retrouver. C'est pourquoi je vous demande votre aide.

Blandine, pour agacer le moine, lui servit un gobelet de bière. Tout le monde s'esclaffa.

— Un peu d'eau, je te prie, ma fille. Mets-y un peu d'eau et je la boirai volontiers, dit le religieux qui, soudain, redevint pensif:

— On ne cesse de mettre nos malheurs sur le compte de la fatalité; qu'il est périlleux de chercher à modifier la destinée d'un homme, car c'est présomption de vouloir assumer un rôle qui appartient au Tout-Puissant. Ah, cette dérisoire argile blessée qu'est l'humanité mortelle! Je n'arrive pas à me mettre dans la tête que l'homme doit tout subir passivement, qu'il n'est que le jouet des circonstances. Non. Je suis persuadé que Dieu a prévu pour Ses enfants de bien plus grandes choses. La raison et la volonté de l'homme sont des instruments puissants qui ont été mis dans sa main bien avant les premiers couteaux taillés dans la pierre. L'histoire ne fait pas l'homme... Seigneur Dieu, il ne le faut pas! Sinon, que subsistera-t-il de nous dans la mémoire de notre descendance? Non, l'homme se crée lui-même et l'histoire lui sert de matériau.

— Buvez, mon père, buvez, dit Blandine, qui ne pouvait s'empêcher de délaisser ses corvées pour écouter, comme tous les autres d'ailleurs.

Ils n'auraient jamais cru qu'un discours aussi théorique puisse s'avérer aussi passionnant. Lionel disait :

— Je déteste la pensée dogmatique. Elle n'est que le résultat d'une paresse de l'esprit et du cœur. Elle remplace une chaleureuse spontanéité par des schémas simplistes qui finissent par perdre le peu de sens qu'ils avaient au départ à force d'être répétés. Ils empêchent toute véritable compréhension.

— Holà! ça sent le soufre, tout cela. Il me semble qu'il y a là-dedans des ferments d'hérésie, dit Aedan.

— Ouais, prenez garde, mon père, que vos paroles ne tombent pas dans l'oreille de notre bourreau, dit Blandine. Il aurait vite fait de vous monter un bûcher dans la cour.

— Vous avez raison. Revenons-en donc à lui, justement. Je crois le moment venu de mettre mes idées à l'épreuve. Pour cela, j'aurai besoin de votre aide. Il est de ces gens qui sauront aimer le maître Baillehache en dépit et peut-être même à cause de ses tares héritées de Caïn. Jehanne est de ceux-là dont l'amour transcende le mal. Un homme déjà guilleret n'a que faire de son amour, et l'insouciant n'en remarquera rien. Voici ce que j'étais venu vous dire.

L'invité sursauta légèrement lorsqu'une part de tourte lui glissa sous le nez.

— Oh... grand merci. Je disais donc que le maître Baillehache n'a qu'un seul réel besoin : celui de savoir qu'on peut ressentir pour lui de la compassion, je dirais même, de la passion.

— De la compassion et de l'amour? Et puis quoi encore? s'indigna Aedan.

— Je veux bien croire que Jésus nous a demandé d'aimer nos ennemis, mais tout de même, on ne peut pas tous être bons comme Jésus, rajouta Hubert.

— Attendez. Comprenez-moi bien, dit Lionel qui avala un peu trop vite une bouchée de tourte dont la garniture collante nuisait à la conversation. Il s'éclaircit la gorge avec un peu de bière et expliqua :

— De par sa nature, *compassio*, c'est-à-dire la compassion, gravite autour de son objet, tandis que *passio*, soit la passion dans le sens de «souffrance» mais aussi de grand amour, se conforme à son objet pour ensuite s'y fondre. C'est là l'offrande ultime. Rares sont ceux qui aiment en suffisance pour pouvoir la faire. Cela, je ne l'exige pas de vous. Tout ce que je vous demande, c'est un brin de *compassio* pour lui.

— Et comment va-t-on s'y prendre pour montrer de la compassion à ce roncier humain? demanda Aedan avec rudesse. Hum! Pouvez-vous nous le dire? En lui faisant des ronds de jambe?

Le père Lionel sourit et répondit, comme si c'était la chose la plus évidente du monde:

— Mais, voyons, vous n'avez qu'à suivre l'exemple de Jehanne. Ne dit-on pas que « la puissance de l'amour transforme celui qui aime en l'image de celui qui est aimé[42] »? Je crois que cette formule s'applique aussi à l'inverse.

*

Hiscoutine, veille de Noël 1359

Sam fonça presque dans les jambes de Louis qui s'écarta à temps. Le gamin couvert de neige marmonna quelques excuses avant d'être intercepté par son grand-père dans la pièce à vivre qui avait été joliment décorée pour la fête. Aedan l'obligea à faire demi-tour jusqu'au seuil d'où Louis les observait. Il tirait son petit-fils par l'oreille.

— Quand vas-tu donc apprendre que l'on n'entre plus ici comme dans un moulin? Hum... À propos de moulin. Excusez-le, maître. Ce n'est qu'un petit vaurien.

— J'ai faim! Je voulais voir le banquet, protesta Sam.

— Le « banquet », comme tu dis, n'est pas encore prêt. Allez, retourne dehors, filou. Tu viendras manger lorsqu'on t'appellera.

L'enfant boudeur alla s'écraser dans une congère en attendant l'une des rares activités qui auraient pu le distraire de son ennui, et surtout de ses noirs desseins. En effet, s'il avait bien eu l'intention de grappiller un peu, l'objectif réel qu'il s'était fixé de gâcher les fiançailles, qu'on avait fait coïncider avec la fête de Noël, avait occupé son esprit davantage que son estomac.

Lorsque Margot, fidèle à son habitude, ouvrit les volets de la cuisine et s'en retourna en se dandinant dans la grande pièce, il fut enfin en mesure de mettre une partie de son plan à exécution. Il se coula discrètement jusqu'à la fenêtre béante et fouilla sous son manteau où il repêcha avec prudence un chat tigré adolescent, tout confus, qu'il relâcha dans la maison. Il s'enfuit jusqu'à la tour et revint avec un second chat, entièrement jaune, celui-là. Il refit le même manège sept fois. Aucun des sept intrus ne fut contraint à coups de balai de prendre la porte dans les minutes qui suivirent. Cela signifiait donc qu'ils n'avaient pas été débusqués. Le gamin avait au moins une autre raison d'être ravi: Louis n'était en vue nulle part dans la maison. C'était là une bonne chose, car la petite plaisanterie qu'il avait préparée risquait autrement de lui coûter fort cher. Une fois assuré que la voie était libre, il lâcha un gros pigeon dans la maison et courut se cacher.

La pagaille qui s'ensuivit fut telle qu'il n'eut aucun besoin de quitter sa cachette pour profiter du spectacle. Margot et Blandine hurlaient de terreur et d'indignation, des chats pris dans leurs jupes, un autre planté devant la fenêtre ouverte, alors que le volatile effarouché cherchait refuge sur la tête de l'une ou de l'autre en semant ses plumes partout. Thierry, Hubert et Aedan s'efforçaient sans succès d'immobiliser quelque chose, qu'il s'agît d'un bipède ou d'un quadrupède. Et Louis, qui avait soudain surgi de nulle part, assistait à l'incident depuis le seuil de la grande pièce en se demandant s'il devait intervenir, car Margot lui avait poliment rappelé plus tôt que, normalement, le futur fiancé ne se présentait à la maison de sa promise qu'au moment de l'échange des vœux. En ce moment précis, il semblait plutôt content de ne pas avoir à s'en mêler. Sam, la main sur la bouche pour étouffer son hilarité, le regarda sortir dans la cour plus paisible avec le stoïcisme qui le caractérisait. Le garçon se laissa rouler dans une congère en échappant un grand soupir de satisfaction. «Et ce n'est qu'un début», se dit-il.

Il ne se rendit pas compte qu'une ombre silencieuse était en train de s'avancer vers lui. Il se rassit brusquement lorsque la grande silhouette s'immobilisa devant lui, à contre-jour, la main tendue.

— C'est-pas-moi-j'ai-rien-fait, dit-il hâtivement, ne sachant trop à quel genre de représailles s'attendre de la part de ce bonhomme.

Louis ne répondit pas. Sam plissa les paupières et mit une main en visière. Il vit que l'homme lui tendait deux galettes au miel. De la vapeur blanche s'échappait de son nez et allait se perdre dans la lumière aveuglante. Le gamin, saisi, ne fit rien.

— Prends-les. Tu avais faim, oui ou non?

— Oui. Merci, dit l'enfant, qui prit les galettes et baissa les yeux.

Louis partit sans ajouter un mot.

Sam posa les galettes sur ses genoux. Il fut incapable d'y mordre, même si elles avaient l'air alléchant. Il n'avait plus faim. La honte s'étalait en lui comme une grosse tache d'encre renversée par la faute de ce petit cadeau. Il ne put la supporter et s'élança vers la tour. Les deux galettes tombèrent sans bruit dans la neige.

Il lui fallait à tout prix se cacher: de Jehanne, de *seanair** et de Louis. Mais surtout de Dieu qui, de là-haut, voyait tout. Le toit effondré de la tour n'allait sûrement pas suffire à dissimuler les méfaits qu'il avait si clairement imaginés: il s'était vu en train de piétiner pâtés et gâteaux plats, de jeter par terre les beaux gobelets et l'aiguière préférée de Margot, de renverser dans le feu la grande marmite de potage crémeux que la grosse domestique avait mis plusieurs heures à préparer. Au cours de la matinée, il avait chapardé une poignée de précieux sel qu'il avait destiné à gâcher la bouteille de vin doré d'Épernay que l'usurpateur avait posée sur la table un peu plus tôt. Sam avait fait serment de détruire un à un chacun des mets succulents qu'on allait présenter au banquet de fiançailles.

— Sam?

La voix de Jehanne le fit sursauter.

— Ici, dit-il.

Peu à peu, la pénombre envahissait l'intérieur de la tour.

— Je te cherchais. Le chien du père Lionel a volé deux galettes. On les a retrouvées dehors, intactes. Je me demande comment il a fait.

— C'est une bête horrible. Pourquoi me cherchais-tu? N'es-tu pas occupée autre part?

La fillette, embarrassée, s'assit près de lui et croisa les mains sur son giron. Elle ne trouva rien à répondre. Sam dit:

— Eh ben, c'est fichu. Ils savent?

— Le père Lionel sait. Nous en avons parlé.

Elle leva sur lui un regard qu'il ne lui connaissait pas. C'était celui d'une femme. Un autre que Sam eût sans doute pu y voir quelque chose de grand, mais lui n'y vit que de la résignation. Il demanda:

— Alors, tu vas le faire, c'est ça?

— Il le faut, Sam.

— Je le savais. Ce n'est pas parce qu'il le faut. C'est parce que tu l'aimes.

— Oui, mais ce n'est pas ce que tu crois.

À quoi bon tenter de lui expliquer cette compassion, cet amour qui était né rue Gît-le-Cœur? Cette étrange nuit où elle avait vu Louis étendu à plat ventre, secoué de sanglots, auprès d'un sac dont le père Lionel s'était obstiné à lui cacher le contenu du plat de la main? Jehanne savait d'avance que Sam ne comprendrait pas. Elle voulut lui prendre les épaules, mais il la repoussa avec véhémence et bondit sur ses pieds. Il se mit à trépigner d'indignation.

— Non, ne me touche pas. Je ne veux plus que tu me touches. Plus jamais.

— Sam, écoute...

La fillette avait les larmes aux yeux. Sam aussi. Il cria :

— Écouter quoi ? Je le déteste. Lui, il est venu après moi. C'est moi, ton mari. J'étais là avant. *J'appartiens ici.*

La discipline requise par l'usage d'une langue seconde est l'une des premières choses que l'on égare lorsque l'émotion prend le dessus sur la raison. Jehanne dit :

— S'il te plaît, arrête et écoute-moi un peu. Le père Lionel te demande. Il veut te parler, à toi aussi.

— Ouais ? Ben moi, je n'ai envie de parler à personne. Salut.

Il s'en alla à grands pas vers la porte sans accorder d'attention au chat jaune qui le suivait allègrement dans l'espoir d'être réintroduit dans la cuisine.

*

Les chagrins des Fêtes sont d'une nature bien à eux. Ils sont des intrus qui, non contents de déranger une ambiance festive souvent fragile, s'invitent à passer quelques nuits dans la pièce à vivre sans demander l'avis des habitants. Pour la première fois de sa vie, Jehanne eut à faire connaissance avec un tel chagrin. Sam ne comprenait pas. Cela n'avait rien d'étonnant. Le père Lionel avait beau l'en avoir prévenue, c'était quand même pénible à supporter.

Jehanne n'avait pas su comment faire comprendre au garçon qu'il y avait là bien davantage qu'un mariage forcé. Oui, elle aimait Louis. Mais c'était d'un amour étrange, différent, que sans doute nul n'eût compris, pas même le moine érudit. Louis était à la fois son orphelin et une sorte d'autocrate inaccessible. Par conséquent, l'affection qu'elle lui vouait se constituait d'un curieux mélange d'empathie, d'amour filial – ce qui était d'autant plus paradoxal qu'il était éprouvé par un orphelin à l'égard d'un autre – et de cette vénération candide de l'enfance que seul un être parfait mérite, mais que seuls ont le bonheur de recevoir quelques êtres imparfaits.

— Comment faire pour lui montrer la Noël ? avait demandé la fillette à Margot.

Dans l'esprit de Jehanne, il était inconcevable qu'un homme tel que Louis ait pu déjà vivre un vrai Noël. Tous auraient été surpris d'apprendre qu'elle avait raison.

La maisonnée s'apprêtait pour des célébrations qui allaient

s'étendre jusqu'aux Rois, l'Épiphanie étant aussi un jour férié. En tout, douze jours de festivités. Le 1er janvier, quant à lui, n'était pas le jour de l'An, mais la quête de l'aguilaneuf*.

Le clou de la fête allait sans contredit être le réveillon de Noël ainsi que les jeux qui allaient le suivre. On débutait avec la messe ardente*, à laquelle ils se rendraient à pied. Ensuite, les festivités allaient être ponctuées par une seconde messe, à l'aurore, puis par une troisième au cours du jour même de Noël.

— Eh bien, nous pouvons toujours commencer par lui expliquer pour la bûche, avait répondu la gouvernante.

Il s'agissait d'une tradition dont l'usage devait remonter à la nuit des temps, et que le christianisme avait reprise comme il l'avait fait pour nombre d'autres vieilles pratiques païennes. Ainsi, Margot s'était vue chargée de justifier au futur fiancé, qui n'entendit sans doute rien, l'absence de Blandine à l'église du village, en cette veille de Noël: la petite cuisinière était demeurée au domaine afin de surveiller l'âtre qui ne devait pas s'éteindre sous peine de catastrophes pour l'année à venir. Blandine allait devoir s'occuper du feu à la main, sans avoir recours aux habituels instruments de fer. Les cendres de ce feu allaient ensuite être précieusement conservées. Elles allaient les protéger tous de l'orage et de la maladie en plus de fertiliser la terre.

Tandis que l'église se remplissait, Louis poussa un soupir nerveux et, pour la première fois, alla occuper la place de l'ancien baron. Les deux cathèdres* installées à l'avant n'avaient presque jamais servi. Il appuya sa canne rouge contre le côté du siège sculpté et croisa les mains sur ses genoux. Il jeta un coup d'œil furtif à la cathèdre* voisine qui était accolée à la sienne. Elle était encore vide. C'était une copie à l'identique de son siège, exception faite du dossier qui était moins haut et moins orné. Ces fauteuils avaient l'air prétentieux. Leur présence détonnait dans la modeste église de village.

Louis ne savait pas quoi faire de lui-même en attendant le début de la célébration. Le père Lionel, occupé à sonner la cloche à toute volée, ne lui était d'aucun secours. Il se demanda si on s'attendait de lui qu'il priât. Pour ne prendre aucun risque, il inclina respectueusement sa tête pour le moment vidée de toute pensée utile.

On s'apprêtait à le fiancer, lui. Telle avait été la seule réflexion qui l'avait hanté au cours des dernières semaines, voire des derniers mois. Son seul réconfort était de songer qu'il s'agissait d'une pratique commune, surtout chez les nobles, de marier des enfants entre eux ou l'un d'eux avec un adulte. Ce genre d'union visait d'abord et avant tout à sceller une quelconque entente dont les termes étaient le plus souvent davantage pécuniaires que charnels. Il n'allait rien se passer avant plusieurs années encore. On n'attendait rien d'autre de lui ce soir-là que le *verba de futuro* dont avait parlé le moine, c'est-à-dire l'échange des promesses de mariage devant témoins. Ce n'était que cela, les fiançailles. Une promesse. Mais c'était une promesse, et l'on attendait de lui qu'il la tînt. Les fiançailles, par leur caractère d'engagement, avaient presque autant d'importance que le mariage lui-même. À présent que la chose était imminente, il se trouvait incapable d'y accorder toute l'attention requise.

Lorsque le père Lionel revint derrière l'autel pour se parer de son étole, avant de retourner à l'arrière et d'accueillir les fidèles qui affluaient en plus grand nombre, le futur promis posa un regard distrait sur les lourds arcs romans et sur le grand crucifix qui dominait l'assemblée de ses bras en pierre antique sommairement sculptés. On aurait dit un objet de piété tout juste extrait de la pierre, et le visage du Christ, à peine ébauché, aurait pu représenter n'importe qui. Le père Lionel aimait ce crucifix.

«À quoi peut-il bien réfléchir en ce moment, cet homme qui ne connaît que trop bien la manière dont a trépassé Notre-Seigneur?» se demanda le célébrant.

Un bruissement subit fit sursauter Louis. Il se leva précipitamment pour accueillir Jehanne, qui lui sourit nerveusement avant de grimper sur sa cathèdre*. Le visage de l'enfant était grave et pâle. Elle avait dû passer la journée à se mordiller les lèvres, car elles étaient gercées. Sa mise impeccable, ses vêtements neufs et trop beaux intimidaient la petite fiancée, l'emprisonnaient comme l'eût fait un carcan empesé. Elle aurait aimé pouvoir être comme Louis, de qui on n'attendait naturellement rien d'autre que de le voir arborer ses inévitables habits noirs, qu'il savait porter avec une dignité d'aristocrate. Il n'était ceint que de sa dague, la main droite serrée sous le pommeau de sa canne.

Soudain, à l'entrée solennelle du célébrant, une menotte glacée se faufila doucement dans sa main libre. Éberlué, Louis inclina la tête vers Jehanne, mais ne fit rien. Le père Lionel tourna le dos à l'assemblée et commença la cérémonie d'une voix vacillante. Il venait de voir le couple, là, juste devant lui. Et il se dit: «Comme ils sont dissemblables. Suis-je en train de commettre une erreur? Est-ce que je m'apprête à livrer cette enfant innocente à un démon?» Le doute était affreux, d'autant plus puissant et tenace qu'il allait sous peu être trop tard pour faire demi-tour. En levant les yeux sur le vieux retable* taché par les moisissures, il se mit à prier avec une ferveur renouvelée. Sa propre voix intérieure répondit : « Pourtant, non. C'est impossible. Par la grâce de Dieu, j'avais vu juste. Ce ne sont que les émotions qui m'égarent et j'oublie le plus important. J'oublie ce qui m'a ramené en ces lieux : la pureté de Jehanne désarme le mal. »

Louis était pétrifié par le visage d'ange levé vers lui. Les prunelles distillaient pour lui leur poussière d'arc-en-ciel à travers la merveilleuse transparence d'une pluie d'été. Il n'osait bouger ni se défaire de l'emprise qu'avait sur la sienne la petite main à présent tiédie de Jehanne. Louis se sentait dépourvu comme jamais dans sa vie. Il avait peur d'elle. « Je ne sais pas ce qui m'arrive. Elle, je serais incapable de la détruire. »

Du haut de Son ciel de pierre noircie par des siècles d'encens et par la fumée des cierges, le Seigneur sourit.

L'indispensable salière avait été creusée dans une miche tendre que Blandine avait en secret ramenée de Caen le matin même. C'était un pain de froment, le meilleur qu'elle avait pu trouver, et il était destiné à devenir l'un des petits cadeaux offerts au futur couple.

Les fiançailles ne furent pas scellées à l'église, mais à la table du réveillon, par un échange de vin fait sous une couronne de houx et de gui qui était accrochée au mur derrière eux[43]. Louis se leva et but une gorgée au hanap qu'il tendit à Jehanne. La fillette fut soulagée de découvrir que le vin n'avait pas si mauvais goût, après tout.

Le repas fut simple, mais plantureux. Le père Lionel l'émailla de fragments du *Puer Natus**, qu'il chantait avec un enthousiasme grandissant. Les effets émollients du vin auquel il fit honneur abaissèrent si bien les inhibitions de Louis qu'il se retrouva bientôt les yeux bandés, à buter contre les gros meubles alors qu'il jouait à l'équivalent du colin-maillard.

— Hubert ? demanda-t-il en palpant quelque chose devant lui qui se déroba presque tout de suite.

— Non, ce serait plutôt un chat sur une tablette, avec une couverture par-dessus. Je croyais pourtant les avoir tous mis dehors, ceux-là.

Margot s'empressa d'éconduire la bête sous une tempête d'éclats de rire. Louis finit par coincer la tête de Sam entre son flanc et son bras et se chamailla gentiment avec lui, ce qui eut pour effet d'améliorer quelque peu l'humeur sombre du garçon.

Les fiançailles n'avaient rien changé et il ne fallait pas se presser. C'était ce que semblaient vouloir assurer les étrennes de Louis aux deux enfants : chacun une calette* neuve, des figurines de chevaliers pour lui, une poupée de chiffon à tête d'argile pour elle. Il avait même fait fabriquer par Aedan une dînette complète aux mesures de cette poupée qui avait été joliment vêtue par Margot, comme une vraie personne. Et, pour le plaisir de toute la famille, Louis avait rapporté de la ville un véritable théâtre de marionnettes peint de couleurs vives.

Non, rien n'avait changé en apparence. Margot allait continuer de soigneusement cacher aux yeux de tous les vêtements noirs, souvent maculés de traînées sombres, que Louis lui ramenait discrètement après une visite en ville. Lui-même allait continuer à dissimuler soigneusement tout instrument du supplice qui devait, pour une raison ou une autre, séjourner au domaine. L'erreur du chevalet* fut aisément réparée avec le dévoilement d'un vrai chevalet pour la peinture, et l'engin muni d'un encliquetage à rochet disparut. Personne ne posa plus de questions à son sujet. Et si quelqu'un s'était hasardé à en poser, Louis, qui avait entreposé le tout à Caen, tenait sa réponse toute prête : « C'est pour le moulin », aurait-il dit.

Mais, en dépit des apparences, l'ogre était loin d'être apprivoisé. Lionel le savait. Il n'était qu'assoupi, de cet étrange sommeil vigilant des prédateurs ; ses yeux s'ouvraient, scintillants, au moindre son ; ses oreilles et sa truffe frémissaient ; Louis était aux aguets et se tenait sans cesse prêt à l'attaque au plus petit signe de ce qu'il pouvait considérer comme une agression. Lionel savait aussi que c'était à partir de maintenant qu'il devenait réellement dangereux.

Le moine en eut la certitude dès l'instant de la bénédiction finale des fiançailles, à la fin de leurs festivités nocturnes. La maisonnée au complet s'agenouilla autour de lui et il prononça une prière que chacun écouta avec la ferveur dont pouvait être capable tout bon chrétien après une nuit sans sommeil passée à faire ripaille.

La prière terminée, Louis fut le premier à vouloir se remettre debout. Mais la main de Lionel se plaqua sur son épaule. Le colosse fut maintenu dans sa position pendant quelques instants de plus que les autres, que le moine laissa se relever un à un avec hésitation. Lionel abaissait sur lui un regard de patriarche. Soudain, le jeune homme se déroba et affronta le religieux de toute son inquiétante stature.

— Qu'est-ce qui vous prend ?

Lionel recula.

— Une dernière chose avant de vous souhaiter la bonne nuit, mon fils. À partir de maintenant, vous pouvez apprendre quelque chose de neuf. Vous pouvez déjà percevoir votre vulnérabilité et celle des autres; maintenant, apprenez à percevoir aussi la dignité infinie que recèle notre humble condition humaine.

Louis refusa d'admettre que cette phrase l'avait privé de sommeil. Il mit son cauchemar sur le compte de la bonne chère. Il redescendit au rez-de-chaussée, dans la grande pièce silencieuse où palpitaient les dernières braises de l'âtre.

Ce fut là que Jehanne le retrouva une heure plus tard, endormi, assis tout de travers dans son grand fauteuil. L'enfant grimpa sur ses genoux et se pelotonna contre lui. Elle le sentit remuer légèrement alors qu'il se réveillait. Il se tendit sous elle comme un grand chat nerveux. Cela était devenu si familier à la fillette qu'elle n'y prêtait plus attention. Louis avait simplement sa façon à lui de réagir au toucher. Jehanne joua un instant avec ses grandes mains, puis colla l'oreille contre sa poitrine. Elle put entendre la vibration de ses muscles et de ses nerfs. Elle dit tout doucement, en posant la main sur le sein gauche de son fiancé:

— Ce n'est pas vrai que vous êtes sans cœur. Moi, je l'entends, votre cœur.

Deuxième partie
(1360-1364)

Chapitre VI

Responsa mortifera

(Réponse mortelle)

Hiscoutine, début avril 1360

L'hiver qui s'était éternisé avait enfin consenti à battre en retraite avec sa glace larmoyante, laissant derrière lui dans un ciel grisâtre, empli de promesses opalescentes, de grandes brises tièdes fleurant bon la mer et des bourgeons vernissés tout prêts à éclore. Le tiède avril caressait tendrement les blancheurs fatiguées de la neige qui se retirait peu à peu, laissant s'étendre çà et là, parmi landes, genêtières et forêts aux conifères de sinople*, de larges plaques brunes et détrempées. L'air se chargeait d'odeurs fluides et de quelques chants d'oiseaux encore intimidés.

En l'espace de quelques jours, la cour du domaine devint si boueuse que l'on s'abstint d'y conduire les bêtes. L'impressionnant Tonnerre s'y fut enfoncé jusqu'aux genoux. Il demeura donc à l'écurie et dut prendre son mal en patience.

Les grésillins, ces longs glaçons pointus qui festonnaient le bord des toits, se mirent à fondre. Les plus petits furent les premiers à tomber. Ébréchés par le soleil, ils hérissaient la terre spongieuse qui bordait la maison. Les corniches édentées attirèrent un groupe de garçons excités dont ils devinrent la proie en un bel après-midi. Ils se mirent à cogner du poing sur les grésillins plus résistants qui, eux, s'obstinaient à ne pas se planter à leurs pieds. Ils s'en firent des épées et partirent en quête du Graal parmi les sentiers qui fourmillaient à l'orée du bois.

D'insignifiants ruisselets s'étaient en une journée transformés en véritables terrains d'aventure. Si le groupe de chevaliers était fort convaincant, il avait sans s'en rendre compte tôt fait de semer en chemin une jolie pucelle nommée Viviane. Un aimable ruisseau saisonnier la prit en charge et ce fut en sa compagnie qu'elle dévala la pente en chantant. Le cours d'eau était certes réduit, mais un généreux apport liquide provenant de la fonte des neiges sur la colline le nourrissait et lui communiquait une fougue attirante. Jehanne en fut fascinée à un point tel qu'elle en oublia d'être Viviane et de rejoindre les preux dont le groupe s'était considérablement éloigné. Les voix de Sire Lancelot, de Perceval, de Galahaad et des autres furent soufflées par l'haleine de la colline. Jehanne ne s'aperçut de rien. Le ruisseau pailleté de gemmes ricanait, frivole. Il lui racontait toutes sortes d'histoires amusantes, tant et si bien que le soleil se coucha sans que les chevaliers fussent revenus avec leur Graal, en l'occurrence, une belle coupe d'étain subtilisée à Blandine. Leurs épées avaient fondu et, depuis un bon moment déjà, leur quête était devenue tout autre.

Jehanne ralentit et se pencha pour boire. Le ruisseau allait se perdre dans un étang inconnu d'elle, parmi un lacis de petits aulnes et de roseaux ployés. Elle sursauta : un halbran* s'envola en rasant l'eau grise de ses palmes et s'éleva, le cou tendu.

Elle écouta le bruit du vent dans les branches nues. Il n'avait plus le même son. De plus, il refusait toujours d'apporter avec lui une voix de garçon. Jehanne se remit debout. Une goutte oubliée sur son menton frémit en scintillant. Peut-être s'était-elle un peu trop éloignée. Elle haussa les épaules et fit demi-tour.

Remonter la pente s'avérait fatigant. Cela lui prit davantage de temps qu'à l'aller. À l'occasion, elle levait les yeux vers le ciel qui s'assombrissait. Elle se demanda si elle était vraiment allée aussi loin. Les garçons s'étaient sûrement mis à sa recherche, ils n'allaient pas tarder à arriver. Mais la forêt était décidément très grande. Elle ne s'en était jamais pleinement rendu compte auparavant. Elle parcourut les environs immédiats d'un œil alerté. Et s'ils ne la retrouvaient pas? Il commençait à faire froid et de plus en plus noir. Elle s'arrêta à nouveau pour prêter l'oreille. Toujours aucun signe de vie. Il ne restait plus rien de familier. Aucune voix humaine rassurante. Jehanne était complètement seule et le ruisseau ne chantait plus.

Après avoir égrené deux ou trois pas, elle s'arrêta à nouveau. La cime noire d'un pin pointait cruellement le firmament d'un bleu irréel. Un peu de vent passa entre les branches et l'objet fantomatique s'anima, menaçant. La fillette laissa échapper un gloussement de terreur. Le vent souffla juste assez longtemps pour couvrir sa fuite. Après quoi, il alla réveiller des arbres plus loin. Les troncs se dressaient dans une pénombre phosphorescente qui en exagérait les détails inhabituels : l'écorce de l'un semblait hérissée d'épines, tandis que celle d'un autre grouillait d'insectes répugnants. Des bruits insolites provenaient de partout à la fois. Elle n'osa plus avancer, comme si le sol sous ses pieds était lui aussi sur le point de se transformer en autre chose que ce qu'il était en réalité, en ogre gigantesque par exemple, qui peut-être s'apprêtait à ouvrir, juste sous ses pieds, sa gueule béante.

Soudain, une sorte de crépitement sur sa gauche la fit sursauter : tapie dans l'ombre, une créature tachetée gratta le sol. Elle se dandina vers l'enfant et se figea lorsqu'elle l'aperçut. Son couinement s'amalgama au cri de Jehanne et elles détalèrent toutes les deux en même temps dans des directions opposées. Heureusement, aucun monstre n'eut le temps de l'engloutir.

La brise se renforça et se chargea d'une odeur tenace, mais Jehanne n'en ralentit pas sa course pour autant. Elle s'enfonça au hasard, plus avant dans la forêt, sans se rendre compte qu'elle laissait loin derrière elle les tout derniers vestiges d'un sentier. Ses jupes se prenaient dans des ronces qui se changeaient en affreuses pattes griffues et grognaient comme de vieilles sorcières lorsque l'enfant se débattait pour s'en dégager.

Jehanne dut pourtant finir par interrompre cette course éperdue, car un point au côté lui coupait le souffle. Elle avisa un rocher sur lequel elle grimpa pour s'y pelotonner, hors de portée de toutes ces créatures maléfiques qui affleuraient hypocritement à la surface de la terre.

Les oreilles pleines du bruit de son propre souffle et des battements accélérés de son cœur, elle n'entendit pas tout de suite la plainte. Mais bientôt il ne lui fut plus possible de l'ignorer. Elle tourna prudemment la tête et se risqua à regarder. Un tronc creux encore debout haletait douloureusement tout près d'elle. Pétrifié, d'un gris blanchâtre contrastant avec la noirceur d'encre de la nuit, il évoquait par ses rares branches une main squelettique s'agrippant avec désespoir au voile nocturne. Terrorisée, Jehanne fut incapable d'émettre un son jusqu'à ce qu'une nuée de volatiles noirs s'ébattît en haut des cimes pour protester bruyamment contre quelque intrus grimpeur.

La voix stridente de Jehanne, qui s'enroua très vite, rebondit contre les arbres en échos lugubres. La fillette s'entoura de ses propres cris comme d'un rempart. Comme si chacun d'eux, en quittant sa bouche, allait prendre vie et se transformer en sentinelle protectrice.

La voix humaine a pourtant ses limites et Jehanne dut finir par se taire. La gorge enflammée par l'effort et par le goût âcre de sa panique, elle se remit debout et recommença à errer en sanglotant pitoyablement. Elle grelottait de froid, de peur et d'épuisement. Il n'y avait plus rien à faire. Elle allait mourir de faim et de froid dans cette forêt sans que personne n'en sût jamais rien, ou alors un loup viendrait la dévorer.

Jehanne fonça tête première dans un obstacle invisible qui l'arrêta net dans sa course avant de se dérober. Elle tomba assise et leva les yeux, hébétée. Une esconse* pendait dans le vide. Ou presque, car elle entrevit bientôt une main qui tenait l'objet, puis un visage dont les prunelles sombres luisaient comme des braises.

— Ça va? Rien de cassé? demanda une voix rassurante, une voix aimée qui n'était pas celle qu'elle avait attendue.

— Maître, oh maître!

Louis se pencha et prit l'enfant par le bras pour l'aider à se relever. Du plat de la main, il chassa quelques brindilles de ses jupes déchirées, mais il n'eut pas le temps de faire davantage: la fillette se jeta dans ses bras.

Seul le ruisseau sut si leurs chemins s'étaient croisés de façon fortuite ce soir-là. Louis avait vu les garçons revenir seuls à la brune, penauds, et était parti avec sa lanterne sans dire un mot à personne. Il avait mis plusieurs heures à rechercher Jehanne et ne l'avait retrouvée que grâce à ses cris.

— Rentrons, dit-il.

Jehanne ne se fit pas prier. Elle glissa sa petite main dans celle de son fiancé, qui en fut trop saisi pour se rétracter. Ils se mirent en route.

Mais Jehanne était lasse; ses jambes ne la supportaient plus. Elle fut incapable de marcher longtemps. Elle s'arrêta soudain et se planta devant Louis en tendant les bras vers lui.

— Prenez-moi!

Il baissa les yeux vers elle avec incrédulité. «Et puis quoi encore?» pensa-t-il. Il ne sut jamais par la suite comment il en vint à se pencher, à accepter cette demande. Jehanne l'enlaça par les épaules et ses jambes enserrèrent sa taille. Il la souleva et la soutint d'une seule main à cause de l'esconse*.

— Vous êtes si grand! Grand comme un arbre!

Louis se remit en route avec son chaud fardeau qui, chose étonnante, avait conservé assez de vigueur pour l'étreindre fortement.

— Restez avec moi toujours, toujours, dit-elle.

Son nez, en une instinctive quête de sécurité, écarta doucement les mèches sombres et l'étoffe du haut col pour se nicher contre la peau tiède du cou de Louis. L'homme s'efforça vainement de repousser sans brusquerie ce petit visage de chaton reconnaissant. La respiration accélérée de la gamine s'apaisa graduellement tandis qu'elle se pelotonnait sous sa demi-étreinte. Il dut se rendre à l'évidence : il allait devoir trimballer cette petite pieuvre jusqu'à la maison.

Après avoir coupé à travers un pré boueux, Louis traversa la cour. Il aperçut une silhouette qui longeait la maison et cherchait à se défiler. Il appela :

— Toi, viens un peu par ici.

Sam se détacha de l'ombre et vint les rejoindre devant la maison en traînant les pieds. Louis déposa la fillette et ouvrit la porte, faisant à Sam signe d'entrer.

— Jésus, Marie, Joseph! s'exclama Blandine.

— Margot! dit Jehanne, en allant se jeter dans les bras de la grosse gouvernante afin de la rassurer.

Toute la maisonnée qui, depuis le crépuscule, s'était morfondue dans la grande pièce, se regroupa autour d'elles, formant cocon. Louis s'avança pour déposer sa lanterne sur la table et se retourna vers Sam qui restait planté sur le seuil.

— Alors, jeune homme, vous entrez? dit un père Lionel amaigri par les privations du carême, d'un ton qui n'admettait pas de discussion. Il vint se tenir près de Baillehache. Sam dit, embarrassé :

— Pas besoin de me dire *vous*. Il faut que j'aille m'occuper des chevaux.

— C'est bien possible, mais j'estime que tu nous dois quand même des explications. Approche, je te prie.

Aedan pinçait les lèvres avec une telle appréhension qu'elles en disparaissaient presque entièrement sous sa barbe hirsute.

— Nous t'écoutons, Samuel, dit l'aumônier.

— Elle s'est perdue dans la forêt.

— Dans la forêt?

Le moine se détourna de lui et regarda Jehanne.

— Qu'est-ce que cela signifie, ma fille? Te rends-tu compte que la forêt est un endroit très dangereux, surtout par les temps qui courent? Tu aurais pu faire une mauvaise rencontre.

«Elle en a fait une», fut tenté de dire Sam. Il jeta un coup d'œil à la dérobée au religieux dont l'allure et la voix, soudain trop autoritaires, lui déplaisaient. Elles ressemblaient trop à celles de

Baillehache. Mais, de ses longues années de mutisme, Lionel avait conservé l'habitude de ne jamais parler très fort, pas même aux prêches. Son débit demeurait un peu saccadé, ce qui communiquait à ses paroles un air de timidité qui n'y était probablement pas. Néanmoins, lorsqu'il parlait, on eût dit qu'il était toujours pressé de se taire afin que ses paroles pussent continuer à vivre sans lui.

— Mais, mon père, il n'y avait pas de danger puisque le maître est venu, protesta mollement Jehanne.

Elle se confiait volontiers aux mains sécurisantes de Margot qui l'avait assise sur le plan de travail pour entreprendre de la débarbouiller. Son esprit flottait dans un monde rendu cotonneux par tant d'émotions et de fatigue, mêlées au bonheur de retrouver enfin la chaude quiétude et la chaleur de la maison. Sam dit :

— On n'est pas allés loin, je le jure.

— Ne jure pas, petit mécréant, ronchonna Margot.

Lionel renchérit :

— Tout cela est loin d'être clair. Puisque vous y êtes allés ensemble, comment se fait-il que notre chère petite se soit égarée ? Tu me parais un bien piètre ange gardien.

— Les copains et moi, nous avons dû marcher trop vite et, quand nous nous sommes retournés, nous avons vu qu'elle n'était plus là. Nous nous sommes mis à la chercher partout jusqu'à ce qu'il fasse trop noir.

Louis fit un pas en avant et dit au garçon d'écurie :

— Il n'est plus question de quitter le domaine. C'est bon pour toi aussi. Arrangez-vous pour toujours rester en vue. Si elle venait à avoir un accident et que j'aie quelque raison de te soupçonner, tu aurais affaire à moi. C'est bien compris ?

Jehanne voulut intervenir :

— Maître, c'était ma faute.

— Demoiselle, permettez. C'est à lui que je m'adresse. Alors ?

— Ça va, j'ai compris, dit Sam en baissant ses yeux émeraude sur sa paire de pieds sales.

Il était incapable de soutenir sans vaciller le regard trop insistant de Baillehache. Margot minaudait :

— Si c'est pas malheureux. Toujours prête à se porter à la défense de ceux qu'elle aime, même si c'est à son détriment. Je vous le dis, cette enfant n'a pas de malice. Elle est d'une autre nature que nous autres. Le démon a dû l'oublier quand il a barbouillé le monde avec le péché originel.

Louis dit à Sam :

— De toute façon, tu n'auras plus guère le temps de faire des bêtises. Nous allons nous mettre au travail dès demain. L'Escot, tu descendras avec moi au village.

Aedan hocha la tête en signe d'approbation, satisfait de constater que le premier souci de Louis était pour ses gens. Décidément, ce bonhomme avait le cœur à la bonne place.

Plus tard cette nuit-là, peu avant matines*, Lionel remua sur sa couche. Comme d'habitude, son sommeil avait été de courte durée. Une fois réveillé, il ne se rendormait jamais. Il se tourna sur le dos et fixa le plafond de sa chambrette sans le voir. Un gros chat, lové au pied du lit, s'étira et vint lui ronronner une confidence. Lionel se demanda comment le félin avait bien pu faire pour se trouver là. Tout en flattant distraitement le dos arrondi de la petite bête, le moine se prit à réfléchir sur l'incident de la veille.

La façon d'être de Louis lui revenait sans cesse. Il n'éprouvait à son égard ni aversion ni peur. Mais s'insinuait chaque jour davantage en lui une sorte de malaise, un sentiment qu'il désignait ainsi faute de trouver un autre nom à ce qu'il ressentait. Louis était si distant, son comportement était tellement surveillé. Il n'avait jamais vu nulle part ailleurs une telle maîtrise de soi. Mais dans quel but affichait-il à l'égard de tout une telle impassibilité? «C'est lui-même qui est parti à la recherche de Jehanne. Il n'a envoyé personne d'autre à sa place. Il aurait pu. Et j'ai la certitude qu'il ne serait pas revenu sans elle», se dit-il. Sans savoir pourquoi, il avait l'impression que Louis eût pu disparaître dans la forêt pour ne jamais revenir. Pour s'échapper, peut-être. «Allons donc, quelle idée ridicule. Pourquoi voudrait-il fuir cette occasion inouïe qui lui est offerte?» Non, tout cela n'était pas survenu pour rien. Et cette impression qui subsistait. Il y avait là un indice, il en était persuadé. Mais il n'arrivait pas à saisir lequel.

Le matou entreprit de piétiner les couvertures entre son flanc et son bras afin de se ménager un creux douillet. Lionel sourit. Que ce chat ait déjoué la vigilance de Margot s'avérait une bonne chose: il lui sembla que son ronron grumeleux le portait de nouveau au sommeil. C'était du jamais vu. Et alors qu'il se sentait emporter doucement par la somnolence, la réponse à sa petite énigme vint toute seule: «C'est Jehanne qui a ramené Louis, et non l'inverse.» Heureux, il remercia le chat et se rendormit.

*

C'était un clair après-midi de la fin d'avril. Les jeunes feuilles des sous-bois étaient encore toutes chiffonnées, car elles s'étaient hâtées de quitter leurs bourgeons trop étroits. Un vent sucré y folâtrait avec une gaieté juvénile. Alors que le soleil descendait à l'horizon, des rossignols apparurent sur chaque cime d'arbre. Le crépuscule s'emplit à un point tel de leur chant qu'on eût cru que Dieu avait créé le monde pour eux seuls. Les longues bandes de velours mordoré des champs agrandis s'étendaient tout autour du hameau et dans la prairie surélevée du manoir. Les sillons de terre fraîchement retournée fleuraient bon les promesses d'une abondance à venir. Les graines qui leur avaient été confiées attendaient fiévreusement, au creux de leur cachette, le moment propice pour sortir saluer la lumière du jour. Celles qui avaient été semées dans de nouveaux sillons semblaient s'être perdues à tout jamais parmi le lacis d'arbustes déracinés dont on avait jonché le sol l'année précédente. En pourrissant dans la terre meuble, ils allaient bientôt céder leur place aux jeunes céréales.

On eût dit que Louis savait être partout à la fois. Il était infatigable. Entre ses assignations à Caen, il avait peint les murs intérieurs de la maison d'un enduit blanc à base de chaux et d'eau salée qui, en séchant, avait l'air phosphorescent. Il avait astreint les habitants du hameau et du domaine, lui-même inclus, à de nombreuses corvées collectives dont Aspremont avait été le point de départ.

Il y avait désormais un forgeron au village. Louis l'aida à installer son échoppe et lui commanda une variété d'instruments agricoles : faucilles, bêches, faux, houes. Et comme il projetait aussi de planter une vigne sur un coteau ensoleillé qu'il avait repéré, il équipa sa ferme d'un assortiment d'outils viticoles : serpettes, pressoir, cuve, fouloir et tonneaux.

Louis avait fait en sorte de consacrer à chaque famille quelques jours qu'il avait passés avec elles à débroussailler leurs terres montueuses, principalement à la bêche et à la houe. C'étaient les outils d'une agriculture intensive millénaire, celle des tenures paysannes. Mais bientôt il s'arrangea pour faire fabriquer une herse et loua en ville un attelage de bœufs. Le sol put ainsi être soigneusement égalisé avant d'être ensemencé. Louis fit aussi l'acquisition d'une charrue à versoir qui entraînait une méthode d'ensemencement différente, beaucoup plus rapide. Les grains étaient mis en terre avant le labour, et c'était en passant la charrue dessus qu'ils étaient recouverts. Ainsi, les semailles furent faites à la volée et on n'eut pas besoin de herser une seconde fois pour les recouvrir. Il s'agissait principalement de seigle et d'avoine. L'avoine était une céréale nourrissante et facile à faire pousser en terrain pauvre; quant au seigle, à poids égal, il produisait davantage de farine que le froment. Le sol appauvri des champs abandonnés, qui étaient devenus siens l'automne précédent, avait été jusque-là soumis aux caprices du froment, cette céréale délicate; des blés d'hiver peu exigeants, seigle, orge et épeautre allaient lui succéder dès l'automne, car Louis avait acheté des semences qui allaient mieux convenir au climat rude de son pays d'adoption. Il avait grandement favorisé l'épeautre dont il avait acquis suffisamment de semences pour fournir ses paysans, car ce blé indigène était reconnu pour sa robustesse; il rendait la meilleure farine après élimination des sons, en plus de bien s'adapter au sol pauvre et de supporter la froidure; enfin, dernier avantage non négligeable, les grains se conservaient longtemps grâce à leur balle épaisse.

Le maître avait aidé les villageois à réparer leur chaumière en torchis et avait vécu quelque temps avec eux, ce qui avait alerté les femmes. Elles avaient craint de ne pas se montrer à la hauteur des attentes d'un tel hôte. Bien entendu, elles ne pouvaient se douter que leur modeste pièce commune avec coin cuisine installé contre le mur était assez semblable à celle de sa petite maison rouge de Caen, même si la leur était dépourvue de cheminée[44]. Il avait regardé les femmes s'affairer, accroupies sur le sol de terre qui entourait leur foyer, à caler le fond des poteries à chauffer l'eau ou le potage dans des alvéoles prévues à cet effet. D'autres petites dépressions servaient à contenir les cuillères en bois qui étaient utilisées pour touiller les plats bouillis. Elles allumaient leur feu sur une sole en terre cuite ou en tessons de céramique disposés de chant, avec un briquet de métal qu'elles cognaient sur une pierre. Un soufflet servait à raviver les flammes. L'un des habitants, mieux pourvu, possédait une sole en vrais carreaux. Comme Louis, ces familles possédaient un ameublement rudimentaire, mais fonctionnel. La plupart des meubles, en bois, servaient aussi d'espaces de rangement. Quelques seaux étaient laissés en permanence à la disposition de tout un chacun afin que l'on pût aller chercher de l'eau à la fontaine commune. Certains possédaient un vieux tonneau qui servait à récolter l'eau de pluie. Enfin, la plupart avaient aussi une louche, une chasière* à fromage, des couvercles pour les pots à mettre en réserve et une souche pour servir de billot. Faute de cheminée, crémaillères, chenets, lèchefrites, gaufriers et broches se cantonnaient au manoir ou à la taverne; c'était là les deux seuls endroits où les villageois pouvaient espérer consommer un peu de viande rôtie. Autrement, ils se contentaient d'un trépied, d'un poêlon à bouillie, peut-être d'un petit chaudron, d'un pot de cuivre ainsi que d'un pot de terre percé pour cuire le pain sous la cendre chaude. Cela rappelait à Louis l'un de ses nombreux projets, soit la construction d'un vrai four à pain.

Malgré toutes ces limitations, Louis savait reconnaître et apprécier la débrouillardise des paysans. L'imagination dont faisaient preuve les femmes pour améliorer l'ordinaire était considérable. Elles savaient cuisiner de petits miracles avec presque rien; à leurs aliments, toujours bouillis, s'additionnaient les seuls condiments qui leur étaient accessibles, soit le sel, le poivre, l'ail, le verjus et la moutarde. Le pain cuit sous la cendre et les œufs sur la sole ne requéraient même pas l'usage d'ustensiles. En période d'abondance, on pouvait fort se satisfaire du menu modeste d'un paysan qui était alors varié avec ses œufs, ses laitages, ses galettes et ses volailles. L'eau de rose et le poivre long ne manquaient pas à Louis autant que les fruits ou le bon pain de Gonesse.

Les gens découvraient en lui un homme sévère mais compréhensif. Si quelqu'un se portait malade, il se hâtait de lui proposer gratuitement des soins, ce qui était certes généreux, mais qui avait aussi l'avantage d'éviter les malaises fantoches dont souffraient, hélas, trop souvent les paresseux.

Le père Lionel, lui, s'avéra aussi utile au travail des champs que son vieux chien malcommode. Son premier sillon ressembla à un fleuve de plaine et son second croisa le premier en biais avant que le soc de la charrue ne rencontre une grosse pierre qui le brisa comme de la faïence. Louis eut vite fait de renvoyer le religieux au manoir avec le titre de régisseur. Cela plut fort au moine, qui préférait de loin faire les comptes plutôt que de se faire constamment harceler par des hordes de grosses mouches dont Louis n'était pas la moindre. Ce garçon de la ville, dont les sillons étaient parfaitement rectilignes et qui avait ramené de Caen un cochonnet rose, avait eu le don de lui saper le moral avec des remarques désobligeantes telles que «Ne me dites pas que vous êtes encore pris?» et «Qu'êtes-vous en train de tracer? Une lettre géante?»

Ses frères moines manquaient à Lionel; sa grande bibliothèque et la vie de là-bas aussi. Il avait souvent l'impression que le seul lien qui lui restait avec eux était la règle de saint Benoît, qu'il s'efforçait de suivre de son mieux dans les conditions qui étaient désormais siennes.

— Un jour viendra où nous aurons une laiterie, avait dit Aedan en jetant un coup d'œil nostalgique à leur unique chèvre. Nous pourrons apprendre à fabriquer de somptueux fromages.

Lionel, mine de rien, avait retenu l'idée.

Le mois de mai aimait plaisanter. Il se moqua de l'hiver encore tout proche dans les mémoires en faisant floconner des églantiers que Louis n'avait jamais remarqués et, dans le verger, il fit la fortune de Jehanne en jonchant l'herbe émeraude de piécettes jaunes. Sam recueillait chaque jour de ces précieux boutons-d'or pour les lui offrir en secret. Et Louis aima à se promener sous l'écume des pommiers noueux. Des papillons blancs et jaunes, intrigués eût-on dit par le noir détonnant qu'il portait, s'amusaient à voleter autour de sa personne. À cause de son âpreté naturelle, il était difficile de se douter qu'il se sentait, selon ses propres dires, «satisfait». C'était pour lui ce qui se rapprochait le plus du bonheur.

Dès que le travail de la ferme lui accorda un répit, au début de l'été, Louis entreprit d'importantes rénovations. Il fit adjoindre un auvent pour le bois à l'appentis, et le toit de la maison se couvrit d'une cuirasse écaillée faite d'ardoises. Le chaume fut relégué aux dépendances. Le moulin devint entièrement fonctionnel et le métayer commença à enseigner ce qu'il savait de la meunerie à Hubert, tout en s'efforçant de ne pas trop rappeler à lui le douloureux souvenir des Bonnefoy. Le projet de four à pain fut amorcé par l'acquisition de bonnes briques, un achat que Lionel qualifia de dépense excessive, d'autant plus que tout le monde allait nu-pieds afin de ménager des chaussures passablement usées. Mais Louis avait été catégorique à ce sujet et avait rétorqué : «C'est l'été. Mettez des sabots si vous tenez tant que ça à être chaussés.» Il fallut donc se rendre à l'évidence que le four était quelque chose d'indispensable à ses yeux et que la sole en pierre ne suffisait plus.

À la fin de juin, pourtant, Louis ne s'était toujours pas occupé de son tas de briques. Il s'était trouvé autre chose de plus urgent à faire.

Les enfants, dont on laissait la jeunesse s'ébrouer à plaisir, furent les premiers à avoir connaissance de sa découverte. Ils l'avaient suivi dans la forêt, un après-midi, jusqu'à la clairière où il s'était arrêté. Sa grande silhouette sombre avait une apparence vaguement inquiétante parmi un rassemblement de petits feuillages qui poussaient très serré et lui frôlaient le bas des jambes. Il s'était accroupi et mâchait quelque chose.

— Des fraises! s'était exclamé Sam.

Louis s'était retourné dans sa direction, le menton barbouillé d'un jus rouge qui ressemblait à du sang. Les jours suivants furent donc consacrés à la cueillette, à la mise en conserve dans du vin de Bordeaux et au séchage des petites baies en forme de cœur. Ensuite, d'autres baies sauvages mûrirent et furent récoltées par les enfants, que Louis avait mis à contribution malgré les ronchonnements de Sam.

Sans attendre la permission de quelque garde forestier qui, de toute façon, ne devait plus être là, Louis avait fait de la forêt un magasin où il allait prélever de jeunes arbres fruitiers pour enrichir son verger à demi sauvage, des poiriers, des pruniers, des noyers et des cerisiers. Les lapins de garenne qui n'avaient pas été consommés furent installés dans un clapier tout neuf que l'on adossa au poulailler. La basse-cour devint un peu plus variée, et Toinot se porta volontaire pour s'occuper, à la lisière qui bordait le verger, de plusieurs colonies de mouches à miel. La saison qui avançait en âge et en sagesse devenait de plus en plus prodigue en fruits sauvages : poires, pommes, prunelles, cornouilles, framboises, mûres, myrtilles, cenelles emplirent le garde-manger de Blandine. La jeune femme avait pris Louis en affection dès l'instant où il s'était mis à bêcher l'emplacement d'un nouveau potager, ce qui ne l'avait pas empêchée de ramener de la forêt quantité de légumes sauvages ainsi que des cèpes, des girolles, des morilles moins populaires, en plus des grenouilles et des escargots. Plus tard viendraient s'ajouter faines*, noisettes et noix pour l'huile, ainsi que des châtaignes et des glands pour la farine. Louis avait même songé à démarrer une petite pharmacie qu'il approvisionnait en diverses plantes médicinales.

— Tout cela, mon fils, c'est pour avoir suivi mon conseil et avoir convié le village à la procession des Rogations*, avait assuré le père Lionel.

Juillet passa sans qu'on lui prêtât l'attention à laquelle il eût été en droit de s'attendre. Août œuvra donc à le rappeler aux mémoires trop ingrates en traînant dans son sillage les senteurs surchauffées de son prédécesseur. Il laissa le vent se tarir comme un puits dont on avait trop abusé. Le ciel voilé distillait une luminosité blanche, sédative. L'atmosphère stagnante engluait la moindre feuille d'arbre. Tous les oiseaux des alentours avaient égaré leurs partitions. Après avoir effectué un petit travail à l'insu de tous, Louis, en quête de fraîcheur, avait de bon matin pris la direction de la forêt.

Dans la partie plus sauvage de la futaie où il s'arrêta, la végétation était drue et confuse. On eût dit qu'il se trouvait à l'intérieur d'une gigantesque cruche verte aux parois de verre bosselé. Les rayons trop crus du soleil y arrivaient de façon filtrée, adoucie en une luminosité indolente. L'air capiteux y ralentissait le moindre mouvement. D'abondants moustiques, enivrés par le vin oublié au fond de la cruche, multipliaient leurs prouesses aériennes. Dans plusieurs creux ombragés, des fées avaient déroulé de grandes fougères odorantes. Leur senteur mélangée à celle des buis était lourde, ondoyante, charnelle. Louis s'étonna de l'effet grisant qu'elle produisait et s'en inquiéta un peu.

À la fin de l'après-midi, un miel clair commença à s'écouler lentement le long des parois de la cruche géante. Il s'attarda dans certains creux et, au moment où il atteignait enfin le fond, les fougères se transformèrent en plumes lumineuses. Le silence n'eut soudain plus lieu d'être : invisible, un coucou se mit à appeler du fin fond de cette nouvelle Brocéliande*. Une délicate fougère dorée s'inclina aux pieds de Louis qui s'était arrêté pour prêter l'oreille. Il chassa de la main un moustique qui ne cessait de voler tout de travers juste devant son visage. Il se dirigea vers un tronc tapissé de mousse très verte et s'assit. Sur un gros caillou près de là, une mouche bleutée s'était posée. Elle y demeurait parfaitement immobile, comme si elle avait conscience que les rayons diffus du soleil l'avaient changée en bijou vivant. Elle luisait avec cet éclat métallisé de l'émail, à nul autre pareil.

Après avoir fait la pause pour réfléchir un peu, le coucou reprit son chant tout près. Louis leva les yeux. C'était si tranquille. Cela faisait du bien. Il avait l'impression d'être seul au monde. Il se donna une claque sur la nuque et se regarda la main dans laquelle le moustique trop audacieux s'était étoilé. Après avoir essuyé sa paume contre ses chausses, il porta de nouveau la main derrière sa tête. Un objet rêche s'était logé dans ses cheveux. Sa main se referma dessus : c'était un mince copeau blond qui avait dû y séjourner clandestinement pendant quelques heures.

Cela lui ramena à l'esprit le travail qu'il avait fait plus tôt. Travail complètement inutile, d'ailleurs. Il se demandait encore ce qui lui avait pris. Quoi qu'il en fût, les enfants allaient être contents de trouver leur tour coiffée de branchages et d'une partie du vieux chaume qu'il avait récupéré du toit de la maison.

*

*H*iscoutine, automne 1360
Un épouvantail régnait encore sur son champ dénudé dont les

meules d'or, sagement alignées tout autour à distance respectueuse, reposaient placidement sous les cieux cléments de l'après-midi en attendant d'être conduites à la grange. C'étaient là les dernières de la saison. Une seule d'entre elles n'allait pas être en état pour effectuer le voyage, car elle avait fait l'objet d'une attention particulière dont elle eût fort bien pu se passer. Éparpillée et piétinée qu'elle était, il n'y avait plus grand-chose à en faire. Près de là se dressait l'épouvantail dont les haillons frémissaient sous la brise. Sa face en toile de sac souriait innocemment au cavalier qui approchait à toute allure depuis la lande rocheuse, l'air de dire: «C'est pas moi, j'ai rien fait.»

La crinière de la jument fouettait le visage de Sam. Galvanisé par la course folle que la bête bienveillante lui avait fournie dans le seul but de lui faire plaisir, le garçon brandit son épée de bois et hurla:

— Chargez!

L'épouvantail résista vaillamment à l'assaut. Tandis que Sam faisait faire demi-tour à sa monture, il se rendit compte que l'adversaire à peu près intact continuait à le narguer en se balançant doucement sur son support.

— Ah, sale gredin. Ça ne se passera pas comme ça. Tu vas voir.

Le visage de l'épouvantail était en train de changer. Mais Sam ne s'en aperçut pas tout de suite.

— Comme je te retrouve, ravisseur de princesse. Tu ne peux plus lui faire de mal. Elle est à moi.

Le cheval chargea de plus belle. Arrivé à la hauteur de l'épouvantail, Sam se jeta dessus et plongea avec dans la meule qui formait tout autour un épais matelas. Les deux combattants se livrèrent à une lutte sans merci à même le sol, sous le regard placide de la vieille jument qui avait décidé de profiter de cette pause pour paître un peu.

— Ah, maraud. On ne fait plus le fier, maintenant, hein? Tiens!

Sam roula dans le chaume en tabassant l'épouvantail qui perdit un bras. Des brins de paille s'accrochaient à la chevelure du garçon comme s'ils cherchaient à en assagir la couleur de feu.

— Prends ça, ça et ça!

L'épée de bois traversa de part en part le corps mou de l'épouvantail, que Sam laissa s'affaisser sur lui d'une façon très réaliste. Il demeura étendu là un moment afin de reprendre son souffle, imaginant le trépas héroïque de son adversaire. À cet instant, il put pleinement voir le visage qu'il y avait fait apparaître à la place du sourire un peu niais, grossièrement brodé avec un reste de vieux fil rouge. Cette image lui fit honte. Il s'assit et éloigna le mannequin avec rudesse. L'épouvantail, dont le visage redevint anonyme, tomba face contre terre et ne bougea plus.

— Maître Baillehache ne sera pas content lorsqu'il verra cette pagaille, dit une voix.

Sam se retourna. C'était le père Lionel qui s'amenait, suivi de Blandine et de Toinot qui bavardaient gaiement. Ils prirent seuls la direction d'un sentier qui bordait le bois, histoire de faire un brin de jasette au long d'un petit détour sans malice. Le religieux venait aussi de semer Jehanne en chemin sans s'en rendre compte. Mais l'enfant ne s'éloigna guère. Sam regarda d'un air navré l'épouvantail qui gisait parmi les vestiges de la meule. Force lui fut d'admettre, une fois le jeu terminé, que les dommages étaient considérables. Mais le garçon opta pour un air bravache. Il se leva, mit les mains dans les poches et donna un coup de pied penaud dans le tapis de chaume.

— Et alors? Il n'est jamais content, de toute façon.

Trois adorables parachutes d'asclépiade vinrent se poser délicatement sur la coule noire du moine tandis qu'un petit groupe de graines poursuivait plus loin son vol placide. De sa phalange pliée, le père Lionel en caressa un avec précaution. Les poils, longs, soyeux et immaculés, s'incrustèrent davantage dans les fibres du tissu.

— Mon père! Mon père, regardez! J'en ai une autre! cria Jehanne, qui brandit fièrement une coque intacte, encore boursouflée par ses rangs serrés de graines aventureuses.

«Je me demande s'il est possible de s'habituer au fait de ne rien trouver à répliquer, parfois», songea Lionel autour de qui se mit à graviter une dense formation de graines volantes.

— Sam, appela Jehanne au moment où elle les rejoignait en courant.

Il lui dit:

— Tiens, j'ai quelque chose pour toi.

Il s'approcha et lui remit une petite fiole en verre bosselé qu'il avait bouchée avec une retaille de tulle nouée autour du goulot.

— Oh! Où as-tu eu ça? C'est très joli.

Sam haussa les épaules.

— Je l'ai trouvée. Regarde ce qu'il y a dedans.

Elle tint la fiole à la hauteur de ses yeux. Effectivement, il y avait au fond un petit objet jaune qui changeait mystérieusement de forme au gré de la lumière. Curieuse, Jehanne déboucha la fiole. Tout au fond se terrait un papillon affolé.

— Il est blessé? demanda la fillette avec inquiétude, déjà prête à emporter l'insecte à maître Baillehache pour lui faire prodiguer des soins.

— Je ne le crois pas, non.

Jehanne l'examina attentivement et le relâcha en secouant doucement la fiole.

— Je savais qu'elle allait faire ça, dit Sam en prenant le moine à témoin.

— Cela allait de soi, répondit Lionel.

Il salua le papillon jaune qui disparut parmi des tiges ligneuses et ajouta:

— La libération d'un tel captif constituait l'offrande idéale pour une journée comme celle-ci.

Les premières récoltes avaient produit un meilleur résultat que celui auquel on s'était attendu, compte tenu des circonstances. Très bientôt, ils allaient pouvoir s'occuper du battage, et le moulin allait enfin avoir de quoi se mettre sous la dent.

Pour bien faire les choses, l'automne avait résolu de se montrer exubérant avant de s'endormir. Une débauche de soieries brodées d'or et d'ambre baignait encore dans la tiédeur du soleil. De l'or fondu s'écoulait goutte à goutte des arbres sous le vent d'octobre. Le champ où le trio flânait en ce dimanche après-midi était rembourré de chaume blond et parfumé. Les hautes tiges sèches des dernières plantes tardives ourlaient le bord du pré et, juste derrière, des arbres dénudés offraient aux écureuils besogneux le réseau complexe de leurs branches. À cet endroit, les chênes seuls agitaient encore avec orgueil leur châle cuivré. Quelques pins, ces sentinelles hivernales, déployaient sereinement leur uniforme vert.

— Dites donc, vous sortez d'où, mon père? dit la voix taquine de Blandine qui s'en revenait avec Toinot. On croirait voir un cygne maigrichon et à demi plumé.

— Jehanne et ses asclépiades sont responsables de mon apparence discutable, ma chère fille. Ces mignonnes exploratrices aériennes craignent peut-être de prendre leur envol. En tout cas, elles semblent tenir à moi.

Des bruits de sabots venant du chemin attirèrent leur attention. Sam se leva du tas de chaume dans lequel il venait d'enfouir Jehanne et secoua machinalement ses braies. Il y avait deux cavaliers. Une douzaine d'hommes les suivaient derrière, au pas de course. Ils se dirigeaient en menant grand tapage vers un boqueteau qui isolait leur pré d'un second champ. Ils piétinèrent une meule avant de disparaître entre les larges fûts des premiers chênes.

Ils ne reparurent pas de l'autre côté.

— Dieu tout-puissant, des routiers, souffla Lionel.

Sam enfourcha la jument et lui laboura les flancs de coups de talons inutiles.

— Non, Sam! Reviens! rappela en vain le moine.

— Que se passe-t-il? demanda Jehanne, dont la tête dorée émergeait du tas de chaume.

Il ne restait plus au religieux qu'une seule chose à faire : mettre Jehanne à l'abri au plus vite.

— Je l'ignore. Venez. Venez, rentrons.

L'urgence du ton n'admettait pas de réplique. Jehanne prit la main de Lionel et l'accompagna jusqu'à la maison sans discuter. Ils furent suivis de près par Toinot et Blandine. Le bouquet d'arbres refusa de leur révéler son secret. Mais, lorsqu'ils entrèrent dans le manoir, ils virent que Sam ne s'y trouvait pas.

Les trois hommes s'occupaient à lier les javelles d'une fenaison tardive et à en empiler les gerbes sur une charrette[45]. Hubert, Thierry et Aedan s'étaient dit ce matin-là que le Seigneur n'allait pas leur en vouloir de travailler exceptionnellement pendant Son jour pour la bonne cause.

— Il va pleuvoir demain, c'est moi qui vous le dis, avait annoncé Aedan. Si on ne se hâte pas de ramasser ce fourrage aujourd'hui, on va le perdre.

Cela avait suffi à convaincre Louis, davantage que le père Lionel, que le foin devait passer avant la piété ce jour-là.

En dépit d'une vague appréhension, Sam huma l'air avec délices. L'arôme du foin fauché, chauffé par le soleil plus rare de cette saison, n'était pas sans évoquer celui du pain. Cela avait quelque chose de sécurisant.

— Arrête-toi, Sam, dit soudain la voix familière de Thierry.

L'ancien maître d'armes était invisible à cause des jambes des étrangers qui le cachaient à sa vue. Les deux cavaliers hirsutes et barbus avaient mis pied à terre. Les autres s'étaient regroupés autour d'eux. Aucun de ces hommes à pied n'avait plus de vingt ans. Ils se mirent à discuter entre eux dans un dialecte approximatif composé d'un mélange d'anglais, de breton et d'occitan qu'ils avaient l'air de comprendre sans trop de mal. La plupart d'entre eux portaient la brigantine* et étaient armés d'épieux, de fauchards ou de houlettes sur lesquelles ils avaient assujetti un fer de vouge*. L'un d'eux possédait une feuille* en guise d'arme d'hast. Leur chef était vêtu d'un jaque jazequéné*. Sur son menton vivotait une barbiche jaune qui ressemblait à une poignée d'herbes sèches. Tous tournèrent la tête avec méfiance dans sa direction, puis s'en désintéressèrent. Il devina plus qu'il ne vit Hubert, qui ne cessait de répéter à l'un des hommes :

— Je ne comprends pas. Comprends pas.

L'un d'eux dit quelque chose à son voisin. Hubert n'en saisit pas davantage le sens.

— Sam? dit encore Thierry, que les hommes consentirent à laisser passer.

Les deux hommes qui s'étaient parlés s'avancèrent d'un commun accord. L'un d'eux retint le cheval par la crinière tandis que l'autre forçait Sam, qui était monté à cru, à en descendre. Les deux hommes fouillèrent le gamin sans conviction et le poussèrent jusqu'au groupe. Sam entrevit du sang qui avait éclaboussé l'un des andains* dont le ramassage avait été brutalement interrompu. Une fourche gisait non loin de là. Celui qui avait l'air d'être le chef le regarda s'avancer, et ses lèvres lippues brillèrent de salive.

— Saloperie de nigousse*, dit Aedan.

L'Écossais était couché sur le dos, à même le foin qu'il avait fauché. Il tourna vers Sam un visage dont les joues habituellement vermeilles ressemblaient à du parchemin froissé auquel on se serait vainement efforcé de redonner l'aspect du neuf. Sa tête reposait sur les genoux d'Hubert. L'étoffe multicolore de son kilt était en train de disparaître sous une tache qui s'agrandissait et donnait au tissu une seule et même couleur sombre, sans éclat. On ne remarquait pas immédiatement les bulles de salive rougeâtre qui lui affleuraient aux lèvres. Hubert leva les yeux vers l'enfant et dit :

— Dieu sait pourquoi il a commis l'imprudence de se porter au-devant d'eux pour les empêcher de passer. Ces fripouilles sont des Goddons* ou je ne sais quoi au juste. Ils doivent avoir débarqué à Calais[46].

En état de choc, Sam alla s'agenouiller auprès de son grand-père sans un mot et se mit à caresser ses longs cheveux couleur de paille. Une boucle s'accrocha à l'un de ses doigts, comme elles le faisaient toujours.

— *Seanair**?

— C'est rien, c'est rien, petit. Allez, t'en fais pas, dit Aedan d'une voix faible.

De voir ainsi couché en plein champ cet homme qui possédait la paisible prestance d'un bon cheval de labour avait quelque chose d'incongru pour Sam. C'était sûrement une erreur, il ne pouvait pas être blessé réellement. Dans un instant il allait pouvoir se relever. Il allait rentrer à la maison pour vider une chope et rire un bon coup de la frousse qu'il lui avait faite. *Seanair** avait toujours été là, il avait toujours été tel que Sam l'avait connu. Rien ne pouvait arriver à *seanair**.

Les Anglais conversaient entre eux, indifférents, s'entretenant peut-être à propos de ce qu'il convenait de faire. Ils paraissaient un peu déconcertés par ce qui venait de se produire. Hormis les deux Écossais, aucun des paysans n'osait attirer leur attention, ne fût-ce que par un geste ou une toux malvenue. Peut-être n'attendaient-ils qu'un prétexte pour les tuer tous.

— *Le saynewer. By saint Georges, where is the saynewer*[47]? demanda impérativement l'un des Anglais dont la face de dogue luisait de sueur.

— Bon Dieu, je n'ai pas la moindre idée de ce qu'il demande, dit Hubert.

Aedan dit à son petit-fils:

— Ils demandent à voir le seigneur. Non, mais, où se croient-ils, ces pauvres tarés? À la cour? En tout cas, je les ai passablement dessoûlés, mon petit gars, ça c'est sûr. Laisse-moi te dire qu'y en a un qu'a eu le fondement percé à coups de fourche. Regarde-le un peu, c'est celui qui se frotte le cul.

— C'est bien fait, dit Sam.

— Par la boudine ratatinée d'un petit vieux, je te jure que la prochaine fois qu'il va aller pisser, le potron* lui coulera de partout comme une passoire.

Sam ne put s'empêcher de pouffer de rire.

Un affreux bruit mat fit sursauter tout le monde, à l'exception d'Aedan qui avait tout vu. Les brigands se retournèrent à temps pour voir l'un des leurs s'écrouler face contre terre, la tempe fracassée. Derrière lui se tenait un géant armé d'une massole*.

Des dagues ressortirent précipitamment des fourreaux et un assortiment d'armes furent pointées en direction de la poitrine de Louis qui, sans ciller, laissa tomber sa massole* près du corps et leva à demi les mains.

— *Where the hell does that come from*[48]? demanda l'un des cavaliers, qui pointa le géant du menton en toisant ses compagnons pour avoir été ainsi surpris par-derrière comme une bande d'incapables.

---

47. «Le seigneur (mot français déformé). Par saint Georges, où est le seigneur?»

48. «D'où diable cela vient-il?»

— Du calme. Qui êtes-vous? demanda Louis comme si personne ne menaçait de le transpercer.

— *Bloody son of a bitch*[49]*!*

— *No, wait*[50], dit l'un des cavaliers en s'interposant et en retenant son acolyte par l'épaule.

— Maître, maître, appela la voix brisée de Sam.

Louis détourna son regard des routiers pour le poser sur la triste scène qu'offraient les deux Écossais. C'était la première fois que Sam l'appelait ainsi. Aedan avait fermé les yeux. Peut-être avait-il perdu connaissance.

L'un des bandits s'avança vers son compagnon inerte pour le ramasser tandis qu'un autre appliquait le picot de sa dague contre le ventre de Louis. Le cavalier, une nouvelle fois, retint le geste.

— *Leave him, leave him. He's one awesome bastard, isn't he? Almost worth keeping alive. It will be a great wonder to watch such a brave man die*[51].

S'adressant à Louis, il questionna:

— Toi, *saynewer?*

— Quoi?

— Sé-nieur.

— Ah. Non, je regrette, il n'y a pas de seigneur ici. Il n'y a que moi.

— *Good for you then. Show me to your coin and wine*[52].

— ... *and your women*[53], dit l'un des hommes.

Ses compagnons ricanèrent. Le barbu aussi. Il se corrigea:

— *Right. Do as we say and perhaps we'll let you live. Agreed*[54]?

— Non.

— *What*[55]?

— Je n'ai rien compris.

— *Damned Franklin**[56]*!*

— Qui vous envoie? Quel est votre chef? Robert Canolles? demanda Louis au barbu.

---

49. «Sale enfant de chienne!»

50. «Non, attends...»

51. « Laisse-le, laisse-le. N'est-ce pas là un formidable bâtard? Il vaut presque la peine d'être gardé en vie. Ce sera merveille que de voir mourir un aussi brave homme.»

52. «Tant mieux pour toi, alors. Montre-moi où sont ton argent et ton vin.»

53. « ... et tes femmes!»

54. «C'est ça. Fais ce qu'on te dit et peut-être qu'on te laissera vivre. D'accord?»

55. «Comment?»

56. «Maudit Franklin.»

— *No. King Edward is, and we're coming to see him wear the crown of the Capets*[57], brama un jeunot aux lèvres charnues, qui se voulait impressionnant.

Cela fut accueilli par un enchevêtrement de commentaires joyeux dont Louis ne saisit pas un mot.

En tant que petit-fils de l'ancien roi de France Philippe le Bel, Édouard III d'Angleterre jugeait que le trône devait lui revenir davantage qu'aux Valois de parenté indirecte.

Un homme à barbiche s'avança avec impatience et posa la pointe de sa dague contre le haut col de l'homme en noir et dit :

— *I'm your ruler, Franklin*. James de Pipe, at your service. God's friend, and everyone's enemy*[58].

— *There's a monk approaching*[59], dit quelqu'un.

Sans tenir compte de l'arme, Louis tourna la tête en direction de la pente où croissait la vigne dont une partie, redevenue sauvage, donnait des grappes aigrelettes mais délicieuses. Lionel venait dans leur direction, une main levée et le sourire bienveillant comme s'il accueillait les bandits à l'église. Il portait un coffret sous son autre bras.

— *Gaude blesse you, maille childrène*[60], dit-il.

De se trouver soudain en présence d'un interprète convenable causa un remous autant parmi les agresseurs que parmi leurs victimes. Lionel dit :

— La bibliothèque de l'abbaye regorge d'excellents ouvrages en langues étrangères. Disons que j'en ai un peu glané sans m'en rendre compte au fil de mes lectures.

Hubert eut le temps d'expliquer au religieux :

— Aedan se débrouille en anglais, mais il refuse d'adresser la parole à cette pendaille. Leur chef, c'est lui, celui qui se tient avec le maître. On peut dire que vous arrivez à point nommé. Il s'est

---

57. « Non. C'est le roi Édouard, et on vient pour le voir porter la couronne des Capet ! »

58. « C'est moi ton chef, Franklin. James de Pipe, pour te servir. Ami de Dieu, ennemi de tout le monde. »

Cette phrase fut réellement utilisée par l'un des chefs de ces pillards qui étaient de toute nation mais se disaient Anglais. Ils se nommaient eux-mêmes les Tard-Venus, ce qui faisait référence aux brigandages passés de la jacquerie.

James de Pipe, un routier anglais, occupa Rupierre, près de Caen, en février 1362, donc un peu moins d'un an et demi après cet incident, qui est fictif.

59. « Il y a un moine qui approche. »

60. « Dieu vous bénisse, mes enfants », avec un très fort accent.

213

fichu dans de sales draps et je crains qu'il ait grand besoin de votre aide pour communiquer avec eux.

— C'est plutôt moi qui aurais besoin d'aide pour communiquer avec lui, marmonna Lionel.

— Pardon?

— Non, rien. Je réfléchissais. Allons-y.

Le moine alla s'agenouiller auprès du jeune bandit qui venait de mourir et ouvrit son coffret. Quelques coupe-jarrets se réunirent prudemment tout près afin d'en examiner le contenu. Il s'agissait d'objets du culte. Lionel administra l'extrême-onction au défunt. Ses compagnons semblèrent apprécier ce geste. James de Pipe contraignit Louis à s'avancer et à mettre un genou en terre. Ils assistèrent à tout le rituel avec une dévotion qui avait quelque chose d'assez étonnant.

Une fois que Lionel en eut terminé, il se releva et annonça quelque chose aux bandits, puis il traduisit ce qu'il venait de dire à l'intention des siens:

— Il y a ici un autre homme qui requiert assistance.

Avant qu'ils n'en eussent pris pleinement conscience, les bandits s'étaient déjà écartés du chemin de ce moine à la carrure sobre. Lionel s'accroupit aux côtés des deux Écossais.

— Ça va, Aedan?

— Comme vous pouvez voir, je suis en pleine forme.

Le moine se tourna vers Louis et l'appela:

— *My son*[61].

Un grand maigrichon siffla entre ses dents. Cela en fit ricaner quelques-uns. L'un des hommes dit au chef anglais:

— *The nerve of those Franklins**[62]*!

En guise de réponse, les bandits désarmèrent leur captif et l'encerclèrent de près. Son épée passa de main en main tandis que les hommes échangeaient à son propos des commentaires admiratifs, ainsi que des avis partagés sur la possibilité que son propriétaire fût sans doute plus fortuné qu'il ne le laissait paraître. L'un des jeunots tira la grande lame du fourreau et la tint à deux mains, pour s'amuser, dans la claire intention d'en frapper Louis aux jambes comme s'il était un arbre à abattre. Ils se mirent à plusieurs pour empêcher l'homme en noir de se dérober.

Mais le père Lionel ne les laissa pas faire. Il vint se planter entre le bandit et Louis qui, surpris, cessa immédiatement de se débattre.

---

61. «Mon fils.»

62. «Quel culot, ces Franklins!»

214

Le bénédictin souriait et paraissait très sûr de lui. Il y avait là de quoi confondre quiconque le connaissait un tant soit peu.

— *Move, Father*[63], intima James de Pipe qui se tenait à la gauche de Louis.

— *No*[64].

— *Move, or I'll slit his throat right away*[65].

— *No. You donte ouanne-te tou dou zat*[66].

— *Want to bet that I do*[67]?

— *Plise, grante mi e moment so zat I canne connefaïde inne you. I bègue you*[68].

— *Oh, all right. But be quick about it*[69].

Tout sourire, avec pour l'Anglais le regard d'un complice, le moine alla chuchoter quelque chose de très bref à l'oreille de James de Pipe. Ce dernier éclata de rire et annonça :

— *Hear this, old chaps : our* saynewer *is a hangman*[70]!

Le petit secret du père Lionel changea tout : vouges* et fauchards s'éloignèrent de leur cible et furent brandis en l'air avec un tonnerre d'acclamations hilares. Plusieurs hommes s'approchèrent pour donner à un Louis stupéfait quelques tapes amicales sur la joue ou l'épaule et deux d'entre eux vinrent même lui serrer la main comme à un collègue. Chacun y allait de sa petite remarque qu'il essayait d'accrocher au vol. De son côté, le moine observait la scène avec le même amusement inexplicable.

— Je constate que je ne suis pas le seul à apprécier les traits d'humour divins, dit-il.

Louis lui demanda :

— Que leur avez-vous dit ?

Mais le père Lionel n'eut pas le temps de lui répondre qu'il avait compté sur l'aveu de ce détail pour éveiller chez les brigands un brin de sympathie à l'égard de cet autre paria qu'était le bourreau. James de Pipe s'approcha pour remettre à Louis son épée et poussa ce dernier avec une brusque camaraderie, en

---

63. « Poussez-vous, père. »

64. « Non. »

65. « Poussez-vous, ou bien je l'égorge tout de suite. »

66. « Non. Vous ne voulez pas faire ça », avec accent.

67. « On parie que je le veux ? »

68. « S'il vous plaît, accordez-moi un moment afin que je me confie à vous. Je vous en supplie », avec accent.

69. « Oh, d'accord. Mais faites vite. »

70. « Écoutez ça, vieux copains : notre seigneur est un bourreau ! »

direction des deux Escots* qui attendaient toujours. Les routiers firent cercle autour d'eux.

Sans plus tarder, il alla s'accroupir auprès d'Aedan. Il souleva son vêtement de laine avec précaution. Il y avait une coupure d'au moins six pouces de long sur son flanc. Elle saignait abondamment. Tout autour, une grande ecchymose était en train de bleuir. Le souffle d'Aedan était court et crépitant. Louis ne mit qu'un instant à lui palper la cage thoracique.

— Ça se rend aux côtes, hein? lui demanda le vieil homme.

Louis lui fit signe que oui. Il ne jeta qu'un bref coup d'œil à Sam qui attendait, les yeux rivés sur lui. Le garçon demanda, avec inquiétude:

— Est-ce que ça se soigne?

— Je vais faire de mon mieux.

Il regarda en direction du moine:

— En premier lieu, il devient urgent de refermer cette plaie qui saigne trop. Trouvez-moi du crin et une alène.

Sa requête fut traduite et satisfaite avec une célérité qu'aucun otage n'eût osé espérer. Louis s'empressa de recoudre la blessure d'Aedan, qui serra bravement les mâchoires. Pendant ce temps, Thierry, Sam et Hubert firent ce qu'ils purent avec leurs vêtements et des arbrisseaux à partir desquels ils confectionnèrent un brancard grossier qui allait être utilisé pour transporter le blessé jusqu'à la maison.

James de Pipe s'approcha pour dire à Louis quelque chose que Lionel traduisit:

— Il nous permet de retourner au manoir pour que vous puissiez mieux y soigner l'Escot, à condition de vous souvenir que vous devez leur prodiguer des soins, à eux aussi.

— Ça va. Allons-y.

Il acquiesça et marcha sans y penser en tête du cortège qui s'ébranla vers la maison. James de Pipe et ses sbires n'en prirent pas ombrage. Ils se contentèrent de suivre les brancardiers en chantant un vieux refrain qui offensait la mémoire de sir William Wallace[71].

— La ferme! Que la lèpre vous ronge les génitoires* et vous laisse avec des voix de gueuses, saletés d'Anglèsches, gronda Aedan que son petit-fils ne quittait pas d'une semelle.

Le cortège arriva dans la cour en éparpillant les volailles caquetantes. Louis s'arrêta près du seuil et fit face aux Anglais. Il ouvrit la porte derrière son dos avant de faire signe à Hubert et Thierry, à qui on livra d'abord le passage.

— *Gentlemen first*[72], dit James de Pipe à Louis, avec un sourire narquois.

Il poussa le bourreau devant lui et se tordit le cou pour claironner, à sa bande :

– *Mick, One-Eye, Robert, with us. The rest of you fellows, go and have a look at that mangy little village down the hill. Oh, and check up the barn on your way there, will you*[73]?

Les serviteurs s'étaient regroupés dans la grande pièce et formaient cocon autour de la civière qui venait d'être déposée sur le sol dallé. Aedan avait tenu à s'asseoir en prenant appui contre le mur, Sam à ses côtés. Depuis le coin de la pièce où il se tenait, le père Lionel semblait attendre, ses mains maigres frileusement cachées à l'intérieur de ses amples manches. Jehanne avait trouvé refuge auprès de lui. Son visage était à demi enfoui dans la bure et elle observait la scène d'un seul œil. Louis avançait lentement, impassible, les bras le long du corps, encadré par deux des Anglais. Le chef se tenait toujours juste derrière lui. Il avait passé un bras par-dessus son épaule afin de lui maintenir sa dague sous le menton.

— Ne tentez rien contre eux, dit le maître, surtout à Toinot qui suivait leurs moindres gestes d'un air belliqueux.

Et il attendit lui aussi. Quelques ordres brefs furent donnés, et deux des hommes entreprirent de fouiller bruyamment la pièce, bousculant les meubles, jetant par terre de la vaisselle en bois et en terre cuite qui se fracassa bruyamment. Les coffres ouverts n'eurent rien d'autre à leur offrir que du linge ou des objets personnels.

Le chef fit asseoir Louis avec rudesse sur l'un des coffres fouillés qui étaient poussés devant la table. L'autre chef obligea le père Lionel à rédiger une lettre qu'il lui dicta, car il ne savait ni lire ni écrire. Ses acolytes entreprirent de fouiller les autres pièces du manoir, y compris les combles. Ils revinrent bredouilles et la mine renfrognée.

— Me voici donc leur tabellion*, remarqua Lionel doucement. Mais nous devrions éviter de nous comporter comme des gens que ces démonstrations impressionnent.

---

72. « Les gentilshommes d'abord ! »

73. « Mick, Un-Œil, avec nous. Vous autres, compagnons, allez jeter un coup d'œil du côté de ce petit village galeux en bas de la colline. Oh, et en chemin, vérifiez donc la grange, d'accord ? »

217

— Pourquoi donc? C'est ce qu'ils veulent, dit Louis, qui inclinait la tête un peu aimablement vers James de Pipe.

— À propos, avec quoi m'avez-vous recousu, espèce de boucher? dit Aedan en se redressant. Avec des tripes de chat? Parce que ça me tourmente comme s'il y en avait un qui essayait de me sortir du ventre.

James de Pipe s'esclaffa. Le second cavalier vint rejoindre son compagnon et dit, d'une voix assez forte pour que tous pussent l'entendre :

— *I like hearing French, but too much of it gives me a headache*[74].

— Donne, *saynewer*. *Spit out your coin*[75], dit le chef en empoignant les cheveux de Louis et en lui tirant la tête en arrière.

Le colosse esquissa un petit mouvement du bras pour désigner son côté droit. L'Anglais se pencha pour arracher la bourse qui pendait à la ceinture de son otage et la soupesa en émettant un grognement dubitatif.

— C'est tout ce que j'ai, dit Louis.

Des hennissements furieux montèrent soudain de la cour. Ils furent suivis des cris de plusieurs hommes et du tapage produit par divers objets que l'on bousculait. Louis tenta de se lever, mais il fut rassis de force par le chef qui regardait en direction de la fenêtre aux volets clos.

— *What the*[76]...

La porte d'entrée s'ouvrit brutalement et un homme tomba à la renverse, sur le dos, serrant encore une longe dans sa main. Un autre s'efforçait en vain de faire reculer le grand cheval noir qui menaçait de le piétiner. Tonnerre battait l'air de ses sabots astiqués et roulait des yeux mauvais. Il se laissa retomber sur ses pieds et rua, l'encolure arrondie. Un ouf! suivi du bruit d'une chute prouva aux occupants de la maison qu'il avait fait mouche. Tonnerre recula dans la cour où les autres hommes, s'en étant revenus du village les mains à peu près vides, tentaient en vain de l'encercler. Un calice volé à l'église roula jusqu'au seuil de la maison. Son prétendu propriétaire, dont le but avait été de s'en faire un luxueux hanap, s'en allait en titubant : il saignait du nez.

L'individu à la barbiche n'eut guère le loisir de se soucier de la commotion que la monture convoitée avait causée au sein de sa

---

74. «J'aime bien écouter parler français, mais trop, ça finit par me donner mal à la tête.»

75. «Crache tes sous.»

76. «Que...»

troupe : Louis le saisit par le bras, tira et lui assena un coup de tête en pleine figure. À demi assommé, l'homme desserra quelque peu son emprise. Cela fut suffisant. Louis se redressa et lui administra un coup de poing qui le fit trébucher contre le coffre. Le routier s'affala de tout son long sur la table. La brigantine* de l'Anglais fut semée de débris de vaisselle et de mangeaille.

Tonnerre parvint enfin à écarter les indésirables et prit au galop la direction du pré qui s'étendait derrière la maison. James de Pipe cligna des yeux effarés en apercevant ses hommes qui se rassemblaient devant la porte de la maison, maladroits, le corps endolori et l'esprit embrouillé. Quelque chose de froid lui effleura la gorge. C'était la dague de Louis, qui se tenait juste à côté et abaissait sur lui un regard malicieux. En une fraction de seconde, les rôles s'étaient inversés. La bande au grand complet était réduite à l'impuissance par la déconfiture de son chef, qui ricana faiblement en disant :

— All you have, heh? You bloody liar[77].

— Margot. Sers-leur à manger, dit Louis sans quitter l'Anglais des yeux.

— Quoi ?

— Sers-leur à manger, j'ai dit, et n'oublie pas le vin.

Un bouilli achevait de mijoter dans l'âtre. Il n'allait pas y en avoir suffisamment pour nourrir tout ce monde. La gouvernante parvint néanmoins à verser dans les neuf écuelles qu'ils possédaient une louchée du potage consistant. Pour les autres, elle dut se résoudre à utiliser des gobelets qui n'avaient pas été cassés.

— Et nous alors, on va manger quoi ? souffla Toinot entre ses dents.

Louis le regarda brièvement et répondit :

— Estime-toi heureux de ne pas avoir eu de la terre plein la bouche pour souper.

Cela suffit à faire taire Toinot et son estomac qui protestait. Louis lui dit encore :

— Tiens, surveille-le.

Il remit sa dague par la lame à l'homme râblé qui s'était approché.

Aedan fut déménagé dans le lit de sa chambrette qui se trouvait dans l'aile des domestiques. Le vieil homme était redevenu très calme. Tout le monde faisait semblant de ne pas remarquer son

---

77. « Tout ce que tu as, hein ? Sacré menteur. »

teint livide, ni les gouttelettes écarlates qui luisaient parfois depuis la commissure des lèvres, tels de petits rubis, et qui sinuaient dans sa barbe désordonnée. Seulement quelques gouttes. Terribles. Hypocrites. En présence de Sam, Louis appliqua à l'Escot des linges oints d'une huile où avaient macéré ensemble de la sauge, de la lavande, du géranium, du romarin, de la camomille et du thym.

— C'est pour amoindrir la phlegmasie*, expliqua-t-il.

— Merci bien.

Les yeux rivés au plafond de la chambre, il sembla prêter l'oreille aux voix fortes des Anglais qui s'étaient rassemblés dans la grande pièce.

— Ils sont encore là, remarqua-t-il.

— Oui. Ils doivent être passés au vin. J'en avais un peu mis de côté.

Aedan tourna doucement la tête vers Sam et dit:

— Eh, petit, n'oublie pas de surveiller celui à qui j'ai planté ma fourche dans le cul. Il va arroser partout.

Les deux Escots* rirent tout bas. Aedan reprit son souffle. Les yeux émeraude de Sam passèrent de son grand-père à Louis, qui se tenait debout au pied du lit. Il y eut un silence embarrassé.

— Excusez-moi, dit Louis subitement, et il quitta la pièce.

Sam dit:

— Voulez-vous de la musique, *seanair**?

L'enfant n'attendit pas de réponse.

— Je reviens tout de suite, dit-il en sortant à son tour.

Il ne mit qu'une minute à dénicher sa cornemuse qu'il ramena sans avoir été intercepté par les Anglais qui en étaient à porter un toast à la fistule* du dauphin Charles.

— Qu'elle tarisse avant ton vin, traduisit Lionel à l'intention de Louis, qui avait été invité à se joindre à eux.

Le canal artificiel que l'héritier du trône de France portait au bras lui sauvait la vie; le jour où il allait cesser d'évacuer les liquides intrus produits par une maladie inconnue, le dauphin mourrait.

Quelques heures passèrent et les Anglais ne s'en allaient pas. Il fallut attendre pour cela que le vin fût entièrement bu. Ils acceptèrent de n'emporter avec eux que la vieille jument, quelques provisions sèches et la bourse de Louis, que James de Pipe avait gratifié du titre de « collègue ».

Entre-temps, la cornemuse de Sam avait chanté pour les deux Écossais chacun des airs simples qu'elle connaissait. Elle avait meublé le silence et étouffé le bruit angoissant d'une respiration déficiente. Elle avait remplacé la voix qui ne pouvait pas raconter d'histoires. Aedan avait écouté, les yeux fermés. Mais une fois le répertoire de comptines épuisé, il ne fut plus possible de ne pas voir l'écume rouge qui frémissait sous le souffle rauque du vieil homme. Le silence se fit. Il opprima la poitrine du garçon.

— *Seanair**? appela Sam.

— C'est bien, petit. Tu fais des progrès. Je suis fier de toi. L'anche tient toujours bon?

— Oui. J'y fais très attention.

Louis manifesta discrètement sa présence à l'entrée de la chambre, au cas où Aedan aurait eu besoin de lui. Mais le blessé ne réclama rien. Au lieu de quoi, il toussa et dit, d'une voix sans timbre:

— C'est important, la musique, très important. Elle parle à notre place, et souvent mieux que nous.

— J'en ai toujours plein la tête, tellement qu'il m'arrive d'en échapper, dit Sam.

— Excellent. C'est de famille.

Les deux regards émeraude s'accrochèrent l'un à l'autre, puis Aedan dit:

— Alors, on rentre?

Le silence retomba, plus lourd qu'avant.

— Que voulez-vous dire? demanda le gamin.

Aedan réfléchit un moment, avant de répondre:

— Je voudrais bien rentrer à la maison, maintenant.

— Mais on y est.

Aedan fronça les sourcils.

— Ah oui. Mais oui, suis-je bête.

D'un seul regard qui s'emplit soudain de larmes, Sam appela à l'aide. Louis comprit et s'approcha. Ils se regardèrent tous les deux un instant sans rien dire. Puis Sam alla se hausser sur la pointe des pieds pour demander tout bas:

— Est-ce qu'il va mourir?

Louis, qui s'était incliné vers lui, se redressa. Son regard devint vague.

— Je ne sais pas.

— Oui, vous savez. Mais vous ne voulez pas me le dire.

— Chut, pas si fort.

— Dites-le-moi.

Louis le saisit par le bras. Il l'entraîna dans la grande pièce et s'inclina de nouveau pour lui chuchoter d'une voix rude:

— Écoute. Tout ce que je sais, c'est que je ne peux plus rien faire, et toi non plus. Ou plutôt si. Allez, file. Va-t'en prier pour lui avec le moine et ne t'avise pas de venir nous déranger.

Sur ce, il poussa le garçon en larmes vers Margot qui se hâta de le recueillir pour tenter de l'apaiser. Louis retourna dans l'aile s'enfermer avec Aedan. Il prit à son chevet la place de Sam. Le vieillard toussait et crachait de plus en plus. Il dit :

— C'est drôle, pendant un moment je me suis cru ailleurs. Ça doit être à cause de la musique.

— Sûrement, oui.

— Je suis très touché, n'est-ce pas ?

— Oui.

— Vous comprenez, je faisais semblant... à cause du petit. Je suis fichu ?

Louis hésita imperceptiblement. Il répondit, tout bas :

— Oui.

C'était trop grave. Des côtes enfoncées avaient causé à Aedan des lésions internes fatales. Louis avait constaté cela dès qu'il avait vu le vieil homme se mettre à cracher le sang.

L'Écossais ferma les yeux et exhala faiblement, avant de dire :

— Nous, les highlanders, on a tous la peau dure et l'âme de guerriers. On ne renonce jamais. Vous savez ce que c'est. Vous vous êtes battu, vous aussi, ça se voit.

Louis acquiesça.

— Au fond, je ne suis qu'une vieille canaille. Où est-il passé, mon courage, maintenant que j'en aurais tant besoin ?

Une longue quinte de toux l'interrompit. Louis l'aida à s'asseoir afin qu'il pût de son mieux dégager ses voies respiratoires en crachant dans une écuelle. La toux finit par s'amenuiser, laissant le malheureux pâle et sans forces. Louis le recoucha. Plusieurs minutes passèrent avant qu'Aedan parvînt à reprendre la parole.

— Mais voilà, ça y est, je capitule.

Louis mit l'écuelle de côté et passa un linge frais sur le visage parcheminé. Il ne disait rien. Cela importait peu, puisqu'il n'y avait rien à dire. Il se contentait d'être là et cela suffisait. Aedan appréciait son calme. Il s'étonnait de découvrir en lui un homme doux, capable de manifester de la commisération à l'égard d'un autre. Cette constatation lui était d'un grand réconfort. Il dit :

— J'ai cessé il y a peu de me demander pourquoi vous ne riez jamais.

Le géant s'éclaircit la gorge et regarda ailleurs. Cela fit sourire Aedan.

— C'est sans importance, l'ami, allons. J'ai une requête à vous faire.

— Je vous écoute.

— Sam. Il est... ce que j'ai de plus cher au monde. Je lui ai appris tout ce que je sais. Lui seul prendra ma suite plus tard. Soyez celui qui en fera un homme.

— Moi?

— Oui. Il a besoin d'un tuteur solide et j'ai confiance en vous. Lui, en échange, il travaillera fort. Il vous donnera la musique dont vous manquez.

Louis ne sut que dire. Comment avait-il su, ce vieil homme, que la seule musique dont il se souvenait avec quelque émoi était la voix lointaine d'Adélie flottant dans l'atmosphère irisée d'un jardinet qui n'avait jamais eu le droit d'exister? Comment pouvait-il savoir cela alors qu'il commettait en même temps une erreur de jugement aussi flagrante? Lui, la brute, l'ermite, fiancé à une enfant, se retrouvait de surcroît gardien d'un autre.

— Cela ne lui plaira pas, dit-il.

— Et alors? C'est mon petit-fils. Son devoir est d'obéir à ma volonté.

— Je ne connais rien aux enfants.

— Sam vous apprendra. Et puis vous aurez aussi de l'aide.

Louis se sentait pris au piège. Il n'y avait pas d'échappatoire possible. Pas avec les dernières demandes d'un mourant que l'on estimait.

— Bon, ça va. Il restera avec moi, dit-il.

— Merci.

— Mais je saurai me passer de musique.

— Pas sûr, dit Aedan.

Il dut se reposer un moment, avant de dire encore:

— Jehanne l'aime bien. Trop, sans doute.

— Je l'avais remarqué.

— Il faut me promettre que vous ne lui enlèverez jamais la vie à cause de cela.

Le vieux renard. Il avait pensé à tout.

— Je le promets, dit Louis.

— Ça va être long, dit le blessé au bout d'une heure. Trop long.

Son visage ruisselait. Chaque respiration lui coûtait désormais un effort extrême. Il haletait comme un noyé qui était sur le point de sombrer, mais qui refaisait sans cesse surface afin d'arracher à la vie quelques secondes de plus, quelques secondes dérisoires. Il chercha fébrilement la main de Louis. Lorsqu'il l'eut trouvée, il s'en empara et immobilisa le géant qui s'était mis à faire les cent pas. Aedan le contraignit à se pencher au-dessus de lui et il dit encore:

— Pouvez-vous m'aider à... à...

Seuls les yeux verts vivaient encore dans le chaos de ce combat inutile, perdu d'avance. Louis demanda doucement :

— Vous en êtes sûr ?

Aedan acquiesça.

— Je n'en peux plus.

Son regard insistant s'accrochait au visage de l'homme en noir comme à un écueil imperturbable dans une mer dont les vagues tout autour de lui se déchaînaient, lui faisant perdre tout autre repère.

— Proprement. Que Sam n'en sache rien, dit Aedan.

C'était justifié. Aedan avait été frappé par un autre : il n'y avait donc pas de suicide.

Louis fit un signe d'assentiment et sa main fut libérée. Le blessé dit :

— Appelez le moine.

Sam tenta de se faufiler entre la porte entrebâillée et le père Lionel qui s'était tenu prêt de l'autre côté. Sans un mot d'explication, Louis plaqua une main sur la poitrine du garçon et le repoussa. Après quoi il lui ferma la porte au nez. Le bois trembla sous les furieux coups de pied que Sam eût davantage destinés à l'homme.

Pour la seconde fois ce jour-là, le moine administra les derniers sacrements. Il oignit d'huile consacrée les mains et le front d'Aedan et il murmura les prières d'usage auxquelles l'Écossais s'efforçait de répondre lorsque c'était requis. À deux reprises, Lionel dut interrompre la cérémonie pour porter aux lèvres du vieillard l'écuelle dont les parois étaient constellées d'éclaboussures rouges.

Lorsque le religieux quitta la chambrette, Aedan dit :

— J'espère que Dieu ne m'en voudra pas de Lui avoir soutiré Son pardon pour une lâcheté que je n'ai pas encore commise.

Louis songea que Dieu devait être le premier bourreau si c'était Lui, et non pas l'homme, qui exigeait châtiments expiatoires et agonies interminables. «C'est plutôt à un collègue qu'Il devra pardonner», se dit-il.

Sam put enfin revenir au chevet de son grand-père. Aedan lui fit ses recommandations. Le garçon, trop perturbé, ne parut pas y prendre garde. Louis, qui était retourné dans la grande pièce avec les autres, ne revint qu'une fois afin d'ausculter Aedan. Le cœur était vigoureux. Il tenait bon et s'obstinait alors que tout le reste flanchait. Louis se redressa et fit au vieil homme un signe de dénégation en pinçant les lèvres. Sam interpréta ce geste à sa manière, Aedan à la sienne.

— De l'hypocras*, réclama celui qui était en train de se noyer de son sang.

— J'y vais, dit Sam en se précipitant hors de la pièce.

Louis referma la porte derrière lui. La ruse avait pris.

— Bien, dit Aedan.

Louis s'approcha et sortit de sous sa tunique un objet qu'il y avait soigneusement caché. C'était une latte de bois un peu plus épaisse qu'une règle.

— Ce sera prompt, prévint-il.

Le vieillard fit signe qu'il était d'accord.

Doucement, en prenant soin de ne pas bousculer Aedan, Louis éloigna un peu le lit du mur contre lequel il s'appuyait. Il s'assit ensuite au bord de la couche. Il retira les oreillers et déplaça l'homme par les aisselles vers le haut du lit de façon à ce que sa tête fût privée de support. Louis la lui soutint du creux de la main et lui glissa sous la nuque la latte de bois. Il posa son autre main sur le front brûlant. Les deux hommes se regardèrent. Tout ce qu'ils n'avaient pas eu le temps de se dire semblait affleurer à la surface comme de petites bulles pressées : Aedan eût aimé avoir le temps de connaître Louis davantage, de mieux le comprendre. Il eût souhaité rester pour l'aider à la ferme, pour voir les petits grandir et d'autres prendre leur place, pour revoir les églantiers en fleurs, pour saouler le père Lionel à l'eau-de-vie écossaise au moins une fois. Mais, au lieu de tout cela, il fit cette réflexion :

— Faut être drôlement fort pour réussir un coup pareil.

Louis acquiesça et eut alors pleinement conscience à quel point ce bonhomme allait lui manquer. Tout était tellement simple avec Aedan.

— On y va, dit Louis.

— Oui.

La main sur le front de l'Écossais exerça une brutale pression qui lui rejeta la tête par en arrière. Les vertèbres se fracturèrent et empêchèrent le cri d'Aedan d'atteindre ses lèvres.

— Vous avez entendu? demanda Margot qui, à la cuisine, en était à saupoudrer un peu de précieuse cannelle moulue au-dessus d'un gobelet de vin fumant.

— Entendu quoi? demanda le père Lionel.

— Ce bruit.

— Quel bruit?

— Je ne sais pas. Un craquement.

225

— Oui. Moi, je l'ai entendu. Qu'est-ce que c'était? demanda Sam.

— Je n'ai entendu aucun bruit, fit le moine en jetant un coup d'œil à la ronde de telle façon que chacun crût à propos d'avoir été atteint de surdité passagère. Pas vous?

— Non, je n'ai rien entendu, dit Hubert.

— Moi non plus, dit Blandine.

— C'était une espèce de craquement, dit Sam.

— Puisqu'on te dit qu'il n'y a rien, dit Margot. Viens donc plutôt t'occuper de ce gingembre.

Pendant ce temps, Louis avait récupéré sa latte et l'avait à nouveau fait disparaître sous sa tunique. Il replaça délicatement les oreillers sous la tête d'Aedan, dont la bouche était demeurée ouverte sur son ultime cri. Louis l'essuya à l'aide du linge humide. Les yeux émeraude, eux aussi ouverts, exprimaient davantage de surprise que de souffrance. Leur scintillement s'éteignait lentement comme s'il était en train de s'embuer sous un souffle invisible lorsque Louis remit le lit en place avant d'aller rouvrir la porte. Il appela:

— Aitken.

Ce nom, c'était maintenant la seule chose qui restait au garçon. Louis se mit à chercher une façon d'annoncer la mort de son grand-père à Sam qui revenait, son gobelet à la main. Il s'arrêta devant Louis. Le bourreau baissa la tête et se trouva incapable d'ouvrir la bouche. Pas avec ces yeux émeraude qui s'étaient levés sur lui et qui vivaient à nouveau, dans l'incongruité de ce visage jeune. Sam dit quelque chose que Louis ne comprit pas. Le petit Écossais avait égaré l'équivalent français quelque part dans un fouillis de cris retenus. Louis ne trouva rien d'autre à faire que de se pousser de côté afin de livrer passage au garçon qui pénétra dans la chambre. Il se hâta de refermer la porte en tentant de se persuader que c'était pour les laisser seuls.

Personne ne but l'hypocras*. Le gobelet fut oublié sur le coffre où Sam l'avait posé, tout près de l'écuelle de sang.

Ce fut par les cris de Sam que le reste de la maisonnée apprit la nouvelle, juste avant que Louis ne fût de retour parmi eux pour leur annoncer, laconique comme à son habitude:

— C'est fini.

Tout le monde se leva et se signa pour une prière silencieuse. De la poussière et de la fumée qui ne venait pas de l'âtre commençaient à dériver mollement à travers la pièce, éclairée de biais par le soleil couchant que laissaient pénétrer les volets ouverts. Elle accompagnait leurs sanglots et se mêlait à eux dans l'air pétrifié de la maison.

Par tout le pays, les récoltes du même or mat que les cheveux d'Aedan étaient piétinées, et les fermes étaient dévastées par des hordes de brigands qui rencontraient peu ou pas de résistance et qui en profitaient pour bouter le feu à tout ce qui ne pouvait être dérobé. De loin en loin, des incendies déployèrent leurs blêmes oriflammes et plongèrent la jeune forêt dans un silence consterné.

Le froid revint comme un mauvais présage. Le petit cimetière, pétrifié entre les fûts immenses des chênes, était désaffecté depuis longtemps. Il n'y subsistait pas même l'une de ces croix de fer surmontées de leur toit en forme d'accent circonflexe. Les seuls témoins de son existence étaient quelques gros cailloux moussus présentant à fleur de terre leur surface vaguement gravée. On pouvait discerner sous la mince couche de neige un monticule de terre fraîchement retournée. L'avant-veille, on avait porté en terre un jeune charron du village qui avait péri sous les décombres d'une grange en feu. Elle s'était effondrée sur lui alors qu'il s'acharnait à essayer de sauver ses deux bœufs.

Louis achevait de creuser une nouvelle fosse lorsque la triste procession se manifesta à l'orée du boisé où stagnaient des vestiges de brouillard. L'haleine de l'homme en noir produisait de petits nuages pressés d'aller les rejoindre. Il se hissa hors de la fosse, planta sa pelle dans le tas de terre meuble et attendit, les mains croisées devant lui.

Aedan reposait dans son linceul, le visage découvert et les yeux fermés, en paix, sur le même brancard qui l'avait ramené blessé à la maison trois jours plus tôt. Il était porté solennellement par Toinot, Hubert, Thierry et un ami du village qui était particulièrement affligé par cette perte. Le cortège était précédé du père Lionel. Derrière le brancard marchait Sam, le cœur barbouillé de suie, ses pas mal assurés communiquant leur hésitation à ceux des autres qui le suivaient. Des flocons venus de nulle part se posaient sur la chevelure couleur de paille qui seule vivait encore, et ceux qui se posaient sur les cheveux roux du garçon s'étiolaient en palpitant, se transformant pour lui en grosses larmes d'enfant.

Le petit Écossais alla se tenir aux côtés de son nouveau tuteur comme il lui avait été pour ainsi dire ordonné. Louis ne bougea pas. Il tourna seulement la tête et baissa les yeux sur lui. Tout cela lui rappelait trop quelque chose qu'il n'aimait pas. Une autre tombe, celle d'Adélie. Et un autre enfant, lui-même.

— Vous l'avez recousu, mais ça n'a servi à rien, lui dit Sam tout bas, pendant que les autres encerclaient la fosse en silence.

— J'ai fait ce que j'ai pu.

— Ce n'était pas assez puisqu'il est mort quand même. Et puis je n'ai pas besoin d'un tuteur. Encore moins de vous. Tout est votre faute.

Le père Lionel s'éclaircit la gorge. Sam se tut et regarda droit devant lui. Louis fit de même.

— Nous sommes ici réunis pour rendre un dernier hommage à notre cher ami Aedan, qui a si bien su se faire aimer de nous tous. N'ayons nulle honte à pleurer la perte de ce bon vivant qui, j'en suis persuadé, l'est encore, de cet homme fier, courageux. Oui, courageux. Car il a su montrer beaucoup de courage devant l'adversité, cela dans un seul but, malgré l'inutilité apparente de son geste. Qu'il eût été à trois, à cinq ou à dix contre un n'avait pour lui aucune importance. Ce qui comptait pour Aedan, c'était de défendre ceux qu'il aimait. Par conséquent, son décès ne saurait être vain.

Il fit une pause pour regarder Sam, qui baissa la tête. Le religieux dit encore :

— Je dois admettre que la mort d'Aedan m'a d'abord choqué, sidéré. Car elle est survenue de façon très inopportune. Elle nous a tous pris par surprise. Nul ne s'était attendu à la voir arriver si vite.

Lionel se tut encore et regarda longuement Louis, qui ne cilla pas. Mais tous deux se comprirent. Margot aussi comprit, car c'était elle qui avait fait la toilette du mort. Le visage d'Aedan n'avait pas noirci, ce qui eût trahi une mort par étouffement; elle avait donc seulement eu à prendre soin de dissimuler son cou cassé. Elle se contenta de regarder le moine en pinçant les lèvres et en clignant des yeux.

— Cependant, j'ai appris malgré moi que le courage peut se manifester de bien des façons et qu'il peut nous arriver de ne pas en comprendre certaines. Depuis notre plus jeune âge, on nous enseigne à révérer la souffrance pénitentielle; à y voir le plus grand signe de dévotion que l'on puisse manifester à l'égard de Dieu; que ce que Dieu exige en particulier de nous, c'est de la souffrance.

Le moine leva de nouveau les yeux sur Louis. Cette fois-ci le bourreau le regardait attentivement. Une étrange jubilation s'empara de Lionel, malgré son chagrin. Avec ce petit sermon, il s'apprêtait à creuser la terre non pas pour y faire une fosse, mais pour y semer une graine dont le fruit allait un jour, comme le disait Humbert des Romains[78], être cueilli en confession.

— La souffrance est, dit-on, le moyen spécifique que Dieu a choisi, autant pour le travail salvateur du Christ que pour la sanctification de ceux qui imitent le Christ. L'expiation ne vient pas nécessairement d'œuvres de charité ni de la prière ni de l'illumination, mais bien de la douleur. Souffrons et la colère de Dieu sera apaisée. Cela ne peut signifier qu'une chose, c'est que la souffrance est agréable à Dieu.

Personne ne réagissait. On était habitué depuis trop longtemps à ce genre de discours moralisateur, du moins à ce que l'on arrivait à en saisir, pour y trouver quoi que ce fût à contester. Pourtant, quelque chose clochait là-dedans. Ce n'était pas là le type de prêche que le père Lionel avait coutume de faire. Et s'il y avait quelqu'un pour contester l'ordre des choses, c'était bien lui. Mais à quoi bon parler de souffrance à des gens qui ployaient déjà sous son joug? Était-ce pour exprimer la sienne propre? Lionel se refusait à cette éventualité.

Au moment même où ils commençaient à ne plus prêter attention à ses paroles, l'aumônier énonça, avec une ferveur accrue:

— Eh bien, moi, je vous dis, comme Catherine de Sienne, que ce n'est pas tant la souffrance que Dieu apprécie que l'amour révélé par elle[79]. Non, Aedan n'est pas mort en vain. Prions.

Ce fut à Louis que revint la tâche de recouvrir le visage d'Aedan de son linceul replié. Sam ne voulut pas le faire. Ce furent Toinot et Louis qui déposèrent avec douceur le défunt au fond du trou en l'y précédant d'abord eux-mêmes. Et Toinot s'en alla. Cela fut encore Louis qui pelleta la terre par-dessus pour former un monticule sur lequel il planta une croix celtique en pierre gauchement gravée plus tôt par le garçon. Et, pendant tout ce temps-là, seul Sam resta avec lui. Il joua de la cornemuse pour *seanair**.

Louis et Sam ne cessèrent par la suite d'échanger des regards furtifs. Sam appréhendait et désirait tout à la fois un élan de sympathie de la part de son nouveau tuteur. Il aurait aimé que Louis essaie d'insister, qu'il tente au moins une fois de lui montrer qu'il tenait à le réconforter. Même s'il n'attendait peut-être que cela pour le repousser. Mais Louis ne fit rien. Il ne savait que faire ni que dire. Il n'aimait pas l'acuité de ce chagrin qui, pourtant, appartenait à un autre. Elle l'effleurait de trop près.

— Lorsque je serai un guerrier, j'irai me battre contre les Anglesches, dit-il à Jehanne un soir, alors qu'ils s'étaient retrouvés dans leur tour.

Elle enroula sa corde à danser[80] autour de son avant-bras, la plia et en gava la poche de son tablier.

— Tu ne veux donc plus être un ménestrel ?

— Si, répondit Sam sans conviction, en laissant tomber au bas du chemin de ronde quelques poignées de vieux foin.

La fillette tâchait de ne jamais le laisser seul plus d'une heure à la fois. Il avait été décidé que Sam allait dorénavant étriller et bouchonner Tonnerre et le mulet chaque jour. Jehanne prodiguait en outre au garçon des soins qu'elle qualifiait d'essentiels : elle lui avait choisi, dans l'une des dernières portées, un chaton tout blanc si affectueux qu'il s'était mis à lui tourner sans arrêt autour des chevilles dès son adoption. Le garçon devait désormais l'emporter avec lui où qu'il allât. Jehanne s'était ensuite consacrée au nettoyage soigneux de sa cornemuse et avait longuement entretenu Louis au sujet des vertus curatives des bugnes* au miel.

Mais rien de cela n'avait empêché Sam de nourrir à l'encontre de son tuteur une rancune qu'il savait pourtant imméritée. Le gamin voulait à tout prix se convaincre que tout ce qui lui arrivait était la faute de celui qu'il lui était si facile d'accuser. Cela ne lui donnait que davantage de raisons d'en faire son ennemi.

Jehanne ramassa le chaton blanc, lui appliqua un baiser sur le museau et le fit disparaître dans sa poche d'où jaillit le bout de sa corde, comme un serpent d'un panier.

— J'apprendrai à bien me battre. Je saurai faire mieux que ton Baillehache qui est arrivé trop tard.

— Moi, je trouve que maître Baillehache s'est montré bien preux devant ces méchants hommes.

Elle ne pouvait s'empêcher de se sentir fière de Louis dont elle avait grande hâte de relater la bravoure à ses copines du village. Seule parmi les fillettes à être fiancée, l'enfant faisait l'envie de ses camarades même si, à cet âge, on ne pouvait avoir qu'une conception assez abstraite de la chose. Ainsi, le métayer était-il devenu en quelques mois le sujet favori de leurs bavardages et le héros inaccessible de leurs petites histoires. Et cela aussi déplaisait à Sam, qui dit :

— Bien preux, peut-être. Mais il n'a rien pu faire. C'est le père Lionel qui a tout fait. Sans lui, nous serions tous morts.

— Je n'aimais pas leurs yeux rouges. De plus, ils sentaient très mauvais. Qu'a fait le père Lionel ?

— Margot m'a dit qu'il a prié très fort.

Chapitre VII

Les Tard-Venus

Hiscoutine, un an plus tard

Le messager restait plus longtemps que d'habitude en ce jour d'automne 1361. Il avait arrêté sa monture au bout de l'allée et conversait à voix basse avec l'exécuteur de Caen, à qui il remit une épaisse lettre.

— Un sauf-conduit pour vous rendre en ville si besoin est. Il en faut trois seulement pour se rendre de Coutances à Valognes.

— Ça veut dire qu'il en faut un pour aller à Saint-Sauveur-le-Vicomte?

— Oui. C'est le deuxième pour cet itinéraire-là. Il est valable pour toute la région qui entoure la forteresse. Mais c'est aussi le plus dispendieux[81].

— Ah.

Louis n'avait pas eu à débourser pour que lui fût délivré un document semblable, nécessaire à ses voyages à Caen, étant donné qu'il était fonctionnaire de justice. Le messager annonça:

— Je vois que vous vous en êtes tirés à bon compte, ici. Mais prenez garde: ça ne durera pas. Tout le royaume est à feu et à sang. En novembre dernier, Édouard d'Angleterre est venu camper tout près de Paris. Il a fait ses Pâques à Chanteloup et s'est rendu jusqu'à Bourg-la-Reine.

Toinot, Hubert, le père Lionel et Thierry s'approchèrent discrètement en compagnie de Sam. Les femmes demeurèrent sur le seuil de la maison. Tout le monde était attiré par cet échange qui se prolongeait. Ce n'était pas dans l'habitude des courriers que de discuter aimablement avec un bourreau. Le messager dit encore:

— Il n'y avait plus un chat depuis la Seine jusqu'à Étampes. Je l'ai vu de mes yeux vu. J'ai appris que tous s'étaient réfugiés aux faubourgs de Saint-Germain, Saint-Marcel et Notre-Dame-des-Champs...

— Est-ce que... Non, continuez.

— Montléry et Longjumeau étaient en feu. Les villages des alentours aussi. On pouvait voir la fumée monter depuis les remparts. Avant d'arriver devant Paris, les Anglais avaient trouvé les ponts coupés à Rouen. Ça les a fait remonter la rive gauche. Vernon, Verneuil et le Pont-de-l'Arche, tout a flambé. À Pâques, il y avait aux Carmes les prêtres de dix communes pour officier. Ça priait, je vous jure, plus que dans les monastères. Hum... pardon, mon père. Je ne vous avais pas remarqué.

— Il n'y a pas d'offense, mon fils. Le Seigneur est bon et compréhensif. Il comprend notre propension à Lui parler davantage de nos malheurs que de nos joies.

— Oui, sans doute. Hum. Toujours est-il qu'Édouard s'est arrêté à Poissy pour y construire un pont et fêter l'Assomption. Le lendemain, on donnait ordre de brûler les trois faubourgs. Tout homme avait la permission d'y prendre tout ce qu'il pourrait – bois, fer, tuiles et le reste. Ça s'est étendu du côté de Saint-Germain, de Bourg-la-Reine, de Saint-Cloud, et même de Boulogne, oui, si près de la Cité.

— Quoi? dit Louis.

— C'est comme je vous dis. Croyez bien qu'il n'a pas manqué de gens pour tout saccager promptement. Les uns pleuraient, les autres riaient. Laissez-moi vous dire que ceux qui riaient ne causaient pas comme nous. Mais, vous savez, j'ai idée que le rire va bientôt leur rester en travers de la gorge. Il y a une limite à la bravade et à l'audace. Ils ne se rendent même plus compte qu'ils se trouvent engagés en plein cœur du royaume et, malgré tous leurs ravages, les forces du roi de France grossissent chaque jour. Surtout depuis qu'ils ont commis l'affront de venir traîner jusque devant les murs de Paris. Ça, c'est aller trop loin. Ça ne passe tout bonnement pas. Les bourgeois se sont toujours montrés d'une patience admirable. Mais quand le roi a parlé de faire démolir les maisons qui touchaient à l'enceinte de la ville, il a failli déclencher un soulèvement.

Louis se retourna légèrement et son regard erra dans le vide. Il pensait à la boulangerie, à Hugues, Clémence et les enfants. Comment s'en étaient-ils sortis?

— Entrez donc vous chauffer et vous restaurer un brin, messire, appela Margot.

Hubert renchérit :

— Oui, excellente idée. Isolés comme nous le sommes ici, vous nous trouvez assoiffés de commérages.

— Merci bien, mais je ne peux rester.

Pourtant, il descendit quand même de cheval afin d'attirer de nouveau l'attention de Louis.

— Autre chose, Baillehache. Il faut que vous sachiez que dans le petit bourg d'Orly, il y a eu deux cents morts. Tous entassés dans une église dont ils s'étaient fait un donjon illusoire[82]. Les Anglais ne respectent plus rien, pas même les lieux sacrés qui sont tenus depuis toujours pour inviolables. Tenez, j'y songe, en voici une autre preuve : près de Chanteloup, douze cents personnes s'étaient aussi enfermées dans une église. Il y en avait de tous âges. Même des femmes enceintes...

Il secoua la tête.

— En temps de crise, les gens deviennent comme fous. Le capitaine, celui qui était des nôtres je dis bien, craignant qu'ils ne se rendent, a fait mettre le feu à cette église. Tout a brûlé. Ceux qui essayaient de fuir les flammes en sautant par les fenêtres – il y en a eu au moins trois cents, je crois – se faisaient faucher par les Anglais postés en bas. Ils les ont massacrés jusqu'au dernier en se moquant d'eux pour s'être eux-mêmes foutus au feu. Moi-même qui m'y trouvais, je n'en ai réchappé que par la volonté de Notre-Seigneur.

Lionel se signa, imité par les autres qui pinçaient les lèvres.

— Qu'en est-il d'ici ? demanda Louis. Je ne reçois plus guère de courrier.

— Ici ? C'est tout pareil. Caen a été pillé. Ils ont trouvé de quoi charger plusieurs vaisseaux. Et je ne parle pas de tout le drap qu'ils ont pris à Saint-Lô et Louviers.

— Et que fait le roi ?

Le messager se gratta entre les poils hérissés de son menton et dit :

— Tenez-vous vraiment à le savoir ? Oui ? Eh bien, tout le secours que Jean a jugé bon d'offrir à la Normandie, ça a été d'envoyer à Caen le connétable et le comte de Tancarville. Or, ils se sont fait prendre tous les deux. Bien sûr, vous n'ignorez pas que Sa Majesté de Navarre se retrouve chez elle, bien à l'aise à Pampelune, à cent cinquante lieues de toute cette misère.

Thierry remarqua :

— Et au moment précis où prenait fin la guerre entre la Castille et l'Aragon, qui durait depuis quatre ans. Très bien calculé.

233

— On raconte que Pèdre de Castille[83] est seul responsable du trépas de son épouse, Blanche de Bourbon[84]; le Seigneur ait son âme en Sa sainte garde.

— Si cette rumeur s'avère fondée, cela fera de Pèdre le Cruel un ennemi du roi de France. Pauvre princesse exilée! On la disait belle comme l'aurore et douce comme un cygne.

— Eh bien, moi, j'irai là-bas et je la vengerai, dit Sam avec ferveur.

— Commençons par essayer de rester en vie nous-mêmes, dit Louis.

— Voilà qui est raisonnable, même si cela manque de panache, dit le religieux.

Le messager poursuivit:

— En effet. Même si le roi Jean vient de prendre possession de la Bourgogne, cela n'empêche pas plusieurs milliers de brigands et de gens de guerre désœuvrés de se rassembler du côté de Brignais. Et, puisqu'ils arrivent bien après les grandes compagnies de routiers, ils se disent eux-mêmes « Tard-Venus ».

Divisée en trois camps, navarrais, français et anglais, la Normandie était la première à pâtir de l'engeance que représentaient les routiers. Ils avaient commencé à sévir sur ce territoire bien avant de se mettre à proliférer et à se répandre à travers tout le royaume.

Le messager dit encore:

— Ils ont l'air d'attendre Charles de Navarre. Ce qui m'amène à l'autre raison de ma visite.

— Vous êtes sûr qu'un peu de cidre chaud ne vous tenterait pas? offrit l'homme d'Église.

— Sûr et certain. Merci sans façon. Baillehache, vous avez sans doute constaté qu'il est inutile, dans les conditions actuelles, d'essayer de continuer à cultiver.

— Oui. Il ne se passe pas une semaine sans que je voie de ces brigands traverser mes terres.

Margot et Blandine s'entre-regardèrent.

— « Mes » terres? dit la jeune femme, tout bas.

Le courrier reprit:

— Il y a dans les parages des loudiers* qui sont devenus guetteurs de chemins moyennant petit salaire. Ceux qui ne se sont pas rangés du côté des brigands, il va sans dire. Ils habitent les maisons abandonnées. Il vous est recommandé de prendre cette idée à votre compte et de vous faire gardien des terres qui vous ont été confiées, avant que la famine ne vous contraigne à renoncer à votre office en faisant de vous un hors-la-loi.

— Et où sont parties les familles de ces paysans? demanda Hubert.

— Je n'en sais rien. J'ai ouï dire qu'il y en a qui vivent en forêt, dans des grottes quelquefois, ou encore parmi les roseaux des grands étangs. Le moment n'allait pas tarder où les paysans d'Aspremont, las et affamés, allaient déserter le hameau sans demander leur reste. Il fallait trouver une solution, et vite.

Le messager enfourcha sa monture et tourna bride pour redescendre l'allée bordée d'arbres effilés.

— Là-dessus, je vous quitte, dit-il.

— Bonne route, dit Thierry.

Le cavalier leur envoya la main avant de se retourner pour crier au bénédictin :

— Oh, j'oubliais : prenez particulièrement garde à vous, mon père. Quantité de moines fuyards ont été capturés dans la forêt par les routiers, qui les ont réduits à la servitude.

— Merci de me prévenir, mon fils. Je tâcherai de me montrer prudent.

Imperceptiblement, tandis que la famille regardait le courrier s'en aller, le moine se rapprocha de Louis. Il se sentait désormais incapable de faire preuve une seconde fois du courage qu'il avait démontré devant les routiers qui s'en étaient pris au métayer.

— Eh bien, que fait-on? demanda Thierry qui, lui aussi, se rapprochait.

Louis ne sut que répondre. Il jeta un regard circulaire sur les champs des alentours où attendaient encore des récoltes à demi piétinées. Des aires exposées à tout vent, où même un écureuil n'eût pu passer inaperçu.

— Il y a un marais pas très loin d'ici. En forêt. Ce serait suffisant pour nous abriter et nous pourrions y emmener les volailles, le mulet et le cheval. Mais...

— Mais pas les six familles, compléta Lionel.

— Non. On serait aussi faciles à repérer qu'une compagnie de perdrix.

Le silence retomba. Et dans ce silence fait de vent trop froid pour la saison, tous avaient l'impression d'entendre une multitude de sabots au loin.

— Moi, je sais un endroit où on pourra tous loger, dit soudain la voix enthousiaste de Sam, dont les boucles rousses ne cessaient de lui obstruer la vue.

— Toi? dit Louis dubitativement.

— Oui, moi. Par ici, je vais vous montrer.

Et ils prirent la direction de la forêt à la queue leu leu, avec en tête le gamin tout fier qui s'était muni d'un bâton de patriarche.

Ils avaient atteint le cœur de la forêt lorsque Sam bifurqua et quitta le sentier. Pendant un temps qui leur parut assez long à tous, ils durent disputer leur chemin aux ronciers et aux buissons bas jusqu'à ce qu'ils parvinssent à une espèce de rocher moussu, envahi de lierres étouffants qui le faisaient presque disparaître. Sam se retourna vers le petit groupe et dit:

— C'est mon grand-père qui m'a montré ça.

Le garçon entreprit de repousser les lierres à un point précis. Louis s'approcha et aperçut dans le rocher, presque à fleur de terre, une ouverture permettant tout juste le passage d'un homme. Louis se retourna brusquement et dit:

— Une torche.

Toinot vint le rejoindre. Il ouvrit sa musette afin d'y prendre amadou et pierre à feu tandis que Thierry se mettait en quête de quelque bâton résineux. Pendant ce temps, Louis s'était accroupi et continuait à repousser les lierres avec précaution pour éviter de les endommager, car ils allaient peut-être devenir de précieux complices.

— Je vois des marches, annonça-t-il aux autres.

— Oui, et ce n'est pas tout. Attendez de voir ce qu'il y a à l'intérieur, dit Sam, qui s'apprêtait à plonger tête première dans l'orifice.

Mais Louis le retint par l'épaule.

— Pas si vite, jeune sot.

Toinot remit à Louis une torche qui fumait en grésillant. Le géant poussa de côté Sam qui maugréait et lança la torche dans le trou. Ils l'entendirent dégringoler les marches pour s'arrêter quelque part au fond, très loin à ce qui leur sembla. Louis prêta l'oreille. Rien ne se passait. Il se tourna vers Sam:

— Ça va, on peut y aller. Aucune bête là-dedans.

C'était là une précaution élémentaire, mais cela n'empêcha pas Sam de continuer à ronchonner jusqu'à ce que Jehanne vînt le rejoindre devant le rocher.

Louis fut le premier à entrer. Après quelques tâtonnements, il trouva devant lui un escalier étroit, en pierre grossièrement taillée, qui plongeait vers la lueur falote et grelottante de la torche. Deux personnes n'eussent pu se tenir côte à côte entre les parois de ce qui avait l'air d'être une grotte plongeante. Louis devait garder la tête penchée.

— Attention de ne pas perdre pied, dit-il, et il entreprit de descendre.

Une fois en bas, il ramassa la torche avant de faire quelques pas. Les murs ne l'enserraient plus. Bien au contraire, il marchait dans une longue allée voûtée large de sept pieds. Il se redressa, éberlué, et fit un tour sur lui-même en tenant la torche bien haut, tandis que les autres descendaient à leur tour. Leurs chuchotements émerveillés laissaient croire qu'ils venaient de pénétrer dans une chapelle.

Ils se rassemblèrent dans une grande salle au centre de laquelle trônait un vieux puits. En se penchant au-dessus de la margelle, Louis put y voir son propre reflet accompagné d'une nouvelle torche.

— L'eau est bonne, j'en ai bu une fois, dit Sam.

Autour du puits bordé de dalles en schiste, trois grands parcs avaient été aménagés pour les bestiaux, et l'allée était bordée de deux autres chambres visiblement vouées à l'occupation humaine. Le soin apporté à ces lieux, de même que leur solidité, témoignaient de la longue clandestinité de ceux qui jadis avaient dû y habiter.

Louis en fit le tour et, en compagnie de l'un ou l'autre des habitants du manoir explora minutieusement chacune des grandes pièces. Soudain, Lionel s'émerveilla:

— Là, sur ce mur, voyez: on dirait des signes runiques.

Louis se fit arracher sa torche des mains par le moine qui se mit à étudier, fasciné, un enchevêtrement d'inscriptions circulaires et géométriques.

— Ceci ne peut être l'œuvre d'anciens Celtes. Non, l'architecture en est visiblement romane, beaucoup plus récente. Comme c'est étrange.

Les préoccupations du religieux n'arrivèrent guère à capter l'attention de Louis, qui ne voyait en cet endroit que le secours providentiel dont ils avaient tous besoin. Il ne dit rien à Sam, il ne fit au garçon aucun signe qui eût pu faire croire à de la reconnaissance. Au lieu de quoi il énonça simplement:

— Bien. Je descends tout de suite au village. Les hommes avec moi. Toi aussi, Aitken. Les autres, attendez-nous ici.

Tel fut son seul signe de gratitude. Il comptait Sam parmi les hommes.

L'unique cloche de la petite église résonnait encore en guise de tocsin que les habitants du hameau achevaient de se rassembler sur la placette; hommes, femmes et enfants confondus, tous intrigués plus qu'alarmés. C'était la première fois qu'une telle chose survenait. Le métayer du domaine se tenait debout en haut des quelques marches en compagnie du père Lionel. Quelques autres attendaient en bas et les regardaient. Le géant s'adressa à tous d'une voix qui avait l'habitude de se faire entendre des foules :

— Comme vous le savez, les Tard-Venus arrivent de partout. Ces routiers se disent de notre côté, celui du roi de Navarre, mais ce n'est qu'une question de temps avant qu'ils ne s'en prennent aussi à nous. Par conséquent, inutile de continuer à cultiver la terre. Vous n'êtes plus en sécurité ici.

Une brise de murmures fit remuer les villageois comme les branches abondantes d'un arbre. Louis éleva de nouveau la voix, ce qui contraignit tout le monde au silence.

— Nous avons trouvé un refuge. Mes gens et moi-même allons vous y conduire par groupes de trois, à raison d'un groupe toutes les deux heures, pour éviter de trop attirer l'attention au cas où l'on nous observerait de loin. Soyez parés à voyager de nuit. N'emmenez avec vous que le strict nécessaire et n'en prenez pas plus que ce que chacun peut transporter sur soi : couvertures, vêtements de rechange, nourriture non périssable et boisson. Ne vous encombrez pas inutilement, car il faut faire vite. Nous nous occuperons des animaux plus tard. Laissez ici tout ce qui est superflu. Il en va de votre sécurité. Arrangez-vous pour qu'il leur en reste un peu à prendre s'ils venaient à saccager le village. Ne vous souciez pas des médicaments : je m'en charge. Des questions?

Visiblement, certains en avaient. Mais nul d'entre eux n'osait les poser. Louis tourna la tête en direction de ses gens. Le moine sortit de sa coule un grand sablier à la monture de bois orné. Louis dit :

— Bien. Mes instructions pour là-bas, maintenant. Ne faites pas de feu dans l'abri. Serrez-vous plutôt les uns contre les autres. Nous nous chargeons de vous procurer de la nourriture cuite ou qui peut être consommée telle quelle. Les femmes et les enfants : interdiction formelle de sortir de l'abri sans escorte et ce, sous quelque prétexte que ce soit.

— Quel abri? demanda quelqu'un tout bas.

Louis ne parut pas entendre.

— Soyez assurés que je veillerai à ce que chacun d'entre vous puisse aller prendre l'air et se baigner régulièrement, en autant que la chose sera possible. Mais rien ne devrait être fait sans permission. Compris? Les hommes, emmenez avec vous tout ce qui pourra servir d'armes : cognées, fourches, couteaux, serpes. Toi, le forgeron, emporte aussi tes coutres de charrue.

— Pour quoi faire ? demanda l'intéressé.

Au lieu de lui répondre directement, Louis regarda tout le monde et poursuivit :

— Tous les hommes valides m'aideront dans ma charge de gardien. Nous allons patrouiller les terres, le village et la forêt des alentours. Nous procéderons à l'arrestation de quiconque n'aura pas le droit de s'y trouver. Tous sont mobilisables au son du tocsin.

— Mais nous ne savons pas nous battre, dit quelqu'un faiblement.

Louis, qui n'eut aucun mal à repérer l'origine de cette voix, regarda l'homme droit dans les yeux et lui répondit :

— Tu sauras bientôt comme on se dispose à apprendre vite lorsqu'on voit la mort en face.

*

Les troupes d'Anglais essaimaient. Elles s'en allaient se rallier à leurs quelque six mille compatriotes qui accompagnaient Édouard III dans son voyage en terre de France. Des cannes à pêche côtoyaient les arcs dans le fourniment de ces gens de guerre, car la plupart des terres qu'ils parcouraient n'avaient plus reçu de semailles depuis trois ans, de sorte qu'on ne pouvait compter pour se nourrir que sur le gibier et le poisson. En outre, cette accablante foule en armes traînait en remorque un nombre non négligeable de parasites, Allemands et Hollandais qui se disaient leurs alliés, mais qui tenaient surtout à recevoir leur part de butin une fois l'objectif final d'Édouard atteint. Mais Reims, la ville du sacre, était encore loin, et la couronne de France aussi. Le roi de la Grande Île dut se résoudre à prêter de l'argent à fonds perdus aux « alliés » pour les convaincre de repartir chez eux. De pillage en pillage, les Anglais se rendirent jusqu'aux faubourgs de Paris. Édouard n'osa cependant pas pousser plus loin son attaque.

Non, le vieux renard savait se montrer sagace lorsque le besoin s'en faisait sentir, et un long siège de Paris était alors inapproprié pour ses gens épuisés et trop âpres au gain. Édouard savait jouer de finesse lorsque cela s'avérait nécessaire : cette année-là, il décida que la langue anglaise allait devenir la seule langue de son peuple saxon. Il proscrit l'usage du français dénaturé qui était parlé à la cour depuis l'époque des anciens conquérants normands ; il voulait alimenter jusque dans le moindre détail la haine des Normands du continent, supposés alliés de la France, dont ses armées détruisaient le patrimoine.

239

Cette entreprise de minage ne datait pas de la veille. De plus, elle se fondait sur un mensonge : Édouard s'était montré prêt à tout pour inoculer un désir de guerre chez ses sujets pacifiques. Il avait fait circuler et lire par les prêtres aux prônes des églises un document traduit, probablement faux, selon lequel les Normands avaient déjà offert au roi de France de conquérir à leurs frais l'Angleterre, à condition qu'elle fût partagée entre eux, comme elle l'avait été du temps de Guillaume le Conquérant. Cela avait fait miroiter des gloires passées pour la France. En outre, Édouard avait chargé des moines d'appuyer ces dires; il s'agissait des dominicains, dont la vocation était de prêcher avec le précieux secours de la *sacra pagina**, à laquelle on pouvait faire dire n'importe quoi. L'appât du gain avait fait le reste.

Désormais, d'innombrables familles du royaume de France devaient s'entasser à plusieurs dans leur abri de fortune, s'ils avaient la chance d'en posséder un, à l'approche de l'ennemi. Femmes, enfants, vieillards et infirmes y croupissaient des semaines, voire des mois, comme dans une immense geôle semblable à un tombeau. Pendant ce temps, les hommes grimpaient craintivement au beffroi ou au clocher afin de surveiller la campagne environnante.

Il ne fallait compter sur l'aide de personne, et Louis le savait. De longs mois avaient passé et personne n'était venu de Navarre ou de Caen pour lui prêter main-forte. Les paysans, ruinés par leurs seigneurs, n'étaient jamais quittes. Les sujets de France, tout comme ceux de Navarre, étaient accablés d'impôts. Ces taxes ruineuses compromettaient l'avenir même des deux royaumes en touchant leurs hommes et leurs enfants qui avaient été épargnés par les épidémies et la guerre, pour la seule raison qu'ils étaient aptes à travailler.

Cette guerre des Anglais était menée sur deux fronts, comme un commerce habile mais malhonnête : pendant que les grands de ce monde se payaient sans inquiétude en puisant à même les réserves dans l'impunité de l'arrière-boutique, les gagne-petit à leur emploi s'adonnaient à un pillage minutieux et discret des étalages. Robert Knolles se cantonnait en Normandie. Louis tenait de source sûre que le propre frère du roi de Navarre, Philippe, faisait sa part de pillage. Charles, quant à lui, avait déjà oublié celui dont il avait failli faire son conseiller. Cela n'avait certes rien d'étonnant, mais les événements qui l'avaient contraint à quitter la cour n'en étaient pas l'unique cause.

En cette même année 1361, Philippe de Rouvres, duc de

Bourgogne, mourut sans héritier mâle. Or, Charles de Navarre était le petit-fils de la fille aînée du duc Robert II, Marguerite de Bourgogne. Il était donc légitime que le petit roi réclamât le duché. Cependant, le roi Jean fit de même depuis sa prison dorée d'Angleterre, car il descendait de la seconde épouse du duc. L'otage royal eut finalement gain de cause, puisque le Mauvais n'était désormais pas mieux perçu en Bourgogne qu'en France. Charles quitta donc Mantes pour retourner en Navarre et, de là, l'année suivante, il allait s'embarquer pour l'Espagne afin de tenter d'y récolter de nouveaux pouvoirs et d'y semer la pagaille.

Celui que Charles avait appelé son ami avait ses propres ressources et il n'hésitait aucunement à y recourir : les rois n'ont pas davantage d'amis que les bourreaux. Dès qu'il avait la possibilité de se rendre à Caen, il collectait sa part de taxes, le droit de havage*, avec une insolente impunité. Il mangeait mieux dans sa petite maison rouge que sur ses terres et il parvenait à remplir sa charrette de provisions non périssables, de vin ou de bière, de tissu, de remèdes et de savon. Car il tenait à ce qu'une hygiène rigoureuse fût maintenue à l'intérieur de l'abri.

Un jour, le père Lionel expliqua aux habitants du souterrain :

— Les fers et les étoffes, bien plus que les *longbows**, sont les armes véritables de la Grande Île. Ils en font commerce mieux que quiconque. Pourtant, on est trop aisément porté à oublier que ce qui a fait primitivement l'Angleterre et la race anglaise, c'est la laine issue de l'élevage. Depuis toujours, les Anglais ont été un peuple pasteur. Ceux que nous voyons aujourd'hui sont le produit de cette grande race d'éleveurs nourrie de chair et de lait. De là leur teint fleuri, leur force tranquille. Par nature, ils sont peu enclins à la guerre. Mais on est parvenu à les convaincre que c'était nécessaire.

— Nous non plus, nous n'aimons pas la guerre, dit un vieux paysan.

— C'est vrai, renchérit une jeune fille qui s'était entichée de Jehanne.

— Je le sais bien. Là est le drame : personne n'aime faire la guerre et, pourtant, il ne se trouve nulle part quelqu'un qui s'en voie épargné. Nous allons donc nous battre nous aussi, dans cet abri, à notre manière. En tenant bon. Et en prêtant secours aux nôtres qui sont dehors, qui risquent sans cesse leur vie pour nous défendre.

Novembre 1361

Sam savait imiter à la perfection le cri du gerfaut. Cela devint sa première arme.

— Récapitulons, dit Louis à l'intention des hommes.

Huit garçons, dont Sam, s'étaient fièrement regroupés autour de lui. En attendant de subir un premier entraînement aux armes, plus particulièrement au tir à l'arc, ils allaient se scinder en deux groupes dont chacun allait assumer, durant une partie du jour, la fonction de sentinelle. Ils avaient appris divers cris d'alarme à utiliser selon les circonstances. Louis rappela à tous, en suivant son énumération sur ses doigts :

— Le canard : il en vient du nord, du marais. La perdrix, c'est pour l'ouest. Le gerfaut vient du sud. Les oies, elles arrivent soit du village, soit du domaine, donc de l'est. Les enfants sont postés de façon à couvrir suffisamment de territoire autour de l'abri pour nous donner le temps de nous mettre à couvert.

Un code fut élaboré pour permettre aux gardiens de savoir à quel type de bande ils allaient avoir affaire. Les courriers venus de Caen avec une assignation pour Louis étaient signalés par un code bien à eux.

La résistance s'organisait. Les hommes commencèrent par confectionner, sous la supervision de Louis et de Lionel, de petits arcs, des carquois d'écorce et quantité de flèches à pointes durcies au feu. Seules quelques-unes étaient munies de pointe en fer. Louis procura à chacun un couteau ou une serpe et fit fabriquer, par le forgeron du hameau, des espèces de guisarmes* qui avaient une certaine ressemblance avec le *godendag** flamand.

Suivit un entraînement fastidieux qui ne pouvait être dispensé qu'en rotation, et avec au cœur des professeurs qu'étaient Louis, Thierry et Toinot, l'espoir qu'aucun ennemi ne se montrât tant et aussi longtemps qu'au moins six des villageois n'auraient pas appris à viser correctement avec leurs flèches une cible immobile clouée à un arbre.

Louis travaillait sans relâche et ne s'accordait que trois heures de sommeil par nuit. Il passait le reste du temps à patrouiller à pied ou avec Tonnerre qui avait besoin d'exercice. Il visitait chacun des guetteurs nocturnes au moins deux fois afin de s'assurer qu'aucun d'entre eux ne s'était endormi. Leurs postes étaient plus rapprochés de l'abri que ceux des garçons et, en cas d'alerte, ils devaient hululer, glapir ou hurler comme un loup selon le type de danger.

Chaque soir, au coucher du soleil, lorsque les garçons rentraient le ventre et la besace vides après leur tour de surveillance, Louis leur permettait de se restaurer brièvement et les mettait à l'entraînement jusqu'à la tombée de la nuit. Avec eux, le travail se cantonnait au tir à l'arc. Mais les hommes durent bientôt faire face à une tout autre musique : se familiariser avec le corps à corps et, éventuellement, le combat armes en main qui, avec Louis comme professeur, n'était pas une expérience très agréable à vivre. D'abord, il leur faisait peur. Il leur donnait l'impression qu'il était véritablement sur le point de les abattre. Cela suffisait souvent à mettre l'un de ces malheureux en déroute. Si l'élève ne comprenait pas une manœuvre à la seconde tentative, Louis ne l'épargnait plus. Il en envoya ainsi plusieurs à l'infirmerie de l'abri sans éprouver le moindre remords. Le père Lionel n'approuvait pas ces méthodes trop brutales, mais il lui fallait bien convenir que le temps pressait et que seuls les plus forts et les plus rapides allaient pouvoir s'en tirer.

Sam était exalté par cette existence fruste, malgré l'ennui de ses huit longues heures de guet quotidien. Mais le fait que pouvait survenir un danger et ce, n'importe quand, était en soi très excitant. Le moment qu'il préférait entre tous était celui de l'entraînement. Après à peine deux mois d'exercices, il avait surpris tout le monde en excellant déjà avec l'épieu, l'archegaie* et la vergette*, si bien que Louis avait décidé de l'initier au combat, avec les adultes. Sam y mettait une sorte de rage. Son acharnement à frapper, à blesser eût inquiété n'importe quel autre professeur que Louis. Mais le métayer ne s'en souciait pas outre mesure. Nul n'eût pu soupçonner qu'il avait très bien compris l'objet de la haine de Sam. Il l'avait cerné et redirigé à bon escient sans que le garçon n'eût pu rien y changer. Le plus étrange dans tout cela, c'était que Sam n'avait rien trouvé à redire. Il commença même à en tirer quelques bénéfices, attribués à titre personnel par son tuteur. Louis lui fabriqua une guisarme* avec une serpe de bûcheron emmanchée sur une hampe et lui en enseigna l'usage. Il se mit à l'emmener avec lui à la chasse ou à la pêche. Il lui montra les plantes et les champignons qu'il cueillait et ils dépecèrent ensemble les petits animaux qu'ils rapportaient : chevreaux, lapins, videcoqs*, de même qu'une variété d'alouettes : gamalcones, calandres et calandrettes, cochévis, lulu, otocoris, sitli. Louis ne parlait jamais beaucoup. Sam fut étonné de découvrir combien on pouvait beaucoup apprendre en compagnie de quelqu'un que l'on se contentait de regarder travailler.

Un jour d'automne, Sam débusqua un chevreuil. Il se détourna en vitesse. Son carquois était resté près de l'arbre au pied duquel il l'avait déposé pour ramasser des noix plus à l'aise. Rouge de honte sous le regard désapprobateur de Louis, il eut sa leçon. Aucune parole ne fut échangée. Mais, à partir de ce jour-là, Sam ne délaissa plus jamais son carquois lorsqu'il se rendait en forêt.

De son côté, Louis disparut parmi les buissons. Trente secondes après, le chevreuil s'écroulait, une flèche à travers la gorge.

— Ouais! s'exclama l'Écossais en rejoignant Louis qui s'affairait déjà à vider la bête.

Le gamin vint lui prêter main-forte et demanda:

— Mais comment va-t-on faire pour en manger, sans feu pour le faire cuire?

Pour toute réponse, Louis découpa un grand morceau de chair qu'il déposa, toute palpitante encore, entre deux pierres plates. Après quoi il monta dessus. Sam put constater par lui-même que la forte pression exercée par le poids de l'homme exprimait le sang de la viande. Louis expliqua:

— Toi, tu n'es pas assez lourd. Il te faudrait des cordes ou des courroies pour manœuvrer un gros roc.

Il redescendit et souleva la pierre plate. Il ouvrit sa besace et en sortit deux sachets. Dans chacun, il prit une pincée d'ingrédients dont il saupoudra la viande. C'était du sel et du poivre blanc. Il mordit dedans et en offrit un morceau à Sam, qui s'empressa d'y goûter.

— Est-ce cela que les chasseurs appellent du chevreuil de presse? demanda Sam.

— Oui.

— C'est rudement bon.

Le garçon souriait en mâchant.

L'émerveillement des débuts s'amenuisait. L'hiver approchait et, par moments, les habitants de l'abri avaient l'impression de se cacher pour rien. Aucun routier ne venait jamais déranger la paix de leur sous-bois. Les journées étaient longues pour les malades et les jeunes enfants, laborieuses pour les autres. Il fallait nettoyer quotidiennement les stalles des bêtes, faire à manger du mieux que l'on pouvait dans les circonstances, raccommoder du linge, être prêt à faire sa tournée de bains et de lessive lorsqu'on était appelé. Il fallait aussi soigner les malades et des blessés, qui semblaient toujours venir sans qu'une escarmouche fût en cause. La seule perspective du long hiver à passer ainsi, dans cet abri souvent cerné par les hurlements des loups, et l'inutilité apparente de la situation n'aidaient en rien le moral de la troupe.

Jehanne s'ennuyait. Les travaux de raccommodage étaient encore plus pénibles que d'habitude à cause de la pénombre constante qui régnait dans l'abri. De plus en plus souvent, des disputes éclataient entre ses petites amies, si bien qu'elle finissait par se lasser et allait retrouver le père Lionel. Elle regrettait comme lui de ne pas avoir obtenu la permission d'emporter des livres.

Les enfants n'étaient pas les seuls à souffrir de sautes d'humeur, si l'on s'arrêtait à remarquer les éclats de voix dont s'émaillaient fréquemment les conversations des adultes. Il y avait les disputes qui, invariablement, tournaient court dès que Baillehache se montrait le bout du nez dans l'abri, ce qui était malheureusement trop rare au goût de Jehanne. De plus, Louis n'avait guère le temps de s'arrêter pour lui parler, car il devait prodiguer des soins aux malades. À tous, il remettait des paniers de verdure amère qu'ils devaient mâcher. L'hiver venant, le contenu de ces paniers devint fort indigeste. Les tendres feuillages furent graduellement remplacés par du sapinage. Les faines* devinrent de véritables friandises.

— Tiens, v'là l'autre qui rapplique encore avec du fourrage à chevreux, dit un jour le vieux paysan qui se prénommait Mathurin. Mais c'est quand même mieux que des champignons.

— Mangez si vous ne voulez pas que vos dents se déchaussent, intima le géant.

Et, devant eux, il mâcha lui-même des ramilles vertes. Tout le monde se mit docilement à faire comme lui. Et force leur fut d'admettre que, grâce à ce régime, nul ne souffrit de scorbut. Malgré leur crainte, ils se plièrent même à sa volonté de les voir consommer des champignons, à condition qu'ils fussent correctement accommodés avec des épices; car, étant issus de la terre, certains étaient si froids et humides qu'ils pouvaient causer la mort.

Si les journées étaient longues, les soirées l'étaient encore plus. Et, compte tenu de la pénombre permanente de l'abri, il était souvent ardu de différencier le jour de la nuit. Le père Lionel consacra quelques jours à la fabrication de jeux et conserva des os dont il fit des dés. Il n'en fallut pas davantage pour égayer tout le monde. En plus des fables et récits que l'on racontait à tour de rôle, ils purent ainsi s'affronter aux tables* et s'amuser au jeu de

Wibold*. Louis fabriqua de mémoire un jeu de moulins*. On se lança force défis au cours de turbulentes parties de dés, brelan* ou trimard*, parties que le père Lionel perdait systématiquement et avec une telle bonhomie que même les tout-petits tempêtaient pour y jouer avec lui. Blandine se moquait de lui:

— Mais ce n'est pas possible d'être mauvais à ce point-là, mon père. Quelle guigne! Connaissez-vous vraiment ce jeu?

— J'admets qu'il m'arrive parfois de m'embrouiller. Tous ces règlements, moi, vous savez...

— Dites plutôt que c'est parce que vous passez votre temps à vous égarer avec vos grandes idées dès que quelqu'un a le malheur de vous fournir de quoi monter en chaire!

— Eh, que voulez-vous? On ne peut être à la fois bon orateur et gagnant au trimard*.

Les habitants de l'abri n'avaient aucune idée de ce qui se passait au-delà de leurs murs épais. Et c'était aussi bien ainsi.

Le gerfaut chanta par trois fois. Entre le premier et le second appel, il fit silence. C'était le signal.

Depuis sa cachette, Louis fut à même de constater que Sam n'avait pas oublié le code convenu. La pause dans le chant du gerfaut signalait la venue dans leur direction d'un groupe considérable. Les fugitifs n'allaient pas être en mesure d'y faire face sans aide. C'était le moment ou jamais d'avoir recours aux petites surprises que recelait la forêt.

Les routiers échangeaient des commentaires désobligeants, sans doute à propos des feux de branchages entre lesquels ils déambulaient avec nonchalance. Les fuyards ne s'étaient même pas donné la peine de les couvrir, et de minces tranches de venaison fumaient encore, soigneusement alignées sur leurs filets humides aux mailles noircies. Tandis que plusieurs hommes suggéraient de suivre avec leurs meutes de veautres* les traces maladroites, trop évidentes des fugitifs, l'un d'entre eux ricana et s'empara d'un morceau de viande qu'il porta à sa bouche. Les autres ne s'en occupèrent pas et commencèrent à se disperser parmi les ronciers où s'égaillaient les traces.

Personne n'entendit le sifflement ni ne vit la tranche de venaison volée qui tombait, intacte. Cependant, quelques-uns virent l'homme s'écrouler dans le tas de branchages fumants qui se trouvait devant lui. Une flèche frémissait entre ses omoplates. Le temps qu'ils se missent tous à crier, deux autres hommes avaient disparu. Un quatrième routier hurlait, terrifié, en se balançant la

246

tête en bas à trois pieds du sol. Il était pendu par les chevilles par un nœud coulant qui avait été soigneusement dissimulé au pied d'un arbre. Au-dessus de lui, une grosse branche s'amusait à faire sautiller sa proie comme une marionnette à un fil. Un grand homme en noir sortit des buissons et le mit en joue avec son arc. Un claquement, et la marionnette ne se débattit plus. Ils comprirent trop tard que cet archer n'était pas seul et qu'il les avait attirés dans un guet-apens avec ses feux de fumée et ses traces. D'un geste, Louis donna le signal de la curée.

Les flèches se mirent à pleuvoir de toutes les directions en même temps. Les bandits se nuisaient dans la confusion d'une retraite précipitée, déjà vaine puisqu'ils étaient encerclés. Lorsque le reste des archers se fit enfin visible et remplaça les arcs par des lames de tous calibres, la moitié des bandits étaient déjà morts.

Dix minutes plus tard, les habitants d'Aspremont brandissaient leurs fourches, leurs *godendags** et leurs serpes en criant victoire.

Du haut de l'arbre qui lui servait de tour de guet, Sam ne pouvait distinguer que le bref scintillement des armes entre les nombreux troncs. Mais il entendit nettement les acclamations et, galvanisé, il se mit à crier avec eux.

*

𝒟ébut de l'hiver 1361

« *Ils étaient seuls tous les deux dans la forêt. Le garçon et la fille. L'aube ne s'était pas encore levée et personne n'était en vue. Un brouillard paisible flottait parmi les troncs à peine visibles.*

« *Le garçon prit dans sa poche un petit flacon lumineux qu'il remit à la fille. Elle en but la moitié et lui but l'autre. Pendant quelques secondes, il y eut une grande lumière, puis plus rien.*

« *Le garçon et la fille avaient disparu. Et là, à leur place à travers les buissons, il y avait deux beaux oiseaux qui ressemblaient à des tourterelles. L'un était tout d'or, l'autre d'un blanc argenté.*

« *Ils avancèrent en hésitant sur leurs pattes fines. La terre ferme les mettait soudain mal à l'aise, car les oiseaux sont faits pour voler, pour partir au loin. Ils étendirent donc leurs ailes et prirent leur envol. Tout de suite, ils se sentirent mieux. Ils étaient si heureux que les arbres s'écartèrent pour leur livrer passage. Bientôt, les cimes avec leur écharpe de brume descendirent sous eux et le sol disparut. À l'horizon, ils virent le soleil qui se levait.*

« *Les deux oiseaux survolèrent le village et la maison où ils avaient grandi. D'un commun accord, ils firent cercle autour de ce lieu aimé en*

247

guise d'hommage. Cet endroit leur parut soudain bien petit. Ils furent attristés par un tel adieu. Pendant un instant, ils furent même tentés de changer d'idée et de rester. Mais le temps pressait. Il fallait se décider une fois pour toutes et partir, vite. Sans plus regarder en arrière.

« *Sous eux, de pauvres chemins défoncés, louvoyant sans raison apparente, se frayaient péniblement un passage à travers la campagne encore somnolente. Mais eux volaient en ligne droite, libres de toute contrainte. De cette façon, ils atteignirent la côte si rapidement qu'ils en furent surpris. Leur tristesse revint, mais elle fut de courte durée, car la mer dorée par le levant les galvanisait. Elle les appelait, leur faisait signe de s'en aller au large, vers cette inquiétante infinité des vagues bordées, au loin, d'un gigantesque nuage cuivré. Le Mont-Saint-Michel[85], bien campé sur son haut piton rocheux, les salua de ses nombreux clochers comme pour les bénir.*

« *La tempête les frappa alors qu'ils étaient en plein milieu de leur périple. Il n'y avait plus de terre en vue depuis longtemps, ni d'un côté ni de l'autre. Il ne restait que des vagues à perte de vue. Mais bientôt, cela aussi disparut. Eux qui avaient craint son immensité regrettaient désormais sa rassurante présence. Il n'y avait plus rien à quoi se raccrocher, aucun repère vers lequel tendre leur volonté défaillante, sinon la silhouette fugace de leur compagnon qu'il ne fallait pas perdre. Il fallait voler et voler encore dans un monde qui n'était plus que chaos hurlant. Peu importait que les rafales les fissent dévier de leur trajectoire, maintenant. Les vagues ignoraient, elles aussi, où aller. Il n'y avait peut-être plus rien. Ce qui importait avant tout, c'était de vivre. Et vivre, c'était continuer à voler et rester ensemble.*

« *Cela dura des heures et des heures, du moins à ce qu'il leur parut. Ils étaient exténués. Leurs ailes leur faisaient mal et se contentaient de les soutenir en l'air plutôt que de lutter contre la tempête. Cela ne servait plus à rien de chercher à combattre ce vent fou.*

« *La nuit tombait. Ils ne le surent que parce que les rafales s'obscurcissaient graduellement. Mais la tempête, elle, ne donnait aucun signe de faiblesse. Alors que le découragement gagnait les deux voyageurs, ils entrevirent dans la pénombre mouvante une silhouette massive qui ne bougeait pas. Parfois elle disparaissait, pour mieux réapparaître, inchangée. Les oiseaux se remirent bravement à lutter contre le vent afin d'aller vers cet objet. C'était un gros écueil au cœur de la tourmente. Ils étaient sauvés.*

« *Ils se posèrent dessus et se collèrent l'un contre l'autre, tandis qu'autour d'eux la tempête faisait toujours rage. Mais elle ne les dérangeait plus, maintenant. La nuit passa.*

« *Une mer étale les accueillit le matin suivant. C'était comme s'il n'y* *avait jamais eu de tempête. À sa place flottait une brume opaque. Ils ne voyaient rien, mais ils s'envolèrent quand même. Ils étaient reposés et il n'y avait rien d'autre à faire. Peu à peu, le soleil illumina le brouillard et leur confirma qu'ils allaient toujours dans la bonne direction. «Lorsque le brouillard commença enfin à se dissiper, ils virent... les Hautes-Terres*. Là où il n'y avait eu auparavant que l'infinité de la mer et un rêve lointain, ils voyaient maintenant des montagnes couvertes de velours émeraude incrustées à leurs pieds du miroir d'un loch. C'était merveilleux, au-delà de leur rêve le plus insensé. Ce lieu était comme un paradis. Le voyage des deux oiseaux arrivait enfin à son terme. Ils se posèrent au faîte d'une colline. Là seulement, parmi les herbes folles qui dansaient autour d'eux, le philtre cessa d'agir et ils reprirent forme humaine. Ils étaient arrivés chez eux. Ils échangèrent un baiser. Très ému, le garçon dit : "L'âme et le vent sont frères. Tous deux sont libres. Et ton âme à toi connaît quelque chose que le vent ignore : ton âme sait comment aimer."»*

Sam tenait les deux mains de Jehanne dans les siennes. Ils étaient assis l'un en face de l'autre, entourés par les habitants de l'abri qui avaient écouté le conte dans un silence recueilli.

— Et je laissai mon âme appeler, dit Sam.

— Oh, Sam, c'est très beau, dit la fillette.

— C'est pour toi.

Sam sourit. Ses longues heures de guet n'avaient pas servi à rien.

Une ombre se déplaça légèrement le long de l'une des parois, derrière les autres qui eux aussi étaient assis. C'était Louis. Lui était resté debout et avait croisé les bras. Il ne quittait pas les deux enfants des yeux. Sam, surtout.

Quelqu'un toussa et les mains des deux enfants se séparèrent. Louis ne broncha pas. Lionel remarqua :

— Bravo. Je me régale de ce genre d'histoires. Les faits réels sont souvent trop inflexibles à mon goût. Manifestement, ce garçon a hérité des talents oratoires de son grand-père. Il ferait un excellent ménétrier*.

— Même si c'est un peu passé de mode, déclara Thierry.

— Les bonnes histoires ne passent jamais de mode, renchérit Lionel. Notre lyrisme inquiet parle trop de repli sur lui-même d'un monde révolu. Le conte de Sam nous ramène à l'une des vraies valeurs de la vie : l'amour.

— Qu'y a-t-il à comprendre là-dedans? demanda Louis.

— Tout! C'est le propre de la poésie, mon fils. Tenez, par

exemple : c'est un peu comme si je vous parlais, je ne sais pas, moi, d'une rose d'un rouge ardent. Saisissez-vous l'image par ce mot, *ardent*?

— Je peux imaginer une rose rouge. Mais les roses ne brûlent pas.

— Non. Vous, vous êtes du genre à appeler un chat un chat.

— Autrement dit, il n'a aucune imagination, dit Sam.

— Je décris les choses telles qu'elles sont, répliqua Louis.

Peut-être dans le but d'alléger l'atmosphère, Hubert regarda Louis et demanda :

— Ça, c'est vrai. À propos d'histoires, connaissez-vous celle du Grand Ferré?

— Non.

— À ce qu'on dit, il était aussi grand et fort que vous.

— Mais il avait meilleur caractère, corrigea Sam.

Les auteurs de quelques rires contenus jetèrent un coup d'œil gêné à Louis. Hubert reprit :

— C'est vrai. Parce que c'était un doux. Je ne suis pas un bon conteur comme Sam, mais vous allez voir, mon père, que les histoires vraies peuvent aussi être édifiantes.

— Je n'en ai jamais douté, mon fils.

— Bien. Cela date probablement de la mi-année 1358. Il y avait à Creil un jeune et brave capitaine du nom de Guillaume l'Alloue. On l'appelait aussi Guillaume aux Alouettes. C'était le plus beau parti dont une fille pouvait rêver dans le coin. Ceux de Creil lui faisaient confiance. Ils allaient toujours le voir quand ils craignaient que les Anglais n'arrivent pour les prendre. Ce capitaine obtint du dauphin et de l'abbé la permission d'occuper la ville et de se mettre en défense avec deux cents gens d'armes et des vivres. Mais ce ne fut pas tout ce que ramena le jeune Guillaume. Il avait à son service ce Grand Ferré, un homme humble mais doué d'une force surhumaine. L'Alloue, on se demandait bien pourquoi, croyait plus prudent de le tenir en laisse pour ne le lâcher qu'en cas de nécessité.

« Or voilà que les Anglais qui campaient en bordure de la ville remarquèrent les vivres qui y entraient en abondance. Holà! qu'ils eurent faim tout à coup. Ils décidèrent d'essayer de forcer la place. Surprise : cela fut très facile. Les Anglais envahirent les rues et commencèrent à piller la ville comme ils savent si bien le faire. Les bourgeois combattirent avec une grande vaillance. Mais c'était peine perdue : il en venait de partout, de ces damnés Goddons*, comme des locustes sur la terre d'Égypte.

« Soudain, au milieu de toute cette pagaille, Guillaume l'Alloue fut mortellement blessé. Le Grand Ferré le vit tomber et gémit de douleur. Il se redressa et se porta entre les deux groupes. Il dominait tout le monde des épaules, tout comme vous, maître, et il brandit une hache si lourde, je vous jure, qu'un homme ordinaire peut à peine la soulever. Des Anglais se firent faucher comme du blé mûr. D'autres se noyèrent en essayant de fuir à la nage. En tout cas, le Grand Ferré fit place nette en l'espace de quelques minutes.»

Hubert fit une pause pour boire un peu de cidre, ce qui permit à un silence dramatique des plus opportuns de s'insérer dans son récit. La lueur palpitante des chandelles éclairait des visages tendus, fascinés, tandis qu'il reprenait, d'une voix douce et triste :

— De retour chez lui, notre Grand Ferré, qui était paysan, réclama de l'eau froide qu'il but goulûment. Peu après, il ne se sentit pas très bien. Des amis qui vinrent lui rendre visite s'aperçurent qu'il était fiévreux. Il avait pris chaud à la besogne et d'avoir bu froid ne lui avait pas réussi. Il se coucha. Plus jamais il ne se releva. Après avoir tenu tête aux Anglais à lui tout seul, après avoir sauvé Creil, il abandonna faiblement sa vie... à un gobelet d'eau froide.

Silence. L'émotion était à son paroxysme. Hubert regarda autour de lui. Une mère caressait pensivement le front de sa fillette appuyée contre elle. Sam fronçait les sourcils et se mordait la lèvre. De jeunes hommes s'échangeaient des regards gênés. Toinot, bourru, fut le premier à se ressaisir. Il se racla la gorge.

— Ouais, pas mal.

— Quoi, c'est tout? Elle est déprimante, ta légende, Hubert, dit Louis.

Blandine regarda de son côté et dit :

— Eh bien, maître, la morale est : tenez-vous-en au vin.

Tout le monde s'esclaffa. Louis montra son appréciation en faisant une sorte de sourire crispé. Lionel remarqua :

— Ce récit n'est pas sans me rappeler l'histoire du bon saint Christophe sans le dévouement de qui l'enfant Jésus n'eût jamais pu traverser des flots tumultueux. Notre royaume se voit comme Lui confronté à cette épreuve. Plus que jamais, nous avons besoin de telles figures. Nos gens se reconnaissent en ce Grand Ferré. C'est pourquoi son histoire nous émeut autant. Ne sommes-nous pas comme lui frustes et impétueux, à la fois adultes et enfants? Nous sommes un peuple qui ne sait pas mieux se défendre des autres que de ses propres pulsions.

— Oui, bon, ça va, dit Louis que ce genre de discours agaçait plus que d'habitude.

Le moine se garda donc d'insister. Au lieu de quoi, il demanda :

— Et qu'en est-il de vous, cher maître? N'avez-vous pas quelque glorieux récit à nous relater? Sam m'a dit que vous étiez à Maupertuis.

— Oh, c'est vrai? Racontez-nous. S'il vous plaît, dit Jehanne.

— Non. Je n'aime pas en parler. Je n'aime pas parler tout court.

— Allez, ne soyez pas si modeste et venez vous asseoir avec nous, insista Margot.

Louis regarda les visages levés vers lui. On lui tendit un cruchon de vin qui circulait parmi eux. Il soupira et se décida à prendre place entre Sam et Thierry avant de boire une gorgée.

— Il y a peu à en dire en ce qui me concerne, dit-il. Les histoires, ce n'est pas mon fort.

— Mais vous avez une armure, dit Sam.

— Seulement une broigne*.

— Et Tonnerre.

— Oui, Tonnerre. C'est lui qui m'a sauvé.

Beaucoup de gens comprirent alors la teneur du lien qui unissait l'homme et sa monture.

— La chevalerie a commis le même impair qu'à Crécy, fit remarquer Hubert. Elle n'était pas à sa place là-dedans.

Un vieux paysan le prit à partie:

— Ne compare pas Maupertuis à Crécy, fiston. Non, mais regardez-moi ce petit jeunot: ça n'a pas le nombril sec et ça se mêle de vouloir jouer les preux. Je vais vous dire, moi, qui n'était pas à sa place à Crécy. C'étaient les mercenaires génois. De la racaille, tous autant qu'ils étaient.

— Et comment le sais-tu? demanda Blandine. Étais-tu à Crécy, toi?

— Tu crois bien que non, ma belle. Je grattais la terre. J'ai passé ma vie à faire pousser des navets et des haricots. Mais c'est un gars de mon patelin qui me l'a dit. Lui, il y était, à Crécy. Il a tout vu comment ça s'est passé.

Louis était soulagé de la digression et, oublié, il sirota son vin en toute tranquillité. Il ne s'accordait que très rarement ce genre de répit. Mais à l'extérieur il pleuvait à verse depuis le début de l'après-midi. La forêt s'était transformée en bourbier impraticable. Elle allait longtemps s'avérer pour eux tous une excellente gardienne.

— Comme vous le savez, le roi entretenait ces Génois à grands frais depuis belle lurette, même s'ils ne valaient pas un clou. Bon, d'accord, j'admets qu'on les disait, avec raison peut-être, indispensables pour affronter les archers anglais. Même si, à la bataille de l'Écluse six ans auparavant, leur chef Barbarava avait ordonné une prompte retraite. Eh bien, un truc comme ça, les gens ne l'oublient pas. Vous comprenez qu'on se méfiait d'eux là-bas. Vous allez voir qu'ils n'avaient pas tout à fait tort. Figurez-vous donc que ces mercenaires d'Italie étaient habitués à se ménager pas mal dans les batailles. Savez-vous ce qu'ils ont sorti comme trouvaille pour se soustraire au carnage de Crécy au moment de l'attaque? Ils ont déclaré que les cordes de leurs arcs étaient mouillées et ne pouvaient servir.

— Mais ils auraient pu les cacher sous leurs chaperons comme on le fait, nous, et les Anglais aussi, remarqua Sam.

— Je le sais bien, petit. Mais vois comme ils étaient veules. Ils n'étaient bons qu'à récolter leur solde. Toujours est-il que les Génois se retrouvèrent coincés par les Anglais, qui les criblaient de flèches et de grosses balles de fer qui leur arrivaient dessus de nulle part, en fait, de ces horribles bombardes[86].

— Des bombardes? interrompit Sam, fasciné.

— Oui petit, des bombardes. On croyait entendre Dieu le Père en personne tonner de colère dans le firmament.

— Permettez-moi d'émettre mes réserves à ce propos, dit Lionel.

— Plus tard, mon père, plus tard. Bon. Comme je le disais, les Génois n'en menaient pas large, pris entre les Anglais et le comte d'Alençon, frère du roi, qui ronchonnait, disant qu'il valait aussi bien leur passer dessus puisqu'ils défaillaient au pire moment. Le roi de France, hors de lui, était d'accord. Il cria à ses gens d'armes : « Tuez toute cette ribaudaille*, car ils nous empêchent la voie sans raison. » Ainsi, en pleine bataille contre l'Anglais, ceux de France s'en prirent à des gens qui étaient des leurs.

— Méchant roi de France, dit Jehanne. Notre roi à nous ne ferait jamais une chose pareille.

— Pas sûr, ma p'tite damoiselle. En tout cas, pour passer sur le corps des Génois, les gens d'armes rompaient leurs rangs. Les chevaux s'effarouchaient dans cette foule en désordre. La vraie pagaille, quoi. Les Anglais se mirent à tirer tranquillement là-dedans sans craindre de perdre un coup. Les beaux seigneurs de France se montrèrent dignes de leur rang à défaut d'avoir du simple bon sens. Le comte d'Alençon, les comtes de Blois, d'Harcourt, d'Aumale, d'Auxerre, de Sancerre, de Saint-Pol, tous armés et blasonnés comme pour la joute, traversèrent les lignes ennemies au grand galop. Ils fendirent avec dédain les rangs des archers, ces minables piétons, hein, jusqu'à la petite troupe des gens d'armes anglais. Là se tenait le prince anglais, qui était alors âgé de treize ans, et que son père avait mis à la tête d'une division.

— C'était Édouard de Woodstock? demanda Sam.

— Lui-même.

«Je pourrais, moi aussi, être à la tête d'une division», songea Sam tandis que le récit se poursuivait.

— La seconde division arriva pour le soutenir, et le comte de Warwick fit demander au roi d'envoyer la troisième de secours. Édouard répondit qu'il voulait laisser l'enfant gagner ses éperons, et que la journée fût sienne.

— Un beau début de carrière, dit Thierry.

— Je ne te le fais pas dire. Le roi d'Angleterre, qui dominait toute la bataille depuis la butte d'un moulin, voyait bien que les nôtres allaient être écrasés. Certains avaient trébuché dans le guêpier des Génois et s'y trouvaient encore empêtrés, tandis que d'autres, des têtes brûlées comme d'Alençon et le reste, avaient joué aux bravaches et pénétré en plein cœur de l'armée anglaise. Eh bien, voilà, ils se trouvaient encerclés avec leurs belles et pesantes armures toutes neuves. Grands seigneurs ou pas, ils tombaient de cheval comme de gros crustacés et passaient l'un après l'autre par les lames habiles des coutiliers de Galles et de Cornouailles.

— Qu'est-il advenu du roi? demanda Jehanne.

— Philippe de Valois ne manqua rien de cette boucherie qu'il avait commandée. Même son cheval y était resté. Le roi était incapable de s'arracher au champ de bataille. Il ne restait plus qu'une soixantaine d'hommes pour le défendre. Les Anglais n'en revenaient pas de leur victoire. Ils ne bougeaient pas, sinon ils l'eussent pris comme ça.

En disant cela, il claqua des doigts, il poursuivit:

— Il était si humilié qu'il ne pensait pas au danger. Enfin, Jean de Hainaut vint le chercher comme il l'aurait fait d'un gamin dissipé. N'oublions pas que c'est lui qui avait dit: «Qui m'aime me suive», en 1328, alors qu'il venait à peine d'être couronné.

Cette rétrospective fit soupirer Lionel avec dépit.

— À peu de chose près, dit-il, tout s'est déroulé de la même façon à Maupertuis. Dans le malheur qui l'accable et nous avec lui, le roi Jean n'a même pas su faire preuve d'originalité, sauf celle de se constituer prisonnier.

— Un prisonnier qui nous coûte cher et qui ne règne même plus, précisa Toinot.

— Il paraît que son fils le dauphin est un cavalier médiocre, dit Hubert.

— C'est à cause de sa main malade, déclara un paysan.

— Seulement sa main? Qu'en est-il du reste? demanda un autre.

— Les rois n'ont rien à y voir. Ce ne sont plus eux qui vont se battre, dit une voix qui fit taire tout le monde. C'était Louis qui avait parlé. Il participait si rarement aux débats que son intervention suscita immédiatement l'intérêt. Le métayer fit semblant de ne rien remarquer. Il déposa le cruchon devant lui.

— Pouvez-vous préciser votre pensée? demanda Lionel.

— Oui. J'étais à Maupertuis. J'ai vu ce que les chevaliers y ont fait. Ou plutôt ce qu'ils n'y ont pas fait. Ils ne s'en sont pas tenus aux règles de leur art. C'était à qui franchissait le premier les lignes ennemies, lance au poing. Ils se croyaient encore au tournoi.

— Mais encore? demanda Thierry, vivement intéressé.

Louis leva les yeux vers lui.

— Pour être efficace, une charge de chevalerie doit être en ordre, en formation serrée. Jetez une prune en direction du conroi* et elle devra se planter sur une lance. Les chevaliers demeurent ainsi, genou contre genou, tout au long de la manœuvre. Leur sécurité en dépend. Règle d'or : éviter la dispersion.

— Mazette! Comment savez-vous tout cela? demanda Sam, secrètement reconnaissant d'être distrait de l'obsédante pensée que son grand-père était resté dehors, au froid, qu'il avait lui aussi froid, qu'il n'avait plus besoin de chaleureuse protection.

Louis fit la sourde oreille et continua de sa voix grave, posée, que l'on écoutait volontiers :

— Il faut ensuite mener l'assaut avec la plus stricte discipline. Partir lentement et demeurer en formation serrée jusqu'à l'ultime instant où ils éperonnent leurs montures et abaissent leurs lances comme s'ils ne faisaient qu'un. C'est un vrai mur de fer propulsé par le poids des hommes et des chevaux. S'ils avaient fait cela au moment opportun, je suis convaincu que les chevaliers de France auraient pu vaincre et n'auraient essuyé que quelques pertes.

— Facile de parler comme ça lorsqu'on n'est qu'un piéton, dit Sam.

Louis se retourna vers lui, et l'enfant se renfrogna :

— D'accord. Faites comme si vous n'aviez rien entendu.

— Tu veux savoir de qui je tiens tout cela?

— Dites toujours.

— De mon cheval. C'est par son comportement que j'ai pu voir comment les chevaliers s'entraînent à la charge.

Sam ne trouva rien à redire. Il savait que les destriers

subissaient un entraînement aussi rigoureux que celui de leurs maîtres. Face à une ligne serrée de fantassins ou de cavaliers, l'instinct d'un cheval lui dictait de s'en écarter. Mais Tonnerre avait appris à agir contre son instinct. Il avait été dressé à continuer sa course en dépit de ceux qui tombaient sous ses sabots, à foncer sur l'ennemi, à le piétiner, à le mordre et à revenir sur lui. Et Tonnerre avait fait tout cela à Maupertuis. Sauf pour lui. Là se trouvait le miracle.

Louis ajouta :

— À Maupertuis, il n'a fallu aux Anglais que des archers et des trous pour faire trébucher les chevaux.

— Et l'invraisemblable vanité des grands de ce royaume, ajouta Lionel.

— Ouais, cela aussi. J'oubliais. Bon, c'est bien intéressant toutes ces belles paroles, mais ce n'est pas ça qui va nous donner de quoi souper.

Il se leva. Lionel répondit :

— C'est bien vrai : *primum vivere, deinde philosophari*. Il faut vivre d'abord et philosopher ensuite. Ce proverbe a été écrit pour vous, mon fils.

*

— C'est ton tour.

Louis se tenait à l'entrée de l'abri et attendait Sam, les mains sur les hanches.

— Pas aujourd'hui, répliqua le garçon.

Il demanda à la ronde :

— Quelqu'un veut y aller à ma place? Moi, je n'en ai pas envie.

Avant que quiconque eût le temps de se porter volontaire, Louis insista :

— Je m'en moque. C'est à toi, et tu t'amènes.

— Il fait trop froid pour se baigner.

— Ça m'est égal. On peut te sentir à un quart de lieue.

Des rires incitèrent le gamin à lui tenir tête encore, ne fût-ce que par orgueil. Se faire dire devant tout le monde que l'on puait était en soi suffisamment humiliant. L'échappatoire idéale lui vint soudain à l'esprit :

— Mais je ne peux pas me laver, puisqu'il ne reste plus de savon.

Louis s'avança.

— Oh! oh! voilà qui n'augure rien de bon, dit Blandine.

— Eh, mais qu'est-ce que vous faites? Lâchez-moi, protesta Sam.

La défaite fut d'autant plus amère que Louis avait résolu la question en empoignant Sam par ses vêtements. Il le serra contre sa hanche comme un agneau agité pour mieux l'emporter dehors, escorté par des éclats de rire.

— Ça va, hein, posez-moi par terre. Je peux marcher tout seul, finit par dire Sam, dégoûté, après plusieurs minutes de marche dans un sentier que le frimas faisait crisser.

Mais Louis fit la sourde oreille et ne lâcha le gamin qu'une fois qu'ils eurent atteint le bord du marais. Là, il le laissa tomber dans une boue épaisse et collante dont la surface se couvrait d'un duvet gelé.

— Ah! Mais vous êtes fou ou quoi? cria Sam en pataugeant avec frénésie.

— Enlève tes hardes et enduis-toi avec la boue. Allez, grouille-toi et fais ce que je te dis. Ça te réchauffera en plus de te décrasser. Fais vite. N'oublie pas les cheveux. Tiens, sers-toi aussi de ça.

Il saupoudra la pauvre créature grelottante qu'était devenu Sam avec des brindilles de romarin séchées puisées à même sa musette.

Il n'y avait pas moyen d'y échapper. Louis restait sur la berge et surveillait, les bras croisés. La vapeur de son haleine lui passait effrontément devant le visage avant d'aller se perdre dans l'air doux. Sam obéit donc de mauvaise grâce sous le regard autoritaire de son tuteur, qui avait quand même songé à lui apporter des vêtements de rechange. Ils attendaient, pliés dans sa musette.

Dès qu'il en eut terminé avec, Sam put s'extraire péniblement de la boue glissante dans laquelle il s'enlisait pour aller se rincer un peu plus loin, là où un filet d'eau claire alimentait le marais. Le ruisselet vivotait encore sous une pellicule de glace que Louis dut briser pour lui à coups de talon.

— Tiens, vas-y.

— Brrr... et il vente en plus.

— Faudra t'y faire. Je me lave bien tous les jours, moi.

— Pour vous, ce n'est pas pareil. Vous êtes fait en glace.

— Attention!

Depuis l'autre berge du marais, les cris alertés d'un canard solitaire retentirent en même temps que les voix rauques de cinq hommes qui s'étaient embusqués plus près d'eux et manœuvraient déjà pour les prendre en tenaille.

Sam se jeta à plat ventre dans l'eau, parmi les roseaux morts. Il put entrevoir Toinot qui surgissait de nulle part pour se jeter dans la mêlée qui venait d'éclater derrière lui. Un paysan vint à la rescousse. Sans y penser, Sam s'agenouilla parmi des colliers de bulles que des nymphes, dans le désordre de leur fuite, avaient perdus là. Il écarta le rideau de tiges rugueuses derrière lequel il s'était tapi afin de mieux voir.

À trois contre cinq, le combat promettait d'être inégal. Les Anglais étaient mieux entraînés et surtout mieux équipés qu'eux. Mais Toinot, le paysan et Louis se battaient avec un acharnement que les autres étaient loin de manifester. Ils défendaient leur vie et la viande qui allait leur permettre de passer l'hiver. Les intrus, eux, ne luttaient que pour cambrioler. Ils ne faisaient que cela depuis des mois. Ils allaient le faire encore et encore, autre part, en attendant d'aller rejoindre leurs pareils. C'était d'autant plus lassant qu'il ne restait plus grand-chose valant la peine d'être pris. Devant l'ardeur de leurs opposants, leur priorité immédiate se déplaça. Il ne s'agissait plus de grossir un butin dérisoire, mais d'échapper à ce trio d'enragés. À voir ces Normands hirsutes, à demi sauvages et l'arme au poing, nul n'eût pu croire qu'ils protégeaient bien davantage que leur seule pitance. Ils avaient l'air de bandits comme eux.

L'un des cinq hommes se fit assommer par un coutre de charrue. Un autre disparut dans les ronces, emprisonné dans la haineuse étreinte de Toinot.

Ce fut alors qu'un des hommes, délaissé par les autres qui se vouaient tout entiers à leur combat, s'avança sur la berge. Il aperçut Sam. Il n'eut qu'une brève hésitation avant de s'élancer. Sam se redressa, trébucha dans un enchevêtrement de roseaux en se détournant et retomba à genoux. Les lanières visqueuses des algues lui collaient aux jambes. Elles s'agrippaient à lui comme des esprits maléfiques, complices des tueurs. L'homme arrivait en pataugeant bruyamment. L'eau lui arrivait aux mollets. Sam se releva et tenta à nouveau de fuir. Mais le niveau de l'eau, plus haut pour lui qu'il ne l'était pour l'adulte, le ralentissait dans ses mouvements. Inexorablement, l'Anglais se rapprochait. Sam, haletant, tourna la tête et vit l'homme qui, déjà, brandissait sa hache. C'était trop tard. Seul l'instinct le poussait à persister dans sa tentative de fuite, mais il obéissait aveuglément à cet instinct. Il regarda droit devant lui, en direction d'un endroit où l'élément liquide était moins encombré. C'était sa seule issue, elle était là, tout près, mais il allait être incapable de l'atteindre à temps. Les éclaboussures produites par son poursuivant l'arrosaient déjà. Le fond du marais se déroba sous ses pieds et il tomba encore. L'eau le recouvrit.

Sam ferma les yeux très fort et se laissa dériver mollement, s'attendant d'un instant à l'autre à couler pour toujours dans l'eau noire, frappé à mort.

Mais il ne se passa rien. Il osa à peine bouger et, après quelques secondes, il ne permit qu'à sa tête d'émerger légèrement. Ainsi, il put encore entendre derrière lui des bruits d'éclaboussures. L'Anglais était toujours là. Mais il ne frappait pas. Sam refusa soudain d'attendre davantage. L'homme avait eu sa chance, il ne l'avait pas prise. Tant pis pour lui. Il n'était plus question maintenant de se laisser tuer sans résister. D'abord, l'enfant s'éloigna d'un coup de reins avant de se retourner sur le dos pour essayer de comprendre ce qui arrivait.

C'était Louis qui survenait, son épée au clair. Il rejoignit le bandit en moins de deux. Leurs armes s'entrechoquèrent par une, deux, trois fois avant que le routier n'en vînt à se rendre compte que sa hache ne faisait pas le poids contre cet escrimeur : elle contraignait trop son propriétaire à lever le bras. L'homme le savait. Pourtant, il leva quand même le bras une fois de trop et hurla. Il échappa sa targe*. Elle se mit à flotter devant lui comme une petite barque. Un avant-bras sectionné tomba mollement par-dessus. Sam manqua s'étouffer. La grande épée s'éleva, s'arrêta, puis fendit brutalement l'air de biais. Sam vit la lame s'enfoncer dans le ventre du bandit, qui se plia en deux. D'une secousse, Baillehache poussa l'Anglais dans l'eau afin de frapper encore. Après quoi il se pencha au-dessus de sa victime immobile. Des mèches humides dissimulaient en partie le visage du métayer, et son épée abaissée ruisselait d'eau rougeâtre. Le routier ne bougeait plus. Tout autour des deux hommes, le vivant et le mort, l'étang rougissait.

Pour Sam, bien davantage que pour le routier, le temps s'arrêta. C'était la première fois qu'il voyait quelqu'un mourir. Ce n'était pas du tout ce à quoi il s'était attendu. Dans les fables, les gens frappés à mort criaient et se laissaient tomber comme pour dormir. Même les guerriers. C'était d'ailleurs comme cela qu'Aedan avait trépassé. On ne parlait nulle part des affreux gargouillis ni du sang qui giclait avec cette odieuse abondance. Aucun conte ne parlait jamais de cette eau sale recouvrant le visage livide du défunt comme un linceul. Ni de cette main qui serrait encore la garde de la grande épée. Une main qui avait tué. Sam n'osait pas bouger. Pétrifié, il fixait Louis qui s'était redressé et le regardait à son tour.

— Il a son compte. Ça va ? Rien de cassé ? demanda le tuteur du ton égal que Sam lui avait toujours connu.

Le garçon sursauta.

— N-non, j'ai rien, répondit Sam dont la voix trahissait un peu trop à son goût un état d'esprit qu'il eût préféré garder pour lui.

Louis vint rejoindre le garçon et l'aida à se relever. Il avait une estafilade au bras. À ce moment, l'Escot découvrit avec étonnement l'existence d'une écorchure sous son propre genou. Deux petites choses noires et gluantes y adhéraient goulûment. Avec une grimace de dégoût, Sam y porta la main. Louis l'arrêta en lui prenant le poignet.

— N'y touche pas. Ce sont des sangsues. Ça nettoie les plaies.

Lui-même se baissa pour tremper son avant-bras dans l'eau trouble et ne l'en ressortit que lorsqu'il en eut recueilli à son tour quelques-unes sur sa blessure.

— Hourra! criaient les hommes d'Aspremont.

Ils s'assemblaient sur la berge en piétinant quatre cadavres.

*

Le roi Jean le Bon fut temporairement libéré. De retour sur le continent, il était fermement résolu à débarrasser une bonne fois pour toutes la France des Tard-Venus. Cependant, il n'était nullement libéré de l'âpre rançon dont s'enrichissait à intervalles réguliers le Trésor anglais. C'était d'ailleurs la principale raison de son élargissement.

Il ne trouva rien de mieux à faire que de se rendre un peu partout en prêchant la croisade en Terre sainte, encouragé par le pape Urbain V. Mais les gens étaient trop occupés à combattre les routiers sur le pas de leur porte pour se soucier des palabres stériles des haut placés au sujet de la reconquête d'un lieu lointain. Ils ne risquaient rien, le roi et le pape, bien à l'abri derrière les murs de leurs somptueux châteaux. Les croisés, s'il y en eut, se joignirent plutôt aux compagnies de routiers.

Édouard III, quant à lui, ne parut pas être gagné par cette fièvre de la croisade. Ce roi réaliste avait amplement de quoi s'occuper sans de pareils enfantillages, avec deux guerres sur les bras, celle qu'il menait sur son île contre les Écossais et celle qu'il était en train de gagner à plates coutures contre la France. Pas question de laisser filer le poisson quand il était déjà accroché à son hameçon et qu'il ne lui restait, pour ainsi dire, qu'à glisser l'épuisette dessous afin de le recueillir.

La brève présence du roi de France dans son royaume ne changea rien pour son peuple. Le royal prisonnier repartit bientôt pour sa luxueuse geôle d'Angleterre.

Été 1362

La forêt était très belle en juin. Les jeunes feuilles d'humeur joyeuse bruissaient loin au-dessus de sa tête. Le jeune homme passa tout près d'une crevasse envahie par le lierre au feuillage tendre. Une haleine humide et résineuse montait de la terre. Elle lui cacha celle de la crevasse qu'il ne remarqua pas. Presque tous les sentiers s'étaient asséchés. Il faisait bon y marcher, même en solitaire. Les premiers jours d'été et la victoire encore toute fraîche lui montaient à la tête comme de l'hydromel. La partie était gagnée et il rentrait enfin chez lui.

Il y eut un claquement et quelque chose siffla. Juin battit soudain en retraite pour céder la place à une morsure pire que celle de l'hiver : c'était celle de la douleur et de l'effroi. Une flèche lui épinglait le bras à un arbre. Il y porta une main tremblante, mais il n'eut pas le temps de l'arracher. Un cavalier noir trottait tranquillement dans sa direction, tenant encore son arc.

Louis mit pied à terre et s'avança sans quitter le jeune homme des yeux. De sa main libre, celui-ci dégaina son coutelas et le pointa vers lui. Louis s'arrêta, hors d'atteinte.

— Va-t'en. Du vent, gros corbeau, ou je te crève le gésier, dit le jeunot effrayé par le son de sa propre voix.

Le géant dégaina à son tour sa dague et l'éleva au-dessus de sa tête en la tenant par la lame. Il s'apprêtait à la lancer. Il ordonna :

— Jette ça.

Le jeune homme n'eut d'autre choix que de laisser tomber son arme à ses pieds et entreprit de tirer sur la hampe de la flèche qui le maintenait captif.

— N'y touche pas, dit Louis en s'approchant.

Il se pencha pour ramasser le coutelas et se releva en vitesse, assenant un coup de poing au visage du jeune homme qui venait d'essayer de le frapper du pied. La secousse répandit une douleur fulgurante dans son bras dont les chairs furent entamées plus profondément par la pointe de la flèche. À demi assommé, le malheureux lutta pour recouvrer son équilibre. Louis l'y aida en l'empoignant par ses vêtements et l'adossa plus fermement contre l'arbre. Il demanda :

— Qui es-tu et que viens-tu faire ici ?

— Rien. Je ne faisais que passer. Et d'abord, toi, tu es qui pour te permettre d'agresser ainsi un honnête voyageur ?

— Peu t'importe mon nom. Mais sache que tu traverses des terres qui sont sous ma garde.

— Ma doué, cela vous sied plutôt bien de veiller sur les terres des autres.

Louis nota le voussoiement subit, de même que l'expression. Il demanda :

— Tu es breton...

— Dieu me préserve d'être autre chose.

— ... et seul. Que d'inconscience.

— Comment?

— Qu'es-tu venu faire ici?

— Mais vous êtes dur de la feuille ou quoi? Je viens de vous dire que je rentrais chez moi.

— Non. Tu ne m'en as rien dit. Pourquoi avoir fait pareil détour?

Le jeune homme ne répondit pas.

— Pourquoi? redemanda Louis, qui empoigna la hampe de la flèche et lui imprima un affreux mouvement circulaire. Les hurlements du blessé firent taire tous les oiseaux du voisinage. Le bourreau le laissa reprendre son souffle, et le jeune homme finit enfin par dire :

— À cause de la bataille, voyons.

— La bataille?

— Mais oui. Celle de Brignais, dit le jeune homme d'une voix aiguë, frénétique. Vous... vous ne le saviez pas?

Il n'avait plus du tout l'intention de déplaire à son tourmenteur, qui répondit :

— Non, je l'ignorais. Quand a eu lieu cette bataille?

— Le 6 avril, monseigneur.

— Et qui l'a emporté?

— Nous, bien sûr.

— C'est-à-dire?

— Les chevaliers de France étaient faits comme des rats. Ils nous ont chargés sur une colline pleine d'éboulis. Leurs bêtes se sont brisé les jambes l'une après l'autre.

Louis avait espéré une autre réponse. Découragé, il regardait autour de lui sans rien exprimer de son ressentiment. Pendant combien de temps encore allaient-ils devoir vivre comme des lièvres au fond de leur terrier?

Le jeune routier précisa :

— J'ai fait un détour pour me joindre à d'anciens compagnons qui devaient m'attendre pas très loin d'ici. On s'en va ailleurs. En Espagne, peut-être. À l'heure qu'il est, la trêve entre nous et ceux de France doit être terminée[87].

— Rien d'autre?

— Bigre! Que vous faut-il de plus?

— Aucune idée. Personne n'est passé par ici depuis des mois. J'y veille.

— Ah?

— Tes compères sont morts. Il ne reste que toi, dit Louis.

Le jeune homme ne put réprimer un frisson. D'instinct, il sut que ce personnage inquiétant ne mentait pas. Les brigands, les déserteurs, tous les gens de sac et de corde* avaient vite appris à éviter le coin.

— Bon. Alors on y va, dit soudain Louis.

Le géant retira la flèche du bras du jeune homme, qui se mit à saigner abondamment.

— Où ça? demanda-t-il.

— Par là. Avance, dit Louis.

L'homme en noir l'entraîna plus loin sans se soucier de sa blessure, puis il se retourna pour lui faire face.

— Tu n'aurais pas dû faire ce détour. Il t'a mené jusqu'à moi et en un lieu que ni toi ni tes compagnons ne doivent voir.

Les cris inhumains du malheureux furent entendus jusqu'à l'intérieur de l'abri et en pétrifièrent les occupants.

Il fallut attendre plusieurs heures pour que les grandes personnes vinssent à savoir ce qui s'était passé. Ce fut Toinot qui, le premier, l'apprit par accident en suivant des yeux les acrobaties d'un écureuil dans un arbre alors qu'il se dégourdissait un peu les jambes au cours d'une promenade. Son regard s'abaissa sur la corde et sur le pendu. Le jeune Breton avait cessé de se débattre depuis peu et avait uriné par terre. Deux orbites sanglantes béaient là où eussent dû être ses yeux. Les jeunes feuilles bruissaient gaiement au-dessus de sa tête.

Chapitre VIII

Un règne nouveau

Hiscoutine, juin 1362

Après la bataille de Brignais, les Tard-Venus étaient partis. La plupart d'entre eux avaient rallié les grandes compagnies de routiers en Espagne; d'autres groupes s'étaient simplement démantelés. Les bandits isolés qui restaient, s'il y en avait, avaient appris à éviter les environs d'Aspremont et d'Hiscoutine.

Malades et à demi morts de faim, les rescapés de l'abri revinrent dans un hameau en ruine. La plupart des chaumières avaient été incendiées. Celles qui tenaient encore bon avaient été pillées. Il n'y restait pas même un tabouret pour s'asseoir. Il n'y avait plus rien à manger. Le temps des semailles était passé et le treuil du puits, qui était presque entièrement dissimulé derrière un rideau d'herbes folles, avait été arraché. Tout le monde se mit bravement au travail pour réparer les dégâts. Il n'y avait pas d'autre solution si on voulait éviter la famine.

Le manoir avait lui aussi résisté, mais il était sens dessus dessous. Il y avait tellement de poussière en suspension dans l'air qu'on avait l'impression qu'il s'agissait plutôt de fumée. Les parchemins huilés des fenêtres avaient été crevés et, suspendu à son unique penture, l'un des volets claquait. On eût dit que la maison était à l'abandon depuis quinze ans. Des insectes et des rongeurs de tout acabit y avaient élu domicile en dépit des nombreux chats qui y patrouillaient à l'aise. Un couple d'hirondelles logeait sous les combles. Les parquets étaient partout constellés de boue séchée, de débris, de tessons de vaisselle brisée, de fientes et de crottes de petits animaux.

— Il y a un nid de souris là-dedans, dit Sam en se penchant au-dessus d'un coffre ouvert, bien sûr entièrement vidé de son contenu.

— Sainte Mère de Dieu, on va avoir de l'ouvrage, dit Margot en retroussant ses manches pour exposer des avant-bras qui avaient considérablement aminci ces derniers mois. Mais faisons contre mauvaise fortune bon cœur. Ce soir, nous dormirons enfin chez nous, entre les quatre murs solides de notre bonne vieille demeure.

En compagnie de Jehanne et de Sam, Louis, la main serrée sur le pommeau de sa canne, explora chacune des pièces. «Si le manoir est en aussi piètre état, que va-t-il en être du moulin?» songeait-il.

— Maître, là! Mon livre! Regardez ce qu'il y a dessus, s'exclama Jehanne, affolée.

Un gros rat, tout occupé à grignoter un coin de l'imagier de Jehanne, s'en alla vers une fissure dans le mur en protestant contre leur intrusion. Sans y penser, Louis s'avança et l'assomma d'un coup de canne. Jehanne poussa un cri horrifié et sortit de la chambre en courant.

— Hum... désolé, c'est l'habitude, dit Louis, qui revint ramasser le livre afin de constater l'ampleur des dégâts.

— L'habitude?

Les lèvres de Sam se retroussaient avec dégoût.

Louis s'expliqua:

— Quand j'étais gamin, je tuais les rats pour ne pas qu'ils s'en prennent à la farine. J'en tuais en ville aussi. Ils m'ont toujours écœuré.

— Moi aussi.

Ils prirent la direction de la chambre de Lionel. Le moine s'y trouvait déjà. Et il était cerné par des rats dont il n'avait nul souci, pas plus qu'eux n'avaient souci de lui. Il y avait des livres partout. Certains étaient demeurés ouverts. Déchirés, piétinés par des heuses crottées. De vénérables reliures étaient cassées comme si quelqu'un avait lancé ces précieux volumes à travers la pièce. On avait visiblement utilisé quantité de superbes pages enluminées comme serviettes de table. Le bénédictin les ramassait un à un, amoureusement.

— Dieu fasse que ces gens ne connaissent pas la valeur de ce qu'ils ont profané, dit-il tristement.

Louis avait entrepris de débarrasser le moine de ses hôtes indésirables. Il s'arrêta brusquement et avisa Sam, à qui il tendit sa canne.

— Tiens, continue. J'ai à faire.

— Oh, merde.

Le soir tombait déjà. L'air bleuté se peuplait du chant perlé des rainettes. Il montait d'une mare qui se trouvait pas très loin de la maison et il n'avait pas encore été remplacé par l'appel lugubre des loups en forêt. Cette première journée grisante, entièrement passée à la lumière du jour, avait paru trop courte à tout le monde, même si on était en juin. Mais les habitants du manoir eurent largement de quoi compenser ce petit désagrément : Louis s'accroupit devant l'âtre, et ils purent redécouvrir avec délices le crissement du fusil battant la pierre à feu, ainsi que l'odeur de l'amadou prêt à s'embraser. Ces menus détails pourtant si familiers leur étaient devenus quelque chose d'infiniment réconfortant et précieux. Toutefois, Margot remarqua :

— Nous avons perdu l'habitude d'entendre les bruits de la surface. Il me semble qu'il y en a trop. Écoutez-moi chanter les grenouilles. Il paraît que c'est un son maléfique. Je ne fermerai pas l'œil de la nuit.

— Maléfiques ou pas, c'est grâce à elles que nous pourrons souper ce soir, dit Louis.

Il prit un grand sac et une ligne à pêche avant de sortir.

*

*H*iscoutine, automne 1362

Une petite partie de la futaie avait, depuis le printemps, pris un drôle d'aspect derrière un bosquet d'arbres demeurés intacts : en avril, les feuilles n'avaient pas repoussé. Le soleil avait atteint la terre raboteuse et on put mettre en culture le sol forestier sans avoir à essoucher. Cela allait permettre aux habitants du domaine de conserver intact un petit champ de blé qui allait échapper à l'attention des pilleurs, s'il en venait encore. Il s'agissait avant tout d'une mesure de précaution. L'hiver précédent, au cours de ses patrouilles, Louis avait sélectionné l'endroit et arraché de chacun des troncs plusieurs pieds d'écorce. À présent, cette espèce de clairière avait l'air fantomatique, vaguement inquiétante.

— Si au moins c'était une fable. Je pourrais l'intituler *Le Massacre des hamadryades**, dit Sam en posant tristement la main sur un arbre silencieux.

— Préfères-tu te voir crever, toi, plutôt qu'eux ? demanda Louis.

Le métayer et ses gens achevaient de briser les mottes de terre dure à la bêche afin de permettre à la charrue d'ameublir le sol plus facilement. Le garçon répondit :

— Non, mais je n'aime pas voir maltraiter les arbres, même si c'est nécessaire. Parfois, j'aimerais être un arbre. Même morts, ils restent beaux.

— Vaniteux.

— À ce que je vois, vous n'avez rien compris de ce que j'ai voulu dire.

— Non et je m'en moque. Remets-toi au travail au lieu de rêvasser. Les bons sentiments, ce n'est pas ça qui va mettre du pain sur la table.

Les autres ne disaient rien. Ils savaient qu'il valait mieux ne jamais intervenir lorsque Louis discutait avec son pupille.

Les deux bœufs étant morts et tout ce qui eût pu servir de bête de trait ayant été volé, il ne restait plus que Tonnerre pour aider aux travaux des champs. Cela avait commencé par poser problème. Passer le joug au destrier l'eût étouffé. Le grand cheval n'était pas fait pour ce genre d'ouvrage. À la grande surprise de tous, mais surtout de Louis, Sam conçut un collier qui prenait appui sur les épaules du cheval et dégageait l'encolure ainsi que l'articulation du garrot, qui était directement liée au mouvement des pattes antérieures. C'était d'une simplicité si ingénieuse que, ce soir-là, le garçon d'écurie eut droit à une double ration de fromage blanc et à un semblant de sourire de la part de son tuteur. Le cheval de guerre fut le seul à ne pas apprécier l'invention. Il finit quand même par tolérer le collier puisque Louis le lui demandait. Cependant, nul autre que lui ne fut jamais capable de le guider dans les sillons.

Après la maison et le village, ce fut au tour du moulin d'être remis en état dès que les semailles tardives furent complétées. Louis trouva même le temps de commencer à bâtir le four à pain. Par l'effet de quelque miracle, le tas de briques n'avait pour ainsi dire pas été dérangé. S'ils en retrouvèrent quand même quelques-unes cassées, cela semblait davantage l'œuvre de rôdeurs à quatre pattes que celle de vandales humains. Le père Lionel avait vu là un signe de la Providence et, pour une fois, Louis fut d'accord avec lui.

Ils travaillèrent d'arrache-pied tout au long de cette année-là et de celle qui suivit. Louis s'absentait de plus en plus souvent aux champs, au village ou à Caen.

*

Lorsque vint l'automne 1363, un courrier arriva de Caen pour annoncer à Louis le trépas de Philippe de Navarre, le frère du roi

Charles. Ce prince qui avait mené une existence de routier, avait pris froid et en était mort le mardi 29 août. Ses obsèques avaient déjà eu lieu et Louis ne reçut aucune nouvelle du roi. Cela n'avait désormais plus aucune importance. Il y avait abondance de travail à la ferme, et les routiers étaient partis. Ça, au moins, c'était quelque chose de concret. Les tribulations de la cour lointaine s'étaient depuis longtemps estompées pour lui.

Le domaine était enfin redevenu un endroit «juste assez bien entretenu pour permettre à la vie de bien vivre», comme l'exprimait joliment le père Lionel. C'était presque devenu une ferme fortifiée. Un ruban transparent et bleuté montait de la cheminée en s'évasant. Il parfumait déjà l'air de ses sécurisantes promesses hivernales. Des andains* irréguliers séchaient par-dessus les racines des arbres. Une partie de la terre était dévolue à une variété de cultures potagères que le père Lionel désignait fort savamment sous le vocable de *companagium**. Il s'agissait de légumes, entre autres de petites carottes jaunâtres et tordues, mais aussi d'épinards et d'asperges auxquels les habitants durent progressivement s'accoutumer puisque Louis les appréciait. Il y avait aussi des fruits et des légumineuses de conservation : pois, fèves, vesces, féveroles et lentilles. Les olives de Méditerranée devaient être achetées au marché, mais Louis tentait l'expérience avec d'autres oléagineux dont certains allaient un jour abonder de nouveau à la ferme : pavot, navette, cameline, colza, chènevis et œillette à broyer afin d'en extraire l'huile, et aussi du lin. Car il voulait s'essayer à quelques cultures qui allaient fournir des produits textiles : en plus du lin, il sema donc une petite chenevière*, car le chanvre était une plante qui poussait bien en zone maritime. Ces dernières semences eurent d'ailleurs le don de susciter quelques commentaires désobligeants, mais discrets. Les pales du moulin tournèrent à nouveau. Le souhait de Louis était de faire d'Hiscoutine et d'Aspremont des lieux où la dépendance de ressources extérieures allait être réduite au minimum.

— Quand on est à se demander pourquoi quelque chose n'était pas là avant, cela veut tout dire, commenta Hubert à ce sujet.

En effet, la production du moulin fut salutaire aux habitants du domaine, ainsi qu'à ceux d'Aspremont. Louis élabora une farine économique et abondante, «armée de toute sa fleur et son», comme il disait, qui allait leur épargner à tous la famine. Sa méthode consistait à faire remoudre les sons gras et à ajouter ces gruaux à la farine de boulangerie. Cela donna un rendement nettement supérieur à celui des céréales, avoine, seigle, orge, blé et même froment, et les produits de ces farines s'avéraient savoureux en plus d'être extrêmement nourrissants. Cette idée, Louis l'avait eue dès son adolescence, mais sa future appartenance à la guilde des boulangers de Paris l'avait empêché de l'exploiter. Cette interdiction n'avait plus lieu d'être, désormais; un grand nombre d'organismes sociaux n'existaient plus ou étaient en cours de restructuration. Il n'était plus boulanger, il était loin de tout et seul maître chez lui. Dans le grand garde-manger du domaine, on trouva donc des pains aromatisés à la cannelle, au gingembre, aux noix de toutes sortes et même, parfois, au safran. L'air de la petite pièce était sec et à nouveau chargé d'odeurs, grain, miel, vieilles pommes, aromates, vinaigre, fromage, et même une note de précieuses épices. Au traditionnel quatuor, cannelle, gingembre, clou de girofle, muscade, venaient occasionnellement se greffer les graines de cardamome et de maniguette, les racines de galanga, les copeaux de macis que l'on réduisait soi-même en poudre et, plus rarement, les précieux pistils orangés du safran. Des tresses d'aulx et d'oignons pendaient du plafond, en compagnie des saucissons et du jambon fumé. Il y avait aussi quelques cageots de navets, de choux férus, de raves et de carottes. Un pot de grès était rempli de lardons conservés dans de la graisse d'oie. Louis envisageait même l'acquisition prochaine d'une vache qui, en plus de son apport quotidien en lait, pourrait être attelée à la charrue. Mais ce projet-là fut remis à plus tard : les paysans refusaient de se défaire de leur bétail trop rare, et les foires n'avaient plus le faste d'antan.

Un ami d'Aedan se prélassait en compagnie de son épouse sur un banc adossé à sa toute nouvelle auberge qui venait d'ouvrir ses portes à Aspremont; l'auberge s'appelait «Au cheval noir» et avait été nommée ainsi en l'honneur de Tonnerre. L'ancienne enseigne en fer forgé endommagée, qui avait jusque-là représenté un porcelet dansant, avait été remplacée en conséquence. Laissant le soleil réchauffer ses vieux os, la femme leva les yeux vers l'enseigne et sourit. Cet endroit était devenu le lieu favori du vieux couple dès son arrivée quelques années plus tôt, car il pouvait y observer tout ce qui se passait sur la placette, un détail non négligeable pour quiconque est friand de commérages. Les os de la matrone étaient sans doute affaiblis, mais ses oreilles, elles, ne l'étaient pas.

— Ah, c'est pain bénit que le maître Baillehache ait bien maté ces saletés d'Anglesches. Ce que j'aimerais m'enlever, disons une bonne vingtaine d'années de sur le dos comme lourdes penailles* d'hiver pour aller le remercier comme il le mérite, tiens.

— Oublie ça, m'amie. J'ai idée que tes charmes lui feront pas grand effet. Il paraît qu'il va jamais aux filles, notre bonhomme, pas même en ville.

— Vieux grincheux. Je t'ai dit de pas toucher à l'eau-de-vie, qu'on la garde pour la clientèle, mais tu m'écoutes jamais. Tu le sais, pourtant, que ça te fiche le moral à plat.

Outré, le vieillard cracha son cure-dent.

— J'ai pas bu! Ce dernier cruchon que j'ai débouché, j'ai jamais découvert où tu l'as planqué.

— Me demande pas ça à moi, je m'en souviens plus. À propos de notre bonhomme, tu connais la nouvelle?

— Quelle nouvelle?

— Il nous a construit un four banal là-haut. Si, si, au domaine. Tout ce qu'on a à faire, si on veut servir des rôtis et tout, c'est de les lui apporter avec notre contribution d'une bûche.

— Eh bien, dis donc, ça a peut-être ses bons côtés de pas toujours avoir l'esprit occupé par les filles.

Une fois que le four tout neuf eut été aspergé d'eau bénite, Louis l'inaugura avec rien de moins que du pain de froment dont il avait, à l'exemple des boulangers de la côte, pétri la pâte au levain très nerveux avec de l'eau de mer. On s'en régala dans la cour, au-dessus d'une vieille nappe rapiécée, avec un peu de vin nouveau, une meulette de fromage sec et la cornemuse qui bégayait, empoignée par les mains avides de deux enfants. L'air de rien, Louis se pavanait fièrement du four aux pique-niqueurs avec sa palette de boulanger garnie de miches dorées.

— J'aimerais que *seanair** voie ça, disait souvent Sam.

Il le redit ce soir-là. Son grand-père lui manquait. On eût dit que l'absence d'Aedan avait le don de se faire sentir plus encore lors de ces moments de bonheur trop vite enfuis.

Pour Jehanne, les choses se passaient autrement. Elle s'ennuyait elle aussi du vieil Écossais, bien sûr. Comme tout le monde. Mais ce soir-là elle n'y pensait pas. Alors que le soleil se couchait et qu'une brise parfumée de foin folâtrait avec le merveilleux arôme du pain de Louis, Jehanne jubilait. Il faisait bon vivre et son Louis était là, heureux.

*

L'hiver 1363-1364 fut si rigoureux que le vin gela dans les coupes. On disait qu'il y avait eu jusqu'à un mètre de glace sur la

Seine. Il eût presque été impossible de survivre dans l'abri souterrain dans de telles conditions. Les habitants d'Hiscoutine ne purent faire autrement que d'y penser au cours des longues heures de confinement à l'intérieur du manoir. On passait le temps assis bien au chaud près de l'âtre où fumait constamment bouillon, cidre ou hypocras*. Même les enfants ne se plaignaient pas des menus travaux qu'on ne faisait qu'en hiver, faute de temps à la belle saison, ni des quelques heures d'école quotidiennes dispensées par le père Lionel. Le moine avait rafistolé ses livres et enseignait à deux élèves assidus histoire sainte, lecture, écriture et calcul. Sam, désormais ceint en tout temps d'un cordonnet de cuir, possédait maintenant sa propre tablette de cire et il la traînait partout avec lui. Lionel avait proposé à Louis de se joindre à eux, mais le métayer avait décliné l'offre, alléguant qu'il n'avait pas le loisir de se consacrer à pareil luxe. Il fallait bien quelqu'un pour faire cuire le pain et pour assurer un minimum d'entretien sanitaire en ville durant ces longs mois d'hiver.

La Chandeleur* procura un agréable changement à la routine, que tous apprécièrent, malgré l'adage voulant que soleil de Chandeleur* annonçât hiver et malheur. La journée s'annonçait splendide. On s'efforça de ne pas trop y prêter attention pour ne pas tenter le sort plus que nécessaire.

Il y eut d'abord la procession aux chandelles. À l'église, le père Lionel remit à chaque maître du logis un cierge allumé qui était destiné à protéger sa maisonnée des mauvais esprits et de la foudre, en plus d'assurer de bonnes récoltes. Ce fut Louis qui, en tête d'un cortège frileux, fut chargé de rapporter celui du domaine.

— Surtout, qu'elle ne s'éteigne pas en chemin, murmura Margot d'une voix angoissée, sans quitter la petite flamme vacillante des yeux.

Afin d'apaiser la grosse domestique qui s'essoufflait beaucoup trop pour son bien, Louis protégea précautionneusement la flamme de sa grande moufle et tourna même le dos au vent.

— Qu'arriverait-il si elle s'éteignait? demanda Jehanne.

— Il arriverait que nous n'aurions qu'à la rallumer, dit Louis.

— Non. Ça ne servirait à rien, parce que, si elle s'éteignait, ce serait un mauvais présage, dit Blandine.

— Quel genre de mauvais présage?

— C'est vrai qu'on va faire sauter des crêpes? demanda Sam.

— Toi, l'Escot, tu ne penses qu'à ton estomac, dit Blandine. Oui, nous aurons des crêpes bien chaudes pour le déjeuner. Ah, qu'il gèle, qu'il vente. Ce que j'ai hâte d'arriver, moi!

Toinot, Thierry et Hubert fermaient la marche et restaient silencieux, la bouche et le nez dissimulés derrière leur écharpe de laine. Louis regarda Sam et dit :

— Je vais faire sauter les crêpes. Toi, tu iras t'asseoir pour en manger avec les autres. Je ne veux pas t'avoir dans les jambes pendant que je cuisine.

— Ça, c'est le genre d'ordres que j'aime entendre, dit Sam avec un grand sourire.

Sa réplique fut accueillie par quelques rires brefs qui produisirent de petits nuages blancs autour du groupe.

— Oh, bonne mère, quelle rafale! s'exclama Margot. S'est-elle éteinte, maître?

— Non.

— Parce que, si elle s'éteint, c'est un message de mort pour celui qui la porte.

— Balivernes. Ce n'est qu'une chandelle. Mais j'y fais attention, puisque ça vous rassure.

Jehanne s'approcha de Louis et lui dit :

— Elle ne s'éteindra pas. Vous songerez à mettre un sou dans la première crêpe et à la laisser sur l'armoire, n'est-ce pas?

— M'avez-vous déjà vu oublier de le faire?

Pour ne pas demeurer en reste, Sam se rapprocha d'eux dans une attitude fort dévote. Jehanne convint :

— Non, c'est vrai. Même lorsque nous étions dans l'abri, vous l'avez fait. Et vous aviez dit vrai : la crêpe n'a jamais moisi de toute l'année. Elle a juste séché. C'était vraiment une crêpe spéciale, alors. Grâce à vous, le bon Dieu nous a donné une bonne récolte sans moisissure. À qui donnerons-nous le sou de l'an passé?

— Au premier pauvre que nous verrons, répondit Blandine. Ainsi, nous serons protégés.

— Mais nous sommes protégés.

Jehanne sourit à Louis, qui marchait toujours à reculons, dos au vent. Elle avait en lui une totale confiance qui le mit mal à l'aise, car elle frôlait la vénération.

Un souffle direct effleura sa moufle et il baissa les yeux. La chandelle venait de s'éteindre. Margot, haletante, se signa. Louis s'immobilisa et regarda Sam qui recula hâtivement.

— C'est pas moi, c'est le vent, dit-il.

Une expression craintive succédait à son vague sourire.

Louis ne dit rien. Il abaissa la chandelle, leur tourna le dos et se remit en marche d'un pas rapide, les épaules légèrement voûtées pour se protéger du vent, une main sur son chaperon. Des volutes de neige dansaient à ses pieds. Les pans de son aumusse* battaient comme des ailes de corbeau. Les autres marquèrent un temps avant d'oser à nouveau le suivre.

— C'était une très mauvaise plaisanterie, ça, l'Escot, dit Hubert.

Jamais printemps ne fut plus long à venir. Mais il vint et, avec lui, le changement.

*

Hiscoutine, printemps 1364

La bande de copines qui lâchaient rarement Jehanne d'une semelle portait sur les nerfs de Sam plus que d'habitude depuis le début de la belle saison. Ces filles étaient devenues insupportables. Du jour au lendemain, leur comportement s'était radicalement modifié. Elles avaient cessé de grimper aux arbres et de jouer aux damoiselles en détresse pour passer de longues heures dans la tour, assises dans le foin à bavarder. Et, comme de raison, il n'avait pas accès à leurs conversations qui avaient toute l'apparence de graves complots. On avait frappé Sam d'interdit. Dès qu'il essayait de franchir le seuil de la tour, de *sa* tour, il en était invariablement éconduit avec force cris d'indignation. Ses rares temps libres étaient devenus très ennuyeux. Certes, il haïssait ces pimbêches du village, avec leurs regards en coin et leurs ricanements furtifs. Mais le pire, dans tout cela, ce n'était pas tant elles que le fait qu'elles l'avaient éloigné, lui, de Jehanne.

En peu de temps, à ce qu'il semblait, Jehanne avait beaucoup changé. Ce changement s'était amorcé vers la fin du séjour dans l'abri souterrain, une épreuve qui avait laissé sa marque et affecté tout le monde de manière différente. Chez la plupart, cela avait mis un certain temps avant de devenir apparent, la survie ayant primé sur tout le reste. Mais, à présent que le calme était revenu, il se produisait des choses nouvelles, inattendues. C'était comme si la vie n'allait plus jamais pouvoir être comme avant. Chez Jehanne, le changement s'était amorcé graduellement, en douceur, si bien que très peu de gens avaient semblé le remarquer. Sam avait été le premier. Puis ça avait été au tour de Louis.

Un jour qu'il sarclait le potager, le métayer s'était subitement rendu compte qu'elle était en train de devenir une vraie beauté. Cerné par des buissons d'églantiers, il avait interrompu son travail pour la regarder passer. Parmi ses copines qui caquetaient autour d'elle comme une couvée de grands poussins à demi couverts de plumes, elle avait l'air d'une femme. Elle rayonnait. Cela le mit mal à l'aise. Il se demanda comment il avait fait pour ne pas remarquer avant la silhouette qui se modelait, s'affinait, polissant avec subtilité ses angles trop aigus sous le lin grossier de sa robe. Elle avait épilé les premiers cheveux du pourtour de son front, qui était maintenant haut, large et lisse. Les gestes de la jeune fille nubile devenaient gracieux, emplis d'une sensualité d'autant plus attirante que Jehanne en était inconsciente. Le groupe s'était tu après avoir jeté un bref coup d'œil au sombre jardinier et l'avait dépassé en échangeant des confidences pressées, ponctuées de petits rires et de joues rosies.

Louis eût sans doute été encore plus indisposé s'il avait su que, depuis un certain temps déjà, il faisait l'objet d'une étude approfondie comme seules savaient en initier des adolescentes aux prises avec d'impétueux désirs, pour elles encore neufs. Il avait bien conscience de certains de leurs petits fantasmes, mais, ne sachant trop comment y réagir, il faisait mine de ne pas les remarquer.

— Tu as vu comme il te dévorait des yeux? chuchotait l'une.

— Cette façon qu'il a de vous examiner... Ouah!

— Chut, il regarde encore par ici.

— Ce qu'il a l'air fort! remarquait une autre. Il n'est peut-être pas si vieux que ça, après tout.

— On ne peut pas dire qu'il soit vraiment séduisant, non, pas avec ces cheveux noirs[88].

— Ils ne sont pas noirs, mais brun foncé. En tout cas, je suis sûre qu'il saura se montrer très romantique.

— Tu en as, de la chance, Jehanne, d'avoir un fiancé bien à toi.

— Si on allait lui proposer notre aide?

— Es-tu un peu folle! Que va-t-il penser, de nous voir arriver toutes les sept dans ce petit potager de rien du tout?

— Mais regardez-le, on dirait qu'il n'a plus du tout envie de sarcler.

— Il renifle les églantines. Jehanne, tu as vu? Il va peut-être t'en cueillir. Comme c'est romantique!

De son côté, Louis se demandait pourquoi le groupe s'était arrêté. Il commença à se chercher une raison pour laisser son sarclage en suspens.

Une vieille outre remplie d'eau éclata sur la tête de l'une des filles et sema la panique dans leur réunion. Elles détalèrent pour ne s'arrêter que cent mètres plus loin.

— Ça vient de cet arbre, là. On se tenait juste dessous, dit Jehanne.

— C'est encore cet affreux gamin! dit la fille trempée qui essorait frénétiquement ses deux longues nattes.

Sa robe lui adhérait à la peau.

— Sors de là, l'Escot, on t'a vu!

— Même pas vrai, dit la voix de Sam, dont elles aperçurent seulement à ce moment-là les boucles rousses parmi le jeune feuillage de l'arbre.

À l'aide d'une fronde de sa fabrication, il entreprit de bombarder ses victimes hurlantes avec des boulettes faites à partir de restes de teinture et de boue qu'il avait mis des heures à confectionner. Il prit soin de ne pas prendre Jehanne pour cible. Depuis le début de ses représailles, quelques semaines plus tôt, elle seule avait été épargnée des seaux d'eau posés en équilibre au-dessus des portes et des intrusions d'insectes.

Louis s'était remis à son sarclage en faisant semblant de ne rien remarquer. Du moins jusqu'à ce que Sam, en descendant de son arbre, eût la veine de tomber sur une petite couleuvre qu'il attrapa. Il se mit à la poursuite de la fille la plus proche en brandissant fièrement son trophée gigotant. La fillette hystérique plongea dans les églantiers et s'abrita derrière un Louis qui n'avait pas prévu cette éventualité. Le stratagème fonctionna : Sam n'osa pas aller plus loin et se choisit une autre victime. La couleuvre passa l'après-midi le plus mouvementé de sa vie.

Jehanne se demandait pourquoi Louis avait changé. Il n'était plus le même avec elle. Les dernières fois qu'elle avait cherché à s'asseoir sur ses genoux, il l'avait presque repoussée. Il l'avait laissée faire avec réticence et ne lui avait pas tapoté le dos comme il en avait toujours eu l'habitude. C'était l'une de ses rares démonstrations d'affection et cela manquait à Jehanne. Lui qui passait déjà si peu de temps avec elle se mit à l'éviter et à détourner le regard dès qu'il sentait ses yeux posés sur lui. Elle ne pouvait plus jouer aux chatouilles avec lui et il semblait gêné de simplement lui adresser la parole.

La jeune fille crut que Louis ne l'aimait plus. Elle se mit à douter d'elle-même. Elle se sentit indigne, malpropre. Son penchant naturel pour les jeux et les petits bonheurs en fut grandement déstabilisé. De plus en plus souvent, au fur et à mesure que le printemps avançait, elle ressentit le besoin d'être seule. Elle partait en promenade et ni Sam ni ses amies n'étaient conviés. Ils n'arrivaient jamais à savoir où elle allait. Le petit Écossais passait des heures à l'attendre dans la tour. Parfois elle venait le rejoindre, parfois non. Lorsqu'elle ne venait pas, Sam en était très malheureux.

*

*C*aen, mi-avril 1364

Peu avant ces événements, tous les clochers de la ville sonnèrent le glas. Les bourgeois allaient et venaient sous cette triste musique, le pas pressé et la tête rentrée dans les épaules. Le 8 avril, soit quatre mois après son retour sur la Grande Île, Jean le Bon avait rendu l'âme au palais de Savoie, victime d'une maladie inconnue, disait-on de façon officielle. Mais d'aucuns affirmaient que l'abus de bonne chère anglaise avait eu raison de l'otage royal. Sa rançon, qui allait demeurer incomplètement payée, n'empêcha pas les Anglais d'offrir à Jean des funérailles somptueuses à la cathédrale Saint-Paul de Londres, au cours desquelles quatre mille torches de douze pieds de haut et autant de cierges furent consumés. On inhuma son cœur au lieu saint même, et sa dépouille fut rapatriée.

La veille et le jour même du trépas de son père, le futur roi de France reprit par personnes interposées les hostilités contre Charles de Navarre en investissant ses cités de Mantes et de Meulan. Entre autres atrocités ayant pour but de se faire justice après toutes les vilenies commises par les gens du Mauvais, il fit pendre vingt-huit Navarrais à Paris. Il fit également décapiter l'un des principaux conseillers du Navarrais, le sire de Saquenville.

Il ne faisait soudain plus très bon d'être un sujet du roi de Navarre. Les gens d'Aspremont et d'Hiscoutine s'en inquiétèrent jusqu'à ce jour où Louis fut convoqué à Caen par le bayle Thillebert. Si l'exécuteur avait vite compris pourquoi il n'avait plus entendu parler du roi de Navarre, la raison pour laquelle sa maison, son hameau et le gros de ses terres avaient été épargnés ne lui fut clairement dévoilée qu'au cours de cette entrevue.

— Je tiens de source sûre qu'un événement grave est sur le point de se produire, dit le bayle à Louis qui se tenait debout devant le fonctionnaire.

L'homme bedonnant s'installa derrière la petite table qui lui servait d'étude et dit :

— Ce n'est pas sans raison que toute la racaille d'Angleterre et de Navarre s'en est allée. À l'heure actuelle, tous ces gens sont en train de se rassembler en un lieu nommé Cocherel. Ils s'apprêtent à porter un grand coup au royaume de France.

— En quoi cela me concerne-t-il?

— J'y viens. Cette nouvelle ne m'arrive pas toute seule. J'en ai une seconde, et elle est d'importance. Figurez-vous qu'en ce moment même, une autre personne est en voyage. Ils le savent et ils l'attendent.

Louis ne demanda pas de qui il s'agissait. Il se contenta d'acquiescer et attendit la suite. Cela ne gêna aucunement le bayle, qui le connaissait bien. Il posa solennellement ses mains à plat sur la table et continua:

— Le Dauphin a l'intention de séjourner brièvement à Reims.

— Ah.

— À Reims. Vous savez ce que ça signifie?

Louis haussa les épaules. Cela ne pouvait signifier qu'une seule chose: un couronnement. Reims était la ville où se faisaient les rois. Thillebert demanda:

— Êtes-vous bien certain d'avoir compris tout ce que cela implique?

— Oui. Que voulez-vous que j'y fasse? C'est son droit.

— Les routiers chercheront à tout prix à empêcher le sacre. J'en suis persuadé. Enfin, bref, le gouverneur Friquet de Fricamp m'a chargé de vous dire qu'il souhaite se rendre là-bas pour la cérémonie en votre compagnie, à vous et à votre fiancée. Il en va de votre sécurité, vu votre allégeance. Plus il y aura de gens pour vous y voir, mieux cela vaudra. On s'entend là-dessus?

— J'avais compris.

— Vraiment? Eh bien, c'est digne d'admiration, venant de quelqu'un qui n'est pas instruit. Bon, allez, Baillehache. Pas d'ouvrage pour vous aujourd'hui. Mais rappelez-vous, hein: soyez sur vos gardes. On ne sait jamais.

— Bien, je m'en souviendrai.

Louis salua le bayle d'un signe de tête et sortit.

De retour chez lui avec une charrette pleine de fumier qu'il avait ramassé dans les rues et ramené afin d'essayer d'en améliorer le rendement[89], il s'occupa de son jardinet. À la ferme, il avait davantage recours à l'engrais naturel que constituaient les débris végétaux en décomposition qu'il allait quérir en forêt pour fertiliser la terre. Mais, l'humus étant introuvable en ville, il avait plutôt recherché cette autre ressource quasi inépuisable et gratuite.

Quelques voisins qui le regardaient travailler un petit coin consacré aux aunées* émettaient des commentaires suffisamment fort pour se faire entendre de lui:

— Y a pas à dire, ses fleurs ont belle mine. Trop même, si vous voulez mon avis, pour des fleurs de bourrel*.

— J'ai ouï dire que c'est parce qu'il mélange du sang humain à son fumier.

Louis lâcha sa bêche et s'avança vers sa grille où les indiscrets se tenaient, goguenards, les mains dans leurs poches. Il leur dit :

— Au fait, je suis un peu à court et j'aurais besoin de volontaires pour m'en fournir un peu. Il n'y a pas de meilleur engrais.

L'impasse se vida en moins de deux et il put travailler tranquille jusqu'à la fin de l'après-midi.

*

*A*spremont, *début mai 1364*

Jehanne n'allait pas bien depuis le mois de mars. Elle avait perdu l'appétit et plus rien ne l'amusait. En mai, son teint était devenu blême et son regard, fuyant. Fréquemment, Lionel l'avait vue quitter la maison bien avant l'aube avec un ballot sous le bras. À son retour, elle faisait un détour furtif par l'aile des domestiques pour y laisser son ballot avant de retourner se coucher, alors que le reste de la maisonnée s'éveillait peu à peu. Elle ne voulut souffler mot à personne de ce qui la préoccupait. Les mystérieux ballots demeuraient introuvables dans la cuisine. Sam lui-même n'arriva pas à savoir ce qui pouvait bien se passer. Tout cela avait commencé un matin encore frisquet lorsqu'elle s'était rendue au ruisseau pour se baigner. Elle en était revenue maussade et, depuis, l'anxiété pouvait se lire sur son visage dès que l'on tentait de s'adresser à elle. Cette espèce de langueur était d'autant plus inexplicable et malvenue que le mois de mai semait partout dans les sous-bois les clochettes en faïence délicate de ses muguets. Il faisait si bon s'étendre sans raison sur l'herbe jeunette qui s'ébouriffait sous la brise ensoleillée pour regarder filer les nuages. Être malade en mai, c'était souffrir doublement.

Louis non plus ne parvint pas à savoir ce qu'elle avait. Il lui faisait ingurgiter des toniques et allait cueillir en forêt toutes les jeunes verdures comestibles qu'il pouvait trouver. Il en faisait des salades généreusement assaisonnées d'ail. Il s'arrangea pour ramener de la ville un morceau de bœuf, acheté à prix d'or, qui fut exclusivement réservé à Jehanne. Et même, chose très rare, il se permit d'insister :

— Si au moins vous me disiez ce qui ne va pas, je pourrais peut-être faire mieux.

— C'est très gentil à vous, maître, mais c'est inutile. Je vais aller mieux, maintenant. Mon malaise est parti.

— Bien. Alors dites-moi ce que c'était.

— Rien, puisque ça n'y est plus.

Et elle lui offrit un triste sourire. Ils en restèrent là. La jeune fille ne tenait pas à lui avouer que son mystérieux mal ne cessait que pour mieux récidiver plus tard.

— Je crois qu'il s'agit plutôt d'un mal de l'âme, dit le père Lionel, qui résolut, trois jours avant le départ des fiancés pour Reims, de ne pas laisser Jehanne quitter son confessionnal sans en avoir le cœur net.

Ceux qui étaient destinés à faire le voyage avaient été rappelés à leurs devoirs de bons chrétiens. Le mince visage blanc de Jehanne faisait pitié à voir derrière la grille. Après l'aveu de quelques péchés véniels, il demeurait penché et contrit, aucunement allégé par la confession dont c'était pourtant le but. Après l'absolution, que Lionel lui avait donnée comme par hasard sans lui imposer une pénitence, le moine soupira et dit doucement:

— Maintenant, ma chère enfant, j'aimerais te parler comme un père et non comme un prêtre. Tu sais, je me fais beaucoup de soucis pour toi.

— Je vais mieux, mon père.

— Ne mens pas, Jehanne. Je viens tout juste de t'absoudre. N'accordes-tu pas une plus grande valeur au pardon divin?

Jehanne ne répondit pas. Il avait raison, elle n'allait pas mieux. Au contraire. Cela avait recommencé ce matin même et cette fois c'était pire. Lionel dit:

— Tu sais, ma fille, le pardon efface tout. Il n'y a aucune faute, aucune, si grande soit-elle, qui ne trouve grâce devant Dieu si le repentir est sincère. Notre Père du ciel doit nous aimer très fort pour être capable de faire cela. Tu es d'accord?

— Oui, mon père.

— Eh bien, ne crois-tu pas qu'Il t'aime suffisamment pour que tu puisses sans crainte Lui confier non seulement tes péchés, mais aussi tout ce qui alourdit ton cœur? Dis-moi, ma fille, ce qui te tourmente. Confie-moi ton fardeau, mon enfant, et moi, je le confierai à Dieu.

La voix aimante, rassurante du père Lionel, bien davantage que ses mots, fit monter les larmes dans les yeux gris de Jehanne. À cet instant, elle eut envie de voir disparaître la cloison du confessionnal afin de pouvoir se jeter dans les bras du bénédictin, de s'y abandonner et de ne plus avoir peur.

— Oh, père Lionel, j'ai tellement honte.

Jehanne se mit à sangloter en se berçant, les bras croisés sur le ventre. Lionel ne pouvait s'empêcher de se demander de quoi la petite pouvait bien avoir honte pour s'être mise dans un pareil état. Il se souvint que les soucis de l'enfance paraissaient, hélas, trop souvent bien ridicules aux yeux condescendants des adultes. C'était là erreur à ne pas commettre. Les peines n'ont pas moins d'acuité parce qu'on est jeune. Il se disposa donc à écouter.

— J'ai fait quelque chose de très mal, mon père. Je ne croyais pas que c'était mal, bien sûr, parce que j'aime le maître Baillehache. Mais j'aime aussi Sam et, ce printemps, dans la tour, je lui ai donné un baiser sur la bouche. Il m'a prise dans ses bras et nous nous sommes touchés.

Derrière son grillage, le père Lionel était statufié. Sam ne lui avait rien confessé de tout cela. Il demanda, d'une voix blanche :

— Touchés comment?

— Juste touchés. Comme lorsqu'on caresse les chats.

Jehanne leva les yeux et se hâta d'ajouter :

— Je toucherais bien le maître Baillehache aussi, mais il ne veut plus. C'est lui qui ne m'aime pas. Si c'était mal d'embrasser Sam, moi, je l'ignorais, et maintenant, je vais mourir.

— Que dis-tu là, ma fille?

— Dieu me punit et je vais mourir bientôt. Je suis malade. Quelque chose me ronge en dedans et il y a du sang.

Elle baissa honteusement la tête.

— Cela sort... entre mes jambes. Je cesse de saigner après quelques jours et on dirait presque que je suis guérie, que Dieu m'a pardonnée, mais cela finit toujours par revenir. C'est la troisième fois. Et ça me fait très mal au ventre.

— Oh, Seigneur, dit Lionel d'une voix plaintive.

Il se prit le visage à deux mains et se le frotta. Jehanne se méprit sur le sens de cette supplication. Elle prouva qu'elle avait longuement réfléchi à la question de sa maladie en disant :

— Que va dire le maître Baillehache? Il sera sûrement fâché contre moi. Il va croire que c'est à cause de Sam.

— Ma pauvre petite fille, écoute-moi.

Et le silence se fit dans le confessionnal, car le père Lionel ne sut que dire. Il ignorait comment aborder la question. Il laissa échapper un profond soupir, leva les yeux au plafond et murmura :

— Très Sainte Mère de Dieu, je m'en remets à vous. Ce ne devrait pas être à moi d'expliquer ces choses.

Puis, à Jehanne, il demanda :

— Margot ne t'a donc rien dit à ce sujet?

— Elle n'en sait rien. Je... je vais moi-même laver au ruisseau les linges que j'emploie.

— Ah, c'était donc cela, ces ballots.

— Vous avez vu? demanda Jehanne craintivement.

— Oui, mais... enfin bref, il ne s'agit pas de cela. Ce que je veux savoir, c'est si Margot a bel et bien manqué à ses devoirs envers toi.

Le ton sec du moine était inusité. Cela n'augurait rien de bon. Jehanne commença à s'inquiéter pour Margot. Elle répondit:

— Je ne comprends pas.

— Ne t'a-t-elle pas expliqué comment une jeune fille devient femme?

Jehanne parut immédiatement soulagée. Elle dit:

— Oh oui.

Et elle se mit à réciter d'une voix plate, comme une leçon apprise par cœur:

— À toute jeune fille, l'on se doit d'inculquer la pudeur, la mansuétude, la constance, la modestie, cela dans le but de plaire au mari, à qui la femme, selon la volonté de la sainte Église, doit se soumettre.

— Rien d'autre?

La jeune fille demeura perplexe. De son point de vue, c'était amplement suffisant. Elle se demanda ce qu'il pouvait bien y avoir de plus comme restrictions dans l'existence déjà étriquée d'une bonne épouse et mère de famille. Elle répondit:

— Il me semble bien que non.

— Miséricorde. Attends donc un peu que je mette la main dessus, cette grosse oie de Margot! gronda le père Lionel.

Et, l'air soudain contrit devant Jehanne qui le fixait de ses yeux exorbités, il se signa avec empressement.

— Que le Seigneur me pardonne de m'être ainsi emporté. Et toi aussi, Jehanne, je te demande pardon. Pour cela et pour avoir tant tardé à comprendre. J'aurais pourtant dû me douter de ce qui t'arrivait. Tu as l'âge.

— Bien sûr que je vous pardonne, mon père.

— Merci. C'est sans doute la première fois que l'on entend une chose comme ça dans un confessionnal, tu ne crois pas?

Il rit doucement et elle avec lui. «Bonne petite, ni Ève ni Marie», songea-t-il. Même plongée dans sa terrible anxiété, Jehanne, qui se croyait mourante, n'en demeurait pas moins disposée à pardonner la moindre faute, y compris celles dont elle ne saisissait pas tout à fait la teneur. L'enfer qu'avait dû être sa vie depuis trois mois!

Lionel croisa les mains sur son giron. Il était embarrassé de s'aventurer comme un gros intrus maladroit dans cet univers sacré et mystérieux, d'assumer pour ce court moment le rôle d'une mère. Néanmoins, il dit posément :

— Tu n'es pas en train de mourir, Jehanne, au contraire. Tu n'es pas même malade.

— Non ?

— Non. Ces saignements se nomment menstrues et sont tout à fait naturels. Ils surviendront toutes les lunes pendant les trente ou quarante prochaines années de ta vie.

— Oh...

— Tu en auras jusqu'à ce que tu sois trop âgée pour enfanter. Cependant, si les menstrues venaient à cesser, cela signifierait qu'un bébé serait en train de se former dans ton ventre. Dans Son infinie sagesse, Dieu a procédé ainsi afin que la femme soit en mesure de savoir avant tous les autres qu'elle sera mère. C'est l'un de ses privilèges.

Il omit volontairement de mentionner le péché originel. Vu les circonstances dans lesquelles Jehanne avait appris cette dure réalité de la vie, il jugeait superflu d'appesantir son fardeau.

Le fait d'apprendre qu'il n'y avait pas de châtiment et qu'elle n'était pas mourante soulageait Jehanne d'une telle angoisse que la perspective d'avoir à porter des linges et à souffrir de maux de ventre tous les mois ne l'effrayait pas autant qu'elle l'eût fait en d'autres circonstances.

Sans regarder l'adolescente, le moine poursuivit ses explications :

— Les menstrues signifient que tu deviens femme. Dieu t'accorde là un don précieux, ma petite Jehanne, car ton corps est dès à présent en mesure de donner la vie.

— C'est vrai ?

— Tout à fait. Avec l'intervention d'un homme, cela va de soi. Mais prends garde, ma fille : c'est un don, mais cela peut aussi devenir source de grands malheurs si tu ne prends pas de précautions. Rappelle-toi que ton corps, tout comme ton âme, se prépare à servir celui qui deviendra ton mari. Lui et lui seul. Par conséquent, aucun autre homme n'a le droit de te prendre, Jehanne. Et c'est à toi qu'échoit la responsabilité de l'en empêcher. Me fais-je bien comprendre ?

— Oui, mon père.

La jeune fille sourit. Elle avait tout compris. Dieu n'était pas fâché et, après tout, Sam n'était pas un homme ; c'était son meilleur ami. Et il n'avait pas mis d'enfant dans son ventre avec son baiser.

*

*R*eims, *19 mai 1364*

La nouvelle avait mis presque trois jours pour parvenir aux oreilles du futur roi. À partir de là, elle se répandit parmi la populace à la vitesse de l'éclair : les gens de France venaient enfin de remporter une victoire contre l'ennemi à Cocherel. Ils la devaient au valeureux Breton de Dinan, Bertrand du Guesclin. Le captal de Buch[90], celui qui avait succédé au frère du Mauvais, Philippe, au commandement des Navarrais, avait dû s'incliner devant ce roturier de Bretagne dont l'apparence physique, disait-on, était des plus désagréables. Du Guesclin, issu de la glèbe, devint du jour au lendemain le héros de cette même glèbe. La bataille de Cocherel ne mit pas longtemps à prendre une importance démesurée aux yeux de ceux qui étaient devenus un peuple de vaincus. Le vaillant du Guesclin allait en être largement récompensé plus tard en se faisant nommer maréchal de Normandie, de même que par l'octroi du comté de Longueville, un présent digne d'un prince, puisque cet établissement avait d'abord été destiné à être remis en héritage au frère du Mauvais après le décès de Philippe de Longueville.

De son côté, Charles de Navarre, qui avait regagné son royaume en 1361, ne le quittait plus. Il n'en bougea pas plus lorsqu'il eut vent de ces nouvelles. Il n'agissait plus en Normandie que par personnes interposées. Ainsi Louis apprit-il que, dès avril, un routier, Eustache d'Auberchicourt, allait faire office de garde des terres du roi de Navarre en France, Normandie et Bourgogne. Ce fut à partir de cette époque seulement que le Mauvais se mit à traiter avec les grandes compagnies pour assurer, en France, la défense de son patrimoine.

Nombreux furent ceux qui virent en Cocherel un événement de bon augure en ce début de règne du nouveau roi de France, le futur Charles V de Valois. De plus, cette victoire scellait pour de bon le destin de la branche capétienne des comtes d'Évreux dans sa lutte pour l'hégémonie contre la branche des Valois. Ces derniers ne furent plus traités d'usurpateurs, qualificatif dont on les affublait depuis le couronnement du premier Valois, Philippe VI, trente-six ans plus tôt. Pourtant, d'autres virent en Cocherel une victoire fortuite qui monterait à la tête des gens de France comme vin de Champagne. Car les embûches risquaient d'être nombreuses sur le chemin que le jeune dauphin Charles se préparait à emprunter.

Reims, la veille

Sam se laissa choir de l'autre côté d'un muret fermant une cour qu'il dut traverser à croupetons afin d'atteindre une place. Il atterrit dans la terre meuble d'un arrangement floral qui s'en trouva plutôt endommagé. Il se félicita d'avoir franchi sans heurt les remparts imposants de la grande cité. Avec l'aimable complicité d'un bon paysan des alentours qui, lui aussi, s'en venait assister au sacre, il s'était dissimulé dans le tas de foin de l'année précédente que le paysan avait fourché dans sa charrette. Cela avait eu également l'avantage d'accorder un bref répit au garçon qui avait effectué la plus grande partie de son voyage à pied, en empruntant généralement de petits sentiers peu fréquentés afin d'échapper aux contrôles.

Il avait pris sa décision à l'insu de Baillehache, car le métayer lui avait expressément donné l'ordre de demeurer à la ferme pour aider les autres, qui allaient eux aussi rester derrière. Louis devait se rendre au sacre en compagnie de Jehanne et de Blandine seulement, et cette dernière n'allait les accompagner qu'à titre de servante, une façon délicate d'habiller le chaperon. Mais, quelques jours avant le départ du trio dans la charrette de Louis, Sam avait disparu.

L'Escot ne regretta pas un seul instant le risque qu'il avait pris non seulement d'être capturé, mais aussi d'avoir désobéi à son tuteur. Louis était sévère et exigeant, même s'il ne s'était jamais montré injuste envers lui. Sam était une forte tête et il continuait à lui en vouloir de se trouver là. Pourtant, Louis avait toujours cherché à éviter autant que possible de lui administrer des châtiments corporels; il se contentait d'imposer au garçon quelque corvée supplémentaire, ou encore de lui défendre de voir Jehanne pendant plusieurs jours. Cette dernière punition suffisait généralement à éviter de nouvelles incartades, car, bien entendu, Jehanne devait la partager avec lui. Il ne lui était arrivé qu'une seule fois d'avoir recours au bois vert. Sam ne put s'empêcher de rire en y repensant. Cela s'était produit à cause de son «vin au sel». L'idée datait du banquet de fiançailles et avait décidément été trop bonne pour être abandonnée. L'adolescent pouvait encore voir clairement le tyran prenant place à table, droit comme un chêne, avalant avec son sérieux habituel une grande rasade de vin qu'il avait aussitôt recrachée avec une telle violence que tout le monde en face de lui en avait été arrosé. Il avait trouvé Louis particulièrement odieux de l'avoir contraint à boire toute la bouteille de vin gâché, une fois la punition administrée. Il trouvait quand même qu'il s'en était tiré à bon compte, surtout après l'avertissement que Louis lui avait servi :

— Que je t'y reprenne à gaspiller de la nourriture et tu auras affaire à moi. Je te montrerai l'un des nombreux usages méconnus du sel. Un bain de pieds à l'eau salée, ça te dirait? La chèvre en sera enchantée, en tout cas, surtout si tu ne peux pas bouger[91].

Moqueur, Sam avait ri. Il avait ri encore lorsque Louis lui avait proposé d'essayer, mais il avait accepté de relever le défi. La chèvre avait été introduite dans la grange et avait gambadé jusqu'au banc sur lequel il avait été ligoté. Elle lui avait léché la plante des pieds avec enthousiasme. Sam avait encore ricané. Mais, au bout de quelques minutes à peine, le contact répétitif de la langue râpeuse contre le dessous sensible de ses pieds était devenu un supplice. À partir de ce jour-là, Sam avait renoncé à prendre à la légère les rares paroles de Louis.

En cette veille du dimanche de la Trinité, dès l'aube, toute circulation dans les rues bondées de Reims devint à peu près impossible. On ne pouvait plus distinguer les pavés qui avaient été lavés à grande eau le jour précédent. Des litières d'apparat se faisaient bousculer sans ménagement dans cette presse, telles des barques sur une mer houleuse, faisant jaillir les protestations de leurs occupantes, de nobles dames soustraites avec précaution au regard de la roture par de précieux mantelets* que des mains impudentes froissaient. Chevaliers et gardes en armure, courtisans et bourgeois, valets, artisans et innombrables paysans accouraient des quatre coins du royaume afin d'assister au sacre, une façon toute symbolique de parler, puisqu'ils n'allaient pas même être en mesure de s'approcher du parvis de la somptueuse cathédrale. En ville et alentour, tous les gîtes affichaient complet. Les retardataires et les gens moins fortunés plantaient leur tente dans un champ en jachère qui s'étendait un peu en retrait des remparts. Si Sam, quant à lui, eut plus de chance, ce fut grâce à une rencontre fortuite qu'il eut le bonheur de faire.

L'adolescent, vêtu du tartan coloré des Aitken, avait passé une partie de la journée à errer en ville; il n'avait pas tardé à se faire prendre en filature par de la marmaille de caniveau qui ne cessait de ricaner derrière lui et qui s'arrêtait à distance respectable avec un semblant de crainte dès qu'il ralentissait sa marche pour se retourner vers elle. Il ne se doutait pas que sa prestance, qui était d'ailleurs fort belle, quoiqu'un peu rigide, pouvait être responsable de toute cette attention dont il faisait l'objet. Mais ce qu'il voulait justement éviter à tout prix, c'était d'attirer l'attention.

Le soir même de son arrivée, Sam fit son entrée dans une taverne avec un broc vide. Un second broc, identique mais déjà rempli, était soigneusement dissimulé sous le drapé de son plaid. Tout souriant, il tendit son broc vide au tavernier et commanda :

— Servez-moi donc un peu de vin blanc, l'ami.

Ce jeunot endimanché qui devait en être à ses toutes premières festivités d'homme eut l'heur d'attirer les sourires attendris des clients. Le tavernier surmené lui redonna son broc sans remarquer que Sam le substituait à l'autre qu'il éleva joyeusement :

— À la vôtre!

Il goûta le vin et claqua la langue d'un air dubitatif avant de se retourner vers le tavernier pour lui demander :

— Dites-moi, l'ami, qu'est-ce que c'est, exactement?

— Ma foi. c'est du vin de Bagneux, et du bon, hein!

— Hum... je vous crois sur parole, mais c'est que moi, voyez-vous, j'ai une nette préférence pour le vin d'Argenteuil. Auriez-vous objection à me le remplacer, je vous prie?

— Pas du tout, fiston, dit le tavernier.

Indulgent, il vint lui reprendre son broc en lui demandant :

— Ainsi, on s'en vient festoyer d'aussi loin que les Hautes-Terres* en l'honneur du roi?

— Pas exactement. En fait, moi je viens de Normandie.

— Ah. C'est vrai que l'on trouve de tout en Normandie, dit le tavernier.

Il resservit à Sam son broc rempli de vin d'Argenteuil.

Une fois le breuvage approuvé avec enthousiasme par son jeune client, il put retourner à son ouvrage l'âme en paix.

— Petit sacripant! dit un client râblé en venant s'asseoir à la table de Sam. Tu t'y prends plutôt bien pour tromper un homme. Tu lui as refilé de l'eau, n'est-ce pas?

— Vous avez l'œil bien alerte, pour un buveur, dit le garçon.

— C'est parce que je ne suis pas assez bête pour m'enivrer au point de ne plus rien voir. Que veux-tu, c'est l'habitude. J'étais artilleur à Crécy dans le temps. Crécy, tu connais?

— J'en ai entendu parler. Comme tout le monde, je suppose.

Sam repensa au récit qu'en avait fait le paysan lors du long séjour dans le souterrain.

— Ben moi, j'y étais. Tiens, regarde-moi bien les joues. Tu vois, tous ces petits trous? Je puis t'assurer que je n'ai pas attrapé la vérole. C'est que, des fois, nos trucs nous pétaient en pleine figure.

Allez, file-moi un peu de ton vin, tu ne vas pas le regretter. J'ai tout un savoir et pas de fils à qui le léguer. Et en plus, je connais un bon endroit où l'on pourrait passer la nuit. C'est chez un mien ami. La procession doit passer devant chez lui et il m'a réservé une place sur son toit. On n'aura qu'à se serrer un peu plus pour t'en faire une, à toi aussi. Tu fais quoi, dans la vie?

— Je suis palefrenier*.

La nuit promettait d'être aussi mémorable pour Sam que le jour qui s'annonçait. Le duo, muni des deux brocs et d'eau, s'apprêtait à en passer une partie à écumer les gargotes de Reims.

Sam dit:

— Ça, c'est la vraie vie. Je me sens pousser des ailes. J'ai envie de voir le monde, de tout connaître. Tiens, je commencerai par m'arrêter au Mont-Saint-Michel. J'ai toujours rêvé de visiter cet endroit. Il paraît que du Guesclin en est devenu le capitaine[92]. Est-ce vrai? Parce que, si c'est vrai, il aura peut-être besoin de bons défenseurs là-bas, à cause de la guerre.

— C'est bien vrai qu'il l'est, oui.

— Alors j'irai. Là-bas et ailleurs. Je saurai si bien me démarquer qu'un jour viendra où mon tartan côtoiera les Lys de France.

— Toi, tu ne manques pas d'audace. J'aime ça.

— Je tiens ça de mon grand-père. C'était un vrai highlander, dit Sam en gonflant orgueilleusement la poitrine.

Alors qu'ils déambulaient dans une rue encore bruyante, l'adolescent devint songeur. Lorsque sa famille et lui-même avaient quitté les côtes de l'Écosse, il n'était qu'un bébé, et pourtant, il lui arrivait inexplicablement d'avoir le mal du pays. Il lui fallait admettre que, s'il avait envie de voyager de par le monde, son but ultime avait toujours été et demeurait l'Écosse. Les histoires d'Aedan en avaient fait une sorte de sanctuaire où, contre toute logique, il rêvait d'emmener Jehanne.

— J'ai appris le métier d'un gars de Flandre, disait le compagnon de Sam. Les premiers artilleurs venaient surtout de là et d'Italie.

Ils s'installèrent aussi confortablement que possible sur les ardoises du toit pentu qui leur était réservé et se préparèrent à y passer le reste de la veillée. Heureusement, la nuit s'annonçait tiède. Ils étaient seuls tous les deux et, à l'autre bout de la rue, les tours sombres de Notre-Dame de Reims veillaient sur eux, ce qui porta le vétéran à poursuivre ses confidences:

— Faut avouer que nos bombardes ne sont pas encore au point. Loin de là. Mais ça viendra, tu peux m'en croire. Et lorsqu'on y sera, houla! Ça va faire mal, fiston, c'est moi qui te le dis. Elles finiront par bouleverser l'art de la guerre. Elles feront sauter les ennemis par dizaines d'un coup et les forteresses ne serviront plus à rien. Les gars comme moi sont des pionniers, ouais!

— Qu'y aura-t-il à la place des forteresses?

— Fichtre, j'en sais trop rien.

— Est-ce qu'il y a un moyen de se défendre contre les bombardes?

— Si. C'est de ne pas se trouver là quand ça pète.

Sam posa entre eux un cruchon de vin et du saucisson. L'artilleur expliqua:

— Vois-tu, le problème, c'est que le boulot est aussi dangereux pour le type qui sert la bombarde que pour ceux qu'elle vise. Faut savoir s'y prendre avec, petit, car elle est aussi ombrageuse qu'un dragon et elle crache le feu comme lui. Tu ne pourrais jamais t'imaginer, en tremblant sous ses foudres, qu'elle naît du creuset même de celui qui fond les cloches d'église.

Sam aima le tour métaphorique que prenait la conversation.

— Mais ce n'est pas tout de la faire tonner. D'abord, il te faut traîner le monstre jusqu'au champ de bataille et ça, c'est un combat en soi. La bombarde est rétive, je te l'ai déjà dit. C'est un grand tube en fer ou en cuivre qui mesure à peu près cinq pieds de long. Elle a l'air d'une grosse jarre couchée, tu sais, celles qui sont en forme de bulbe. Les pièces sont assemblées par des anneaux d'acier. On a besoin d'une grue pour la descendre d'un chariot et pour l'installer sur des supports en bois massif qui font toute la longueur de la bombarde et qui s'arrêtent à angle droit. Le cul s'appuie sur une butée de bon chêne qui fait bien un quart de la longueur totale. Cette partie-là peut se séparer du canon. J'y reviendrai. Les supports reposent eux-mêmes sur des planches. Cela fait, on oriente tout le bazar en direction de l'endroit à nettoyer. Mais tout ça, mon petit gars, ce n'est que le début.

Le jeune Écossais, qui avait appréhendé la perspective d'une longue nuit d'attente à passer tout seul dans une grande ville inconnue, offrait maintenant aux étoiles un demi-sourire empreint d'indulgence à l'égard du gamin qu'il était encore à peine six heures plus tôt. Devenu le réceptacle d'un savoir nouveau qui en était encore au stade expérimental, il se sentait désormais libre, fort, galvanisé par le vin et une virilité naissante.

L'ancien artilleur mordit dans le saucisson qu'il fit passer d'une bonne rasade.

— Tu commences par retirer la partie amovible du support, tu la plantes en terre, bien droit, et tu y enfournes la mixture de poudre noire bien remuée. Après, tu y vas avec une pelletée de terre argileuse mouillée d'eau. Ça sert à sceller la chambre de combustion, autrement ta détonation perdra de sa force avant même que ta poudre ne se soit tout embrasée. Tant que tu y es, n'oublie pas d'enduire aussi d'argile le boulet en pierre. Ça comble les vides entre ton projectile et la paroi de la bombarde, tu me suis? Bon. Oh, il y a aussi de la bourre de saule. Une fois que tout ça est fait, il te faut replacer le tube sur ses supports et attendre une heure.

— Une heure?

— Eh oui, c'est le temps que l'argile met à bien sécher pour rendre ton sceau étanche.

— Mais une heure! Ça vous laisse amplement le temps de vous faire transpercer.

— Eh! eh! Tu n'es pas bête, fiston, mais on voit bien que tu n'es jamais allé sur un champ de bataille. Allons, allons, ne prends pas la mouche. C'est bien normal, puisque tu es encore jeune. Donne-toi un peu de temps. Bon, écoute. Les artilleurs sont protégés. Ils restent derrière la ligne de combat. Ils laissent les archers, les cavaliers et la piétaille s'occuper de la bouillasse du centre et l'empêcher de trop avancer. Eux, pendant ce temps-là, ils creusent des brèches de tous les diables dans les murs ou, s'il n'y a pas de murs, dans le camp adverse.

— Mais ça doit aussi vous tuer des vôtres, non?

Le vétéran haussa les épaules.

— Ça arrive. Que veux-tu, on ne peut rien y faire. Tiens, bois donc un coup pour te remettre le cœur à la bonne place. Voilà... Ton heure d'attente, tu ne l'écoules pas à regarder voler les corneilles, petit. Prends-en ma parole. Il te reste encore à vérifier que la chambre de combustion soit soigneusement appliquée contre le tube, si tu veux éviter que le souffle de l'explosion ne s'échappe par l'interstice entre les deux parties. L'argile ne fait pas tout. Tu dois enfoncer des cales en bois à coups de maillet entre la chambre et le support.

La tête de Sam s'était mise à tourner et il commençait à se demander si le vin seul en était la cause. Son compagnon continuait:

— Il vaut mieux que tu aies préparé tes amorces à l'avance. Tiens-les bien au sec, sinon elles ne vaudront rien. Ce sont des pailles remplies de poudre. Chaque extrémité est scellée par un bouchon d'argile. Après tout ce travail arrive enfin l'instant de ta récompense, mon petit gars.

Il était difficile de demeurer indifférent face à un tel

enthousiasme et à la façon presque affectueuse qu'avait ce vétéran de décrire l'engin mortel qu'il avait servi avec tant de loyauté.

— Quand, au signal, tu poses ton boutefeu* contre l'amorce, il ne se passe presque rien : rien qu'un petit grésillement de rien du tout, ça fume un peu... mais éloigne-toi, vite, bon Dieu! Parce que BOUM!

Il fit un ample mouvement circulaire des deux mains et manqua glisser du toit. Sam le rattrapa de justesse par la manche.

— Oh! hisse!

— Ah, merci bien. Le recul est sacrément fort. Ça te bondit dessus si tu n'y prends pas garde et ça t'écrase tout net comme une grosse prune. C'est le chaos, un bruit d'enfer qui t'assourdit à un point tel que tu ne sais plus où tu en es et qui te sifflera dans les oreilles pendant des jours. Tu ne vois plus rien à cause du nuage, mais ça ne fait rien. Pousse-toi de là, c'est bien compris?

— Oui-oui... mais je doute fort d'avoir à faire cela un jour, dit l'adolescent avec amertume. Si seulement on me laisse aller à la guerre, je ne pourrai aspirer à n'y être que parmi la piétaille.

— Ouais. Moi, j'ai eu de la chance.

— N'empêche que j'aimerais bien savoir comment on fabrique la poudre noire.

— Holà! Je veux bien croire que des gamins, ça aime jouer avec le feu, mais si tu tiens à demeurer en un seul morceau, évite de fricoter de ce côté-là. Conseil d'ami. On ne rigole pas avec la poudre.

Sam se garda d'insister et de préciser qu'il n'était plus un gamin. Il s'étendit sur le dos, bras croisés derrière la tête. Il laissa son compagnon vider le cruchon et entretenir la conversation avec des récits de batailles qui, au fil des heures, devenaient de plus en plus glorieux.

— Dommage que notre futur roi, lui, soit davantage épris de culture que de chevalerie. J'ai ouï dire qu'il aime à s'entourer de savants et d'artistes qu'il prend sous son aile.

Sam se prit à galoper à dos de rêveries. Il se vit faisant partie de la suite du roi, chanter et se battre pour lui avec toute la ferveur des premiers troubadours. Il se vit habitant avec Jehanne à la belle maison du roi, Beauté-sur-Marne, que le monarque avait l'intention de faire restaurer pour y séjourner un peu à l'écart de la cour de Vincennes, ou encore à Vincennes même[93]. Il avait beau savoir que tout cela n'était que chimères, il ne pouvait s'empêcher de penser que la réalisation de tels rêves était possible. Après tout, cela n'était-il pas arrivé à Bertrand du Guesclin qui était parvenu, lui, à se hisser bien au-dessus de la plèbe? Sam pouvait-il arriver à se montrer aussi valeureux que le Breton si l'occasion s'en présentait? Oui, il en était persuadé. De plus, avec un nouveau roi, tout devenait maintenant possible. L'avenir s'ouvrait à lui. Mais pour l'instant il lui fallait agir avec circonspection. Il rattrapa ses idées folles, leur passa la bride et leur caressa le museau.

Avant le lever du jour, il avait arraché et mémorisé la recette de la poudre à l'insu de l'artilleur ivre[94].

«Avec ça, plus besoin d'être le plus fort», pensa-t-il avec satisfaction.

— Les voilà! Ils arrivent, dit un chevalier d'une voix presque inaudible à son voisin. Il s'était vêtu en civil pour l'occasion et c'était aussi bien, car il avait dû, à l'instar de ses amis, se jucher sur un toit comme ces centaines de manants qui commençaient à acclamer le défilé et à agiter leurs fanions. La procession débouchait très lentement d'une rue étroite. À la lumière du jour, on remarquait que les façades des maisons avaient été débarrassées de leurs salissures. Des guirlandes en tissu et des draps décorés de fleurs étaient suspendus aux fenêtres en guise de tentures, car nombreux étaient ceux qui n'en possédaient pas. Ces décorations ondulaient comme de grands mouchoirs prêts à saluer les premiers hommes d'armes fervêtus. Eux-mêmes en précédaient plusieurs autres dont l'écu indiquait leur appartenance à la famille royale qui était à proximité. Les fleurs de lys allèrent effectivement en se multipliant sur les habits d'apparat[95] et les spectateurs se mirent fiévreusement en quête du roi.

— Il est là!

Un dais d'azur fleurdelisé venait d'apparaître dans la foule des dignitaires qui avançaient à pas lents. Il tanguait telle une nef sur la houle et se creusait selon l'inclinaison que l'on faisait prendre à ses hampes de soutien. Dessous, il y avait la silhouette d'un petit homme dont la pâleur était accentuée par son habit de velours rouge un peu défraîchi[96]. Une couronne singulièrement haute mais sûrement légère ornait son chaperon. Il était difficile de voir que Charles de Valois montait un rouan sous son dais. On disait de lui que c'était un cavalier assez médiocre. S'il tenait bien en selle, c'était parce qu'on avait pris la précaution de lui fournir une monture que l'âge avait rendue aussi placide qu'une haquenée. Sam eût sans inquiétude confié Jehanne à un cheval aussi docile que celui-là. Charles gardait la main droite posée sur son giron. C'était de la gauche qu'il tenait mollement les guides du rouan.

Après lui tanguait la litière de la reine Jeanne de Bourbon, son épouse[97]. Les mantelets* partiellement relevés montraient qu'elle avait l'air épuisé. De faible santé également, elle souffrait de malaises que l'on nommait *fièvres*. La litière de la reine traînait une suite interminable composée de dignitaires, de courtisans avec leur valetaille, ainsi que d'autres gardes désignés pour veiller à la sécurité du couple royal.

— Vive le roi! Noël! Noël[98]! Longue vie! criait Sam, avec les autres qui partageaient son perchoir, en agitant le tartan des Aitken en guise de fanion.

Il sentait le besoin irrésistible d'inoculer au jeune roi d'allure chétive un peu de son énergie à lui, de son enthousiasme, et peut-être aussi un brin de son courage propre à déplacer une montagne d'Écosse.

Alors que la procession passait sous eux, il redoubla d'ardeur et remarqua vaguement le chevalier en civil qui, du haut du toit voisin, s'était trop dressé et venait d'échapper sa dague. L'arme glissa, d'abord lentement, puis en accélérant, jusqu'au bord du toit. Elle disparut en bas. Sam cessa de secouer son plaid, interloqué: les gens qui se tenaient avec l'homme l'empoignaient et s'étaient mis à l'injurier.

— Misérable, on a vu ce que tu essayais de faire. Tu le visais, criait quelqu'un.

— C'est faux! Je ne visais personne. J'ai échappé ma dague, c'est tout. Je ne l'ai pas fait exprès.

Ils se mirent à se bousculer si fort que quelques-uns manquèrent tomber du toit.

— Voyons, lâchez-moi! Mais puisque je vous dis qu'il s'agit d'un malencontreux accident.

Sous eux, la procession passa son chemin, apparemment inconsciente de ce qui survenait au-dessus d'elle. Il y avait beaucoup de bruit. Un seul garde leva la tête dans leur direction et fit signe à deux de ses collègues. Un bourgeois l'arrêta afin de lui remettre la dague perdue.

Sam, l'artilleur de Crécy et tous les autres ne remarquèrent pas le travail discret des gardes. Ils s'étaient vite désintéressés de ce qui n'avait l'air que d'une prise de bec entre ivrognes pour diriger leurs regards vers la cathédrale de Reims. Ils voulaient en manquer le moins possible, car la procession s'apprêtait à se soustraire à leur vue et à celle de la foule qui était trop immense pour la suivre à l'intérieur de l'église.

Les gens n'allaient pas partir pour autant. Ils étaient venus là pour assister à quelque chose de grand, de sacré, que l'on n'avait nul besoin de voir pour en sortir meilleur qu'avant. Être couronné à Reims, c'était ni plus ni moins qu'être déifié. Aucun autre roi de ce monde ne pouvait se targuer d'avoir droit à l'héritage laissé dans l'histoire par Clovis, le roi des Francs qui, près d'un millénaire plus tôt, avait été baptisé en ces lieux mêmes. Une colombe avait apporté à l'évêque Rémi une ampoule d'huile unique au monde, une sainte ampoule qui était destinée à faire de lui un roi de France. C'était la même ampoule qui les avait tous faits roi depuis, et elle allait ce jour-là en créer un nouveau.

La cathédrale avala le monarque, sa suite, les guildes rémoises et tout le reste des somptueux oripeaux comme une opulente coulée de métaux précieux. Ses deux tours carrées qui allaient pour toujours demeurer inachevées[99] se découpaient contre le ciel de mai, communiquant plus que jamais leur grandeur à l'importance de ce jour. Notre-Dame de Reims était une parente de sa célèbre église homonyme de Paris. Tout indéniable que cela fût, quelque chose de fondamental, pourtant, différenciait les deux sanctuaires : le style massif de celui de Paris inspirait une dévotion craintive envers un Dieu autoritaire, alors que celui de Reims, sur lequel s'étaient posés des anges souriants parmi les rinceaux et les feuillages de pierre, portait le fidèle à attendre Sa bienveillance.

Des clercs en aube de soie avançaient dans l'allée centrale, portant des croix processionnelles ou remuant des encensoirs. La cathédrale avait dû être rallongée de trois travées afin d'offrir une nef plus vaste aux fidèles pour le jour du sacre.

La première chose que Jehanne remarqua, c'était qu'elle avait cessé d'avoir mal au ventre la veille. Si elle continuait à se sentir vaguement étourdie, elle mettait plutôt cela sur le compte de la foule, à laquelle elle n'était pas habituée. Ce fut pourtant cette même foule qui lui fit remarquer une seconde chose : contrairement aux gens qui les entouraient, elle ne se faisait pas bousculer par des voisins qui ne cessaient de jouer des coudes et de se hisser sur la pointe des pieds pour mieux voir. Elle savait pourquoi. Elle leva les yeux vers Louis et lui sourit. Il fallait admettre qu'il devait leur en imposer, tel qu'il était, grand, solennel, avec son habit noir en drap naïf* et sa posture martiale. Elle profita du fait qu'il était occupé à observer les prémisses de la procession pour se délecter de sa vue en toute immunité. Une délicieuse vague de chaleur déferla en elle. C'était à la fois mystérieux et attirant. Elle se demanda pourquoi Sam, qu'elle aimait aussi et connaissait mieux, ne lui faisait pas cet effet-là.

Le prince fit son entrée, soutenu à droite et à gauche avec révérence par les deux premiers pairs de France, les évêques de Laon et de Beauvais. Les dix autres pairs suivaient derrière, chacun portant l'un des insignes royaux. Le roi chétif semblait épuisé d'avance par la proximité d'un cérémonial à la lenteur oppressive. Même s'il se tenait presque à l'arrière de l'assemblée en compagnie de sa fiancée et du gouverneur, Louis, grâce à sa haute taille, allait pouvoir bénéficier d'une vue claire sur ce rituel vénérable.

Friquet leva les yeux vers le visage impassible du bourreau.

— À Reims l'âme, à Saint-Denis le corps, à Paris l'esprit. C'est lui, votre vrai roi, maître. Après tout, n'êtes-vous pas parisien d'origine?

Louis jeta un bref coup d'œil au petit ecclésiastique et continua à suivre la procession des yeux. Jehanne se tenait à côté de lui; elle était si fascinée qu'elle ne prêta pas attention à leur échange. Louis dit:

— Oui. Mais qu'en est-il de ses terres?

Il baissa les yeux sur la jeune fille immobile. Friquet de Fricamp répondit:

— C'est justement pour cela que nous sommes ici. Pour nous en occuper. Cela dit, je crois déjà pouvoir vous rassurer sur ce point, maître Baillehache. Il est question que notre bon sire que voici rende au Navarrais ses possessions normandes d'ici à la fin de l'année[100]. Mais pour cela il va falloir la paix.

Louis ne se demandait même pas qui il devait servir. Il irait là où on lui dirait d'aller, comme un chien de garde qui obéissait aveuglément à son maître. Car, après tout, il n'était que cela aux yeux des gens. Cela et rien d'autre. Tout était plus facile ainsi et la bravoure n'avait rien à y voir.

Au son des cantiques, les six pairs ecclésiastiques s'avançaient lentement dans l'allée centrale: tout d'abord leur hôte, l'archevêque-duc de Reims, à qui allait revenir l'honneur de couronner le roi et de l'oindre de l'huile de la sainte ampoule; l'évêque-duc de Laon dont la responsabilité était en outre de porter la sainte ampoule qui lui avait été remise par l'abbé de Saint-Denis, son gardien; l'évêque-duc de Langres, quant à lui, tenait respectueusement un coussin de velours sur lequel reposait le sceptre; l'évêque-comte de Beauvais avait la charge du manteau royal et allait plus tard le présenter à Charles; l'anneau royal lui aussi posé sur un coussin était dévolu à l'évêque-comte de Châlon; l'évêque-comte de Noyons portait le baudrier de cuir merveilleusement ouvragé[101]. Suivaient les six pairs laïcs : le duc de Bourgogne avec la couronne d'apparat sur son coussin; il allait plus tard ceindre le roi de son épée; pour l'instant, cette dernière était confiée au comte de Flandre; le duc de Guyenne portait la première bannière; le jeune duc de Normandie, fils du futur roi, la seconde; le comte de Champagne serrait la hampe de l'étendard de guerre; le comte de Toulouse suivait avec les éperons d'or. Les mitres et les crosses dorées tressautaient, s'affairant autour du roi, dominant la foule dont les murmures cédaient peu à peu le pas à un émoi silencieux.

Louis sentit le dos de Jehanne s'appuyer contre son abdomen. Il baissa les yeux. Elle ne semblait pas avoir remarqué qu'elle s'était approchée de lui en une inconsciente quête de protection.

Les deux évêques qui escortaient Charles l'installèrent dans l'une des cathèdres* qui avaient été disposées autour de l'autel selon un ordre précis. Après l'arrivée de la sainte ampoule, que le roi salua avec respect en se levant, la cérémonie commença. Charles fit serment de protéger son peuple et l'Église, après quoi les objets du sacre furent déposés un à un sur l'autel par l'abbé de Saint-Denis, à qui chacun des pairs les remit solennellement. Il devait ensuite veiller sur eux. Il y avait en outre la verge surmontée d'une main d'ivoire, des chausses, une tunique de soie et le manteau d'azur fleurdelisé d'or et bordé d'hermine.

Le gouverneur de Caen dit à Louis :

— J'aime soudain à me persuader, comme les anciens, que toutes nos viles préoccupations n'auront finalement aucune importance grâce à ce miracle qu'il nous est donné de voir. Tout nous serait tellement plus aisé, n'est-ce pas ?

— Réglons nous-mêmes nos préoccupations. Ainsi nous n'aurons pas besoin d'attendre de miracle.

— Eh! eh! J'étais sûr que vous alliez me servir une réplique comme celle-là. Il n'y a pas à se demander pourquoi le Navarrais vous appréciait tant. Or, ce roi-ci sera un doux, un lettré. Votre pragmatisme un peu rude l'incommoderait sans doute.

Monseigneur de Craon, le célébrant, émiettait oraison sur oraison avec des accents de prophète. Le couple royal et ses proches étaient les seuls à pouvoir bénéficier de leur antique sagesse, car ses paroles ne parvenaient pas jusqu'aux oreilles de leurs lointains spectateurs au fond de la cathédrale bruyante.

Friquet dit tout bas :

— N'empêche que vous avez raison. Voilà qui nous rapproche davantage de l'humain que de ces déités hautaines. Si Jean avait été un monarque avisé, il eût depuis longtemps fait raccourcir le Mauvais, il eût annexé la Navarre et eût levé la seule armée capable d'affronter les routiers, celle des va-nu-pieds. Souvenez-vous de la jacquerie.

— Je m'en souviens, dit Louis en tournant vers le petit évêque son regard intimidant.

Friquet de Fricamp s'éclaircit la gorge. Il était effectivement ardu d'oublier l'une des exécutions à laquelle Louis avait alors procédé, puisque la victime avait été l'un de ses propres parents et qu'il avait commis certains gestes atypiques.

— Bon, dit le gouverneur. L'ennui, c'est qu'il révérait trop la chevalerie et ses idéaux inaccessibles. Il n'avait que mépris pour son peuple qui pouvait pourtant le sauver. Espérons que ce roi-ci saura reconnaître la vraie valeur de ses sujets.

Lorsque monseigneur de Craon fit silence, le roi se leva et retira ses vêtements rouges, ne gardant sur lui que sa tunique de soie et sa chemise. Comme il avait l'air frêle tout à coup, cet homme que l'on s'apprêtait sous peu à transformer, par la grâce de Dieu, en un personnage presque mythique! Après une autre oraison, le grand chambellan s'avança avec les chausses du roi et l'en revêtit. Le duc de Bourgogne vint ensuite attacher les éperons d'or à ses pieds. On les lui enleva avant la bénédiction du glaive par l'archevêque, qui vint l'en ceindre. Cela aussi lui fut enlevé après un instant, mais l'archevêque sortit l'épée du fourreau et la remit au roi qui fléchit le genou et dut la tenir, lame haute, tandis que l'on chantait une antienne suivie d'une autre oraison. La pointe de la lame était un peu instable dans la main faible du prince et captait les rayons obliques du soleil. L'épée fut ensuite remise au sénéchal de France, qui allait la porter après la messe jusqu'au palais.

Louis se demanda si un tel homme était apte à régner. Dans son optique, comme dans celle de la majorité des gens, un roi devait être avant tout un chef guerrier. Philippe le Bel lui-même était allé se battre à Courtrai, en compagnie de son chancelier Pierre Flotte. Louis ne comprenait pas ces nouveaux rois qui régnaient assis depuis quelque salle feutrée et inaccessible. Même le Navarrais, pourtant en bonne santé, se comportait ainsi, il fallait bien l'admettre. Et cela l'écœurait bien davantage de sa part à lui que de celle de ce Valois souffreteux qui, lui au moins, avait une excuse valable pour se soustraire aux horreurs du champ de bataille.

On apporta le saint chrême sur une patène. L'abbé de Saint-Rémi déboucha la sainte ampoule et recueillit avec une aiguille d'or quelques gouttes de la précieuse huile. Ces gouttes furent mélangées au chrême et l'onction fut prête. L'instant magique approchait. Même le gouverneur Friquet de Fricamp avait oublié depuis au moins une heure de vérifier l'état de sa tonsure.

L'archevêque s'approcha du roi et défit les attaches d'argent de sa chemise, la laissant presque entièrement ouverte afin d'exposer sa poitrine de même que ses épaules frêles et une partie de son dos. Charles s'agenouilla et se prosterna en même temps que lui au moment où commencèrent de longues litanies.

Charles, toujours agenouillé, fut oint sur le sommet de la tête, sur la poitrine, entre et sur les épaules, et finalement aux jointures des bras. L'archevêque dit:

— Je t'oins pour la royauté avec cette huile sanctifiée, au nom du Père et du Fils et du Saint Esprit. Amen.

Il referma la chemise pendant que les prières poursuivaient leur leitmotiv. Plus tard, ce vêtement qui avait été en contact direct avec l'huile sainte allait devoir être brûlé. Le chambellan vint revêtir le roi de sa tunique et de son manteau. L'archevêque oignit les mains de Charles. Le souverain les croisa sur sa poitrine. Le puissant homme d'église fit enfiler au nouveau roi des gants aspergés d'eau bénite, afin que l'huile sainte ne fût pas profanée. L'anneau lui fut donné, de même que le sceptre qu'on lui remit dans la main droite. La verge, symbole de discipline paternelle, lui fut donnée dans la main gauche. Alourdi, empêtré par ses ornements, Charles ressemblait maintenant à une statue de plâtre dans sa châsse.

Le chancelier appela les pairs un par un afin qu'ils fussent officiellement témoins du geste que devait faire maintenant l'archevêque: la couronne fut maintenue au-dessus de la tête inclinée de Charles. Les douze pairs y portèrent la main et la soutinrent, avant qu'elle ne fût posée sur son chef.

— Prenez la couronne du royaume au nom du Père et du Fils et du Saint Esprit.

Et voilà, c'était chose faite: la France avait un roi.

Charles fut conduit par la main, solennellement, jusqu'à un trône surélevé, afin que tous pussent le voir. Les douze pairs autour de la personne royale soutinrent la couronne. L'archevêque déposa sa mitre et se prosterna devant le nouveau monarque blême et sans force.

— Vive le roi éternellement, dit-il.

Cela fut répété par les pairs. Suivit l'onction de la reine, à la tête et à la poitrine. On lui remit un sceptre et une verge différents de ceux de Charles. Et la messe commença.

Dès la fin de la célébration, le gouverneur de Caen fut

intercepté par un homme qui était porteur d'un message urgent pour lui. Il perdit le bourreau et sa fiancée dans la cohue qui déferlait à l'extérieur au son des cloches et mit un certain temps à les retrouver pour leur annoncer qu'ils étaient attendus.

— Ah, Excellence. C'est un grand bonheur pour moi que votre présence à mon sacre, dit Charles V à Friquet de Fricamp que l'on avait introduit dans les appartements occupés pour la nuit par le couple royal dans le plus bel hôtel de Reims.

— Sire, je ne me serais jamais pardonné de ne pas y être.

Le roi prit place dans un faudesteuil*, tandis que le gouverneur ajoutait :

— Je vous suis reconnaissant d'avoir consenti à me recevoir en dépit du fait que j'aie dû m'y prendre plutôt à la dernière minute. Il faut dire que les circonstances ne se prêtaient guère à mieux.

— En effet, en effet. Mais voyons. Trêve de formalités, mon bon ami. Nous nous connaissons depuis trop longtemps tous les deux pour avoir à nous éterniser en ronds de jambe.

— C'est trop d'honneur.

— Aucunement. Vous représentez la seconde plus grande cité de mon royaume. Par conséquent, mon geste n'a rien de fortuit. Le vôtre non plus, j'en suis sûr. Je suis en droit de m'attendre à pouvoir compter sur vous si besoin est.

— Tout humble serviteur que je sois, ma dévotion vous est entièrement acquise.

— Parfait. Mais, comme vous pouvez le constater par vous-même, il ne s'agit ici aucunement d'une audience dite officielle. Vous pouvez donc parler tout à votre aise.

Friquet sourit et porta une main prudente à sa tonsure qui avait légèrement rosi au cours de cette journée riche en émotions. Le roi demanda encore :

— Que puis-je faire pour vous, Excellence?

— Eh bien, voilà, sire, il s'agit d'une affaire euh... comment dire... de nature plutôt... personnelle. Enfin, presque. Avec votre permission, j'aurais à vous présenter deux personnes qui m'ont accompagné en ce grand jour. Elles ont manifesté le désir de vous présenter leur hommage sans attendre.

— Ah bon. Il doit s'agir d'une mesure d'extrême urgence, puisque ces gens ne sont pas capables de patienter jusqu'à la réouverture des audiences publiques.

La voix de Charles était très douce, réfléchie, empreinte d'une langueur vaguement railleuse. Ce jeune homme s'avérait très différent de son père, dont les engueulades étaient célèbres. Friquet, mal à l'aise, se racla la gorge avant de répondre :

— Sans vouloir vous incommoder, sire, je me permets d'insister. Est-ce que le nom d'Augignac évoque quelque chose pour vous?

Charles prit un temps de réflexion en frottant son menton pointu.

— D'Augignac. Un nom de la langue d'oc. Oui, il me semble avoir déjà entendu ça quelque part. Cette famille appartient au Mauvais. Est-ce que je me trompe?

— En toute franchise, je l'ignore. Ce que je sais en revanche, c'est que la petite damoiselle dont c'est le nom, ainsi que son fiancé, le maître Baillehache, sauront vous être tout aussi dévoués et aussi dignes de confiance que je le suis moi-même.

— Baillehache, dites-vous? Ce nom-là m'est familier. Plus encore que l'autre. Cependant, je serais bien en peine de savoir pourquoi.

Friquet effleura précautionneusement sa tonsure du bout des doigts et éluda :

— Bien que la damoiselle d'Augignac provienne d'un riche et ancien lignage, elle est, hélas, sans grande fortune. Son modeste bien est exploité grâce aux excellents soins de son promis, et ce, avec la bénédiction de...

Charles leva une main impérieuse.

— Je vous arrête tout de suite, mon bon ami : mes coffres sont à sec. Vous me voyez malheureusement incapable d'assurer une rente viagère à tous ceux qui se disent mes loyaux sujets et qui sont dans le besoin.

— Oh, il ne s'agit pas du tout de cela, sire. Rassurez-vous. Comme je vous l'expliquais, la petite damoiselle n'est nullement dans le besoin, à cause de son fiancé qui se trouve à être aussi mon...

— Bien, bien, vous m'en voyez ravi. Maintenant, si vous en veniez à l'objet de cette visite? Vous désiriez me présenter ces gens. Alors faites donc, Excellence, faites donc. Il me faut repartir dès demain pour Paris et j'aimerais pouvoir me retirer bientôt, si vous n'y voyez pas d'inconvénient.

— Non. Bien sûr que non, sire. Daignez m'accorder un instant.

Friquet s'inclina, recula de quelques pas et fit un signe au serviteur qui se trouvait là.

Louis laissa Jehanne prendre les devants et faire sa révérence, comme il se devait. Pendant que la jeune fille échangeait quelques propos timides avec ce personnage mythique, Louis prit le temps de l'étudier d'un peu plus près, avec discrétion. Sa main enflée l'intriguait au plus au point. Charles V, qui était plus jeune que lui de cinq années, affichait, lorsqu'il souriait, des dents grises dont certaines devaient être branlantes. Impressionnée au plus haut point, Jehanne restait figée sur place, alors que le roi lui prenait les deux mains pour lui montrer qu'il acceptait son hommage. Soudain, elle s'exclama:

— Maintenant, je n'aurai jamais à craindre d'attraper les écrouelles*!

Friquet de Fricamp s'étouffa, tandis que Charles éclatait de rire à cette réflexion spontanée, tout à fait inattendue.

— Damoiselle! dit l'ecclésiastique d'une voix sans souffle.

— Quoi? Qu'ai-je dit?

— Laissez, laissez, mon ami, intervint Charles.

Il ajouta, sans lâcher les mains de Jehanne:

— Pour tout vous dire, cette candeur me change des interminables exigences du protocole.

Puis, regardant Jehanne:

— Je vous remercie, damoiselle d'Augignac, de m'avoir fait bien rire. C'est un présent d'une grande valeur, le rire, surtout pour un roi. Maintenant, si je puis me permettre de vous rassurer sur ce point...

D'un geste théâtral, il lui imposa les mains et regarda au plafond avant de fermer les yeux, récitant avec ferveur:

— Le roi te touche, Dieu te guérit.

— Mais, sire! s'exclama le gouverneur. Avec tout le respect qui vous est dû, l'on ne doit pas s'amuser ainsi avec les prières. La damoiselle d'Augignac ne souffre pas des écrouelles*.

— Je vois bien que non. Mais, si un jour elle venait à souffrir de quoi que ce soit, je souhaite que ma prière d'aujourd'hui allège son fardeau.

Friquet ne trouva rien à répondre à cela. Le roi libéra Jehanne. Il posa son regard nostalgique sur la silhouette noire qui se tenait près de la porte.

— Et voici donc le sieur Baillehache. Mais où diable ai-je donc entendu ce nom?

— Sire, dit Louis en s'avançant et en s'inclinant un peu trop vite au goût de Friquet.

Il se tint debout en face du roi et attendit un signe de sa part. Contrairement aux deux autres, il n'avait nullement l'air intimidé.

— Dieu! que vous êtes grand! dit Charles de sa voix basse. Ce n'est pas commun.

— Ça, non, dit Louis.

Derrière lui, le gouverneur trépignait et pensait de toutes ses forces, espérant contre toute raison être entendu de Louis : «Ne te tiens pas au-dessus de lui comme ça, bon sang! Ce qu'il a voulu dire par là, c'est : "Mets-toi à genoux", sombre abruti! »

— Que m'avez-vous dit à son sujet, Excellence? Qu'il travaillait pour vous, c'est cela?

Le gouverneur se mordit la lèvre. Mauvais signe : le roi ne s'adressait pas directement à Louis. Friquet répondit :

— C'est exact, sire.

— Et que fait-il? On croirait presque voir un clerc. Mais les clercs n'ont pas d'armes, n'est-ce pas? Et encore moins de fiancée.

— Je ne suis qu'un fonctionnaire, sire, dit Louis qui n'aidait pas sa cause en parlant sans y être invité. J'aide le bayle lorsqu'il a besoin de moi.

Toujours peu soucieux du protocole, il tourna le regard en direction de Jehanne. Enfin, il se souvint tout à coup des convenances et mit un genou en terre. Le gouverneur laissa échapper un soupir, tout en se demandant s'il n'était pas trop tard. Charles dit :

— Ah, je vois. Je crois me souvenir, maintenant.

Et il jeta lui aussi un coup d'œil à Jehanne.

— Je suppose que votre secours doit avoir son importance, dit le roi.

Il prit les mains calleuses dans les siennes et les relâcha vivement, comme si leur contact l'avait brûlé. Ce n'était pas là le pire. Au lieu de baisser humblement la tête, Louis avait rivé son regard à celui du roi, comme c'était sa déplaisante habitude. Cela n'allait pas du tout. Pourtant, l'hommage fut accepté. Louis se releva et recula poliment.

— Continuez à bien travailler, maître Baillehache, et sachez que vous le faites au nom du roi de France. Mon cousin Charles de Navarre est, je dois vous le rappeler, mon vassal en ses domaines de Normandie que j'ai d'ailleurs l'intention de lui remettre en signe de ma bonne volonté.

— Je m'en souviendrai, sire.

— Bien. À propos, savez-vous lire?

— Plaît-il?

— Il me semble pourtant avoir parlé clairement. Savez-vous lire?

— Excusez-moi. Non.

— Ah! Dommage.

— Moi, je sais, intervint joyeusement Jehanne.

— Sainte Mère de Dieu, dit Friquet.

— Vraiment? demanda Charles.

— Oui, et je sais aussi écrire et compter.

— Tiens, tiens, comme c'est intéressant. J'ai toujours ouï dire que l'on faisait les choses autrement en Normandie. Maintenant j'en détiens la preuve. Bien. Vous avez tous grandement mérité l'accès à l'église cathédrale aujourd'hui. Je vous accorde également volontiers l'honneur de me raccompagner à Paris, où nous attendent liesses, joutes et que sais-je d'autre.

« Et qui donc travaillera à notre place? » se dit Louis. S'il avait voulu s'arrêter à Paris, il l'eût fait avant d'arriver à Reims. Mais un seul regard du gouverneur suffit à l'empêcher d'exprimer tout haut ses inquiétudes. Ils iraient à Paris, un point c'est tout.

*

*P*aris, *début juin 1364*

Au bout d'une semaine de festivités ininterrompues, Jehanne d'Augignac et ses gens avaient enfin pu prendre congé de la cour pour rentrer. Le gouverneur de Caen profita de l'occasion pour effectuer le voyage avec eux. Ce séjour avait beaucoup plu à la jeune fille, mais, comme elle l'avait expliqué à Blandine, elle avait été surprise de découvrir à quel point son existence simple et paisible lui manquait. Il lui tardait de retrouver l'odeur d'humus de ses landes et des forêts où s'étaient déroulées les fougères, le chant des oiseaux au lever du jour, sa maison rustique et chaleureuse, et bien d'autres choses encore qu'elle préférait ne pas nommer. Et pour cause.

Quelque chose était en train d'arriver à Louis. Il n'était plus le même. C'était sans aucun doute dû à son exposition prolongée aux essences de sa ville natale, car il s'était mis à en parler. Fort peu, à vrai dire, mais venant de lui c'était beaucoup.

Il commença par emmener Jehanne et Blandine rue Gît-le-Cœur pour leur montrer une belle maison à colombages.

— Est-ce que c'est ce que je pense? demanda Jehanne en avisant l'étal ouvert et l'écriteau se balançant à ses deux bouts de chaîne.

Un gros pain portant une marque faite de trois traits sinueux y était dessiné.

— Oui. C'est là que j'ai grandi.

— Oh! Allons-y!

La porte de la boulangerie s'ouvrit et une demi-douzaine d'enfants s'égaillèrent dans la rue. De son étal, une Clémence au ventre florissant les rappela à l'ordre.

— Non, vaut mieux pas, dit Louis en réponse à l'exhortation de sa fiancée.

— S'il vous plaît, maître!

Il était évident que l'idée la tentait encore plus maintenant qu'elle avait aperçu les enfants, dont quelques-uns devaient être à peu près du même âge qu'elle. Louis se laissa donc traîner par la main jusqu'à l'étal où Jehanne l'abandonna aux soins de Clémence pour s'en aller faire connaissance avec «sa future famille», comme elle l'avait dit elle-même. Elle ne vit rien de la réserve de son fiancé envers la boulangère, ni n'entendit leurs rares propos. Ils furent tous deux invités à se joindre à une table déjà nombreuse, généreusement garnie de victuailles. Les deux filles plus âgées prêtèrent main-forte à leur mère pour le service.

— Où est Hugues? demanda Louis en mordant dans un quignon de pain de Chailly dont il évalua la saveur et la texture.

— Il est au moulin, dit Clémence.

— Chez Bonnefoy?

— Oui. Mais il y a belle lurette que ce n'est plus comme ça qu'il s'appelle, le moulin. L'affaire a été reprise par de la parentèle éloignée. Des Morissel venus du côté de Sainte-Geneviève[102], je crois.

Elle lui raconta comment la boulangerie avait survécu à l'assaut anglais:

— Hugues a distribué tout le pain et le grain aux bourgeois et est allé avec les autres hommes se porter volontaire aux défenses de la ville. Nous autres, les femmes, nous sommes allées nous cacher à l'hôtellerie du monastère avec les petits et le reste du patrimoine. Quand nous sommes revenus de là et que nous avons vu la maison encore debout, nous avons remercié le ciel en faisant une donation aux moines. Ils ont été si bons envers nous.

Le repas terminé, Louis refusa l'hospitalité qui leur était offerte pour la nuit qui n'allait pas tarder à tomber, alléguant que Clémence aurait eu à loger deux personnes supplémentaires, soit Blandine et Friquet de Fricamp. De plus, le gouverneur avait déjà retenu deux chambres pour eux dans un presbytère – une pour Jehanne qui allait la partager avec Blandine et une pour lui-même. Louis avait choisi de dormir près de l'âtre de la pièce à vivre.

Sans un mot d'explication, Louis emmena Jehanne sur les berges de la Seine où ils marchèrent sous les feux du couchant jusqu'à ce qu'ils parvinssent au talus qui surplombait l'ancien moulin des Bonnefoy. Il se laissa bercer comme jadis par le bruit rythmé que faisaient les pales dans l'eau et par la rumeur des rouages invisibles. L'image à demi effacée d'une jeune fille aux cheveux couleur de blé s'imposa soudain à lui, et avec elle revint un vif émoi, quelque chose qu'il croyait éteint depuis longtemps. Il se demanda si cela avait été une bonne idée de suivre le roi à Paris. Il tourna la tête en direction de Jehanne, qui était demeurée en retrait. Les deux images, celle du passé et celle, bien présente, de la jeune fille qui venait de s'asseoir, formaient un ensemble parfait. Lui qui gardait encore à l'oreille le souvenir du babil d'une fillette prenait conscience avec une acuité nouvelle que Jehanne, sans être une adulte, n'était plus tout à fait une enfant. Même en compagnie de la couvée agitée de Clémence, elle s'était comportée de façon posée et réfléchie sans pour autant rien perdre de sa plaisante spontanéité.

Il rejoignit sa future femme sous un grand pin à la ramure habitée de bruissements. Sa femme. Il s'assit près d'elle et l'observa, étonné d'en être troublé, charmé. Comme une enfant à la découverte du monde, Jehanne examinait un caillou niché au creux de sa main. Louis ignorait qu'elle ne voyait rien. Ni le caillou, ni la berge enflammée par les feux du couchant, ni les arbres qui se penchaient au-dessus d'eux avec la bienveillance d'une mère posant un regard attendri sur le ber de son nouveau-né.

Jehanne en était certaine, maintenant : Louis n'était plus comme avant. Il y avait dans son regard une lueur qui l'inquiétait, quelque chose qui, auparavant, ne s'y trouvait pas, ou qui à tout le moins avait été jusque-là en dormance. D'instinct, elle sut ce que c'était. Louis avait pour elle un regard d'homme. Un regard d'amant. Il la désirait. C'était à la fois flatteur et terrifiant. « Pas maintenant. C'est trop tôt », se dit-elle tout en se demandant ce qu'il convenait de faire s'il devenait entreprenant. Elle résolut la question en se disant que le mieux à faire était d'essayer de le raisonner, d'éloigner le plus possible l'instant redouté, le moment d'être cernée par cette toile tissée tout naturellement autour d'elle par l'araignée dont c'était le travail. Elle s'en voulut de comparer Louis à une araignée. Il s'était toujours montré prévenant envers elle. Jamais il n'allait la contraindre à quoi que ce soit, malgré cette lueur peu rassurante.

Un soir, Margot avait dit au père Lionel :
— Il est terriblement strict et froid ; il ne comprend pas Jehanne. C'est une jeune fille joyeuse et gaie comme un pinson. Elle aime rire, écouter des histoires et chanter. Je crains qu'il ne la rende très malheureuse.
— Je sais cela, ma fille. Je le sais. Mais j'ai ma petite idée là-dessus. Jehanne est un trésor d'ardeur et de ferveur. Elle sera une

grande dame. Non pas l'un de ces êtres effacés, parfois douloureux, qui sont sacrifiés aux servitudes et aux convenances séculaires et qui finissent par trépasser de langueur plutôt que de maladie entre les murs de leur maison. Non, Jehanne n'immolera pas son espièglerie sur l'autel du mariage. Et c'est précisément la raison pour laquelle elle est la partenaire qu'il lui faut. Elle saura rétablir l'équilibre.

— Justement. Qu'en est-il de lui?

— Il faut tâcher de le comprendre, Margot. Le maudire sans essayer de le déchiffrer ne mènera nulle part. Cet homme se sent comme une forteresse assiégée. Il craint les autres et les relations qu'il pourrait établir avec eux, car cela représente pour lui un danger potentiel. De même, toute intimité constitue une menace. Jusqu'à maintenant, la meilleure façon qu'il ait trouvé de se défendre, et cela consciemment ou non, c'est l'éloignement. Ou bien il éloigne les autres, ce qui lui est assez facile compte tenu de sa nature, ou bien il s'éloigne lui-même. Bien sûr, la charge qu'il exerce l'oblige à tuer et à torturer; mais s'il est capable de le faire avec autant de désinvolture, il n'en reste pas moins un être sans amour, isolé, effrayé. Il n'est cruel que parce qu'il se sent impuissant, sans vie et sans défense. La violence peut prendre d'autant plus aisément possession de lui qu'il n'a à lui opposer aucune émotion humaine. La vie n'a pour lui aucune valeur. Nul ne parvient à l'approcher intimement, parce qu'il n'y a plus que du vide en lui. Presque tout est mort. J'essaie souvent d'imaginer ce que doit être son existence, de savoir ce qu'il veut, s'il se bat pour obtenir quelque chose ou bien pour y échapper. Cela doit être terrible.

Jehanne avait écouté cette conversation à leur insu. Elle avait trouvé étrange qu'on pût songer que Louis aurait pu avoir peur de quelqu'un. Il n'y avait pourtant rien dans son comportement qui pouvait porter le moine à penser cela. Loin de là. Lionel avait ajouté:

— Notre Jehanne n'est désormais plus protégée par le caractère sacré de l'enfance, ma bonne Margot. J'ai tout lieu de croire qu'elle est devenue extrêmement vulnérable. Tu me suis?

— Je vois ce que vous voulez dire, mon père.

— Il sera bon de les avoir à l'œil. Surtout avant le mariage. Elle n'est pas encore prête.

— Et lui?

— Lui l'est trop, si j'ose dire, et il ne s'en doute probablement pas. Pas plus qu'il ne se doute de la raison qui lui fait accepter le mariage alors qu'il se sait incapable de ressentir la moindre affection. Ce paradoxe me préoccupait beaucoup avant que j'y aie vu le résultat d'un pressant besoin de sécurité. Le statut de mari le mettra à l'abri de l'obligation d'aimer sans que rien n'y paraisse; il détiendra l'autorité, il aura donc le droit de posséder. Si rien ne survient pour inverser en lui ce mode de pensée, il verra Jehanne comme sa chose.

Et le père Lionel s'était subitement tu.

Louis se demanda ce que Jehanne pouvait bien trouver de si intéressant à son caillou. Il s'étira en soupirant. Le caillou, réchauffé par la paume moite et nerveuse de la jeune fille, sursauta et prit la fuite. Ils le regardèrent tous deux dévaler la pente herbeuse qui s'étendait à leurs pieds, incrédules, comme s'il s'agissait là de quelque manifestation divine. Le caillou accéléra et bondit pour aller se perdre entre les tiges ondulantes des herbes folles. Jehanne n'avait plus rien dans la main. Elle se mit à grelotter. Louis dégrafa son floternel* et lui en couvrit les épaules.

— Merci, dit-elle.
— De rien.

Elle s'en enveloppa avec reconnaissance. La tiretaine noire était lourde, épaisse, emplie de sa chaleur à lui, de son odeur. Elle lui sourit et se pelotonna contre lui. Tout de suite, les bras protecteurs l'entourèrent comme des remparts. C'était doux et rassurant comme ça l'avait toujours été. Comment avait-elle pu croire un instant que Louis s'apprêtait à la prendre par la force? Comment le père Lionel pouvait-il penser que Louis était peut-être dangereux?

— Vous n'allez pas voir si Hugues est là?
— Non.
— J'aime beaucoup votre famille. Vous ne m'aviez pas dit que vous aviez une sœur.
— Par alliance seulement.

Et il lui raconta brièvement l'histoire de Clémence et d'Hugues en omettant certains détails. Tout en l'écoutant, Jehanne essaya d'imaginer à quoi pouvaient ressembler les caresses de cet homme taciturne et ascétique, quel pouvait être le contact de ses mains calleuses sur sa peau nue, celui de son corps de grand félin se moulant au sien et le goût défendu de ses baisers. C'étaient là des choses diffuses qu'elle désirait plus ardemment au fur et à mesure que se développait en elle le contenu mystérieux d'une chrysalide dont le papillon, une fois éclos, allait s'appeler *femme*.

De craintive, l'attitude de Jehanne se modifia d'une façon marquée. Les brèves confidences de son fiancé ne pouvaient évidemment pas avoir produit cet effet-là. Il se tut et la regarda. Le jeune visage exprimait assez clairement les désirs qu'avaient déclenchés ses fantasmes. Jehanne se passa sur les lèvres un bout de langue à peine rose. Et Louis devina tout, avec sa façon bien à lui de percevoir ce genre de choses.

Elle prit soudain conscience qu'il avait cessé de parler et que son regard pénétrant était fixé sur elle.

— Pardonnez-moi, maître. Je n'ai rien compris de ce que vous venez de me dire. Ce doit être la fatigue.

Elle se rendit compte qu'il n'en croyait pas un mot et baissa honteusement la tête.

— Je ne suis qu'une enfant folichonne. Vous savez, je ne pensais pas à mal.

— Ne vous inquiétez pas. Ça restera entre nous. En fait, j'en suis plutôt flatté.

— C'est vrai?

— Mais oui.

Soulagée, elle se pelotonna à nouveau contre lui et soupira.

— Le seul homme auquel j'ai droit et il m'est interdit.

— C'est parce que vous me connaissez mal. Il vaut mieux pour le moment que je demeure interdit.

— N'empêche que, contrairement aux autres, moi, au moins, j'ai envie de mieux vous connaître.

Louis ne se faisait pas d'illusions. Il savait que pour elle il ne pouvait être actuellement qu'une espèce de personnage mystérieux et romantique, et cela jusqu'à ce qu'elle le vît brandir la hache ou se démener autour d'un pendu pour lui briser l'échine. Lui qui s'était jusque-là peu soucié de l'avis des autres à son sujet voyait ce jour-là venir avec appréhension. La vérité allait se dévoiler dans toute son horreur et il redeviendrait l'incarnation de la Faucheuse. Il ignorait pourquoi, mais l'idée que Jehanne allait un jour finir par savoir cela lui était intolérable.

Ils laissèrent la berge s'effacer dans la pénombre du crépuscule alors que le ciel s'embrasait encore.

*

Hiscoutine, fin juin 1364

— Il est de retour, maître, annonça Margot à Louis alors qu'elle s'en revenait du poulailler avec un panier d'œufs.

— Où est-il?

— Dans la tour. Il dort.

Sans dire un mot de plus, Louis reposa son bol d'infusion et se leva de table, laissant son déjeuner en plan. Les habitants de la maison ne purent s'empêcher de le suivre dehors en silence. Depuis un peu plus d'un mois, l'absence de Sam avait été pour eux tous un grand sujet d'inquiétude.

Louis ouvrit bruyamment la porte de la tour. Tandis que les autres se regroupaient à l'entrée pour mieux voir, Louis s'avança seul à l'intérieur. Il avisa Sam qui ronflait, couché sur le flanc dans le tas de foin. Les quelques chats qui s'étaient lovés autour de lui se remirent sur leurs pattes, s'étirèrent langoureusement et profitèrent du fait que la porte était ouverte pour s'en aller faire un tour dehors. Louis s'arrêta et se pencha pour ramasser quelque chose. C'était un petit flacon vide qu'il renifla avant de le jeter plus loin. Il tourna la tête vers le groupe, puis sortit de la tour sans fournir d'explications.

— Que va-t-il faire, d'après vous? demanda Blandine tout bas.

— J'en sais trop rien. Mais, ce dont je suis sûr, c'est que le temps est à l'orage, chuchota Thierry.

— Ouais, confirma Toinot.

Personne ne bougea de sa place, pas même lorsque Louis revint du puits avec un seau d'eau. Tout le monde éclata de rire.

— Allez-y, maître, donnez-lui une bonne douche bien froide, à ce jeune pochard, dit Toinot.

— C'est le meilleur remède contre la migraine, dit Hubert en ricanant.

— Et contre ses idées de grandeur. C'est qu'il vise bien haut, le bougre, fit remarquer Blandine.

L'eau lancée forma un grand arc transparent, presque horizontal, qui s'écrasa sur la forme endormie. Sam haleta et s'assit brusquement sous les rires qui redoublaient. De l'eau fut pulvérisée hors de son nez et de sa bouche. Louis posa son seau et empoigna par ses vêtements pour le mettre sur pied l'adolescent crachotant et effaré. Même Jehanne ne put s'empêcher de s'amuser de la scène cocasse qu'ils offraient tous les deux: d'une part Sam, dont le kilt gorgé d'eau pendait d'une façon lamentable, et de l'autre, Louis à la mise impeccable.

— Je ne me souviens pas de t'avoir accordé la permission de quitter la ferme, dit le maître.

Sam mit quelques secondes à retrouver ses esprits.

— Quelle permission? J'ai très bien pu me débrouiller tout seul, répondit-il avec un air de défi.

— Sans sauf-conduits, dans un pays infesté de routiers et d'Anglais. Jeune écervelé!

— Et alors? Je suis revenu sain et sauf, non?

— Bon, assez discuté. Va m'enlever cet accoutrement et mets-toi au travail, bon à rien.

Le sang de Sam ne fit qu'un tour. Il plaqua sa main sur la poitrine de Louis et le repoussa. Les sourires se figèrent sur les visages des témoins. Nul n'avait jamais osé lever la main sur le métayer. Sam gronda entre ses dents serrées:

Que je ne vous prenne plus à insulter mon plaid. Je suis écossais et libre. J'ai quatorze ans[103]. Mes projets n'appartiennent qu'à moi. Vous n'êtes plus mon tuteur.

— Tes projets! Voyez-vous ça! Bon. Puisque c'est ça que tu veux...

Il se retourna vers le groupe.

— Allez, ouste, vous autres. Ceci ne vous concerne pas.

— Cette émancipation va lui en cuire, à l'Escot, dit Hubert tout bas aux autres qui rentraient d'un pas réticent, laissant Jehanne et Lionel traîner loin derrière.

Force leur était tout de même d'admettre que Louis savait démontrer de la considération envers celui qui allait se faire battre, car il prenait soin de ne pas lui administrer la punition devant sa famille.

Sam essaya de profiter du fait que le métayer avait le dos tourné pour filer en douce. Mais Louis le retint par le pan de laine mouillée qui lui adhérait à l'épaule.

— Hé! là, hé! là, ne bouge pas de là, toi! Tu ne crois tout de même pas que je vais te laisser t'en tirer comme ça, hein? J'ai été assez patient avec toi. Maintenant, tu vas apprendre à me connaître.

— Justement, je vous connais déjà trop. Lâchez-moi. Allez au diable!

Sam se mit à se débattre. Louis parvint à l'immobiliser assez rapidement en le retournant pour le plaquer contre lui et en lui tirant un bras derrière le dos. Il le maintint fermement dans cette position pour l'entraîner dehors, en direction de la grange.

— Maître! Maître, attendez!

Louis s'arrêta et se retourna sans lâcher son captif. C'était Jehanne qui revenait en courant vers eux. Sa capeline était en train de tomber, révélant une longue natte dont le pinceau était terni par de fréquents essuyages de doigts. D'avoir perdu la face devant elle était plus que Sam n'en pouvait supporter. Il se débattit de plus belle, sans succès.

— Maître, s'il vous plaît, ne lui en veuillez pas. Il a parlé dans la colère, supplia Jehanne en posant la main sur la manche de son fiancé.

Mais Louis secoua son bras comme s'il ne pouvait soudain plus supporter d'être touché.

— Pardon, dit Jehanne, contrite.

Comment une telle chose pouvait-elle survenir, après les beaux moments qu'ils avaient passés ensemble? Que fallait-il faire pour tenter d'adoucir quelque peu ce maître qui semblait ne vouloir manifester aucune indulgence? N'éprouvait-il donc réellement aucune affection pour personne?

— Ne te mêle pas de ça, Jehanne, dit Sam.

Louis donna une secousse à l'adolescent et dit:

— Toi, la ferme.

Puis, il appela:

— Margot!

Il attendit la servante qui avait rebroussé chemin pour revenir à leur rencontre. Sans un seul regard pour Jehanne qui lui avait lâché le bras, il ordonna à la gouvernante:

— Conduis-la à sa chambre. Veille à ce qu'elle y reste jusqu'à ce que j'aie fini. Et ferme ses volets.

— D'accord, maître, dit la grosse femme en pinçant les lèvres.

Et, à Jehanne:

— Allez, venez avec moi, ma tourterelle.

— Non! Je ne veux pas. Margot, attends. Il va arriver un malheur, je le sais! Non! S'il vous plaît, lâchez-le! Maître! Sam!

Hubert dut lui aussi rebrousser chemin afin de prêter main-forte à son épouse.

Louis entraîna vers la grange un Sam qui continuait de lui résister en silence, comme si les cris et les pleurs de son amie s'exprimaient à sa place. La porte de la grange se referma sur eux.

Dès cet instant, la bravade déserta l'adolescent. Il ne se défendit plus que par l'effet de sa propre frayeur. Car, pour la première fois, il se mit à craindre Louis. Quoi qu'il tentât de faire, il ne pouvait rien contre l'inconcevable force physique de cet homme en noir. Louis semblait avoir six mains et déployait une aptitude démoniaque à le neutraliser. En moins d'une minute, il lui lia les mains sur le devant et le souleva pour l'asseoir à califourchon sur un petit escabeau. Après quoi, il s'accroupit à ses pieds. Levant les yeux sur Sam, il lui dit:

— Ne t'avise pas de me frapper si tu ne veux pas finir tes jours en cul-de-jatte.

Il se détourna pour éviter un crachat et, chose étrange, il entreprit d'attacher aux chevilles de Sam deux petites meules à grain qui ne servaient plus depuis que le moulin avait été remis en fonction. Elles s'ajoutèrent au poids de Sam et l'empêchèrent de se débattre, faisant douloureusement appuyer la traverse étroite de l'escabeau contre ses parties génitales. Tout en dénudant le torse de Sam et en laissant pendre ses habits trempés à ses poignets, Louis expliqua, le plus calmement du monde :

— Pour ce que tu vaux comme garçon d'écurie, faut bien que je t'empêche de te faire désarçonner[104]. Estime-toi heureux qu'il n'y ait pas de pointes sur la croupe de ta monture comme sur celles qu'on réserve aux putains.

— On voit que vous vous y connaissez en matière de putains.

— Un peu, oui.

Sam perdit le géant de vue alors que ce dernier s'affairait derrière lui à quelque tâche mystérieuse. Soudain sa voix toute proche le fit sursauter :

— Finies les verges[105] pour toi, Aitken. À homme adulte, châtiment d'homme adulte.

Il lui tapota l'épaule avec un grand roseau souple.

— Tu m'as pris un peu de court avec ton persiflage. Je n'ai pas de fouet ici. Mais ceci fera très bien l'affaire.

Sam serra les mâchoires pour empêcher des mots dont il refusait d'admettre l'existence de surgir contre son gré. Non, il n'était pas question de supplier ce tyran, ce voleur d'amour-propre, ce gros fragment de rocaille sans âme ni conscience qui avait ensorcelé *seanair** et lui ravissait sa bien-aimée.

Louis recula d'un pas. Pendant trois interminables minutes, il cingla les épaules, les flancs, le dos et les cuisses de Sam en cadence accélérée. Dès le second coup, il ne lui fut plus possible de retenir ses gémissements. Sam se courba en avant sous l'attaque du roseau qui claquait, coupant comme une lame. Le bras du tourmenteur tournant autour de l'escabeau était infatigable. Il n'épargnait de ce qui s'exposait involontairement à lui que la nuque et les reins qui, eux, étaient protégés par le bourrelet de vêtements.

Le métayer marqua un temps d'arrêt, une pause miséricordieuse et inattendue dont Sam profita pour se redresser un peu, tout en essayant de faire croire que la correction n'avait pas été si terrible. Il cligna des yeux. Une pluie de fines gouttelettes se mit à lui chatouiller le dos. Il tourna la tête et soudain se tendit comme la corde d'une harpe. Ces gouttes ne pouvaient être de l'eau : elles brûlaient comme des braises. Entre deux spasmes de douleur, il put apercevoir Louis qui se trempait les mains dans le tonnelet de petit salé et qui en secouait ensuite la saumure vers lui avec application.

— Arrête, maudit enfant de chienne. Arrête!

Sam haletait. Il entendit le bruit liquide de la saumure remuée dans le tonnelet et eut un haut-le-cœur. Louis demanda:

— Plaît-il?

Il lui plaqua dans le dos ses deux mains trempées de saumure et se mit à frotter vigoureusement. Les yeux exorbités, l'adolescent hurla à en perdre haleine. Ensuite, Louis revint se planter devant lui et l'empêcha de s'affaisser en le retenant par l'épaule. Sa main était barbouillée de sang rosâtre. Il semblait attendre quelque chose. Sam dit, d'une voix pâteuse:

— Arrêtez.

— Donne-moi une bonne raison d'arrêter et j'arrêterai.

— Je ne comprends pas.

— Alors laisse-moi te poser une question. Te repens-tu d'avoir commis l'affront de me désobéir en plus de m'injurier?

Sam acquiesça vaguement.

— Alors dis-le-moi.

— Je... je m'excuse de vous avoir désobéi et injurié...

— ... maître, compléta Louis.

— Maître, dit Sam, docile.

— Bon. Ça ira.

Louis s'apprêta à se baisser pour débarrasser le garçon des poids qui lui tiraient les chevilles. Mais il en fut empêché et dut reculer de quelques pas pour laisser à Sam le temps de vomir. Après quoi il défit ses liens et l'aida à descendre de l'escabeau en lui disant:

— Tu reviendras me nettoyer ça plus tard. Pour l'instant va-t'en voir Margot. Elle va te soigner. Moi, j'ai trop à faire. Nous avons pris beaucoup de retard et il me faut en plus me charger de ta part de travail.

Sam ne répliqua pas. Il regarda le métayer quitter la grange et s'essuya la bouche du revers de sa main tremblante.

Flocon, le chat blanc, trouva ce qu'il cherchait dans la tour. Il se hâta d'aller ronronner une confidence à l'oreille de Sam et fut vite distrait par l'odeur du sang qu'il chercha à repérer en fouillant sous l'ample tunique propre que la gouvernante avait fait enfiler au garçon par-dessus ses pansements. Sam, couché à plat ventre, repoussa la petite bête trop entreprenante qui, de toute façon, clignait des yeux à cause de la forte odeur de médicament et d'alcool qu'il dégageait. Un flacon encore plein au tiers était planté près de lui, dans le tas de foin. L'effet abrutissant de l'eau-de-vie l'avait fait vaguement somnoler tout l'après-midi.

— Je savais que j'allais te retrouver ici, dit la voix de Jehanne, qui entrait à la suite de Flocon.

Elle prit place à ses côtés et s'efforça d'adopter un ton insouciant, afin de chasser l'angoisse qui lui mordillait les entrailles :

— Ils m'ont laissée sortir de ma chambre pour le goûter, mais je n'ai pas eu la permission de venir te voir avant, pas même au dîner. Ça va être l'heure du souper. Viens-tu ?

— Non, je n'ai pas faim. Laisse-moi seul. S'il te plaît. Et emmène ce chat.

— Laisse-moi au moins te soigner.

— Inutile. C'est déjà fait.

Elle lui posa sur le front une main fraîche comme un grand pétale.

— Oh, tu es brûlant de fièvre. Et en plus, c'est très mauvais, ce que tu fais là, dit-elle d'un ton maternel en portant la main vers le flacon.

— N'y touche pas. Ça me fait du bien. Et pas seulement à moi. Ça m'apaise et ça m'empêche d'aller l'occire.

— Ne dis pas ça, Sam ! Montre-moi.

— Non. Pas à toi.

— Je veux voir et c'est un ordre.

L'adolescent n'eut d'autre choix que d'abdiquer. Il s'assit pour retrousser sa tunique et souleva avec précaution l'un des bandages. Deux plaies entrecroisées, rouges et luisantes d'onguent, allaient se perdre dans le bandage suivant.

Horrifiée, Jehanne se mordit les doigts. Sam dit :

— Je le déteste. Il m'a bien abîmé, mais ne t'en fais pas : j'aurai ma revanche. Je fourbis mes armes. Un jour, il me paiera ça, je te le garantis. Il va payer dix fois chacun des coups qu'il m'a donnés. Tout ce qu'il m'a enlevé, je le lui ferai perdre.

Oui, le jour viendrait où il allait arracher juste assez de vie au bourreau pour pouvoir s'en aller. Loin. Il s'effacerait. Nul ne le retrouverait plus. Pas même lui. Parce que lui, il le savait, ne le chercherait pas.

Il se leva. Le plancher devenu inégal l'insulta personnellement. Il saisit Jehanne par les épaules.

— J'ai quelque chose à te dire, Jehanne. Je ne plaisante pas. Fuis-le, pendant qu'il en est encore temps, avant qu'il ne jette ses rets sur toi pour de bon. C'est un monstre.

Sam grelottait si violemment que sa voix en était affectée. De minuscules capillaires rouges couraient en tous sens dans le blanc trop humide de ses yeux. Il dit encore:

—Je n'arrive pas à comprendre comment tu ne t'en rends pas compte par toi-même. Penses-y un peu. Ce que tu as vu là, ce n'est que le début. Ce n'est rien du tout. Je le sais, j'étais là. Et on n'est rien pour lui. Ni toi, ni moi, ni personne. Il est mauvais. C'est un vicieux et un meurtrier assoiffé de sang. Je t'en supplie, Jehanne, ne lui donne jamais une raison de goûter au tien.

—Arrête! Non, arrête!

Jehanne, effrayée, légèrement écœurée par son haleine chargée d'eau-de-vie, détourna la tête. Elle dit:

—Sam, je t'interdis de lui manquer de respect. Il est aussi mon fiancé.

—C'est toi que je respecte, pas lui.

Jehanne, à son tour, se mit à trembler, mais d'indignation. Elle cria:

—On ne dirait pas! Tu te comportes comme un voyou!

Il soupira.

—Jehanne, écoute. J'ai une idée. J'y ai pensé tout l'après-midi. Il y a un moyen de lui échapper. Tous les deux. Seulement, tu devras y mettre du tien.

—Tu veux vraiment t'en aller d'ici, Sam? Ta maison... celle de ton grand-père, la tour, les chats...

—Il faudra bien qu'on en vienne là un jour ou l'autre si on veut voyager. Mais ce n'est pas tant la maison que je désire quitter que *lui*. Et pour y arriver, la meilleure solution, c'est le rapt.

—Le quoi?

—Le rapt. Un enlèvement, si tu préfères. Je fais semblant de t'enlever et nous partons nous marier en vitesse. Cela s'est déjà vu et c'est possible, même sans le consentement des tuteurs. On est adultes, toi et moi, Jehanne. Nous avons parfaitement le droit de faire ça.

—Mais...

—Si nous y parvenons, il ne pourra plus rien faire. Notre union ne pourra être dissoute que si tu soutiens y avoir été contrainte par la violence et sans ton consentement.

En proie à l'excitation éthylique, Sam ne remarquait pas l'abattement subit de son amie. Il se laissa choir dans le foin en gémissant et l'entraîna dans sa chute.

—Je t'aime, Jehanne. Tu le sais. Pour moi, tout est clair depuis longtemps: je n'en marierai jamais une autre que toi, jamais.

Ils s'embrassèrent avec une fougue désespérée. Les gestes brusques de Sam éveillèrent une douleur vive et palpitante dans chacune de ses plaies, mais il n'en eut cure. Jehanne caressa tendrement le visage encore soyeux de son ami et dit :

— Moi aussi, je t'aime, Sam.

Il nicha son visage au creux du couvrechef* sous lequel s'abritait une poitrine naissante, ensorcelante. Il ferma les yeux et se laissa bercer par les palpitations du cœur aimé. Une main exquise se mit à butiner parmi les boucles rousses, poisseuses. La voix attristée de Jehanne résonna à son oreille :

— Si tu m'obliges à choisir entre le maître et toi, Sam, je ne pourrai même pas le faire. Car tu m'auras ôté la liberté qu'il faut pour que le choix existe.

Sam eût pourtant dû comprendre cela. Il le comprit peut-être, mais il en conçut quand même de l'amertume. Il leva les yeux vers elle et se rassit. Ils eurent mal, très mal en silence tous les deux. Ce fut Sam qui, le premier, trouva le courage de prendre la parole pour dire, avec froideur :

— Alors, il vaut mieux que tu t'en ailles. Hâte-toi d'aller faire tes courbettes au persécuteur avant qu'il ne s'avise de te faire la même chose qu'à moi.

— Maître Baillehache ne me fera jamais une chose pareille. Il est toujours très aimable avec moi. Ces choses-là n'arrivent qu'à toi, Sam. Tu n'arrêtes pas de lui chercher noise.

Elle soupira.

— Tout se passerait autrement si tu essayais au moins de te montrer un peu plus agréable avec lui.

— Tu veux savoir ? Je préférerais essayer de caresser un dragon.

Jehanne ne trouva plus rien à ajouter. Elle dut laisser Sam à sa rancœur et emporta Flocon avec elle.

Le silence du souper fut plus pesant qu'à l'accoutumée. Tout en mangeant tranquillement, Louis jetait de fréquents coups d'œil en direction de la jeune fille qui était assise à l'autre bout de la table. Comme à chaque soir qu'il se trouvait à la maison, il l'avait poliment attendue avant de se mettre à table. Les serviteurs gardaient eux aussi la tête penchée au-dessus de leur écuelle sans échanger les menus propos qui émaillaient habituellement ce moment de détente. Tout au long du repas, Jehanne évita avec soin de regarder son fiancé dans les yeux. Elle fut la première à finir de manger et elle se leva aussitôt.

— Maître, voulez-vous bien m'excuser ? demanda-t-elle.

— Bien sûr. Mais accordez-moi d'abord un instant.

Il regarda les autres et dit :

— Laissez-nous.

Aucun d'entre eux n'avait terminé. Pourtant, ils se levèrent tous et quittèrent la pièce à la queue leu leu, sans discuter. Ils refermèrent derrière eux la porte à battants qui menait à la cuisine. Jehanne en fut mal à l'aise. Elle dit :

— Oh, non, ce n'était pas la peine de renvoyer tout le monde. Je pouvais rester et attendre, vous savez. Vous n'avez pas terminé, vous non plus.

— Reprenez place, je vous prie, dit Louis en posant son morceau de pain près de son écuelle et en s'essuyant les mains. Je ne vous retiendrai pas.

Intimidée, Jehanne obéit.

— Bien. Je voulais simplement vous dire que vous tenez beaucoup trop à ce garçon. Il me serait pénible d'avoir à vous chagriner encore par sa faute.

— Sam n'est pas méchant, il est prompt. J'ai bien essayé de lui faire entendre raison tout à l'heure. Mais il saignait, maître ! C'est affreux. On aurait dit des griffures de m... Ce n'est pas ce que j'ai voulu dire. Mais vous avez dû lui faire très mal.

— Je le sais. Il n'en tient qu'à lui que cela ne se reproduise plus. Mais ce n'est pas de lui que je voulais vous parler.

Il se leva pour moucher une chandelle et se promena lentement autour de la table, les mains dans le dos. Il s'arrêta derrière Jehanne, qui ne bougea pas de sa place.

— Vous êtes, je le suppose, consciente de la grande liberté que je vous accorde à tous les deux, n'est-ce pas ?

— Oh oui ! C'est mon ami le plus cher. À part vous, bien entendu. Je vous suis très reconnaissante de comprendre cela.

— Bien. Je n'en exige pas autant de sa part à lui. Mais je compte sur vous pour le rappeler à l'ordre. N'oubliez pas que, votre fiancé, c'est moi.

Jehanne rougit jusqu'à la racine des cheveux. Un peu plus et elle laissait échapper un très compromettant « Comment avez-vous su ? ». Elle se mordit les lèvres. Elle aimait Louis et son opinion comptait pour elle, même si pour le moment il lui faisait plutôt peur. Le souvenir ancien de la nuit où elle l'avait vu pour la première fois, étendu en pleine rue et gémissant auprès d'un sac dont le contenu angoissant lui avait été dissimulé avec peine par la main du père Lionel, revenait occasionnellement la hanter. Elle tourna timidement la tête vers lui pour lui demander :

— Vous ai-je déplu de quelque manière? Car si tel est le cas, je m'en excuse de tout mon cœur.

— Pas du tout, soyez tranquille.

— Si je vous ai fait de la peine parce que j'ai passé trop de temps avec Sam et si peu avec vous... Mais vous êtes toujours tellement occupé... Ce n'est pas ce que je voulais dire.

— Laissez, laissez. Et calmez-vous. Je ne vous demande pas de vous justifier. Cela dit, il me faut vous prévenir que dorénavant je me verrai dans l'obligation de mettre votre ami Aitken sous haute surveillance. Ceci, bien sûr, afin d'éviter qu'il ne lui vienne à l'esprit de commettre une nouvelle bêtise. Vous me comprenez?

«Il sait», se dit Jehanne, qui ne put s'empêcher de se féliciter d'avoir rejeté l'audacieux projet de Sam. Elle ne pouvait évidemment se douter que cette idée pouvait être d'autant plus aisément soupçonnée qu'elle souffrait d'un manque flagrant d'originalité. Elle dit:

— Oui, je comprends cela, maître. Et je ne vous en veux pas de le faire.

— Bien.

Il se rassit pour finir son souper qui était en train de refroidir et omit de rappeler les autres pour qu'ils pussent faire de même. Jehanne entretint Louis de choses et d'autres, de tous ces petits riens du quotidien qui faisaient leurs délices, à Sam et à elle. Ils ne paraissaient pas aussi amusants lorsqu'ils étaient racontés à Louis. Il était étrange de voir comment les mêmes mots, dits de la même façon, pouvaient se transformer en tout autre chose que ce qu'ils eussent dû être en réalité, selon la personne à qui ils étaient destinés. Les menus propos de Jehanne tombaient un à un sur la table comme des insectes morts. Mais Jehanne ne se découragea pas pour autant. Elle mit une telle ardeur à essayer de faire parler son fiancé qu'il fut incapable de placer un mot. Elle finit donc par en revenir au cœur du sujet qui la préoccupait:

— Jamais vous ne m'avez frappée, moi. Et je vous aime.

Elle surmonta sa gêne pour aller vers lui et lui posa une main sur l'épaule. Il tourna la tête vers elle.

— Sam vous aimerait aussi, j'en suis sûre, si vous faisiez l'effort de rester aimable avec lui, dit-elle.

— C'est votre ami et non le mien.

— Mais il n'empêche que c'est quand même grâce à lui que nous avons trouvé l'abri souterrain qui nous a permis à tous de survivre. Promettez-moi au moins que vous ne le frapperez plus. Il y a tant d'autres moyens. Je vous en prie, maître. Toute cette violence, j'ai... Cela me fait très, très peur.

Louis se leva, l'obligeant à retirer sa main, et lui fit face.

— Avec tout le respect que je vous dois, ce n'est pas à moi de vous faire des promesses. Mais puisque vous tenez vraiment à en obtenir, allez en demander à Aitken. Pour ma part, je continuerai à faire mon devoir. Maintenant, si vous voulez bien m'excuser, l'heure avance. Dormez bien, damoiselle.

Il s'inclina légèrement avant de lui tourner le dos. Désespérée, Jehanne le regarda marcher jusqu'à la porte. Il devait pourtant exister un moyen de le convaincre. Soudain, elle eut une idée.

— Maître, pourrais-je avoir le fouet?

Il se retourna. L'un de ses sourcils presque noirs se relevait, interrogateur.

— Quel fouet?

— Ce... celui avec lequel vous avez puni Sam. Puis-je l'avoir, s'il vous plaît?

Louis nota que la voix de la jeune fille tremblait. Il demanda:

— Que comptez-vous en faire?

— Euh... c'est que... en fait, je n'en ai pas la moindre idée.

Il hésita, la main sur la porte. Finalement il dit:

— Bon, attendez-moi ici.

Jehanne mentait, c'était l'évidence même. Sa requête était d'autant plus insolite qu'elle venait juste de lui avouer sa crainte de la violence. D'avoir en sa possession l'instrument qui avait servi à punir Sam ne devait donc pas être son but en soi. Mais elle en avait certainement un, qui sans doute représentait beaucoup pour elle. Il ne poussa pas plus avant ses réflexions. Jehanne avait toujours eu de drôles d'idées. Il n'y avait là rien de nouveau.

Louis prit un falot et alla quérir l'objet qui avait été abandonné dans la grange. Lorsqu'il revint dans la salle à dîner, Jehanne n'était plus là. Mais la lueur d'une chandelle frémissait sous la porte fermée de sa chambrette. Il s'y rendit et cogna doucement. Aucune réponse. Il souleva la clenche et entra sans faire de bruit.

Au centre du lit de Jehanne, la couette était bombée par une petite silhouette auprès de laquelle s'était lovée une chatte en gestation. L'homme s'avança. Le félin nerveux n'apprécia guère cette intrusion et quitta son creux douillet.

— Tenez, dit-il.

Une chevelure en désordre et un visage strié de larmes surgirent des couvertures. Jehanne renifla. Il lui tendit le roseau avec une certaine rudesse. Elle s'assit et le prit d'une main réticente.

— Merci. Mais ce n'est pas un fouet, dit-elle.

— Non.

Elle était visiblement déçue. Louis n'y comprenait rien. Il ne pouvait se douter qu'elle avait espéré se faire remettre quelque instrument hideux, un fouet enroulé qu'elle eût pu cacher là où Louis n'eût jamais pu le retrouver. Mais des roseaux comme celui-là poussaient presque n'importe où, on pouvait en ramasser sans problème.

— Qu'est-ce qui ne va pas? demanda Louis.

— Rien. Rien du tout. Je me sens juste toute de travers. Ne vous en faites pas, ça va passer.

Elle fit quelque chose qu'elle n'avait pas fait depuis longtemps : après s'être extraite de son lit, elle alla se hausser sur la pointe des pieds pour lui enlacer les épaules et lui appliqua un petit baiser sur la joue. Penché, il sentit contre son dos le contact du roseau qu'elle serrait précieusement.

Il la regarda courir jusqu'au coffre qui trônait au pied de son lit. Elle s'agenouilla devant, l'ouvrit, plia le roseau en prenant soin de ne pas le rompre, car après tout c'était à lui, avant de l'enfouir tout au fond, sous ses piles de linge lavé de frais. Satisfaite, elle grimpa à quatre pattes sur sa couche et se dissimula à nouveau sous sa couette.

— Je crois que je viens de comprendre, dit Louis.

Ravie de ne pas avoir à lui fournir d'explications laborieuses, Jehanne lui prit la main et y frotta sa joue encore humide. Il laissa errer son regard dans la petite pièce où cohabitaient dans l'équivoque deux âges, celui de l'enfance avec ses jouets et celui de l'adulte avec ses travaux d'aiguille et ses livres. Il était évident que le maître ne souhaitait aucunement prolonger cet entretien. Il évita de poser le regard sur Jehanne alors qu'il sentait son âme dire en silence :

« Prends ma main mais ne me regarde pas dans les yeux. »

Chapitre IX

Le Faucheur

Hiscoutine, automne 1364

Les heures d'enseignement à Jehanne et à Sam constituaient une période de répit au cours de longues journées habituellement consacrées à quelque travail physique. La plupart du temps, le père Lionel, tout froissé par ses activités de cueillette, passait la porte d'entrée une heure après tout le monde, en même temps qu'un chaton tigré, toujours le même. Une fois la leçon terminée et les devoirs bien entrepris, il s'affalait dans le fauteuil de Louis et, tout insomniaque qu'il fût, il se mettait à cogner des clous lorsque rien ne réclamait son attention. Cette surveillance lâche ne nuisait que très rarement à l'assiduité de ses deux élèves. Mais ce jour-là Sam avait découvert un nouvel usage aux boulettes de pain rassis et il expérimentait l'effet qu'elles pouvaient produire sur les cibles humaines qui avaient le malheur de se trouver à portée de tir. Seul le père Lionel en fut épargné, car cela n'arrivait jamais à affecter sa somnolence. De guerre lasse, Sam l'avait abandonné au profit de destinataires plus réceptifs.

— Qu'est-ce que c'est, déjà, du feldspath? demanda la voix de Jehanne.

Lionel tourna la tête et huma un appétissant arôme de poulet rôti. Il se rendormit.

— *Vulnerant omnes, ultima necat*[106], entendit-il Sam énoncer avec le plus grand sérieux.

Le garçon visa Louis qui passait par là avec une boulette de

---

106. Toutes blessent, la dernière tue. »

pain. Lionel émergea tout à fait en se demandant ce que le feldspath pouvait bien avoir à faire avec un proverbe dont on ornait les cadrans d'horloges. Oubliant momentanément que sa courte sieste pouvait avoir nui à sa compréhension d'une discussion qui s'était déroulée pendant plusieurs minutes sans lui, il dit :

— Cette maxime me démoralise parfois, moi qui ai tant soif d'éternité.

— Tiens, le père Lionel est réveillé, dit Jehanne. On mange bientôt?

Sa concentration était perturbée par le fumet que détectait son odorat. En passant à la hauteur de Sam, Louis lui donna une taloche derrière la tête avant de sortir dans la cour comme si de rien n'était.

— Eh, là, ça va pas, non?

S'adressant à Jehanne, il poursuivit :

— En plus, il m'a fait faire une bavure.

— Tu n'as qu'à les manger, tes boulettes de pain. Mais gardes-en au moins une pour effacer. On ne mangera pas tout de suite. Regarde dehors.

Un courrier venait d'arriver de Caen.

Depuis peu, ils avaient recommencé à délivrer leurs messages de façon régulière. Ils apportaient presque toujours, avec leurs assignations, quelque nouvelle du royaume. Il n'y avait plus lieu de s'interroger sur l'identité de celui qui régnait réellement en Normandie. Charles V était parvenu à déjouer des complots qui étaient ourdis jusque dans sa famille même. Les habitants d'Hiscoutine en apprirent davantage au sujet du mystérieux départ des routiers et de la parodie de croisade qui devait permettre au roi de France de se débarrasser des compagnies. Les routiers avaient reçu du butin supplémentaire avec, de surcroît, l'absolution en échange de leur consentement à partir pour l'Espagne avec du Guesclin. On racontait toujours que le roi de Castille, Pedro le Cruel, un ami des Juifs et des Sarrasins, avait assassiné sa jolie reine. Blanche de Bourbon avait été une femme sans pareille, aimée de tous. Et, par malheur, elle était la belle-sœur de Charles V. Ce meurtre avait beau n'être qu'une rumeur, car il était aussi question de maladie, il n'en avait pas fallu davantage pour que la France fasse de cette reine une martyre, et le prétexte fut tout trouvé pour donner une allure plus chrétienne à la croisade. Charles V avait donc résolu d'envoyer à Enrique de Trastamare, le frère et rival de Pedro, les cohortes indisciplinées qu'il avait fait conduire par quelques nobles gens afin de leur donner bonne figure. Il fallait tout de même faire en sorte qu'Enrique pût croire que toute cette racaille allait lui être utile là-bas pour l'aider à prendre le pouvoir. Charles de Navarre, quant à lui, avait traité par personnes interposées avec les routiers afin que son patrimoine fût épargné lors de ce grand branle-bas qui s'en allait traverser les montagnes de son royaume.

Après la bataille d'Auray[107], affrontement désastreux qui avait montré à tous que du Guesclin n'était malgré tout pas invincible, un nouveau traité avait été conclu entre Charles V et le Mauvais. Tel que Friquet de Fricamp l'avait prédit à Louis quelques mois plus tôt, Aspremont et Hiscoutine avaient été remis au roi de Navarre. Saint-Sauveur-le-Vicomte avait, quant à lui, recouvré sa liberté.

Un autre jour, à peu de temps de là, un nouveau messager avait trouvé la maison déserte. Tous les habitants de la ferme étaient au champ avec quelques paysans des alentours, occupés à la fenaison, sauf Sam qui était introuvable depuis le matin, Lionel qui travaillait à ses livres et Jehanne dont la tâche était de s'occuper des trois jeunes enfants que les paysans avaient amenés avec eux. Louis seul avait raccompagné le courrier jusqu'au manoir, où il lui avait offert une écuelle de soupe et un gobelet de vin. Le messager avait englouti le tout en vitesse avant de remettre un pli cacheté à Louis. Les deux hommes étaient sortis discuter dans l'allée. Les nouvelles étaient nombreuses, ce jour-là. Graduellement, le champ de foin fut délaissé par les autres travailleurs, qui étaient davantage assoiffés de commérages que de l'eau fraîche aromatisée au gingembre préparée par Jehanne. La jeune fille était demeurée avec les petits, en retrait plus loin dans la cour, pour ne pas déranger les autres.

Le messager dit :

— Puisque vous voilà tous, j'ai une bien triste nouvelle à vous annoncer. Il s'agit du trépas des grands seigneurs de Bretagne, survenu à cette bataille d'Auray dont je vous ai parlé. Même s'ils étaient avec du Guesclin, ils se sont obstinés inutilement. Mais, le plus grave, c'est que Charles de Blois[108] se trouvait parmi eux.

— Oh, mon Dieu, dit Margot en se signant.

Thierry et Blandine firent de même, suivis de Toinot. Tout le monde baissa respectueusement la tête. Margot jeta quand même un bref coup d'œil du côté de Louis, qui finit enfin par se signer aussi.

Le courrier reprit :

— On a arraché et renversé sa bannière avant de l'occire. Oui, je sais. Tout le monde perçoit cela comme une véritable profanation. Même ce maudit Montfort[109] en a été tout retourné lorsque ses sbires anglais sont venus lui montrer la dépouille de l'ennemi qu'ils avaient tué. Croyez-le ou non, ils ont trouvé un cilice sous la cuirasse du duc. Cet homme n'était ni plus ni moins qu'un saint en ce bas monde, le second qu'ait eu la maison de France.

— Les saints ont habituellement pitié des autres, fit remarquer Louis. Si j'en crois ce que l'on m'a dit à son sujet, ce n'était pas sa plus grande vertu.

«Oyez l'hôpital qui se moque de la charité», se dit Margot.

Le courrier répondit :

— Peut-être que non, mais ce sont ses belles qualités et sa piété que l'on se remémore. Il ne voyageait pas sans la compagnie d'un aumônier portant dans un pot, du pain, du vin, de l'eau et du feu pour dire la messe en route. Car Charles de Blois entendait quatre ou cinq messes par jour et se confessait matin et soir.

— Voilà qui est bien, dit le père Lionel qui surgissait de nulle part en grattant sa petite tonsure qui disparaissait sous un chaume sombre et hirsute. J'aimerais avoir autant de succès avec la confession.

Il souriait à Louis.

— Ça, je ne vous le fais pas dire, mon père. Avec lui, vous en auriez eu. S'il vous avait vu passer, il se serait jeté à bas de cheval, dans la boue, pour recevoir votre bénédiction.

— Bon, bon, ça va. On a compris, dit Louis.

Non loin d'eux, un buisson s'agita brièvement. Nul ne le remarqua et Sam put aller se dissimuler derrière le coin de la maison pour continuer à les espionner plus à son aise. Il rentrait d'une expédition au ruisseau avec un pieu effilé sur lequel étaient plantés quatre poissons dont l'un frétillait encore et il ne tenait pas du tout à se faire voir. Il s'abîma un instant dans ses pensées en contemplant alternativement ses poissons et le dos tourné du métayer. «Si ce pieu était une lance et l'un de ces poissons, Baillehache... »

— Est-il vrai que Charles de Blois a fait plusieurs fois, pieds nus dans la neige, le pèlerinage de saint Yves, le grand saint breton? demanda le moine.

— Je le croirais volontiers. Même lorsqu'il n'était pas en pèlerinage, il mettait des cailloux dans sa chaussure, interdisait qu'on enlevât la vermine de son cilice et portait très serré trois cordes à nœuds qui lui entraient dans la chair. C'était à faire pitié, à ce qu'il paraît. Quand il priait, il se fustigeait à s'en rendre malade.

— Moi, je n'ai pas besoin d'aller bien loin pour rencontrer des saints comme ça, dit Louis, qui songeait aux tourments de certains prisonniers.

Tout le monde fit silence. Le père Lionel se racla la gorge :

— Il est des fois, mon fils, où votre genre d'humour me donne froid dans le dos.

— Je ne croyais pas avoir fait une plaisanterie.

— Ah. Bon.

Louis dit au messager :

— Merci de m'avoir prévenu. Allez, au travail, vous autres. Non, pas vous. J'ai affaire à vous.

Il avait intercepté le père Lionel, qui s'apprêtait à prendre la direction de la forêt avec un panier vide destiné à recueillir un fouillis d'herbes et d'écorces. Le groupe s'en retourna au champ en semant Louis, Lionel et Thierry derrière lui. Les deux derniers se rapprochèrent du manoir, tandis que le premier s'en allait d'un bon pas vers le ruisseau afin de voir si Sam s'y prélassait.

—Il paraît que Charles de Blois était sodomite, laissa tomber Toinot en jetant un coup d'œil du côté de Louis qui s'éloignait.

Il s'en retournait au champ en compagnie des autres.

— Il paraît aussi qu'il ne se lavait jamais, dit Blandine en plissant le nez.

Margot répliqua :

— Ne parlez pas ainsi de ce saint homme. Que nous importe qu'il fût sale ou non, puisque son âme, elle, était pure comme celle d'un agneau. Maintenant qu'il a rejoint le bleu paradis, peut-être intercédera-t-il pour nous autres, pauvres gens.

— Eh bien, moi, je lui souhaite bien du courage. Parce que notre bonhomme se baigne, lui. Tous les jours.

Margot était bien placée pour le savoir, car c'était à elle que revenait la tâche de puiser, de chauffer et de verser dans la grande cuve tapissée d'un drap l'eau de ces bains quotidiens.

— Bigre, chuchota Blandine, allez savoir pourquoi je suis plus inquiète qu'avant.

Depuis sa cachette, Sam attendit que le groupe se fût dispersé. Thierry et Lionel conversant à voix basse sans faire mine de vouloir entrer, il se coula dans la cuisine silencieuse afin d'y laisser sa canne à pêche, qu'il avait l'intention de remplacer par un bon couteau et un racloir à écailler les poissons. Quelque chose à grignoter n'allait pas être de refus non plus. « Le grand air, ça creuse », se dit-il. L'adolescent eut la main heureuse : d'invitantes ougnes* au miel, vraisemblablement confectionnées par Louis, attendaient de trouver preneur dans le grand bol à couvercle qui était posé sur le plan de travail. Il s'empara d'une pâtisserie et y mordit à belles dents, tout en revenant dans la grande pièce qui était calme et fraîche. Seules les voix des deux hommes lui parvenaient de façon atténuée par les volets entrouverts. Cela donnait au lieu une drôle d'ambiance. Sur le métier à tisser, la tapisserie incomplète de Margot patientait depuis le printemps. Une fois terminée, elle allait s'avérer un présent très utile : elle allait pouvoir servir de chauffe-mur, de cloison, ou même de fermeture pour une fenêtre. Sam fut intrigué par la discussion qui se prolongeait. Il s'enfourna le reste de la bugne* dans la bouche, s'essuya vaguement la main sur ses hauts-de-chausses et s'avança en direction des volets mal fermés.

— ... excès de propreté compulsive peut avoir sa raison d'être, était en train de dire le père Lionel à Thierry. Je crois qu'il s'efforce de laver le sang et la saleté qu'il sent collés à lui et qui ne sont pas forcément visibles pour nous. Un homme tel que lui doit sans cesse refouler l'attrait qu'exerce la cruauté. Peut-être est-il uniquement conscient des devoirs liés à sa fonction et qu'il doit accomplir. Pourtant, je ne peux simplement pas croire que détruire la vie puisse n'être pour lui qu'une simple besogne comme une autre. Non, il sait très bien ce qu'il fait. Sans trop s'en rendre compte, il prend la vie des autres et s'en repaît pour sentir qu'il existe, lui.

— Voilà qui n'est pas bête. Mais, ce que je n'arrive pas à comprendre, c'est...

— Ah, vous voilà, vous, les interrompit la voix de Louis, qui revenait du ruisseau.

Il paraissait de méchante humeur. Il dit au père Lionel :

— Je vous avais pourtant dit de me suivre.

— Mais je...

— Bon, laissez tomber.

Il ordonna à Thierry :

— T'ai-je demandé ça, à toi ?

— Non, bien sûr que non...

— Alors, fiche le camp.

Sam tira la langue au volet mi-ouvert et s'en rapprocha tout en prenant garde de bien se dissimuler. Louis parut attendre que l'ancien maître d'armes fût parti. Il y eut un petit bruit de papier. Lionel dit :

— J'ai horreur de vos assignations.

— Qu'importe. Lisez.

— « *Du bayle Thillebert au maître Baillehache, au nom de S.M. le roi : l'exécuteur des hautes œuvres de la cité de Caen ne fera faute de se rendre le mardi IV jour du mois d'octobre à la maison de justice, afin que soit dûment appliqué le jugement de la dénommée dame Isabeau d'Harcourt, née de Mareuil, à la décapitation pour complicité avouée dans le crime très odieux de haute trahison. La mise à mort aura lieu après tierce*, à la place Saint-Sauveur.* »

Sam recula sans bruit, pas à pas, comme s'il se trouvait subitement devant un prédateur. Il laissa sa découverte s'insinuer, se propager en lui. Horrible, dévastatrice. Cela ne pouvait être vrai. Un bourreau. C'était un bourreau. Un imposteur qui bénéficiait du soutien d'un roi. Voilà qui changeait tout.

Sam leva ses yeux émeraude sur la forêt séculaire qui se dévoilait devant lui, sur la tapisserie. Dans sa débauche de végétation mystérieuse, bordée de toutes parts de pampres fleuris, deux créatures mythiques se faisaient face et se flairaient l'une l'autre. À gauche, une jeune licorne d'un blanc très pur, de toute beauté, avançait un nez velouté légèrement craintif vers la créature de droite, une manticore* noire au pelage hérissé dont les crocs dépassaient de sa gueule fermée, représentée en position presque assise, comme si elle était tentée de reculer. Trois rayons de soleil camisés, faits de précieux fil d'or, descendaient sur les deux bêtes. D'autres rayons de lumière, ascendants ceux-là, montaient vers les frondaisons où un couple d'oiseaux, l'un noir et l'autre or, se faisaient face. Le père Lionel aimait beaucoup cette tapisserie.

Ils savaient tous. Il en avait la certitude. Dès le départ, ils savaient tous qui était le maître Baillehache et ils ne leur en avaient rien dit, ni à Jehanne ni à lui. Et pourtant, à présent qu'il savait, il constatait que les indices avaient abondé : les messagers, ce mystérieux travail à Caen, la canne à pommeau d'étain, le routier transpercé devant lui avec une cruelle efficacité, la mystérieuse épée antique qu'il avait un jour trouvée par accident sous les combles et avec laquelle il avait secrètement joué au chevalier. Oui, maintenant, tout devenait clair.

Sam sursauta sous les yeux rouges de la manticore* qui le regardaient faire en scintillant. Il s'avança sur la pointe des pieds jusqu'à l'une des fenêtres afin de jeter un coup d'œil dehors. Personne n'était en vue, ils étaient encore tous au champ. Il en profita pour filer en douce dans la cour où, songeur, il entreprit de vider et de nettoyer ses poissons.

Peu après, une mélodie errante, aigre comme une bise, lui vin à l'esprit. «Rien ne saurait mieux convenir», se dit Sam. Dans un cimetière, il vit une ronde formée par des couples. Il y avait de princes et des mendiants, des chevaliers et des paysans. Chaqu couple se composait d'un vivant et de ce qui avait l'air d'être s propre effigie, affreuse, morte. Sam reconnut Jehanne parmi ce couples. Cependant, le partenaire de la jeune fille stupéfaite n'étai pas une version défunte d'elle-même, c'était *lui*. C'était l bourreau. Un mort-vivant vêtu de noir qui l'entraînait malgré ell dans sa danse[110]. Il était le maître de cette activité et la musiqu émanait de lui. Soudain, il interrompit tout geste et braqua so regard sans vie sur lui.

— Aitken, appela la voix grave et sèche.

Sam se réveilla brusquement. Hébété, il posa les yeux sur l poisson qu'il n'avait pas fini de vider, avant de les lever su l'homme en noir qu'il venait tout juste de voir ailleurs. Le visage peine mobile du vivant se superposa à celui, pétrifié, du transi* d son rêve. Les deux orbites vides et inexpressives furent occupée par deux prunelles noires à l'éclat mauvais. Louis avait une grand faux[111] à la main.

— Qu'est-ce que tu fais là, toi? On t'a cherché partout ce matin

— Ah bon, vous me cherchiez? répondit-il avec l'air faussemen étonné d'un acteur de second ordre. Je croyais pourtant avoir dit Margot que j'allais au ruisseau. Je ne le lui ai pas dit?

La voix en mue de Sam sonnait juste assez faux pour lu permettre de se mettre à couvert sous sa petite partie de pêche Grâce à elle, Louis ne se douta ni de sa découverte ni de son effro mêlé à une irrésistible envie de le défier.

— Assez. Tu mens encore plus mal que tu travailles. Tout l monde devait passer la journée au champ et ça, tu le savais.

— Oui, je... enfin, j'ai oublié. Pardon.

— Ah, tu as oublié. Mais nous t'aurions sûrement vu rappliquer pour souper. Dis plutôt que tu t'es esquivé, espèce de vaurien.

— À propos de souper, regardez un peu ce que j'ai attrapé. J'a quand même fait quelque chose d'utile aujourd'hui, non?

— Silence!

Louis empoigna l'adolescent par sa tunique et le poussa devan lui jusqu'au champ où travaillaient les autres. Docile, Sam se laiss bousculer. Louis ordonna:

— Allez, fainéant. Mets-toi au travail. Vous autres, ne ralentisse pas, qu'on en finisse.

Louis reprit sa place, voisine de celle de Sam afin de pouvoi garder l'adolescent à l'œil plus aisément, et il entreprit d'aiguiser sa faux avant de se remettre lui-même à l'ouvrage. Après avoir travaillé pendant un certain temps, il s'arrêta de nouveau.

— Qu'as-tu à me regarder comme ça? demanda-t-il à Sam, qui lui souriait avec un mépris authentique, tout à fait explicable.

— C'est curieux, je n'avais jamais remarqué à quel point vous êtes habile avec la faux. Ça me rappelle quelque chose.

— Ah ouais? Dis-moi donc quoi?

— C'est un secret. Mais je vous promets que je vous dessinerai ça un de ces jours.

*

Seule à la tour, Jehanne s'était agenouillée devant une caisse dans laquelle une chatte affolée tournait en rond. La bête ne permettait pas à ses deux nouveaux-nés de téter. Le travail semblait s'être arrêté. Ses yeux de chat suppliaient Jehanne. De petits gémissements s'élevaient à travers un ronron accéléré qui se voulait apaisant. Pour une fois, Jehanne ne porta aucune attention à son fiancé qui vint se tenir juste derrière elle avec une esconse*.

La chatte voulut quitter sa boîte pour aller le voir, mais Jehanne l'emprisonna de ses deux mains. La jeune fille ne parut pas remarquer l'espèce de chantonnement inarticulé qu'elle s'était mise à produire involontairement. L'instinct, partie animale d'elle-même, avait pris le relais.

Louis observa les mains de Jehanne; elle avait entrepris de pratiquer de longues pressions répétitives contre les flancs soyeux de la chatte; la bête hurla et feula sans toutefois se dérober. Sous ce geste mystérieux, un geste de femme, les contractions reprirent. Enfin, une chose mouillée et grise apparut entre les pattes arrière de la mère.

— Un chasseton* qui ululait dans la crête des arbres m'a réveillée et je l'ai entendue, elle, gémir à ma fenêtre, expliqua Jehanne à Louis, afin de justifier sa petite escapade nocturne dans la tour.

Elle était persuadée qu'il l'avait suivie pour en connaître la raison. Tout comme le père Lionel, on eût dit que Louis ne dormait jamais. Il jeta un coup d'œil au chemin de ronde et constata que Sam n'y était pas. Il finit par s'asseoir dans le foin. La chatte refusait de laisser Jehanne partir.

— C'est étrange de vous voir assis là, dit-elle à Louis en souriant.

— Préférez-vous que je m'en aille?

— Non, non, bien au contraire. Restez. Lorsque ce sera fini, nous irons piller le garde-manger. Il me semble que c'est encore plus appétissant de nuit, parce que ça a l'air défendu. J'ai vu Blandine ramener des mûres cet après-midi. La saison achève. Ça vous plairait de manger tout le seau avec moi?

— D'accord.

Elle lui fit un clin d'œil complice.

Ils n'échangèrent plus un mot. Après un certain temps, trois chatons disparates tétèrent, alignés côte à côte contre le ventre de leur mère, faibles mais empressés de vivre. La chatte finissait de nettoyer le quatrième et dernier chaton qui se traînait en vacillant pour rejoindre les autres dans la sécurité du ventre tiède et flasque de la chatte, qui n'était plus gonflé que par de l'immobile enflure. Jehanne passa ses phalanges sur la rangée de chatons duveteux, encore légèrement humides. Elle prit délicatement le premier-né entre ses mains en coupe et le flaira. Elle dit :

— Les chatons sentent toujours bon. Tenez, sentez.

Elle le tendit à Louis, qui recula.

— Non.

C'était trop petit et fragile. Les mains de Louis disparurent derrière son dos. Il eut subitement peur de toucher à des animaux. Il craignait leur réaction, car eux, ils devaient savoir d'instinct quel genre d'homme il était. Louis se demanda pourquoi il éprouvait soudain de la honte mêlée d'angoisse à la seule idée que Jehanne pouvait percevoir, à travers ces chatons, la cruauté de ses jeux d'enfant. Pris de remords, il se rappela les bêtes torturées à mort dont avait été jalonnée sa jeunesse. Il se sentit indigne de Jehanne et de l'affection qu'elle prodiguait avec une telle abondance.

La précieuse petite boule de fourrure fut redonnée à sa mère qui la réclamait. Jehanne caressa la tête de la chatte exténuée et se releva.

— L'aîné, le petit noir, ce sera lui qui aura le plus besoin d'amour. Il n'arrête pas de repousser les autres pour téter à leur place. Venez, mon ami, allons nous gaver de mûres.

*

Après la fenaison vint le temps de récolter les blés qu'on avait semés l'hiver et le printemps précédents. Une fois tous les champs du domaine dénudés à la faucille, le blé mis en gerbes, assemblé en meules et engrangé avant le battage, les habitants d'Hiscoutine s'en allèrent faire corvée dans les champs qui entouraient le hameau d'Aspremont. Le père Lionel et Jehanne descendirent au village avec eux, le premier parce qu'il désirait se rendre à l'église, la seconde à l'invitation d'une couvée de petits enfants qui la réclamaient à hauts cris. Tandis que le moine s'affairait à l'intérieur du petit bâtiment en pierre, les enfants s'assemblèrent dans la minuscule cour vaguement pavée qui vivotait derrière, coincée entre deux habitations. Malgré ses dimensions restreintes, c'était un endroit pittoresque et ils eurent tôt fait de le transformer en terrain d'aventure.

— Mais Renaud, deux Perceval, ça ne se peut pas, dit la petite Morgane. De plus, on a besoin d'un Mordret.

La fillette s'était donné un air de sorcière fort convaincant en se trempant les cheveux dans de la terre glaise mêlée d'eau, ce qui allait certainement plaire à sa mère.

— Je n'aime pas Mordret. Je veux être un chevalier, dit le gamin, buté.

— On pourrait faire une autre histoire avec des personnages différents, proposa Jehanne.

La proposition fut accueillie par plusieurs voix enthousiastes.

— Oui, bonne idée. À quoi on joue?

— À la guerre.

— Non, à Tristan et Yseult.

— À la princesse, comme toi, Jehanne. Et moi, je serai le prince.

Pendant ce temps, Sam était arrivé à se défiler à l'insu de son cerbère qui était trop occupé avec les paysans pour avoir le temps de se soucier de lui. Il s'en alla traîner un moment en direction de l'église. Il avait envie de voir Jehanne et il savait où la trouver. Les enfants ne le dérangeaient pas. Au contraire, puisque leur présence à eux l'assurait que la jeune fille n'allait pas être accaparée par son insupportable bande d'amies.

L'adolescent avisa, accroché à une branche d'arbre et probablement oublié, un floternel* noir qui appartenait à Louis. Il alla le chercher, tenté pendant une seconde de le rouler en boule et d'en frotter énergiquement la rue poussiéreuse avant d'y bouter le feu. Mais des voix d'enfants provenant de la petite cour dont la grille était ouverte attirèrent son attention. Surmontant son dégoût, il endossa le floternel* et se dirigea vers l'endroit où jacassaient les enfants. Il y en avait bien une douzaine là-dedans à graviter autour de sa belle demoiselle. Aucun ne se retourna à son arrivée, car il n'avait pas fait de bruit. Soudain, il les fit tous sursauter, y compris Jehanne, en fermant brutalement la lourde grille sur eux. Ils firent volte-face et restèrent un instant cois. Sam les dévisageait entre les barreaux d'un air grave.

— Je suis insatisfait de votre labeur. Vous serez punis, dit-
d'une voix forcée vers la basse.

Renaud ricana, mais l'influençable petite Berthe éclata e
sanglots. Sam la toisa sans un mot. Sa silhouette mince engoncé
dans le déguisement improvisé et beaucoup trop grand l
conférait un aspect encore plus rébarbatif.

— D'accord, l'Escot, tu l'ouvres, cette porte? demanda un autr
gamin.

— Vous êtes mes prisonniers, dit Sam.

— Ça suffit, Sam, dit Jehanne. Tu vois bien que Berthe te pren
au sérieux!

En effet, la fillette enfouissait son visage dans le vêtemer
poussiéreux de sa gardienne. Sam rit, ouvrit la porte et entra dan
le «cachot» pour s'accroupir devant l'enfant en pleurs.

— Voyons, petite tête de linotte, dit-il en lui caressant le
cheveux, c'était une plaisanterie. Tu ne me reconnais pas? Alle
calme-toi, maintenant.

Il reprit, d'une grosse voix:

— Je suis Baillehache, le seigneur de ce château, et vous ête
tous à ma merci!

Cette fois-ci, Berthe sourit à travers ses larmes et se jeta dan
les bras du prétendu seigneur.

— Où as-tu trouvé ça? demanda Jehanne en caressant la manch
trop longue du floternel*.

— Pendu à un arbre. Dommage, il n'y avait personne dedans.

— Sam!

— C'est une blague.

Sam ramassa par terre un bâton dont il se fit une canne.

— À genoux, manants! Soumettez-vous à ma loi, dit-il e
reprenant son personnage.

Berthe obtempéra, mais Renaud aimait les preux chevaliers. I
croisa donc les bras et défia le seigneur d'un air insolent. Sar
demanda:

— Oserais-tu me désobéir?

— Je pense bien! J'obéis pas à un méchant.

— Hé! maître Baillehache n'est pas méchant! fit remarque
Jehanne.

— C'est fort regrettable, dit Sam en prétendant abattre sa cann
sur l'épaule du garçon.

L'enfant hurla de douleur et chancela. Le seigneur le frapp
dans le dos et dans les côtes, froidement, jusqu'à ce que le pet
acteur, feignant de souffrir terriblement, finît par tomber à se

pieds. Après quoi il appuya le bout de son bâton contre la nuque du vaincu. Sam jeta un coup d'œil affectueux en direction de Jehanne, qui dit :

— Arrête, Sam, ce n'est plus drôle.

Mais le jeune Écossais fit la sourde oreille. Il abaissa les yeux sur sa victime et lui dit :

— N'abusez pas de ma patience, messire. Devrai-je faire usage de ma hache ?

— Pitié, messire le seigneur, supplia Berthe d'une petite voix bien crédible.

Renaud se releva et fit un bond en arrière. Avec beaucoup d'ostentation, il retira l'un de ses vieux gants dont deux doigts avaient été mâchonnés par un chien et le lança aux pieds de Sam, qui dit :

— Je vois... Oh, merde ! Le voilà qui rapplique.

Au milieu du groupe hilare, il fonça vers une pile de caisses vides derrière laquelle il s'accroupit juste à temps. Louis s'en venait dans leur direction, en compagnie du père Lionel et de deux paysans avec qui il discutait. Il demanda à Jehanne :

— Excusez-moi de vous déranger, mais vous n'auriez pas vu mon manteau ? Je l'avais laissé pas très loin d'ici.

— Euh... je...

— Mais qu'est-ce qu'il fait là ? demanda Louis, en pointant du doigt en direction des caisses au-dessus desquelles le vêtement était soudain apparu comme sortant de nulle part, étendu avec une certaine négligence. Les enfants pouffaient. Jehanne se reprit :

— Oh... c'est que... voyez-vous, c'est moi qui l'ai trouvé et ramené ici. Je croyais que vous l'aviez oublié ou perdu. Je... je vous l'aurais moi-même rapporté à la maison.

— Merci. Trop aimable.

Elle alla prendre le floternel* à deux mains comme une chose précieuse et s'avança vers lui afin de le lui remettre. Il demanda encore :

— Autre chose : si vous voyez Aitken, dites-lui que j'ai affaire à lui.

— D'accord, maître, je le lui dirai. Si je le vois, bien sûr.

Les enfants qui riaient sous cape n'aidaient vraiment pas la cause de Jehanne. Louis leur jeta un bref coup d'œil, mais, s'il soupçonna quelque chose, il ne fit semblant de rien. Il salua sa fiancée d'un signe de tête et repartit.

L'après-midi tirait déjà à sa fin et Sam dut à regret abandonner son statut et ses vassaux pour retourner faucher. Alors qu'il s'en allait en traînant les pieds, l'appréhension au cœur à cause de ce qui l'attendait, les rires insouciants continuèrent sans lui à s'élever comme autant de clochettes dans l'air doré et tiède, où ils s'amalgamèrent joliment au chant des criquets.

Si le reste de la journée ne lui fut pas trop pénible, ce fut grâce au père Lionel. Louis l'avait lui aussi affecté à la fauchaison, tâche dont le religieux arrivait à s'acquitter sans trop de maladresse. Lui et Sam s'encourageaient mutuellement avec des variations polyphoniques élaborées à partir de plain-chant[112]. Si Louis leur jetait de fréquents coups d'œil, il ne manifesta aucun signe de désapprobation, ce qui les surprit d'ailleurs beaucoup.

*

En cachette, Sam s'était pelotonné en haut de l'escalier, ravi d'être arrivé à temps pour ne rien manquer du spectacle. Le bourreau venait de trouver son bout de parchemin épinglé à la porte du bouge*. Il l'avait rapporté avec lui dans la grande pièce.

— Qu'est-ce que c'est que ça?

Lionel était assis seul à table avec un livre. Il dut se reculer un peu afin de mieux voir l'illustration que Louis, qui se tenait debout derrière lui, brandit presque à la hauteur de son nez.

— Ma foi, on dirait bien qu'il s'agit de la Faucheuse. Autrement dit, de la Mort, telle qu'on la représente parfois, vêtue d'une robe à capuce noire et tenant une faux.

— Oui, bon, je ne suis pas aveugle. Je vois très bien ce que c'est. Mais ce n'est pas ça que je vous demande.

Lionel l'interrompit et lui prit le feuillet des mains:

— Voyons cela d'un peu plus près. Cette illustration-ci a une particularité des plus intéressantes. Je n'avais jamais vu cela avant. Regardez, là: cette Faucheuse possède un visage d'homme. Oh, mais c'est...

— C'est moi. Je l'avais déjà remarqué, figurez-vous. Ce que je veux savoir, c'est ce qu'il y a d'écrit là-dessous. Lisez-le-moi.

Le père Lionel n'avait guère le choix. Pas avec l'homme qui se tenait penché au-dessus de lui comme une menace. Il déglutit péniblement et lut:

— C'est un proverbe. «On connaît le maître à l'ouvrage et souvent le cœur au visage.»

— Qui le lui a dit?

— Je vous demande pardon?

— Ne faites pas l'innocent. Vous savez très bien de quoi je veux parler.

— Oh, et puis, vous avez raison, dit Lionel tristement. Oui, je sais. Il m'en a parlé.

Il soupira et reprit :

— Comment l'a-t-il appris, cela, je l'ignore. Mais Samuel n'est plus un enfant. J'estime qu'il était en droit de savoir.

— Moi, je n'y tenais pas.

Louis soupira à son tour, rejeta le papier sur la table et se redressa.

— Serai-je donc contraint d'interroger les domestiques ?

— Non, surtout pas ! Écoutez. Nous avons dû commettre une imprudence à un moment ou à un autre alors que je vous faisais lecture d'une sommation.

Il y eut un silence, les conversations avec Louis n'étant jamais très étoffées. Plusieurs minutes s'écoulèrent avant qu'il ne reprît la parole d'une voix adoucie.

— C'est en effet possible. Il est assez hypocrite pour nous avoir épiés.

— Mais ils savent tous.

— Cela explique cette manticore*.

— Je le crois.

— L'idée est de vous, n'est-ce pas ?

— Oui.

— Je m'en doutais. Cela vous ressemble assez, ce genre d'allégories naïves. Si au moins les choses étaient aussi simples. Mais elles ne le sont jamais.

— Que voulez-vous dire ?

Louis, qui s'était promené autour de la table, s'était arrêté pour contempler la tapisserie, les mains dans le dos, sa canne lui taquinant les mollets. Il fit remarquer :

— Il manque une bête, là-dessus. Un agneau, peut-être. Oui, c'est ça, un agneau. Tout à fait approprié.

— Un agneau ? Je ne comprends pas.

— Je crois au contraire que vous m'avez très bien compris.

— Pas cette fois, j'en suis navré.

— Celui qui se prétend mon rival.

Lionel se tourna prudemment vers lui et demanda :

— Vous voulez dire...

— Oui. Aitken.

Sam sursauta et se tapit dans l'ombre, même si Louis ne l'avait que nommé. Faisant face au bénédictin, le bourreau poursuivit d'une voix presque enjouée :

— C'est aimable de ne pas l'y avoir fait figurer. Aimable, ou peut-être ne s'agit-il que d'une sage précaution?

— Je n'ai pas...

— À moins que cette manticore* n'ait déjà fait qu'une bouchée du pauvre agneau de la Grande Île. Serait-ce possible, à votre avis?

— Maître, cessez ce jeu, je vous en prie. Ce ne sont que des enfants.

— Aitken n'est plus un enfant. Vous l'avez dit vous-même. Mais c'est un jeune prétentieux et un gibier de potence. Vous n'êtes pas sans savoir que je me suis efforcé tant qu'il m'a été possible de fermer les yeux, de ne pas peiner Jehanne par mes agissements avec lui.

— Oui, je suis tout à fait conscient de cela, maître, et je prie le Seigneur que votre indulgence à son égard vous soit un jour rendue au centuple...

— Un instant.

Louis leva la main et dit:

— Ne priez pas trop vite pour ça. Mon indulgence, comme vous dites, atteint ses limites. Tenez-vous-le pour dit et rappelez-vous, si je venais à avoir la main leste avec lui, que j'ai eu la prévenance de vous en avertir, vous et lui.

— Oui.

— Mais on aura beau faire, il s'en trouvera toujours qui refuseront de comprendre. À ceux-là il faut donner du pain d'une main et des verges de l'autre. Et je dis bien les verges, pas les vierges[113]. Tenez, je fais de l'humour. Ah, ah. Vous devriez en être content.

— Euh...

— Je compte sur vous pour veiller à son salut. Celui de son âme et du reste.

— Vous le pouvez. J'en fais mon affaire. Samuel n'en dira pas un mot à Jehanne avant le mariage.

— Ni après non plus. C'est à moi seul qu'il revient de le lui dire, et au moment que je jugerai opportun.

— Faites à votre guise, mon fils.

Lionel leva les yeux vers le haut de l'escalier et parut s'égarer dans une brève prière. Un mystérieux pied nu disparut dans l'ombre et il sourit.

Alors qu'il s'apprêtait à sortir, Louis croisa le vieux chien du moine. En jetant un regard malicieux à Lionel, il éleva sa canne et fit mine de vouloir en frapper la bête avec le bout ferré. D'ordinaire assez agressif, le chien fit un écart en couinant.

336

— Mais arrêtez! Qu'est-ce qui vous prend? s'exclama le père Lionel en bondissant vers eux.

Louis abaissa son bras et dit:

— Navré, c'est l'habitude[114].

Lorsque Louis fut sorti, Margot s'amena en se dandinant, inquiète. Elle souffla:

— Oh, mon père, il est abominable, cet homme. J'ai vu ce dessin. C'est l'Escot qui l'a fait?

— Oui. Il a tout découvert.

— Bonne Mère de Dieu! Et la petite?

— Pas elle, rassure-toi.

Margot poussa un soupir de soulagement et se laissa tomber sur un coffre. Tout en sachant que d'autres oreilles que les siennes l'entendaient, le moine ajouta:

— Jehanne est protégée, mieux que nous-mêmes. Elle voit également plus loin que nous tous. Je m'en suis assuré. Louis est venu à nous pour une raison précise. En conséquence, nous devons nous acquitter de la tâche que le Tout-Puissant nous a confiée. Pensons aussi à Samuel.

— Lui, il est bon.

Il sourit encore en direction de l'escalier, sur lequel il avait une vue directe grâce aux battants de la porte menant à la cuisine qui étaient restés ouverts.

— Le meilleur jeune homme qui puisse exister. Il est Adam qui n'a pas encore croqué la pomme. C'est pourquoi il a lui aussi besoin de nous.

— La pomme...

— Puisque nous abordons le sujet du jardin d'Éden, je t'en prie, Margot, ne va pas imaginer le maître dans le rôle du serpent. Non, ce serait trop facile.

— Oh, laissez tomber la théologie, pour une fois, mon père. Qu'il soit une manticore* me suffit amplement.

Le regard de Lionel s'égara parmi les créatures magiques de la tapisserie. Il dit, comme pour lui-même:

— Quoi qu'on en dise, je suis persuadé qu'une certaine forme de magie existe bel et bien en l'homme. Il s'agit d'un pouvoir si terrifiant que nulle autre forme de puissance surnaturelle n'est vraiment nécessaire. J'ai appris qu'il n'est besoin que d'un seul mot ou d'un simple geste pour engendrer un monstre. Là se trouve la vraie magie.

Margot et Sam écoutaient sans comprendre. Le débit du père Lionel s'était curieusement ralenti. Il n'était plus saccadé. Peut-être avait-il oublié qu'il n'était pas seul.

— Je crois que l'Église en a peur, car cette forme de magie est, hélas, trop souvent engendrée par la méchanceté des hommes. Pourtant, on oublie facilement qu'il suffit aussi d'un seul autre mot ou geste pour neutraliser le monstre. L'histoire regorge de dragons terrassés, souvent par ceux-là mêmes qui les avaient conçus. Toutes les conséquences de cette magie tiennent là, dans ce lourd héritage que l'homme arracha jadis des mains de son Créateur et qui s'appelle conscience.

*

Le père Lionel avait été beaucoup plus étonné qu'il ne l'avait montré par le dessin de Sam. L'esquisse était certes rustique. Elle avait été tracée en hâte au fusain sur une vieille retaille de parchemin dont il s'était départi. Elle était tachée et l'un des bords en était troué. Mais la Faucheuse de Sam lui avait révélé quelque chose d'inattendu chez le garçon : il avait un don. Et pas seulement un don, mais aussi une grande audace.

Depuis des siècles, les visages sur les illustrations avaient tous été plus ou moins identiques. Ceux des hommes étaient simplement peints en une teinte plus foncée que ceux des femmes. Il n'y avait pas de véritable portrait. Cela n'avait jamais été un besoin, car on s'attardait moins à définir un personnage précis que ses actions ou le contexte dans lequel il évoluait. Les choses n'avaient commencé à changer que quelques années plus tôt, avec la création d'un portrait du roi Jean le Bon[115], dont il avait entendu parler par sa correspondance avec Nicolas Flamel. Évidemment, Sam ignorait tout cela. Pourtant, lui aussi venait de représenter un individu en dessinant ses traits de façon tout à fait reconnaissable : cheveux raides presque aux épaules, petite mèche sur le front, sourcils froncés sur un regard de prédateur, nez et lèvres fins. En dépit de la dérision qu'il véhiculait, on ne pouvait pas qualifier ce travail de caricatural.

Ce fut par ce dessin que Lionel choisit d'œuvrer « pour le salut » de Sam. Mais avant de songer à rendre cette noble tâche possible, il fallait la faire précéder d'une autre, beaucoup moins édifiante, celle-là.

Il soupira, assis par terre au milieu du gâchis occasionné par une caisse qui l'avait suivi dans sa dégringolade en bas de l'escalier.

— Pas de bobo, mon père ? demanda Hubert en se hâtant de venir à la rescousse.

— Non, excepté à l'orgueil peut-être, mais on ne doit pas en tenir compte.

Le meunier aida le moine à se remettre debout. Lionel regarda d'un air désolé le contenu éparpillé de sa caisse en se frottant les reins.

—Je n'aurais jamais cru que le métier de professeur pouvait s'avérer aussi dangereux.

—Mais pouvez-vous bien me dire ce que vous essayez de faire là-haut? demanda Margot qui, elle aussi, s'était empressée de venir voir ce qui avait produit tout ce vacarme.

Hubert entreprit d'aider le religieux à ramasser le dégât. Lionel répondit, d'un air contrit:

—Du ménage. Je compte faire de ma chambre un lieu plus approprié pour recevoir un élève. Mais voilà: mes effets se sont tant empilés un peu partout, au fil du temps et au hasard de mes activités, que vous me voyez pourvu d'un bon atelier ainsi que d'une bibliothèque en vrac. Sam et mon dos m'ont convaincu qu'il valait mieux que je fasse quelque chose au plus vite. Bref, j'aurais besoin d'étagères. Et de mes chaussons, aussi. Je n'arrive pas à mettre la main dessus. Mais ça, c'est une autre histoire.

Hubert se gratta la tempe.

—Je vous ferais bien ça, mon père, mais il faut que j'aille au moulin. Toinot et Thierry sont au champ avec Sam, et...

—... et maître Baillehache est là, lui, dit Margot. Il est revenu de la ville ce matin et s'est arrêté au village.

Ils se turent un moment. Lionel dit soudain:

—C'est, ma foi, vrai. Excellente idée, je le lui demanderai.

—Bon, eh bien moi, j'y vais, dit Hubert. Il s'arrêtera sûrement au moulin comme il a coutume de le faire. J'en profiterai pour lui transmettre votre message.

Il sortit, trop content de n'être le porteur que d'un message et non d'une demande directe.

Michou était un chat à rayures effronté. La queue dressée, il fila entre les jambes de Louis au moment où il fit son entrée, moins de cinq minutes après le départ d'Hubert, son bissac en bandoulière, les jambes gainées des vieux houseaux* qu'il s'était fabriqués lui-même. Il se tint sur le seuil à regarder les domestiques. Comme d'habitude lorsqu'il revenait d'une expédition en ville, tout le monde était mal à l'aise. Margot fut la première à aller au-devant de lui:

—Bien le bonjour, maître. Entrez, entrez, et débarrassez-vous. On ne vous attendait pas si tôt.

—Je suis parti de là-bas à l'aube et rien d'urgent ne m'attendait au village.

— Bien! Il nous reste encore un peu de pain. Un goûter de tostes[116] dorées, ça vous dit pas?

— Va pour les tostes. Avec de la cannelle. Tiens, j'en ai rapporté.

Louis montra son bissac et prit place à table où un bol de tisane fumait, trop chaud pour se laisser approcher. Pendant que Margot coupait d'épaisses tranches de pain complet qui avaient à peine commencé à rassir et les trempait dans un mélange d'œufs, de cannelle et de miel, Blandine arriva de la cuisine et confia à Louis, en lui faisant un clin d'œil:

— La damoiselle est en train de faire sa toilette dans la grande chambre inoccupée. Un bon feu flambe dans l'âtre et on y a déménagé la cuve du bain parce qu'on a besoin de la place dans la cuisine. Elle ne s'est probablement pas rendu compte de votre arrivée. Si nous lui faisions la surprise?

Il prit le bol de tisane, en but comme si de rien n'était et fit un signe d'assentiment à la domestique ravie.

La voix de Lionel appela du haut de l'escalier, à l'autre bout de la maison:

— Mes hommages, jeune homme. Je serai à vous dès que j'aurai mis la main sur mes misérables chaussons.

Margot traversa la cuisine pour répondre, d'une voix forte:

— Regardez sous le lit, c'est là que vous les retrouvez d'habitude. Jehanne?

— Non, mère, chut, intervint Blandine.

— J'ai regardé sous le lit. Il y avait bien quelques moutons, mais ils ne me sont d'aucun secours. J'ai cependant trouvé l'un des sabots de Sam et un jouet de chat. Ici, j'ai un chausson rouge. Un seul, et il est troué.

— Pour l'amour du ciel, mon père. Jehanne, m'entendez-vous?

Louis mastiquait sans mot dire en observant Margot qui, après avoir laissé les battants de la porte de cuisine ouverts, s'était mise à préparer des œufs brouillés à la ciboule avec un zèle exagéré.

Soudain, Jehanne, enveloppée seulement d'une grande touaille*, se précipita hors de la chambre et s'enferma dans la sienne, dont la porte claqua. Margot étouffa une exclamation scandalisée et Blandine, un rire.

— Non, mais vraiment, cela devient une manie. C'est chaque fois la même chose. Comment se fait-il qu'elle ne pense pas d'avance à apporter tout ce dont elle a besoin?

Louis fit semblant de ne rien voir et piqua du nez dans son bol d'infusion, mais Lionel, qui était redescendu fouiller pour la troisième fois dans le panier de lessive, se rendit compte que géant avait aux joues une petite rougeur gênée. Le moine demanda à voix haute, en pouffant de rire :

— Eh, Jehanne, qu'as-tu oublié, cette fois?

Par l'entrebâillement de la porte, une main apparut. Elle brandissait un couvrechef* blanc orné de dentelle. Blandine et Lionel s'esclaffèrent.

— Mon père, ne le faites donc pas exprès! protesta la gouvernante, dont le visage avait tourné au rouge betterave. Vous, un homme de Dieu! Et devant le maître, encore.

— Quoi, qu'y a-t-il de drôle? demanda la voix de Jehanne derrière la porte fermée.

— Voyons, ma bonne Margot, ne te mets pas dans des états pareils. Je suis persuadé que notre ami, aussi pudique soit-il, a eu maintes et maintes fois l'occasion de voir d'assez près semblables échantillons de lingerie coquette, n'est-ce pas, mon fils?

— Pourquoi avez-vous ri? Qu'est-ce qu'il y a? redemanda la voix de Jehanne.

— Il y a que tu as montré tes charmes à quelqu'un que tu n'attendais pas, répondit Lionel.

— On est à confesse, là, ou quoi? demanda Louis assez durement en ignorant la conversation à bâtons rompus.

— Mais pas du tout. Nous bavardons, tout simplement, puisque votre dulcinée, comme toute créature céleste, sait se faire attendre.

— Quelqu'un que je n'attendais pas? Qui est-ce? demanda encore la voix de Jehanne.

Louis avala une autre gorgée de tisane, tandis que Lionel, ou plutôt sa voix, puisqu'il était retourné en haut, expliquait :

— Je suppose qu'Hubert vous a mentionné la raison de ma requête. Une peccadille, en réalité, à laquelle j'aurais moi-même dû songer bien avant.

Un petit objet, un livre, peut-être, tomba sur le plancher de l'étage avec un bruit mat. Le moine poursuivait :

— Mais le besoin ne s'en était jamais fait sentir, j'ai fort bien pu me passer d'étagères. Dites, vous m'entendez?

— Oui, dit Louis.

Au même instant, Jehanne sortait de la chambre en se peignant les cheveux. Elle avait renoncé à enfiler le couvrechef* dont les coutures s'étaient relâchées et c'était là l'excuse toute trouvée pour éviter de le mettre. À la vue de Louis qui se levait poliment, elle resta figée sur place. La voix de Lionel disait :

— Ah bon. Je me posais la question parce que vous ne parliez pas.

Blandine regarda Jehanne et pouffa de rire.

— Vous êtes revenu!

— Bonjour, dit Louis.

Il trempa un bout de pain doré dans sa tisane et leva son bol à la santé de la jeune fille[117], qui repensa soudain à son couvrechef*. Elle en rougit jusqu'à la racine des cheveux. Elle chercha à faire diversion et s'exclama :

— Miam, du miel!

Elle s'empressa d'aller soulever la cuiller en bois qui dépassait de la jarre et tira la langue afin de laisser couler dessus un long filet d'or.

— Mais enfin, Jehanne! Ce ne sont pas des manières, protesta Margot.

Dans sa hâte, la jeune fille se prit une mèche de cheveux dans le miel de la cuiller. Le plus naturellement du monde, elle la décolla et se la fourra dans la bouche. Une lueur d'amusement passa dans les yeux de Louis, et Blandine rit de plus belle.

— Si vous voulez bien m'excuser, je crois qu'il m'attend là-haut, dit le métayer.

— Allez-y, allez-y, maître. Nous autres, on a deux mots à se dire, annonça Margot en jetant un regard en coin à Jehanne et à Blandine afin de les inviter à venir faire un tour dehors avec elle.

Louis vida son reste d'infusion et se dirigea vers l'escalier abrupt. Lionel résolut la question des chaussons en se présentant en haut de l'escalier nu-pieds. Louis vit donc deux rangées d'orteils effrontés s'arrêter au niveau de son visage alors qu'il achevait de gravir les marches.

— Veuillez excuser cet accueil peu protocolaire, mon fils. Nous ne vous attendions pas avant cet après-midi au moins.

— Ce n'est rien.

— Prenez quand même le temps de vous reposer.

— Inutile. C'est déjà fait. Montrez-moi ce qu'il faut que je fasse.

— D'accord, puisque vous insistez. Si vous voulez bien vous donner la peine de me suivre... Tenez, c'est ce grand mur-là. J'y vois déjà mes livres, tous bien empilés[118] en ordre sur de belles tablettes cirées. Et, dans ce coin, mes instruments et mes encres. Nous pourrions en outre prévoir un espace plus grand entre l'étagère du bas et le plancher pour que je puisse y glisser mon coffre, sur lequel, en principe, il n'y aura plus rien.

— Oui, c'est faisable. J'ai conservé des retailles de bonnes planches qui ont servi à la restauration du moulin. Il faut des équerres et des chevilles. Je m'en vais chercher mes outils et je m'y mets tout à l'heure.

— Grand merci, mon fils. J'aimerais bien pouvoir vous aider. Mais je crains fort de vous être plus nuisible qu'utile. Quant à mes doigts, ils sont dix et moi je suis seul. Vous comprendrez que j'aimerais conserver ces doigts dans leur intégrité.

Au début de l'après-midi, après un dîner avalé en vitesse, Louis monta à l'étage ses chargements d'équerres, un seau de chevilles neuves, de même que ses outils, et il se mit au travail sous l'égide du père Lionel.

— Depuis le temps que tous ces bocaux de pigments, ces livres et le reste traînaient dans ou sur des caisses que j'empilais un peu n'importe comment autour de ma natte, cela me procure une drôle d'impression de savoir qu'ils seront bientôt rangés. Je crois bien que l'ancien fouillis finira par me manquer.

Louis prit les dimensions du mur à l'aide de son avant-bras. Il fit d'autres mesures à la verticale pour déterminer à quelle hauteur il pouvait se permettre de poser la tablette du haut.

— N'oubliez pas que vous êtes plus grand que moi, dit Lionel.

— Je sais ça. Je suis plus grand que tout le monde.

— Que d'orgueil.

Louis fit une pause pour le regarder.

— C'est une blague, dit Lionel.

— Ouais. Je reviens.

L'aumônier erra un moment à travers sa chambre. Il retrouva, coincée derrière un bloc de pigments bruts, la coquille blanche qu'il avait rapportée de Compostelle. Il l'emporta et s'en alla ouvrir ses volets. En bas, il aperçut Louis qui mesurait avec le bras un long bout de planche installé dans la cour sur deux escabeaux. Il travaillait vite et efficacement, sans se douter qu'il était affectueusement observé.

— Aussi revêche qu'un oursin, mais serviable comme on n'en voit guère, dit Lionel pour lui-même.

Une fois le métayer de retour dans la chambrette avec son fardeau encombrant, Lionel dut se pousser contre le mur opposé afin de lui ménager un espace suffisant pour manœuvrer. Toujours sans cesser de le regarder à l'œuvre, le moine dit :

— Vous ne vous en doutez probablement pas, mais vous êtes en train de m'édifier un monde. J'ai en effet ici amplement de quoi suffire à la vie des hommes. Comme l'exprime si bien la sagesse ancienne, la lettre pour enseigner les faits, l'allégorie pour ce qu'il faut croire, la morale pour ce qu'il faut faire, et l'anagogie pour ce à quoi il faut tendre.

— Trop compliqué pour moi. Passez-moi le marteau, là.

Lionel lui remit le marteau en bois et dit, à brûle-pourpoint:

—Votre mère aimait à flâner dans la bibliothèque de l'abbaye, même si elle ne savait pas lire. Elle s'y plaisait. Mon abbé l'estimait. Il lui avait permis d'y aller. Il en disait beaucoup de bien. Elle lui semblait une femme bonne et intègre comme il en existe, hélas, trop peu. Vous l'aimiez beaucoup, vous aussi, n'est-ce pas?

Le regard de Lionel était franc et sa question, d'allure délibérément innocente.

—C'était ma mère, dit Louis, qui s'apprêtait à cheviller l'extrémité d'une équerre au mur dans lequel il avait foré un trou.

La première cheville et le marteau de bois attendaient toujours dans sa main. Lionel reprit:

—Bien entendu, les liens familiaux ne se discutent pas. Pourtant, si! Moi, je n'ai pas aimé mes parents. Aujourd'hui, des années après leur trépas, je crois bien que je les méprise encore. Pouvez-vous me comprendre?

—Je ne sais pas.

Il scella ses lèvres en y emprisonnant une seconde cheville plus petite.

—En tant que moine, je m'efforce d'être le père que j'aurais aimé avoir. C'est une grave responsabilité que celle-là. Car, en plus de mes nombreux enfants, je dois m'élever moi-même. M'élever. Tenez, je n'avais jamais noté auparavant le double sens de ce mot. N'est-ce pas une révélation? Qu'en pensez-vous?

—Je ne sais pas, répondit encore Louis qui avait échappé sa cheville et la récupérait avec une légère impatience.

Il ajouta:

—Je n'ai pas le temps de me poser toutes ces questions.

Il était tiraillé entre son désir de travailler sans plus se soucier du moine qui jacassait comme une pie et celui de le toiser jusqu'à ce que sa langue intarissable fût enfin neutralisée. Mais quelque chose lui disait qu'il allait en falloir davantage pour le faire taire, cette fois-ci.

—Très bien, je ne vous oblige pas à répondre. Je conçois que vous ne sachiez pas. Je cherche moi-même la réponse depuis longtemps et auprès de bien des gens, mais personne ne sait. Peut-être ne devons-nous pas le savoir?

Le bourreau se résolut enfin à ne plus s'en occuper et s'apprêta à planter sa première cheville. Il aligna les deux trous, celui du mur à celui de l'extrémité appropriée de son équerre. Quelques légers coups de marteau mirent la cheville en place et il se prépara à la planter.

— Vous savez, j'aurais bien aimé pouvoir mieux connaître Firmin, dit Lionel.

Le marteau rata sa cible et frappa le mur qui rendit un son creux. L'équerre dégringola avec un bruit de ferraille. Il ne resta plus dans le mur qu'un trou légèrement agrandi par une cheville plantée de travers.

— Touché, dit Lionel en souriant. Enfin, une réaction. Je commençais à me demander si je parlais tout seul. Remarquez que je le fais souvent. Je m'apprends beaucoup de choses fort intéressantes. Croyez-vous que je sois fou?

Louis serra les dents et ne répondit pas. Il essaya de se concentrer sur sa tâche. Un chat tacheté traversa laborieusement la pièce avec dans sa gueule un grand chausson qui lui traînait en partie sous le ventre.

— Voilà au moins la réponse à l'une de mes questions. Préférez-vous que je parte?

La question soudaine fit lever la tête au bourreau. Le moine demanda encore :

— Maître, n'aimez-vous pas bavarder?

— Pas vraiment, non.

— Pour moi, c'est essentiel, comme l'est la musique à laquelle j'ai dû si longtemps renoncer.

« La musique », songea Louis, tandis que Lionel poursuivait :

— J'estime que ce sont en fait deux aspects d'une seule et même chose qui s'appelle la vie. La vie dans ce qu'elle a de plus sacré, d'inaltérable.

Tout en travaillant, Louis lui fit un petit sourire embarrassé, mensonge qui ne lui allait pas du tout.

— Il n'y a pas à dire, vous êtes bien élevé. Vous êtes courtois, presque trop, remarqua Lionel.

Les yeux de Louis retinrent un éclair.

— Allons, allons. N'essayez pas de jouer au plus fin, mon fils, pas avec moi. Veuillez me le pardonner, mais j'en sais beaucoup plus que vous ne le croyez.

Louis laissa tomber marteau et cheville à ses pieds et s'avança vers le moine qui ne bougea pas.

— Que me voulez-vous, au juste?

L'aumônier avait encore bien visé, et ses excuses ne dupaient personne.

— Moi, je ne vous veux rien. C'est plutôt l'inverse. C'est vous qui voulez quelque chose. Quelque chose de plus rare que ces coquillages translucides issus d'un autre monde.

Il lui montra la coquille blanche.

— Par chacun des pas qui m'ont mené jusqu'à la plage où j'a recueilli cet objet et par tous ceux qui m'ont ramené ici, je vous jure que je ne lâcherai pas. Je serai votre ange gardien.

Le moine s'approcha de Louis et lui imposa les mains. Le bourreau eut un mouvement de recul et sembla effrayé par la formule étrange que le moine prononça:

— *Shema, Israël-adonaï elohenou, anonaï ehad.*

— Qu'est-ce que c'est que ce charabia?

— Vous voyez? Vous n'êtes pas le seul expert à ce petit jeu-là. Cela signifie: «Écoute, Israël, le Seigneur est notre Dieu, le Seigneur est l'Unique.» Ici, il n'y a d'autre Seigneur que Lui. Souvenez-vous-en.

— Voyons les choses en face, c'est ainsi qu'il se défend. Il se dérobe comme un savon mouillé. C'est très habile. Ce garçon n'est pas un monstre, loin s'en faut. Il se sent simplement traqué sans relâche.

Tard ce soir-là, alors que tout le monde était déjà au lit, Lionel veillait à la cuisine avec Margot et une seule chandelle. Le moine n'arrivait pas à trouver le sommeil dans sa belle chambre tout en ordre.

— Il est insaisissable. Je peux m'adresser à lui comme je l'ai fait pendant un jour entier sans parvenir à lui soutirer autre chose que des fragments de mots. C'est extrêmement gênant pour qui n'est pas aussi opiniâtre que moi. Il détient là une arme très efficace pour décourager des interlocuteurs embarrassants.

— Ne me parlez pas d'arme, je vous en supplie, chuchota Margot en jetant un regard effrayé vers la porte. Il ne m'a pas quittée des yeux tout à l'heure. Je me suis sentie scrutée jusqu'à l'âme. On dirait que mes pensées me sont dessinées dans la figure. Croyez-vous qu'il me soupçonne de quelque chose?

— Voyons, ma bonne Margot, de quoi pourrait-il te soupçonner?

— J'en sais trop rien. Ses yeux sont tellement... Ils m'agacent de plus en plus. Cette fixité dans son regard...

— Mais tu sais bien que c'est une manie chez lui. Il se comporte ainsi avec tout le monde. Mais je vois ce que tu veux dire. Il y a effectivement quelque chose de magnétique dans son regard, et parfois cela me fait un petit peu peur, à moi aussi. Il n'est pas évident de faire la distinction entre ce qu'expriment les yeux d'un mystique et ce que disent ceux d'un homme cruel, parfois à demi fou. Je crois que tout tient dans la présence ou dans l'absence de chaleur.

— En tout cas, il n'y a certainement pas de chaleur dans ces yeux-là.

— Non. Non, hélas! Mais j'ai constaté qu'en plus de ses dispositions physiques naturelles, qui ont un effet négatif sur la plupart de ses interlocuteurs, à cause du manque d'humanité, de la froideur de son visage, le maître a su développer une technique qui amplifie son pouvoir. On le craint, certes, mais nombreux sont ceux qu'il attire aussi. L'un et l'autre phénomènes lui servent de bouclier.

— Vous croyez toujours vraiment qu'il a peur?

— Est-ce le résultat d'un esprit déficient ou d'une sensibilité reniée? Manque-t-il de l'une ou l'autre des quatre humeurs plutôt que d'une certaine conscience? Ou encore serait-ce qu'il possède un sens dont les autres, dont nous-mêmes, sommes dépourvus? Quelle que soit la réponse, oui, je crois qu'il a peur. Il est de ceux qui supportent mal la vie.

Sam examina de plus près l'étude du père Lionel. Elle constituait un univers en soi. Dans un coin trônait un sablier. Le moine avait un jour avoué son rêve de voir une horloge, l'une de ces «machines à temps», comme les appelait Louis, régner du haut d'un beffroi au village. Le sablier ouvragé était entouré de nombreux petits instruments et de pots remplis de mystérieuses substances. Il se croyait presque dans la pharmacie défendue de Louis. Le moine dit:

— La parabole des talents nous enseigne que le Seigneur compte sur nous pour améliorer Sa création, pour la faire également nôtre, en quelque sorte, ce qui est, à mon avis, une précieuse marque de confiance de Sa part. Et tu détiens l'un des moyens qui nous ont été octroyés pour y parvenir. Il y a de l'avenir pour toi là-dedans, Samuel, tu peux me croire.

— Moi? Mais je ne veux pas me faire moine.

— Il n'est pas question de ça non plus. Je te parle d'art et non de vocation religieuse. Oui, je sais: à l'origine, les enluminures étaient surtout faites par des moines. Elles ne servaient qu'à enjoliver des ouvrages religieux comme des copies des Saintes Écritures ou des livres d'heures. Elles constituent le moyen le plus plaisant pour l'œil de repérer facilement un début d'évangile, par exemple. Enfin. Regarde toi-même. Ici, dans ma modeste bibliothèque, tu trouveras, outre les livres pieux, nombre d'ouvrages profanes sur la vie des saints et des romans d'amour courtois ou de chevalerie. Ah! bénie soit la gloire à jamais enfuie de ces grandes œuvres! J'ai même quelque part par là un excellent recueil de lais. Eh bien, plusieurs de ces livres sont eux aussi magnifiquement illustrés. Et si ces objets précieux ont depuis toujours été l'apanage des moines, l'élite a fini par avoir droit à sa part. Quelques riches laïcs, marchands fortunés, hommes de cour, nobles de tout acabit, peuvent se les offrir. Cela leur évite d'avoir à se déplacer au monastère pour les consulter. Cela dit, c'est très loin de suffire. Un jour viendra, peut-être pas de mon vivant, mais du tien, je l'espère, où les gens du commun auront eux aussi accès à la science du monde. Quel grand bienfait ce sera.

— Comment cela? demanda Sam, maussade.

S'il écoutait poliment, il ignorait le pourquoi de cette rencontre et où le moine voulait en venir. C'était pour lui chose sans intérêt.

— Parce que j'ai ouï dire, que notre nouveau roi aime à s'entourer d'artistes et de gens instruits. C'est un début.

Les yeux verts de Sam s'allumèrent, mais il feignit un intérêt poli:

— Vraiment?

Lionel éclata de rire.

— Cher garçon! Voilà qui ne peut te laisser froid, pas vrai? Tu as du talent et je trouve inadmissible que tout cela soit gâché par les incessantes servitudes de l'existence. Il nous faut trouver un moyen de t'extraire de ces ornières. Tu me suis?

— Euh...

— En attendant, prendrais-tu un peu de ce bon vin avec moi? Je crois qu'il me reste encore un gobelet propre quelque part par là.

Sam rit avec lui et accepta un vin de Mâcon couleur rubis dont le seul aspect donnait la soif. Lionel reprit:

— Ne me dis pas que tu veux demeurer garçon d'écurie toute ta vie.

— Bien sûr que non. Mais je ne suis guère bon à autre chose et *il* ne me laissera jamais faire ce que je veux.

Lionel se mit en quête d'un livre qu'il trouva, rapporta et ouvrit devant Sam.

— N'en sois pas si sûr. Jette donc un coup d'œil là-dessus.

— L'histoire de Perceval? Je ne comprends pas.

— Mais si, tu comprends. Donne-toi un peu la peine d'y penser. Ce petit forestier ne mena d'abord qu'une existence primaire. Il n'était qu'un pauvre nigaud, un goinfre.

— D'accord, c'est tout à fait moi.

— Je n'ai pas dit ça.

— *Lui*, si.

— Mais l'histoire raconte aussi qu'il est devenu l'un des plus grands chevaliers de la Table ronde.

Sam haussa les épaules et referma le livre. Lionel dit :

— Très bien, je peux comprendre qu'il t'en faut davantage pour te convaincre de prendre cette décision salutaire. Dans ce cas, accepte donc mon offre, ne serait-ce que pour faire plaisir à un vieil homme.

Sam inclina pensivement la tête et Lionel ajouta :

— Écoute bien. Quand j'étais à Saint-Germain-des-Prés, j'exerçais le métier de bibliothécaire. Si j'étais resté là-bas, j'aurais sans doute enseigné mes humbles connaissances à mon successeur ou à quelque novice apprenti. Mais cela ne m'est plus possible, maintenant. Tu sais, en tant qu'homme, je ressens depuis toujours le besoin de léguer quelque chose qui m'est propre à un membre de la jeune génération. Quelque chose de terrestre et d'orgueilleux qui me survivrait ici, en ce monde. C'est ce qui me manque le plus dans ma vie. Pour avoir un peu de cela, je suis même allé un jour jusqu'à apprendre le tir à l'arc. Cela ne m'a guère servi.

— Sans rire ?

Décidément, à y regarder de plus près, l'idée du père Lionel n'était pas dénuée de bon sens. Sam repensa aussi à l'artilleur de Crécy et trouva curieux que quelqu'un, pour une seconde fois, pût éprouver le besoin de faire de lui son héritier spirituel.

— Ce recueil de chants grégoriens est ce que j'ai de plus ancien dans ma collection, dit Lionel le premier jour, en ouvrant devant Sam un petit livre plat à couverture de cuir brun, très usée. Hormis quelques pampres, ce livre ne possédait aucune illustration.

Le moine l'ouvrit bien à plat, afin de lui en montrer la reliure.

— Il date de trois ou quatre cents ans. Vois comment il est fait : on n'a utilisé, pour le fabriquer, que quelques feuilles de parchemin que l'on a pliées d'abord en quatre, puis en huit, et enfin en seize, avant de les coudre et d'en couper les bords. Ce type de livre rustique s'appelle un codex. Ce sont les Romains qui, les premiers, commencèrent à utiliser des peaux pour l'écriture. Avant cela, on utilisait des rouleaux de papyrus.

— Des quoi ?

— Le papyrus est une sorte de parchemin grossier qu'on fabriquait dans l'Antiquité, à partir de fibres végétales. D'un type de roseau, surtout.

— J'en connais un à qui ça ferait du bien de savoir ça, dit Sam en portant la main derrière son dos.

— Ah? Qui donc?

— Non, laissez tomber.

Lionel caressa tendrement les pages épaisses du codex, fredonna un peu en suivant le texte latin et sa portée correspondante, qui émiettait ses notes en forme de losange, puis reprit :

— Pour fabriquer un livre, on utilise surtout de la peau de chèvre, de bouc, de mouton ou de chevreuil. Mais le meilleur parchemin est fait à partir de peau de veau. On appelle cela le vélin. Ce petit livre-ci en est fait. Sens comme les pages sont encore blanches et douces au toucher, même après trois cents ans!

Sam toucha et dit :

— C'est vrai.

— Savais-tu que le maître Baillehache m'a offert un vélin d'excellente qualité qu'il a lui-même apprêté avec mon aide?

— Non, mais ça ne m'étonne pas. Il sait tout faire, et mieux que tout le monde. Sauf prononcer mon nom. *Étequenne.* Quelle horreur.

— Nourrir toute cette rancune à son égard ne te fait aucun bien, mon fils.

— Le veau, comment l'a-t-il eu, d'après vous? Ça coûte une fortune. Il n'a pas pu l'acheter et on n'a jamais mangé la viande. Alors, comment?

Lionel ne répondit pas.

— Je vais vous dire, moi, comment il a eu cette peau. Il l'a prélevée sur le cadavre d'une bête, en ville. Les bourreaux ne sont que des charognards.

— Ça suffit, Samuel. J'en ai soupé, de ton aversion. Laisse-le tranquille. Tu sais, je commence à croire que si le maître est sévère avec toi il n'a pas tous les torts. On dirait que tu fais tout pour te montrer désagréable avec lui. Et ne va pas croire que c'est plus facile pour moi que pour toi de savoir ce qu'il est. Mais j'estime que, dans les circonstances, le mieux à faire, c'est encore de se rappeler qu'il n'est pas uniquement cela.

Sam se tut. Le père Lionel aussi. L'adolescent se mit à regretter d'avoir parlé. Sa haine entachait tout ce qu'il faisait. Elle allait jusqu'à gâcher des leçons qui, autrement, eussent pu s'avérer passionnantes.

Après un moment, Sam dit :

— Mon père, je vous demande pardon. Comment s'y est-il pris pour fabriquer le vélin?

— Ce n'est pas à moi qu'il faut demander pardon, mais nous

errons cela plus tard. Pour commencer, il a fallu que le maître dépouille la bête et ce, sans abîmer la peau. Comme il n'a pas pu revenir à la ferme avant plusieurs jours, il a dû la saler. Une fois de retour ici, il l'a mise à tremper dans un bain de lime pour en enlever la chair et les poils. C'est, je trouve, la partie la plus ingrate du travail. Ensuite, il l'a étendue sur un cadre et l'a soigneusement grattée avec une espèce de couteau à lame lunaire.

— Un grattoir.

— C'est cela, un grattoir. Pour le reste, j'ai pris le relais, car c'est le plus délicat et il faut un œil averti. Il s'agit du ponçage et du sablage. On doit savoir exactement quand s'arrêter, sinon la surface ne retiendrait pas bien l'encre.

Sam prit l'un des encriers et en regarda le contenu. Lionel dit:

— C'est seulement la noire, celle dont je me sers le plus souvent maintenant, puisque j'écris davantage de lettres que je ne fais d'enluminures. Celle-ci est à base de suie de charbon de bois, mais on peut aussi la fabriquer avec de la cire d'abeille, de l'huile à lampe et de la gomme arabique. J'en ai aussi de la brune, juste là. C'est pour confectionner celle-là que tu me vois souvent aller en forêt. C'est de la poussière de fer et des nodules d'insectes, tu sais, ces espèces d'excroissances rondes qui poussent à même les arbres et qui enrobent des œufs d'insectes. Ceux du chêne sont les meilleurs.

— Et vos couleurs, vous les prenez aussi dans le bois? demanda Sam, incrédule.

Elles étaient si vives, si belles, de véritables bijoux liquides!

— Oh non, loin de là. J'ai fait venir la plupart de ces pigments de Caen, par les soins de maître Baillehache. Ce rouge orangé, là, c'est du sulfite de mercure. Le vermillon se compose de mercure et de sulfure qui peuvent donner, selon les proportions, une écarlate saisissante ou un très beau violet.

Sam prenait les pots un à un pour les admirer, rêvant déjà de les essayer comme il l'eût fait d'instruments de musique.

— Ce bleu mer, cependant, je l'ai rapporté moi-même de mon pèlerinage à Compostelle. Il est fait à base de cristaux de lapis-azuli, une pierre. Je n'ai malheureusement pas de bleu plus profond que j'aurais bien aimé te montrer. Il est de toute beauté. De l'azurite ou, si tu préfères, de la pierre d'Arménie. C'est un pigment étrange qui devient noir s'il est chauffé. Je ne possède pas non plus de ce jaune brillant qui fit, hélas, payer fort cher le prix de sa beauté. Il ne s'en fait plus aujourd'hui.

— Pourquoi? Qu'est-il arrivé?

— Il était fait de cristaux d'orpiment qui contiennent d[e] l'arsenic. Des apprentis enlumineurs moururent jadis pour l'avo[ir] utilisé.

— Oh...

— Voici du fuchsia, fabriqué avec du kermès. Qui croirait que c[e] sont de petits parasites du Languedoc qui, une fois bouillis [et] desséchés, donnent cette teinte si éclatante. Ce vert de Flambé, c[e] sont plus simplement des fleurs broyées. J'en ai la recette quelqu[e] part par là.

— Et il y a l'or.

Lionel entreprit de tirer sur un fil qui s'était imprudemme[nt] décousu de sa manche.

— Ah, bien sûr, il y a l'or. En feuille ou en poudre. Si tu tiens [à] en avoir, il faudra que tu t'arranges tout seul, car le maît[re] Baillehache n'a sûrement pas les moyens de m'offrir une tel[le] extravagance. Surtout lorsqu'on peut se débrouiller avec de[s] substituts tout à fait convenables : des œufs, du jus d'ail, de [la] gomme ammoniaque et de la colle de poisson. Je n'ai pas d[e] feuilles d'argent non plus et malheureusement, pour cette teinte, [il] n'existe aucun substitut. Bien. Pour conserver tous ces pigments, [il] faut les mélanger avec un jaune d'œuf, du vinaigre et de la gomm[e] arabique. Enfin, pour que l'encre garde une consistance bien liss[e], on doit y ajouter un peu d'urine. Mais attention : très peu, sino[n] cela brûlerait le parchemin.

Dans un pot de grès ébréché, le père Lionel avait planté s[es] plumes comme pour en faire un maigre bouquet : plumes d[e] roseau, d'oie et de sarcelle. Mais il y avait aussi un crayon de laito[n] à pointe d'argent servant à dessiner les brouillons d'enluminure, d[e] même qu'un autre crayon qui, lui, était utilisé pour le trava[il] préliminaire : il était fait d'un alliage de plomb et de fer-blanc.

— Tiens, dit Lionel, en remettant à Sam des miettes de pain qu[e] l'adolescent se mit à manger machinalement.

— Ces miettes servent d'efface, précisa Lionel en riant.

— Ho! pardon. Je tâcherai de ne pas commettre d'erreurs!

L'après-midi même, il entreprit l'esquisse d'un portrait, un vra[i] celui-là.

Le dessin ne fut pas le seul sujet d'apprentissage pour Sam[.] Lionel entreprit également de lui saturer l'esprit de théori[e] musicale.

— C'est devenu nécessaire et je crois que ton grand-père sera[it] d'accord. J'ai remarqué que, depuis quelque temps, tu laisses t[es] propres sentiments modifier les œuvres que tu interprètes. C'e[st] un penchant néfaste qu'il te faut réprimer si tu souhaites devenir un bon musicien. On ne joue pas une ballade romantique quand on a la rage au cœur. Tu fais dire à Guillaume de Machaut[119] des choses que le pauvre homme n'a sans doute jamais pensées.

À partir de ce jour-là, Louis dut consentir à se passer de Sam pendant plusieurs heures quotidiennement pour que l'enseignement lui soit prodigué de façon intensive. Louis fut bien obligé de convenir que cet arrangement portait ses fruits : le jeune apprenti du moine n'avait plus un seul instant à lui pour songer à commettre quelque mauvais coup.

*

Comme le temps parlait d'orage, certains ne furent pas tentés de s'éloigner de la maison. Louis décida d'en profiter pour entreprendre le battage du blé. Il appela Sam et Thierry à la rescousse. Cette opération, qui visait à séparer le grain de la paille, pouvait être effectuée à longueur d'année, même en hiver, dans le bâtiment. On ne pouvait jamais la compléter en une seule fois à cause des nombreuses autres tâches de la ferme.

Louis et Sam délièrent des gerbes qui avaient été entassées dans un coin et les étendirent sur l'aire de battage balayée avec soin. Thierry allait pour sa part s'occuper du vannage. Équipé d'un grand panier plat et souple destiné à recevoir le blé battu, il allait s'installer devant la grange pour lancer son contenu en l'air et le rattraper jusqu'à ce que le grain, débarrassé de sa balle légère qui était emportée par le vent, fût parfaitement nettoyé et prêt à mettre en sac[120].

Armés de leurs fléaux, les deux hommes se firent face. Louis frappa le premier. Ensuite ce fut Sam. Puis Louis encore. À tour de rôle, ils battirent les céréales en cadence. Peu à peu, les grains tombèrent et disparurent entre les brins de paille. Après un certain temps, ils s'arrêtèrent pour ramasser la paille par poignées, ils la secouèrent et en firent un petit tas qui n'allait pas tarder à grossir dans un autre coin de la grange. Le blé fut balayé et emporté dehors par Thierry. Louis et Sam étendirent une nouvelle couche de gerbes sur le sol et recommencèrent.

C'était un travail fastidieux, harassant à la longue. Sam finissait toujours par en avoir mal au dos et aux épaules. Mais il refusait de se plaindre. Louis, quant à lui, semblait comme d'habitude infatigable. Il n'accordait jamais de pause et ne consentait à s'arrêter que lorsqu'il jugeait que la quantité de blé battu allait suffire pour la corvée de ce jour-là. Sam avait horreur du battage. Mais il le détestait encore plus quand il était obligé de le faire avec Louis comme partenaire, même s'il prenait souvent un malin plaisir à l'imaginer, lui, étendu par terre à la place des gerbes.

Thierry dit, depuis l'entrée de la grange:

— Il fait vraiment trop chaud pour un jour d'automne. Et il n'y a pas de vent. C'est tout juste si je reçois de quoi faire partir ma balle.

Louis s'essuya le front et repoussa des mèches effrontées, trempées, qui ne cessaient de venir lui danser devant les yeux. Mais il ne donna pas encore le signal de l'arrêt. Découragé, Sam se mit à chanter, sans rompre la cadence:

« Je chevauchoie l'autrier
Seur la rive de Saine.
Dame dejoste un vervier
Vi plus blanche que laine;
Chançon prist a commencier
Souëf, a douce alaine
Mult doucement li oï dire et noter:
'Honi soit qui a vilain me fist doner!' »[121]

Louis non plus ne rompit pas la cadence. Mais, sans prévenir, il changea de cible. Il se mit à battre Sam avec son fléau. L'adolescent dut laisser tomber le sien afin de se protéger le visage de ses bras pliés. La petite partie mobile du fléau frappait de tous côtés, sans aucun discernement.

— Vas-tu te taire? Non mais vas-tu te taire? dit le géant dont le bras ne se fatiguait toujours pas.

Sam recula au fond de la grange et son tourmenteur l'y suivit. Il ne s'arrêta que lorsque Thierry entra dans le bâtiment. Sam se pelotonna dans la paille pour essayer d'éviter les coups.

— Attention, maître, dit le vanneur.

Jehanne arrivait.

Louis empoigna Sam par ses vêtements pour le remettre debout et le bousculer vers la sortie. Il lui dit:

— File. Je t'ai assez vu.

L'adolescent ne se fit pas prier et détala avec Jehanne.

---

121. « Je chevauchais l'autre jour / Sur la rive de la Seine. / Je vis auprès d'un verger / Une dame plus blanche que laine; / Elle se mit à entonner un chant / Suave, d'une voix douce. / Je l'entendis dire et chanter / Tout doucement: / 'Honni soit celui qui me fit donner / à un vilain!' »

L'orage éclata en fin de journée, alors que les deux adolescents se trouvaient encore dans une partie éloignée de la lande qui n'avait pas été mise en culture. Ils atteignirent la tour main dans la main, à bout de souffle, trempés et hilares. Ces dernières heures avaient été exquises comme du beurre doré que l'on se plaît à regarder couler lentement sur du pain rôti au feu. Sam mit la barre, et Jehanne et lui se laissèrent choir dans la paille parfumée. Le temps orageux influait sur l'humeur de plusieurs chats, qui criaient en se chamaillant autour d'eux. Le couple décida d'aller se percher sur la paille du chemin de ronde. Sam retira sa vieille chemise qui lui adhérait à la peau.

— Je t'avais bien dit que j'étais meilleure que toi à la course, dit Jehanne.

— Non, tu ne l'es pas. Si je n'avais pas trébuché dans cette racine...

— Quelle racine?

— Oh et puis, d'accord. Tu es meilleure que moi. Et aussi plus belle. Beaucoup plus belle.

Il se mit à la regarder intensément. Jehanne en éprouva un étrange malaise mêlé de chaleur. Son regard ressemblait à celui de Louis. Et pourtant, non. C'était autre chose. Et elle se rendait subitement compte que Sam aussi avait changé. Elle se demanda comment cela avait pu être possible, comment elle n'avait pu le remarquer avant, elle qui le voyait tous les jours. Le visage du garçon était devenu plus grave, plus séduisant. Ses yeux émeraude avaient acquis, au cours de l'été, des propriétés fort troublantes. Ils donnèrent à la jeune fille une puissante envie de prendre son ami dans ses bras. Sans que ni l'un ni l'autre ne s'en rende compte avant ce jour-là, quelque chose de nouveau s'était furtivement immiscé dans leur longue amitié et y avait incubé, la faisant lentement changer de nature. Eux qui se connaissaient depuis toujours eurent l'impression qu'ils se voyaient réellement pour la première fois. Soudain, le visage du garçon s'assombrit.

— On dirait que tout le monde est sur les dents, aujourd'hui, remarqua Jehanne.

— C'est la faute à Baillehache.

— Ah, tu crois? Je me demande ce qu'il a bien pu leur dire.

— Moi, je m'en doute.

— Sam, pourquoi ne l'aimes-tu pas?

— Je ne l'aime pas, c'est tout. C'est un coupe-gorge. Il a l'âme tordue.

— Tu dis cela à cause de son apparence.

— Rien à voir. Toinot a aussi l'air d'une brute et je m'entends bien avec lui.

— Ce n'est pas la même chose.

— Si, c'est la même chose.

— Non, ça ne l'est pas : je ne me marierai pas avec Toinot, Sam.

Le garçon empoigna rageusement sa chemise trempée qu'il avait roulée en boule et la fit tomber parmi les chats querelleurs. Cette distraction leur fit baisser le ton.

— Sam.

Jehanne lui mit la main sur le bras. Il fut tenté d'éloigner cette main, d'interdire toute caresse jusqu'à ce qu'elle prît vraiment conscience de son amour et de ce qu'elle risquait de perdre.

— Sam, je sais que c'est difficile. Crois-tu que ça ne l'est pas pour moi aussi, rébarbatif comme il est ? Il ne sait même pas qu'il a besoin d'être aimé.

L'adolescent ferma les yeux très fort, pour en défendre l'accès aux larmes. Il dit :

— On est peut-être plus heureux comme ça.

Il soupira.

— Je te perdrai bientôt. C'est lui qui t'aura et il ne sait même pas sa chance.

Il devenait insupportable de voir le corps de la jeune fille qui se modelait pour un autre homme, pour cet étranger qui probablement n'allait pas s'en montrer digne.

Jehanne devint elle aussi songeuse. La perspective de son mariage qui se rapprochait lui faisait de plus en plus peur.

— Dire que j'ai longtemps cru que nous avions tout le temps du monde, fit-elle. C'était si loin dans l'avenir. Et me voici majeure. Maître Baillehache n'en parle jamais. Ni de cela ni d'autre chose, d'ailleurs. Je ne sais pas. On dirait que cela le gêne de parler.

— S'il pouvait se taire jusqu'au Jugement dernier, moi, ça me plairait bien. Il n'a jamais rien d'agréable à dire de toute façon. S'il te plaît, ne me parle pas de lui. J'ai envie de vomir rien qu'à l'idée que tu devras un jour partager son lit.

— Oh, Sam, si tu savais comme je crains ce moment ! Non que je le trouve dégoûtant, mais...

— Il l'est.

— Non, il ne l'est pas. Ce n'est pas ça. C'est juste que j'ai peur de... du moment où il faudra que je me donne à lui. Il paraît que c'est douloureux.

— Ouais.

Il se frotta l'avant-bras sur lequel un gros bleu élançait.

— Moi, je ne te ferais pas mal, Jehanne.

Sam se tourna vers elle et l'enlaça doucement, en insistant :

— Tu sais cela, n'est-ce pas?

— Oui...

Jehanne se nicha contre lui. Elle sentit les mains de Sam lui explorer timidement le dos et les flancs, puis descendre un peu le long de ses cuisses. Ils s'embrassèrent. Soudain, Jehanne le repoussa.

— Non, Sam. Je ne peux pas.

La mine renfrognée, Sam recula un peu trop. Il croisa les bras. Jehanne dit, en soupirant :

— J'ai peur, mais je l'aime, lui aussi. Demain, il part en ville. J'ignore pour combien de temps. Il me manquera.

— Tu n'as qu'à y aller avec lui.

— Je le lui ai déjà demandé. Il ne veut jamais.

— Ça ne m'étonne pas. Est-ce que ton gros corbeau t'a dit au moins une fois qu'il t'aimait?

— Tu te doutes bien que non. Ce n'est pas du tout son genre. Mais il n'a pas besoin de dire cela, Sam. Je n'ai pas besoin de l'entendre non plus. Je veux seulement le vivre.

— Bon. Il vaut mieux qu'on rentre, dit-il en se levant.

La mort dans l'âme, Jehanne fit de même et s'en alla à la porte. Soudain, Sam l'arrêta. Il sortit quelque chose de sa poche et prit la main de la jeune fille. Autour de son annulaire, il enroula ce qui était peut-être l'un des copeaux égarés d'Aedan.

Jehanne sursauta et cacha ses mains sous la table, car le copeau était resté accroché autour de son doigt. Louis avait le don d'entrer quelque part sans faire de bruit et de vous prendre à revers.

— Eh bien, qu'est-ce à dire? demanda-t-il en prenant place devant elle.

La jeune fille ne répondit pas et lui ne redemanda ce qui se passait qu'une fois le souper terminé :

— Rien, pourquoi?

— Vous me paraissez fiévreuse.

Effectivement, la jeune fille avait le feu aux joues et les yeux trop brillants. Perdue dans des pensées remplies par le regard vert et les boucles rousses de Sam, elle n'avait pas prêté attention à ce que son visage pouvait révéler. Elle dit, d'un air contrit :

— J'ai... j'ai un peu couru sous la pluie cet après-midi.

— Je vois.

Avouer une telle chose à Louis ne contribuait qu'à rendre cette chose plus frivole encore. Mais cela ne sembla pas le déranger outre mesure.

— Allons faire un tour. J'ai à vous parler d'un projet. Si on veut.

— Oh, bien sûr!

Ravie, elle prit sa capeline et passa un bliaud, car l'orage avait passablement rafraîchi le temps. Ils sortirent. D'un geste, il l'invita à marcher en direction de la vieille tour. Ils n'eurent pas à attendre longtemps pour se rendre compte qu'ils étaient suivis par deux autres promeneurs qui discutaient avec animation. Seul l'un d'entre eux ne souriait pas. C'étaient Sam et Toinot. Ce dernier passa près d'eux et leur jeta des coups d'œil goguenards. Louis les invita d'un signe à disparaître, ce qu'ils firent sans insister.

— Quel genre de projet? demanda Jehanne dont la curiosité avait fait en sorte que les ricanements et les regards en biais de Toinot n'avaient pas eu pour elle davantage d'importance que les premières feuilles abandonnées par les arbres.

Pendant ce temps, Blandine tranchait une alléchante part de tarte aux pommes et l'apportait à Lionel.

— Quelles délices cette demeure ne recèle-t-elle pas! dit-il en admirant la pâte, feuilletée et dorée au jaune d'œuf, qui abritait de gros morceaux de pommes caramélisés au miel.

— Me voici bien choyé. Ma fille, sache te montrer indulgente envers moi comme l'est le Seigneur et fais semblant de ne pas voir ce que je m'apprête à faire.

Sur ce, il arrosa généreusement sa pâtisserie de crème fraîche et s'empara d'une petite cuiller en bois. Blandine éclata de rire et dit:

— Je n'ai rien vu. Nos deux tourtereaux tardent fort à rentrer. Je me demande ce qui les retient.

— Sans doute une escapade en forêt, comme il en survient parfois au détour d'un chemin, dit le moine dont la diction était passablement malmenée par sa gourmandise. Le bois n'a pas son pareil pour se rendre complice des amoureux.

— Mon père!

Mais elle se garda d'insister, car elle avait compris que le moine considérait la présence d'un chaperon comme une précaution désormais superflue.

Ils étaient tous deux sortis sans se couvrir la tête, car Jehanne avait oublié sa capeline qui demeurait serrée dans sa main. Le couple passa quelques minutes à se laisser docilement conduire par le sentier. Après quoi Louis se retourna vers Jehanne. Une mèche de cheveux jalouse cherchait constamment à lui agacer les yeux. Il ne s'en soucia pas. D'une voix qui ne trahissait aucun inconfort, il dit :

— Il faut que vous sachiez une chose.

Elle lui sourit, l'invitant à poursuivre, et calma ses propres cheveux en les retenant derrière ses oreilles, où ils ne demeurèrent pas deux secondes.

Mais Louis ne disait rien. Il regarda passer l'une des premières feuilles rouillées de la saison. Pour meubler le silence, Jehanne dit :

— Il vente fort. Je devrais mettre ma capeline. Mais qu'importe. Je suis contente d'être là. Vous m'avez manqué, vous savez.

— J'avais beaucoup de travail.

Elle baissa la tête.

— Vous avez toujours beaucoup de travail.

Il s'éclaircit la gorge et regarda alentour en cherchant quoi répliquer.

— Cette terre n'est pas fertile.

— Les fruits qu'elle va produire seront abondants, mais ne se verront pas, dit Jehanne.

— Pfft, on croirait entendre le moine.

Jehanne posa les mains sur la poitrine de Louis et lui sourit à nouveau.

— Il faut que vous sachiez une chose, répéta Louis.

— Oui, je vous écoute.

Louis regarda à terre et soupira en se passant la langue sur les lèvres. Il caressa distraitement l'aigrette d'un brin de blé qui avait poussé là par hasard. C'était si peu caractéristique de sa part que Jehanne, tout insouciante qu'elle fût, en demeura interloquée. Était-elle insouciante ?

— Que voulez-vous me dire, maître ?

Il l'attira à lui et lui serra la nuque, caressant du bout des doigts les petits frisons qui y moussaient et refusaient toujours de se soumettre au nattage. C'était une caresse que Jehanne appréciait de plus en plus. Elle appuya la tête contre la poitrine de son fiancé. Elle se laissa envahir par sa chaleur, et son nez folâtra instinctivement contre le drap rude de son floternel*. La voix basse, sans aucune altération, lui murmura à l'oreille :

— J'ai mes raisons de ne pas vous emmener en ville avec moi. C'est assez difficile à expliquer.

Jehanne s'inquiéta :

— Ces raisons sont-elles donc si pénibles ?

Il fit un vague signe que oui, mais marqua un temps avant de l'éloigner de lui en la tenant par les bras, afin de mieux la regarder. Il pensa: «Qu'est-ce qui ne va pas? Je n'arrive plus à la suivre. »

— Vous me faites mal, maître. Vos mains... on dirait les serres d'un faucon.

Il la lâcha et disciplina ses mains en les abaissant le long de son corps. Son attitude en devint martiale.

— Excusez-moi, dit-il.

— Ce n'est rien. Mais qu'y a-t-il, maître? Vous commencez à me faire peur.

La voix de Louis, sans être véhémente, se fit tout à coup plus caustique:

— Il n'y a rien. Je voulais vous inviter à prendre dorénavant vos distances avec votre ami Aitken. Vous n'êtes pas sans savoir qu'il me défie ouvertement.

— Oh, mais...

— L'influence qu'il a sur vous est mauvaise. Soyez sur vos gardes.

Troisième partie
(1364-1366)

Chapitre X

Per obitum

(Par la mort)

Caen, 3 octobre 1364

Ceinturé par son muret de pierres où s'entremêlaient des groseilliers, le jardinet de Louis prospérait. Les plantes qui y poussaient ne requéraient pas un entretien constant, car malgré ses séjours prolongés en ville, Louis avait fort peu de temps à lui consacrer. Il venait de passer deux jours à arpenter les rues de la ville avec sa charrette pour nettoyer. Il restait encore beaucoup à faire, mais cela allait devoir être remis à plus tard. On l'attendait au château et il devait aller au bain avant de s'y rendre.

Une grosse corneille vint se percher sur une branche et inclina la tête pour l'observer attentivement. Il se pencha et cueillit une feuille de basilic tendre qu'il essuya sur ses vêtements avant de la rouler pour la manger. C'était bon. À en faire semblant d'oublier pourquoi il se trouvait là.

Louis ne s'était pas interrogé longtemps sur la raison qui avait motivé les autorités à déménager la noble prisonnière à Caen plutôt qu'à Paris ou même à Reims. Il s'agissait de toute évidence d'une idée du gouverneur Friquet de Fricamp, qui avait vu là une excellente occasion pour lui d'entrer dans les bonnes grâces du nouveau roi par une action concrète. Mais, lui, Baillehache, allait se voir obligé de mettre à mort une femme qui l'avait aimé.

— Je n'aurai pas besoin d'assistants, dit Louis aux fonctionnaires qui l'avaient accompagné dans la voûte sombre abritant les cachots.

Il y avait le juge, le greffier et un médecin. Devant ces témoins soupçonneux qui s'assemblèrent autour de lui et de l'homme qu'on était allé chercher, il monta son nouveau chevalet*. Seul, il actionna le levier de contrôle qui mettait en branle un cylindre central muni à chaque extrémité d'un encliquetage à rochet. Avec les effrayants «clic-clic» qu'il produisait à chaque mouvement du levier, le mécanisme maintint de lui-même la tension des cordes. Philippe d'Asnières fut soulevé de terre par ses membres et demeura miraculeusement suspendu alors que Louis n'avait même plus besoin de tenir le levier.

— C'est une machine diabolique, murmura l'un des témoins.

Ce à quoi un autre répliqua:

— Ce n'est pas qu'on manque de main-d'œuvre compétente pour mener à bien ce genre de besogne ingrate, mais avec le complot de haute trahison dont on accuse ce jeune chevalier, je vois là une précaution vitale. C'est très néfaste pour l'image de la cour. Moins il y aura d'oreilles pour entendre les aveux de ce misérable, mieux cela vaudra pour tout le monde.

— Procédez, dit le juge au bourreau.

Louis abaissa les yeux sur l'homme qui haletait et lui dit:

— Comme vous le voyez, messire, j'ai les deux mains libres. Il serait prudent que vous ne me contraigniez pas à en faire usage. Qu'avez-vous à dire?

Philippe d'Asnières n'avait rien à dire. Il déclara qu'il ignorait de quoi il était accusé, pourquoi sa tante condamnée avait parlé de lui et de qui elle avait été la complice.

— Vous mentez, dit Louis en actionnant le levier.

L'affreux clic-clic s'éleva dans la salle humide en même temps qu'une plainte étouffée. Louis dit:

— Votre tante a avoué vous avoir jadis encouragé à commettre cet attentat. De plus, la cour a reçu la déposition de quatre personnes qui affirment vous avoir vu brandir une dague en direction du roi pendant la procession, le jour de son couronnement.

— C'est complètement faux!

— Cette dague-ci.

Louis prit une arme qu'il lui montra. D'Asnières cilla.

— Elle m'est tombée des mains. Je l'ai échappée. Vous comprenez, j'étais en équilibre précaire sur le toit d'une maison.

Le bourreau reposa la dague et tourna la tête vers l'un des magistrats, qui lui fit signe de continuer.

S'ils avaient été complètement sourds, et s'ils avaient pu voir seulement son visage, les fonctionnaires eussent pu croire que Louis se penchait au-dessus d'un minutieux travail d'enluminure dont Philippe d'Asnières, véritable livre humain, allait être le réceptacle. Cessant de repousser la mèche qui lui barrait le front, l'air absorbé et pinçant ses lèvres minces, il se mit au travail. Avec des tenailles portées au rouge dans un brasero*, il entreprit de pincer les mamelons, les bras et les cuisses de l'accusé, lui arrachant un à un des lambeaux de chair qu'il laissait tomber et grésiller sur les braises, devant lui. Il versa dans les brûlures un mélange d'huile et de résine bouillante mêlées à du soufre et de la poix.

Trois quarts d'heure plus tard, les fonctionnaires quittèrent la salle, les jambes flageolantes et la tête encore pleine de cris pires qu'avaient dû l'être ceux des suppliciés du taureau d'airain*.

D'Asnières était passé aux aveux. C'était Robert le Coq qui les avait persuadés, sa tante et lui, que c'était la chose à faire. Le même Robert le Coq qui, huit ans plus tôt, à Rouen, avait convaincu Charles V que son père avait comploté contre lui. C'était aussi lui qui avait fait circuler nombre de médisances à l'encontre de Charles de La Cerda et qui avait encouragé Étienne Marcel dans sa rébellion. Cet homme couvert d'honneurs avait flairé sa déchéance et était arrivé à s'échapper en prenant soin de laisser d'autres infortunés derrière lui qui allaient devoir rendre des comptes à sa place.

Louis put rentrer à sa petite maison rouge. Le soir même, un courrier du gouverneur vint l'y trouver pour laisser tomber à ses pieds, par la grille fermant l'accès à sa cour, une sommation modifiée dont il lui signala verbalement tous les détails sans se donner la peine de descendre de cheval. La lettre annonçait que le verdict avait déjà été rendu contre le jeune chevalier, et la sentence, annoncée. Le bourreau remarqua des mots griffonnés en hâte au bas du document officiel, lequel était rédigé d'une écriture soignée :

« *Retentum – Friquet de Fricamp.* »

Le messager expliqua qu'à cause de la gravité de son crime on avait privé Philippe d'Asnières d'une mort noble. Son supplice allait devoir être long et infamant. On ne lui avait accordé qu'une ultime faveur, celle du miséricordieux coup de grâce visant à abréger ses souffrances.

— Ce n'est pas tout. J'ai aussi de quoi vous réjouir, dit le courrier avec un sourire en coin.

Louis replia la lettre et l'empocha. Le messager dit :

— La dame d'Harcourt a exprimé comme ultime désir la permission de passer sa dernière nuit en compagnie de son exécuteur.

S'il n'avait connu la réputation de Baillehache, l'homme eût pu s'attendre à avoir l'occasion d'échanger quelques bonnes grivoiseries avec le destinataire de cette plaisante nouvelle. Mais l'absence quasi totale de réaction de la part du bourreau ne le surprit aucunement. Avec un sourire en coin, il ajouta:

— Laissez-moi vous dire que cela a causé tout un émoi au château. Vous comprenez, une requête comme cela, c'est du jamais vu. On a dû s'en référer en vitesse au gouverneur. Il a donné son accord. C'est dûment consigné là, sur le second feuillet.

— Et puis quoi, encore?

Avec la journée qui s'annonçait, Louis ne souhaitait que deux choses: avoir la paix et dormir. La seconde, surtout, lui était indispensable. Et voilà qu'on venait lui demander avec une honteuse insouciance de veiller toute la nuit en compagnie d'une future victime qui, assurément, allait se trouver dans un état lamentable. Une femme aux abois qui, sans doute, se tenait prête à lui offrir d'inexistants monts et merveilles, à lui faire don de sa personne même, pour peu qu'il l'épargnât. Tout cela en vain. On exigeait ni plus ni moins de lui qu'il fît le travail d'un aumônier. Tout cela en sous-entendant qu'il avait en outre le devoir de se présenter frais et dispos sur l'échafaud le lendemain midi. C'était absurde.

Le courrier l'arracha soudain à ses réflexions:

— Ah, bourrel*, savez-vous que je vous envie? C'est qu'elle est plutôt mignonne, la gueuse. Le roi aura sa tête, mais vous, vous aurez son corps. Sacré veinard! Allez, bonne nuit, si j'ose dire. Eh! Eh!

Il tourna bride. Les sabots ferrés de son cheval animèrent un instant l'impasse déserte, et Louis fut laissé seul avec sa sommation. Il serra l'un des barreaux de sa grille et appuya pensivement son front contre le fer froid.

Le soleil se couchait. Loin au-dessous de l'endroit où il se tenait, les eaux languissantes de la douve du palais de justice frémissaient parfois sous quelque mouvement brusque des carpes, tanches et anguilles qu'on y élevait. Louis passait un peu le temps en laissant tomber dans ce vivier de petits cailloux qui attisaient un instant la curiosité des poissons. Une pierre en forme d'oiseau ricocha contre l'orteil* avant de sombrer entre les mailles lâches des algues.

Personne ne venait le chercher. Il décida donc d'aller faire un tour jusqu'en bas, dans la cour. Il réfléchissait.

Trop nombreux étaient les fonctionnaires de justice corrompus qui profitaient d'une manière éhontée de leur pouvoir. Dieu seul savait combien de marchés fantoches avaient été conclus dans le secret des donjons, combien de viols et de duperies avaient été commis avec l'approbation passive d'autorités dont ils étaient les représentants indignes et qui fermaient les yeux sur ces pratiques écœurantes. Un condamné avait beau être décompté, il n'en restait pas moins un être vivant en sursis. Il était de mise pour un exécuteur consciencieux de manifester un minimum de respect à son égard. On devait agir avec lui comme on l'eût fait avec un mourant. C'était le simple bon sens. Hormis Firmin, aucune des victimes de Baillehache n'avait jamais eu à subir d'injures ni d'humiliations de sa part. Juste ce qui avait été prescrit par la sentence.

Alors qu'il traversait la venelle sombre qui séparait la prison de une de ses dépendances en bois, il aperçut un groupe d'hommes qui bavardaient devant lui dans la lumière déclinante de la cour. Il s'arrêta avant d'être vu et s'apprêta à faire demi-tour. Il n'avait envie de voir personne. Il se trouvait toujours quelqu'un quelque part qui souhaitait lui parler d'elle et de ce qu'il allait devoir faire, sans toutefois l'oser.

L'un des hommes racontait:

— Le bayle en a perdu le sommeil depuis presque une semaine. Ça se comprend. Mais Baillehache, il lui a dit de ne pas s'apitoyer, que tout se passerait bien, et il s'en est allé faire sa petite affaire, fendre la lèvre à un voleur[122], je crois, comme si de rien n'était. Mais une femme, ça n'arrive pas très souvent et c'est tant mieux. « Ce n'est pas pareil, une femme, qu'il lui a dit, à Baillehache, c'est comme une mère, en tout cas ça peut l'être. » Et savez-vous ce qu'il répondu? Non? Il a dit: «Un bon exécuteur n'a pas d'états d'âme. »

— Par tous les saints, c'est une sacrée canaille, ce Baillehache. Je crois capable de tirer du sang à une pierre.

— Je me demande s'il est arrivé. En tout cas, il doit être bien content. Je n'arrive pas à croire que la malheureuse ait pu demander à coucher avec ce démon sanguinaire.

Une silhouette noire sortit de l'ombre et dit, d'une voix glaciale:

— Le démon sanguinaire est là.

Tétanisés d'effroi, ils firent aussitôt silence.

Louis se résolut à aller s'asseoir sur un tonneau. Et là, présément, aux yeux de ces producteurs de commérages dont il prit un malin plaisir à rabattre le caquet, il entreprit l'affûtage de son épée avec une pierre à aiguiser trempée dans l'eau. Il se mit à passer la pierre à angles aigus et répétés tout le long de la lame, des deux côtés. Les hommes devenus muets étaient incapables d'en détacher leur regard. Cette épée était à la fois une chose maudite et sacrée. Plus longue que le bras de son propriétaire, plus lourde et plus large qu'une épée normale, elle n'en était pas moins parfaitement équilibrée; c'était en partie dû à son manche, que Louis entretenait méticuleusement à l'aide de bandes de cuir brut, et aussi grâce à son pommeau sans ornement qui avait la taille d'une pomme. Même s'il s'agissait d'une arme offensive complète, Louis prit soin d'examiner plus minutieusement, à l'aide de son pouce, le fil en un endroit précis qui se trouvait à une longueur de main de la pointe. C'était là que se trouvait la zone meurtrière, cette partie qui était responsable de la mise à mort. Elle était à peine plus large que le cou d'une personne. C'était ce petit espace qui, à lui seul, allait exiger de sa part toute son attention et sa dextérité. Contrairement à Garin de Beaumont avec sa gente Dame, Louis n'avait pas nommé son arme. Il trouvait cela inapproprié. Mais il avait manifestement développé avec elle un certain type d'intimité. Ils dépendaient l'un de l'autre pour que l'inévitable issue fût correctement expédiée. Même sans nom, il semblait bien que cette terrible épée possédait une identité propre, après en avoir réclamé tant d'autres.

Une fois qu'il eut bien huilé sa lame, Louis se leva pour la brandir au-dessus de sa tête et autour de lui, sentant son poids exercer une traction familière sur les muscles de ses épaules. Cela eut le don de faire reculer les curieux. Il écarta légèrement les jambes, étudia sa posture, la corrigea, mesura son élan avant d'effectuer le mouvement de frappe brusque, décochant le coup fatal qui était devenu sa spécialité dans l'art complexe du maniement de l'épée.

— Maître, la dame d'Harcourt est prête à vous recevoir, vint lui dire un page blême qui avait passé cinq bonnes minutes à l'observer depuis la venelle en se demandant s'il ne valait pas mieux risquer le tout pour le tout et simplement oublier de délivrer le message.

Isabeau d'Harcourt était hébergée de façon convenable dans l'une des chambres spacieuses et munies de toutes les commodités que l'on réservait aux gens de condition. Un bon souper avait même été prévu pour elle et son hôte. Elle arpentait la pièce avec nervosité, regrettant l'audace de sa démarche. Que pouvait-elle bien en attendre? Il ne pouvait en sortir rien de bon. Dans son désespoir, allait-elle quand même chercher à le soudoyer ou à le fléchir? C'était peine perdue et elle le savait. Elle savait aussi que c'était ce à quoi il devait être en train de penser en ce moment même. Baillehache avait toujours su se montrer inflexible. Lui, il n'avait jamais rien promis à personne. Qu'avait-elle donc pensé? Toute une nuit avec quelqu'un que sa conscience professionnelle allait obliger à garder ses distances. Il ne l'aimait pas. Il ne l'avait jamais aimée. Cette entrevue était sans espoir.

Le geôlier déverrouilla la porte et l'entrouvrit pour annoncer:

— L'exécuteur est là, dame.

— Bien. Alors... Faites... faites-le entrer.

Isabeau lissa les plis de sa robe de camocas* et trouva tout de suite cela ridicule. Elle croisa donc les mains devant elle et attendit.

L'homme en noir dut baisser la tête pour entrer dans la geôle. Il s'avança, plus terrifiant que dans son souvenir. Il s'inclina poliment et attendit, ne sachant trop quoi faire. Il ne se présentait habituellement à des condamnés qu'à l'heure de l'exécution. Il était là pour faire son travail, rien d'autre. Les rencontres avec ses clients étaient brèves, formelles; ils pouvaient être gênés, méfiants, en pleurs ou agressifs; lui, il était toujours poli. Apaisant, s'il le pouvait. Les rares fois où l'on avait essayé de faire autrement ne valaient guère la peine d'être mentionnées. Cela avait toujours donné le même résultat: il leur était rapidement présenté, ce qui donnait lieu à l'inévitable terreur mêlée d'embarras, et le tout se clôturait par un congé plus rapide encore.

— C'est... merci d'être venu, Louis, dit-elle.

— Bonsoir, dame.

— Si vous avez besoin de quoi que ce soit, vous n'avez qu'à cogner, dit le geôlier au bourreau.

La porte fut refermée sur eux.

La pâleur du visage de la dame d'Harcourt avait été soigneusement camouflée par une pommade à base de safran. Ce ne fut pourtant pas là mais sur son cou que s'attardèrent les yeux sombres, analytiques de l'homme. Cela fit à Isabeau l'effet d'un effleurement métallique et elle en fut glacée jusqu'aux os. C'était atroce. Elle eut subitement envie de le mettre à la porte.

— As-tu faim?

— Oui.

Du geste, elle l'invita à s'asseoir.

— Sers-toi, ne te gêne pas. Moi, je suis incapable d'avaler quoi que ce soit.

— Merci.

Seul, il fit honneur au repas raffiné qui lui rappela Saint-Sauveur-le-Vicomte. Elle s'assit devant lui et le regarda tout dévorer en silence, comme un loup affamé. Quant à elle, elle se sentait incapable d'ingurgiter autre chose que du vin du Roussillon. Il remarqua ce détail. C'était bien compréhensible et il ne fit aucun commentaire. Elle devait avoir bien besoin de vin. De temps en temps, la bouche pleine, il levait les yeux sur elle. Une fois, elle demanda avec un sourire timide :

— C'est bon ?

— Oui.

Elle soupira.

— Si tu savais comme j'envie ton appétit. On dirait que mon corps est plus sage que je ne le suis moi-même. Il sait que... que ce n'est désormais plus utile d'avoir faim. Non, je t'en prie, continue de manger, Louis. Finis-tout si tu en as envie. J'apprécie beaucoup cette marque de respect et je t'en remercie.

Elle voulut lui verser du vin, mais il l'arrêta.

— Laissez, je m'en occupe.

Tout en mâchant, il en remplit leurs deux coupes et expliqua :

— Je n'ai pas mangé depuis hier soir. Pas eu le temps.

Elle lui sourit.

— Combien j'ai rêvé de te revoir en face de moi comme ceci. Te souviens-tu des matefaims ?

Il fit signe que oui.

— Je n'en ai jamais mangé de meilleurs depuis. Jamais. Et Dieu sait si mon cuisinier a essayé de m'en faire.

Louis fit passer sa dernière bouchée avec un peu de vin et s'essuya les mains avec le rebord brodé de la nappe. Isabeau dit :

— Nous avons tant de choses à partager. Comme il est étrange, ce destin qui m'amène à souhaiter passer ma dernière nuit en ce monde auprès d'un personnage aussi lugubre que toi, toi dont on dit que tu ne possèdes de l'humain que l'apparence !

— Je ne vous le fais pas dire.

— Mais j'ai eu le bonheur de te connaître dans de meilleures circonstances. Je n'oublierai jamais la joute, ni ton comportement admirable devant la défaite de mon neveu, ni la blessure que tu as reçue pour moi.

Se pouvait-il qu'Isabeau ne voulût rien d'autre que d'être en sa compagnie ? C'était rare, mais la chose lui était déjà arrivée avec d'autres. Des gens qui avaient soudain cessé de le craindre et ce, au moment même où il s'apprêtait à devenir concrètement terrible ; ils lui avaient parfois demandé de rester un moment avec eux comme s'il s'agissait d'une faveur. Il leur arrivait effectivement d'en attendre davantage de lui. Cela pouvait même aller jusqu'à la quête d'ultimes liens d'amitié. Il avait toujours accédé à leurs prières.

Il avait aussi remarqué comment, chez ses confrères tels que maître Gérard, juste avant ou après la mise à mort, les mots pouvaient parfois couler comme un ruisseau de printemps. Mais, en règle générale, c'étaient surtout ceux qui s'apprêtaient à mourir qui parlaient d'abondance. C'était un peu comme s'ils souhaitaient laisser une trace de leur passage, et le destin voulait que ce fût lui qui soit là pour recueillir cet épanchement trop souvent fait de larmes. Cela lui était incompréhensible. Il comprenait mieux le rejet et la rancune.

Isabeau se mit à raconter à Louis toutes sortes d'anecdotes et de potins à propos de Saint-Sauveur-le-Vicomte, comme s'il était un vieux camarade et non pas celui qui était là pour lui enlever la vie. Il écoutait sans intervenir. Il n'ignorait pas que, lorsqu'un condamné était mis face à face avec son bourreau, il passait aux aveux beaucoup plus volontiers que devant le tribunal de justice. Louis jugeait plus prudent de vérifier et cela, sans avoir à exercer aucune contrainte. «Ils ne mentent pas au bourreau», disait-il fréquemment.

Mais il s'avéra qu'Isabeau n'avait rien d'autre à avouer. Ses précieuses confidences appartenaient à un confessionnal, pas à une salle de tortures. Elle n'avait été qu'un pion dans l'immense jeu d'échecs des grands de ce monde. Un pauvre petit pion blanc, trop aisément éliminé par l'effet d'une faute commise par un autre.

— Bon, assez parlé de moi. Qu'en est-il en ce qui te concerne, Louis? Tu ne m'as jamais beaucoup parlé de toi. Ne crois-tu pas que tu pourrais le faire, à présent? Allez, donne-moi de tes nouvelles.

Elle en était à sa troisième coupe de vin. Peut-être fut-ce cela qui lui fit poser sur son bras une main gantée de chevrotin rouge. Le regard de Louis erra sur la *manche ridée as las**, mais ne bougea pas. Il ne sut que lui dire. Les gens lui posaient rarement des questions sur lui-même; ils avaient plutôt tendance à être davantage préoccupés par leur propre mortalité.

— Ça va, dit-il en buvant un peu de vin.

— Toujours aussi bavard, à ce que je vois.

Elle lui secoua amicalement l'avant-bras et dit:

— J'ai ouï dire que tu étais fiancé à une petite d'Augignac. Est-ce vrai?

— Oui.

— Elle a bien de la chance, qui qu'elle soit. Es-tu heureux, Louis?

Le vin dans la coupe du bourreau chercha à faire une escapade sur la nappe. Il en but précipitamment avant de poser son récipient sur la table et répondit, non sans une certaine douceur :

— Je me porte bien. Dame, avec tout le respect qui vous est dû, je vous prierais de bien vouloir me laisser en dehors de cette conversation. Je suis tout disposé à être pour vous une oreille attentive si vous en ressentez le besoin. Mais ne comptez pas sur moi pour parler de ma vie privée. Moi, je n'éprouve nullement ce besoin.

— Ne te fâche pas.

— Je ne suis pas fâché.

— Tu m'as manqué, tu sais. Je te souhaite tout le bonheur possible.

Il ne dit rien et la regarda. Sa main qui lui serrait toujours le bras se retira à l'instant où elle commença à en ressentir du malaise.

— Excuse-moi.

— Ce n'est rien.

Le silence s'installa. Et, chose étrange, ce fut au cours de ce silence que se tissa un lien entre l'exécuteur et sa victime. Même Louis ne put l'arrêter. C'était un lien intime à l'extrême, quelque chose qui transcendait les vaines paroles. Isabeau n'eut jamais cru cela possible. Ce lien, elle s'en rendait bien compte maintenant, était ce qu'elle avait réellement attendu de cette visite. C'était le tout dernier contact humain qu'elle allait avoir. Le visage de Louis, le visage aimé était le dernier qu'elle allait voir avant de quitter cette terre.

— Peut-être devrais-je t'appeler mire*, puisque tu es venu pour m'épargner de la souffrance.

Il ne répondit pas. Elle quitta sa place et vint vers lui.

— Étreins-moi. J'ai peur.

Doucement, timidement, il se leva et l'enlaça. Il la sentait trembler entre ses bras. Leurs odeurs s'entremêlèrent en même temps que les battements de leurs cœurs. Isabeau dégageait un agréable parfum fait d'aromates, de myrrhe, de muscade et d'aneth. Louis sentait simplement le propre, le savon domestique, car il s'était baigné à son arrivée.

Isabeau dit :

— Un prêtre viendra me voir demain matin. Ce sera pour entendre ma confession. Mais, avec toi, ce n'est pas pareil. Tu sais

raiment à quoi cela ressemble de mourir. Dis-moi comment on
meurt. Aurai-je mal?

Que répondre à cela? Louis fut bien aise d'être soustrait, ne fût-
ce que pour un instant, au regard de sa victime.

Mourir par l'épée ne pouvait qu'être très rapide, sauf si le
bourreau manquait son coup. La souffrance physique ne pouvait
guère durer longtemps. Il répondit :

— Très peu. D'après ce que j'en sais.

— Tu en es sûr?

Louis regarda une tache de vin qu'il avait faite sur la nappe et
hésita.

— Non, dit-il tout bas.

Comment pouvait-on affirmer avec certitude que séparer un
corps de sa tête était à peu près indolore? Il s'était souvent
questionné sur les spasmes nerveux qui agitaient les corps et sur
l'expression des visages des décapités. Il voulait à tout prix éviter
de lui avouer ce qu'il pensait : que les souffrances continuaient un
peu après la décapitation, qu'il l'avait lui-même constaté d'après ce
qu'il avait pu voir des visages convulsés, roulant des yeux avec cet
air enragé qui semblait toujours leur venir après.

— Louis. Dis-moi ce qui m'attend. Je t'en prie.

Louis fronça les sourcils. Il avait toujours refusé de faire le récit
de quelque exécution que ce soit à des curieux qui, quelquefois,
avaient eu le mauvais goût de lui en réclamer. C'était là faire preuve
d'un manque de respect fondamental à l'égard des victimes qui
avaient déjà à subir la présence malsaine de telles gens lors de leurs
derniers instants. Mais voilà que sa future victime le suppliait de
décrire la mise à mort qui l'attendait. C'était encore pire. Il la prit
par les épaules afin de la forcer à s'éloigner pour le regarder dans
les yeux. Il demanda :

— Pourquoi tenez-vous tant à savoir cela? Cela ne vous fera
aucun bien.

— J'espérais que, peut-être, ce serait moins effrayant si je savais
ce qui va se passer.

Louis y réfléchit, puis il dit :

— C'est justifié. Mais vous savez déjà comment ça va se passer.
Ça ne sert à rien.

— Oui, je sais. Et je ne sais pas.

Elle jeta un regard horrifié au floternel* noir de Louis. Elle
savait qu'il y cacherait sous peu son épée, derrière son dos. Elle
éclata en sanglots avant de se jeter à nouveau dans ses bras. Il
s'efforça de l'apaiser, en lui disant :

— Dame, c'est simple. Suivez mes instructions et tout ira bien. En quatorze ans de carrière, je n'ai fait qu'un ratage avec l'épée et c'était à mes débuts. J'ai manqué mon coup et j'ai dû le finir avec la dague... Ça va, je n'ai rien dit. Si vous voulez éviter que je vous inflige des souffrances inutiles, restez calme et je promets de faire vite. Lorsque je dirai: «Maintenant», ne bougez plus.

— Tu me parles de cela comme d'une simple formalité. Tu es odieux!

Louis ne répondit pas. Il trouvait que les choses allaient trop loin. Qu'il eût mieux valu, comme d'habitude, sauf lorsque la torture était prescrite, de garder ses distances. De ne lui avoir permis aucune familiarité et d'éviter, dans la mesure du possible, tout contact visuel direct. C'était ce qu'il s'était donné pour règle et cela avait toujours bien fonctionné.

Isabeau demanda:

— Ne ressens-tu donc rien, d'avoir à me faire ça? Rien du tout?

Elle chercha avidement dans le visage intraitable la plus petite expression de sympathie et ne trouva rien.

— Je regrette, dit-il.

— Non, tu ne le regrettes pas! Cela t'est tout à fait égal.

Isabeau s'arracha à son étreinte en titubant. Son bras accrocha la cruche qu'il rattrapa juste avant qu'elle ne renverse son contenu sur ses jupes. Il se rassit et dut lever la tête pour regarder la femme en larmes.

— Ton seul souci est de me transformer en une chose laide et morte! Tu es un ogre, un ogre!

Elle se mit à lui frapper la poitrine et les épaules de ses petits poings mal assurés. Il ne se défendit pas. Elle le gifla une fois, puis une seconde fois, plus fort, puis une troisième fois, toujours sans susciter de réaction. Louis ne la quittait pas des yeux et se taisait. Cela, bien davantage que des paroles, la fit se ressaisir. Elle dit:

— Pardonne-moi.

Il se leva.

— Vous faites erreur. Ça ne m'est pas égal.

— Je sais.

— Mais il ne fallait pas m'aimer. Voyez où ça vous mène. Je n'ai pas le droit d'aimer.

— Je ne comprends pas.

— Ça ne fait rien.

Il ouvrit les bras.

— Venez.

De nouveau, il la prit dans ses bras. Ensemble, ils reculèrent contre le mur et se laissèrent glisser sur la couchette qui avait été prévue pour lui. Il lui couvrit les épaules à l'aide d'une couverture en camelin*. Elle se laissa faire et se pelotonna contre lui. Après un moment, il sortit de sa poche un sachet qu'il lui montra et dit :

— Nous avons tous deux besoin de dormir. Vous êtes d'accord ?

— Oui, mais seulement si tu ne me laisses pas seule.

— Je serai là.

Il se leva pour réclamer de l'eau bouillante au gardien.

Lorsque la tisane fut prête, il la versa dans un seul gobelet qu'ils partagèrent. Il lui en laissa la plus grande partie. Alors qu'elle était gagnée par la somnolence, Isabeau remua.

— Je crois que, bientôt, je ne penserai plus, dit-elle tout bas. J'ai encore une demande à te faire. La dernière.

Louis baissa les yeux sur elle.

— S'il te plaît, embrasse-moi.

La grande main lui caressa les cheveux. Il lui donna le baiser d'un amant.

Les lèvres entrouvertes sur un long soupir, elle ferma les yeux et murmura :

— Dans les fables, c'est ce qui redonne la vie. Mais à moi, ça me la prend. Je suis à toi.

Elle s'endormit.

Louis ne dormit pas. Il veilla le reste de la nuit et regarda l'aube poindre par l'archère, ses bras entourant la silhouette immobile de sa victime comme ceux d'un protecteur.

Nul n'eût pu dire ce à quoi il pensait. Peut-être à rien.

Un coup dans la porte fit sursauter Isabeau.

— C'est l'heure, maître, dit une voix.

Hagarde, Isabeau se dégagea de l'étreinte de Louis qui avait lui aussi fini par s'endormir. Par l'archère, ils regardèrent tous deux le ciel, maussade, mais clair. Il se leva en hâte et porta la main à sa nuque. La mauvaise posture durant son court sommeil lui avait donné des courbatures. Cela l'inquiétait. Il s'approcha d'Isabeau et lui tendit la main sans la prendre.

— Venez avec moi, dame. Courage. Ça ne sera pas long.

Elle obéit, comme subjuguée par son changement d'attitude. Il interrompait subitement tout contact physique avec elle, exception faite de ceux qui étaient strictement nécessaires. Maintenant que la nuit était terminée, sa conscience professionnelle reprenait le dessus et avec elle les principes rigides qu'il s'était lui-même inculqués.

Il tira un tabouret à lui et attendit qu'elle y prît place. Elle vit brièvement luire dans sa main la lame du rasoir qu'il venait de prendre.

— Oh, Louis, laisse-moi plutôt les relever. J'aimerais tant garder mes cheveux.

— J'ai bien peur que ce ne sera pas suffisant. Tenez, vous mettrez ceci. Ça ne se verra pas.

Il lui remit sa coiffe. Il préférait ne pas prendre le risque de voir de longs cheveux se défaire d'une coiffure à l'instant ultime, comme cela s'était déjà vu, ce qui faisait inévitablement dévier la lame et changeait tout en boucherie. Il espéra ne pas avoir à lui expliquer cela. Et, effectivement, Isabeau ne réclama aucune explication. Elle sentit ses cheveux, coupés au hasard en arrière et sur les côtés, tomber par grosses mèches le long de son dos et sur ses épaules, où Louis les époussetait doucement avec sa grosse main. Il s'efforçait de ne pas regarder par terre, là où les longues coulées de bronze vivant gisaient, inertes, sur ses bottes de feutre. Il lui faisait tourner la tête à gauche ou à droite, un peu rudement parfois, mais c'était involontaire; il faisait de son mieux pour se montrer doux, car elle pleurait. Il entreprit par la suite de dénuder son cou et ses épaules en découpant la partie supérieure de son vêtement autant que la pudeur pouvait le lui permettre. Le plat du rasoir effleura la nuque d'Isabeau. Elle tressaillit et gémit. La main de l'exécuteur s'arrêta.

— Pardon. Vous ai-je fait mal?

Elle fit signe que non.

— Attends, dit-elle, avant de se lever pour aller prendre sur une étagère un morceau d'étoffe qu'elle déplia devant lui.

C'était l'écharpe de brocart* qu'elle lui avait attachée au bras pour la joute.

— Puisque c'est moi qui dois désormais faire preuve de courage, c'est à mon tour de la porter, dit-elle.

Et elle la noua à son bras avec l'aide de Louis, à qui elle sourit tristement.

Le geôlier déverrouilla la porte afin de permettre à Louis d'aller signer la levée d'écrou. À son retour, le prêtre était déjà là, et Isabeau s'était agenouillée pour sa dernière prière. Il se tint en retrait et se recueillit avec elle en songeant au lampion qu'il avait allumé pour ses deux victimes, la veille, à l'église Saint-Sauveur qui se trouvait tout près de là.

Lorsque la dame se releva, le prêtre sortit pour aller s'occuper de Philippe qui attendait dans la cellule voisine. Le bayle, accompagné d'un garde, vint se poster à la porte. Louis s'approcha et s'accroupit devant elle. Sans bruit, sans plus la regarder, il lui ramena les bras par-devant et entreprit de lui lier d'abord les mains, puis les pieds, avec une corde lâche qui allait lui permettre de faire de petits pas. Il acheva le ligotage en fixant l'un à l'autre ces deux liens, avant de sortir pour répéter la même procédure avec le neveu d'Isabeau. Il y mit plus de temps : aux éclats de voix qu'elle put percevoir à travers les murs épais, Isabeau devina que Philippe résistait.

— Avez-vous une dernière volonté à formuler ? lui demanda Louis.

— Oui. Je ne veux pas mourir.

— Je crains de ne pas pouvoir vous accorder cela. Désirez-vous boire un verre ? Je puis aussi vous donner de quoi apaiser votre nervosité.

— Ah, tiens ! Elle est bonne, celle-là. Non. Je ne veux rien qui vienne de toi, vil sicaire*.

— Je puis vous assurer que moi non plus, répliqua Louis en jetant un coup d'œil indifférent au luxueux hoqueton* clouté de laiton que le gentilhomme portait par défi.

Le bourreau avait déjà résolu de faire aumône des biens dont il allait devenir le récipiendaire, comme il le faisait presque toujours. Certains affirmaient qu'il n'agissait ainsi que pour récolter des indulgences.

Louis fit signe que le moment était venu. Il empoigna d'Asnières par le bras fermement, quoique sans rudesse. Un garde se posta derrière, au cas où il devrait prêter main-forte au bourreau. Gêné par ses entraves, d'Asnières avança à petits pas.

— Dégagez le passage ! ordonna l'exécuteur aux curieux qui s'entassaient dans le couloir.

Isabeau aperçut brièvement son neveu alors qu'il passait devant sa cellule. Il fut remis à deux gardes qui l'entraînèrent en direction de l'escalier menant à l'extérieur. Son haleine produisait de tristes petits nuages blancs. Louis fut de retour.

— Allons, ma fille ! dit le prêtre en s'approchant avec son crucifix.

Isabeau jeta un coup d'œil circulaire à sa cellule. Elle s'y sentait déjà étrangère.

— Jamais je n'aurais pensé regretter un jour de quitter un cachot.

Elle fit quelques pas hésitants. Tout de suite, elle frissonna. Louis enleva son floternel* et le lui jeta sur le dos. Il en noua les manches sous son menton.

— Merci, dit-elle en lui souriant faiblement.

Toujours sans la regarder, il la prit sous l'aisselle. Elle marcha courageusement avec lui, ses jambes fléchissant à chaque pas. La lourde porte à doubles battants du palais de justice débouchait directement sur la place Saint-Sauveur. Cette place était le site principal des exécutions à Caen; elle donnait sur l'une des entrées de la cité, sur une assourdissante clameur et sur une lumière qui, même tamisée par les nuages, vint l'extraire brutalement de l'ombre calme où elle se tenait encore. Elle en fut presque aveuglée. L'agitation de la foule, retenue de chaque côté de la porte de la prison par une haie de gardes, la fit s'appuyer davantage contre Louis. Elle aperçut l'arrière d'une charrette où s'appuyait une petite échelle. D'Asnières se débattait, aux prises avec ses gardes qui faisaient office de valets, et refusait d'y monter. Le visage rouge, en sueur, il lançait des obscénités aux spectateurs hilares.

— Philippe, tu me fais honte! dit Isabeau d'une voix claire et forte.

La foule se tut. Le jeune homme s'immobilisa et regarda le couple étrange qu'elle formait, elle, la victime, en compagnie de son bourreau. Il rugit de plus belle:

— Espèce de salopard! Non mais pour qui te prends-tu? Pour le bon saint Martin de Tours en personne[123]?

— Calmez-vous, allez. Soyez brave et laissez-vous faire, dit Louis.

Il s'avança, toujours soutenant Isabeau d'une main.

— Dis-leur de se la fermer, à cette bande de moins que rien, de culs-terreux! Ils ne devraient même pas avoir le droit de m'adresser la parole et toi non plus! Je me calmerai si tu les fais taire. Tout de suite! Tout de suite, sale boucher!

Déchaîné, il se remit à vociférer. Louis renonça à essayer de le raisonner. Il saisit d'Asnières à la gorge. Tout le monde retint son souffle. Ce comportement indigne du condamné aggravait la sévérité du bourreau et l'impatience de la populace. Plusieurs furent tentés d'arrêter ce qu'ils prenaient à tort pour une saute d'humeur, car l'exécuteur de Caen était reconnu pour ses occasionnels comportements anormaux, telle son aversion pour la présence d'enfants autour de l'échafaud. Mais Louis ne serra pas la gorge du condamné. Il se contenta d'appuyer le pouce et l'index contre un point précis. Et, soudain, d'une seule pression brutale, il lui lésa la trachée-artère. La blessure fit en sorte que les injures de Philippe cessèrent net. Louis abaissa la main. La victime fixa son bourreau, éberluée. Louis lui dit:

— Messire, j'ai reçu l'ordre de ne couper le souffle de personne hormis le vôtre.

Pris d'un malaise, Philippe s'effondra. Louis confia Isabeau à l'un des valets et monta en premier dans la charrette, suivi de ce valet et d'Isabeau qui, elle, demeurait docile. Le second valet profita du fait que d'Asnières était inconscient pour le faire rouler dans la paille neuve que Louis avait répandue au fond de sa charrette la veille. Un petit cruchon de vinaigre surgit de nulle part. Louis en imbiba son propre mouchoir. Il se pencha et le fourra sous le nez du jeune homme qui se réveilla, à demi suffoqué. On l'aida à se relever.

— Allons-y, ordonna Louis.

Et, sans plus tarder, le cortège se forma pour une courte procession. En aucun moment cet incident n'avait fait perdre son sang-froid au bourreau. La foule qui le connaissait pourtant bien en semblait impressionnée. Louis savait par expérience qu'il fallait être prêt à composer avec toutes sortes de situations désagréables; que, pour une personne qui affrontait la mort avec courage, il y en avait peut-être cinquante qui étaient conduites à l'échafaud dans un tel état de panique qu'elles en expulsaient violemment urine et matières fécales. Il y avait ceux qui le défiaient et essayaient de se battre avec lui et ceux qui avaient trop bu et qui tenaient à peine debout. Il avait remarqué que ceux qui se comportaient avec le plus d'admirable dignité n'étaient pas forcément les plus nobles.

Mais Isabeau, elle, était courageuse. Pour faire pénitence, ils s'arrêtèrent à l'église Saint-Sauveur, que d'aucuns surnommaient «Saint-Exécuteur» parce qu'elle ne se trouvait qu'à deux cent cinquante mètres de la place. Louis appuya sa canne contre la roue de la charrette, le temps d'aider Isabeau à grimper les quelques marches. Lorsqu'il se retourna pour la reprendre, la canne n'était plus là.

Le prêtre exhorta les condamnés à éviter la poursuite héroïque de l'affliction pénitentielle en tant qu'ultime vocation: s'avouer coupable avec un étrange orgueil n'était pas le message souhaité.

— Sachez plutôt vous montrer humbles et emplis de gratitude devant les souffrances du Christ, de la Vierge et des martyrs qui nous ont précédés.

Isabeau remonta dans la charrette et ne défaillit pas. Elle paraissait même exaltée. Sans doute n'était-elle plus tout à fait consciente du lieu où elle se trouvait. Elle dit à son neveu, qui, lui, était dans un état de prostration:

— Si tu ne te sens pas brave, Philippe, fais au moins semblant de l'être, comme je le fais.

Elle se tourna vers Louis et murmura :

— Je souffre de son humiliation, de ce malheur qui, déjà, nou
isole l'un de l'autre. Je ne reconnais plus Philippe. C'était u
homme. Ce sera pire pour lui, n'est-ce pas?

— Oui.

— Ô Seigneur Jésus, que ne puis-je prendre un peu de sa pein
à mon compte! Pardonnez-lui. Acceptez ma repentance comme
c'était la sienne.

Ceux qui se tenaient près de la charrette bringuebalant
entendirent cette supplique. Ils en furent émus aux larmes.
émanait soudain d'elle quelque chose de royal, d'incorruptible, qu
allait bien au-delà de quelque lubie théâtrale. C'était l'achèvemer
agréé de sa vie. Et, en quelque sorte, Isabeau triomphait. Elle ava
fait cesser les vociférations de la foule qui, maintenant, priait e
pleurait pour elle et son infortuné neveu. Telle une statue grecqu
encore sereinement complète, elle était éblouissante. Elle rayonna
dans tout ce chaos et se faisait l'illustration vivante de la conscienc
religieuse de toute cette communauté humaine qui était pétrie d
la certitude que chacun pouvait être exposé à la souffrance. Et tou
souffraient avec elle.

La charrette s'arrêta au pied de l'échafaud. Un silence recuei
s'étendit sur la foule.

Portant à son bras le linge qui sous peu allait recouvrir le corp
de la dame, Louis descendit le premier. Il tendit la main à Isabea
pour l'aider à quitter à son tour la charrette. Il se dirigea avec ell
vers les marches de l'échafaud, tourna la tête et plongea les yeu
dans ceux d'une adorable fillette d'environ cinq ans qui tenait s
mère par la main. Elle lui sourit avec cette extraordinaire candeu
dont seuls savent faire preuve les enfants et qui trahit trop souver
la faiblesse des adultes. Du plat de la main, Louis repoussa l
femme en ordonnant, avec impatience :

— Place, place! Éloignez-vous avec cette petite et plus vite qu
ça.

Les caprices de l'exécuteur de Caen étant bien connus, l
femme n'osa pas désobéir et renonça à la place de choix qu'ell
avait protégée jalousement jusque-là.

Une fois qu'ils eurent atteint la plateforme, Isabeau se tourn
vers lui. Elle lui prit la main et l'embrassa avec ferveur.

— Sois remercié pour ta présence à mes côtés. Ce courage, je n
l'aurais pas eu sans ton aide. J'ai fait belle figure pour toi.

Le lien qui s'était tissé entre eux tout au long de la nuit s
renforça. Ce lien excluait la foule ainsi que tous les autres qu

taient présents avec eux sur l'échafaud, à savoir le groupe
'officiels, Philippe d'Asnières encadré de ses gardes et même le
hapelain. À partir de cet instant, Louis et Isabeau allaient
épendre l'un de l'autre. Elle pour sa coopération et sa fermeté, lui
our son habileté et sa rapidité. Ce fut aussi là que Louis oublia,
ne nouvelle fois, la judicieuse résolution qu'il avait prise :
exécuteur et sa victime se regardèrent. Longtemps. Isabeau ne fut
as sûre de comprendre ce qu'elle vit dans les yeux de Louis. Était-
e de la compassion, un adieu, ou quelque intense perception de la
ondition humaine?

Doucement, il défit le nœud qui retenait son floternel* par les
nanches autour du cou d'Isabeau et le remit à un valet. Il dit, tout
as :

— N'oubliez pas ce que je vous ai dit. À mon signal, ne bougez
lus.

Il recula et attendit de ne plus être dans son champ de vision
our ajuster son baudrier. Le chapelain s'agenouilla en face
l'Isabeau, invitant celle-ci à faire de même[124]. Ils firent une
lernière prière pendant que le héraut annonçait à la foule ce
lu'elle savait déjà.

La prière terminée, une voix différente ordonna :

— Bourrel*, faites votre office.

Louis s'approcha de nouveau. Il projeta son ombre sur
'aumônier qui sursauta, se leva et se signa avec précipitation avant
le s'éloigner.

— Toinette, appela Isabeau.

Une jeune femme qui était montée sur l'échafaud avec eux
'approcha timidement afin de remettre à sa dame une bourse que
ette dernière tendit à Louis. L'exécuteur la soupesa. Elle était trop
ourde pour ce qu'il avait déjà promis de faire, mais ce n'était plus
e moment d'en discuter. Il dut l'accepter telle quelle. Il l'accrocha
a sa ceinture et se fit remettre un bandeau qu'il présenta à sa
ictime.

— Non, dit-elle.

Il se pencha au-dessus d'elle.

— Pardonnez-moi ce que je dois faire.

— Je te pardonne, Louis. Je t'aime.

Il lui souleva le menton. Elle sentit que sa main tremblait un
)eu et aperçut son regard inquiet. Il lui ordonna :

— Gardez la tête droite.

Reculant d'un pas, il dégaina son épée, en serra la prise à deux
nains et prit position, les jambes légèrement écartées et fléchissant

un peu les genoux. Il tint le tranchant de son épée à un pied d'elle
Ce n'était plus Isabeau d'Harcourt. C'était une cible à viser. Un
travail à faire. Et il lui fallait le mener à bien. C'était plus difficile
qu'il n'y paraissait, la colonne vertébrale n'ayant pas à proprement
parler de joint. Pendant à peine deux secondes, il visa.

C'étaient deux secondes de trop. Au moment où il s'apprêtait
à prendre son élan pour porter le coup fatal, Isabeau commença à
s'affaisser. Elle n'en pouvait plus. Ça se présentait mal. Il abaissa
son arme. Le temps pressait; elle pouvait fléchir à tout moment
Elle s'était un peu recroquevillée. Il ne pouvait plus rien faire. Il n'y
avait plus qu'une seule solution: de la pointe de son épée, il piqua
sa victime entre les omoplates. De douleur, Isabeau poussa un petit
cri et se redressa. Il put viser de nouveau. Soudain, il dit:

— Maintenant!

Un, deux, trois, élan.

Avec un son terrifiant, la lame fendit l'air horizontalement et fit
un cercle complet sans même ralentir. Elle laissa un trait rouge à la
base du cou. En apparence intacte par ailleurs, la dame s'était
figée. Après une seconde qui sembla à tous une éternité, sa tête
s'inclina vers l'épaule et roula dans la sciure, tandis que son corps
saisi de soubresauts s'effondrait en avant. Les carotides sectionnées
projetèrent deux puissants jets de sang, tandis que du liquide
transparent s'écoulait de la colonne vertébrale.

Louis posa son épée et alla ramasser la tête afin de la brandir
Les paupières frémissaient encore. Sans savoir pourquoi, il appela
doucement:

— Isabeau.

Avec une espèce d'étonnement, les yeux d'Isabeau se fixèrent
sur lui avant de s'éteindre. Il était enfin passé, cet instant terrible
où une créature vivante cessait d'en être une.

*

— Il sera furieux s'il apprend ce que nous avons fait, dit
Jehanne. Nous serons punis, tu sais. Même moi.

Les rues de la ville étaient exceptionnellement calmes et il était
agréable de s'y promener.

— Par saint Denis, s'il te frappe, je jure que je le tuerai, dit Sam.

— Es-tu bien certain que cela soit une bonne idée d'être venus
à Caen, Sam? Tu as l'air tout drôle. Souviens-toi de ta fugue de ce
printemps. Non, vraiment, j'aimerais mieux que nous retournions
à la maison. Là, tout de suite.

— Bon, d'accord. On s'en va. Mais avant, viens. J'ai quelque chose pour toi. Une surprise.

— Une surprise?

— Oui, dit Sam doucement. Viens, je vais te montrer. Ce ne sera pas long.

Et il entraîna la jeune fille par la main.

La dague, l'arme du crime, était liée au poignet de Philippe d'Asnières par une chaîne. Le chevalier était attaché à une roue inclinée. Près de lui attendait une fournaise portative dont la porte était ouverte sur des flammes vives qui puaient le soufre. L'homme en noir y introduisit de force la main enchaînée du condamné[125]. Philippe d'Asnières n'avait plus de voix. De sa bouche grande ouverte s'élevèrent des sifflements et des gargouillis. Pour ceux qui pouvaient l'entendre, c'était pire. L'affreux tourment ne cessa que lorsque la main fut entièrement consumée et que l'avant-bras se fut transformé en un moignon charbonneux contre lequel était encore plaquée l'arme crochue, noircie, méconnaissable.

Louis recula d'un pas et se planta solidement du côté droit de sa victime. Le son mat que produisit l'impact de la barre de fer sur la jambe de l'homme fut atroce, écœurant. Plusieurs têtes disparurent parmi les spectateurs : des femmes s'évanouirent et certains hommes se mirent à vomir, excitant l'hilarité de ceux qui avaient le cœur plus solide. Le bourreau administra les onze coups prescrits, disloquant les membres et rompant la cage thoracique du supplicié dont le corps se refusait cruellement à l'inconscience.

Louis se retourna vers ses valets temporaires et ordonna :

— Retournez-le.

Ils soulevèrent le pauvre être désarticulé et parvinrent à l'installer tant bien que mal à plat ventre sur la roue. Il se laissa mollement faire, sentant ensuite leurs mains lui placer la joue contre l'un des rayons rugueux. Il put ouvrir les yeux suffisamment pour apercevoir une ultime fois le ciel qui lui parut plus bleu que d'habitude, même s'il ne l'était pas, avant qu'une ombre ne s'étendît au-dessus de lui comme une encre renversée.

— Voilà, c'est fini, dit Louis qui lui donna une petite tape sur l'épaule.

Il assena à Philippe un dernier coup puissant, le *retentum*, le coup de grâce. La barre de fer lui fractura la nuque et abrégea miséricordieusement ses souffrances[126]. Un son incongru s'éleva brièvement de la foule qui l'acclamait. Cela ressemblait au cri d'un lièvre emporté par une buse. Il en fut vaguement distrait. Alors qu'il reposait sa barre, il leva les yeux en direction d'un point précis parmi les spectateurs, celui d'où le cri provenait, et il la vit, elle. Jehanne.

Vingt minutes après, il n'y avait plus rien à voir. Ceux qui étaient venus assister à la double exécution quittaient la place en bavardant et s'engouffraient passivement dans les premières rues étroites qui leur étaient accessibles, comme des débris entraînés par le courant.

Le cheval noir modestement harnaché piétinait et s'efforçait, sur l'ordre de son cavalier qui le guidait d'une seule main ferme, de se frayer un passage à travers la cohue. Certains s'arrêtaient sur son passage pour le saluer. Mais ceux-là étaient rares. La plupart des bourgeois faisaient semblant de ne pas le remarquer.

— Place, place! ordonnait Baillehache, qui n'avait qu'une hâte, celle de se soustraire au plus vite à cette marée humaine qui se déversait avec une écœurante indifférence.

Il tourna la tête et posa encore les yeux sur le lieu où il avait vu sa fiancée. Mais, à la place de Jehanne, il trouva Desdémone.

En même temps qu'elle croisait son regard, la putain eut conscience de se retrouver comme isolée de la foule qui se pressait autour d'elle. De tout le monde qu'il y avait sur cette place, pourquoi avait-il fallu que l'attention de l'homme se portât précisément sur elle? Furieuse, elle s'adressait d'amers reproches: «La guigne s'abat sur moi. Que vais-je faire, maintenant? Impossible de lui faire faux bond avec tous ces imbéciles qui m'empêchent de passer. Et l'autre, là, ce gamin que j'escortais, qui m'a plantée là et a filé sans demander son reste.»

Elle remarqua que l'attention du bourreau ne semblait plus fixée sur un point précis, mais englobait le groupe dans lequel elle se trouvait. Il l'avait perdue de vue. Tant mieux. Mais à l'instant même où elle prenait conscience de cela, elle aperçut, pas très loin, la tignasse rousse de Sam.

— Oh, merde, souffla-t-elle.

Elle n'avait plus le choix. Il lui fallait faire diversion, et vite, avant qu'il ne le vît. «Mais que fait-il là, ce jeune idiot? Et seul, en plus? Ne se rend-il pas compte qu'il s'en va beaucoup trop près?» pensa-t-elle.

Elle put faire quelques pas en direction du destrier et s'inclina avec une mimique moqueuse, dos à Louis, pour lui offrir une bonne vue de son postérieur. Le bourreau ne vit pas l'injure. Il détournait les yeux avec indifférence. Elle grogna et se mit à faire

384

de grands signes de la main en lui souriant de toutes ses dents gâtées. Et, cette fois, il la remarqua. Il s'aperçut aussi que c'était elle qui lui avait dérobé sa canne. Elle la brandissait fièrement comme un trophée. Elle se détourna et fila en zigzaguant à travers la foule qui se dispersait enfin.

Le stratagème avait réussi: Louis la prit en chasse sans avoir repéré les cheveux roux de Sam. Mais les sabots ferrés de son cheval sur les pavés la rattrapaient beaucoup trop vite à son goût, car maintenant les gens s'écartaient avec plus de célérité. Ils n'avaient aucune envie de se mettre en travers du chemin d'un homme pareil.

Elle aussi fit un écart et piqua à travers une ruelle, cherchant à le semer dans quelque dédale. Cela n'eut pour résultat que de la coincer dans un cul-de-sac. Elle était prise au piège comme un rat. Tonnerre arriva au pas et bloqua l'extrémité de l'impasse. Calmement, Louis descendit de cheval et s'avança. Même dans la pénombre de l'impasse, il put distinguer le visage de Desdémone. Il était très amaigri. Ce qu'il y avait de mâle dans ses traits avait acquis trop d'ambiguïté pour provoquer autre chose qu'un malaise. Louis dit:

— Comme on se retrouve. Tes faveurs ne te paient-elles plus assez, pour que tu sois ainsi obligée de voler?

— Va-t'en!

Elle chercha des yeux quelque projectile à lui lancer, mais ne trouva rien. Il continuait à avancer prudemment.

— Voyons, Desdémone. On ne parle pas ainsi à son patron. Où sont passées tes bonnes manières?

— C'est ça. Vas-y, moque-toi. Si tu crois que ça me dérange, maintenant, ce que tu penses de moi! Non. Je m'en fous. Tu peux t'envoyer en l'air avec qui tu veux. Surtout après ce que je viens d'apprendre...

Elle repoussa ses longs cheveux sales d'un air défiant. Il s'arrêta, assez loin d'elle.

— Qu'as-tu appris? demanda-t-il.

— Ah, on fait moins le coq, maintenant, hein! J'ai vu ta petite amie.

— Où ça? dit Louis sans révéler qu'il l'avait vue lui aussi.

Une pointe d'inquiétude perça dans la voix de Louis. Desdémone sourit, satisfaite de l'effet produit.

— Ici même, en ville, il n'y a pas une heure. Sais-tu qu'elle est mignonne comme tout.

— Avec qui était-elle?

— Je ne sais plus trop. Une espèce de valet à cheveux roux, il m[e] semble.

Desdémone haussa les épaules avec indifférence. Ce qui alla[it] advenir de Sam à cause de cet aveu lui indifféra souda[in] totalement. Elle avait déjà suffisamment de soucis à s'occupe[r] d'elle-même.

— Tu ne croyais tout de même pas que j'allais accepter de m[e] laisser pourrir dans un bordeau* le restant de mes jours, n'est-c[e] pas? Non. J'ai dû m'accommoder de cette honte, en attendan[t.] Parce que c'était en attendant.

Elle lança sa canne à ses pieds.

— Tiens. Ça ne m'intéresse plus, ce truc que je voulais comm[e] souvenir, puisque j'ai beaucoup mieux, maintenant. Je te tiens, to[i.]

— Comment a-t-il su?

— Qui ça, le valet? J'ignore de quoi tu parles. Enfin, bon, on n[e] va tout de même pas y passer la journée. Voilà. Je m'en allais tou[t] bonnement te voir à l'œuvre et, lorsque je l'ai vue, elle, je l'[ai] interceptée pour savoir qui elle était. Tu comprends, ell[e] m'intriguait, cette petite donzelle de haut rang qui se balada[it] comme ça en plein mauvais quartier, toute seule avec un garçon. [Il] me l'a présentée et m'a dit qu'ils te cherchaient. Je n'ai fait que l[e] conduire jusqu'à toi.

— Tu as fait ça?

— Bien sûr, le gamin ignorait tout du cadeau qu'il me faisait l[à.] Enfin, j'en ai l'impression. En tout cas, j'ai vite fait d'en profiter, t[u] peux me croire. Une occasion comme celle-là, on ne la laisse pa[s] filer, n'est-ce pas?

— Que je t'y prenne encore une fois à rôder autour d'elle.

— Oh, ça va, arrête tes menaces, veux-tu? Si ça peut te rassure[r,] je n'aurai même pas besoin de l'approcher. Il n'y a plus de risqu[e] de ce côté-là. Pauvre Jehanne ou je ne sais plus quoi. Parle-mo[i] d'une petite innocente! En plein ton genre, hein, mon beau Louis. Espèce de vicieux. Mais ça ne marchera pas. Tu peux compter su[r] moi. Je te tiens et cette fois je saurai te briser.

— Holà, c'est qu'elle croit me faire peur.

— Oh que si, tu auras peur. Mais tu auras surtout mal. Très mal[.] Ça, je te le garantis. Et tu n'auras pas à attendre longtemps. Je t[e] jette un sort.

— Tiens donc, un sort? Serais-tu une sorcière? Moi qui croya[is] que tu n'en avais que l'allure.

— J'en suis une. Souviens-toi de ce que j'ai déjà réussi à te fair[e] à Saint-Sauveur. Là-bas, comme on dit, tu as monté comme u[n]

enard; tu allais régner comme un lion; mais tu mourras comme
un chien[127]. Ils ont bien vite fait de se débarrasser de toi.

— Tu n'as aucun mérite. Ces aristocrates sont des abrutis. C'est
facile de les amener à faire n'importe quoi.

— Avec ta petite bourrelle, ça sera pareil, sois-en sûr.

Le rire qui commençait à monter de la gorge de Desdémone y
resta pris. Détendant son bras gauche à la vitesse d'un serpent qui
attaque, Louis saisit par la queue un gros rat qui venait de
s'extraire d'un tas d'immondices comme s'il l'avait appelé.

— Ah, tu veux jouer à ce jeu-là, hein? Très bien. Voyons voir si
tu t'y connais vraiment en sorcellerie.

Il dégaina sa dague et s'approcha. Tenant alors la bête
remuante juste à côté de Desdémone, à la hauteur de son visage,
sur la palissade contre laquelle elle se terrait, il gronda, d'une voix
terrible:

— Par Belzébuth*, mon compère qui ne peut rien me refuser, je
te maudis, toi, Desdémone la putain. Jusqu'à la fin de tes jours, tu
seras à ma merci. Après, je te remettrai à la sienne. *In secula
seculorum, ego te suspendus per collum et maledictis inferno*[128]!

Il libéra la queue de l'animal qui se débattait et couinait d'effroi
et, alors que l'animal glissait le long de la palissade, il le cloua
dessus à l'aide de sa dague. La violence du coup se répercuta dans
tout le corps de Desdémone. Le plat de la lame et la fourrure du
rat désormais immobile lui effleuraient la gorge. La main du
bourreau demeura serrée sur le manche de son arme. L'insistance
de son regard implanta la malédiction profondément dans son
âme. Il menaça:

— Si tu persistes à vouloir me nuire, je te dénonce pour hérésie,
vermine. Ce sera ma parole contre la tienne. Nous savons déjà
laquelle des deux pèsera le plus lourd. Ce que tu viens de me dire
est suffisant pour que je puisse te faire remettre à la justice du roi.
Cela et un tribunal de l'Inquisition, c'est du pareil au même. Je
saurai bien faire en sorte que tu sois relapse.

— Tu... tu ne parles pas sérieusement? murmura-t-elle,
terrorisée.

---

128. Visant d'abord et avant tout à impressionner Desdémone, Louis n'a cependant pas
choisi ces mots au hasard. Il a voulu dire: «Pour les siècles des siècles, je te maudis et
te condamne à l'enfer.» Mais sa connaissance du latin étant presque nulle, il n'a pas
composé une vraie phrase. Il n'a réuni que les expressions «Pour les siècles des
siècles», «je», «pendu par le cou», «enfer», «malédiction» et «toi».

Il se plaqua contre elle. Il dut baisser la tête pour continuer à la regarder dans les yeux et ajouta :

— Tu peux compter là-dessus. Sais-tu ce que cela signifie Desdémone ? Le bûcher. Tu me seras à nouveau remise[129]. Et je peux te promettre une chose : si on en vient là, je ferai en sorte de t'y faire durer aussi longtemps qu'il me sera humainement possible de le faire.

Elle sentit son visage devenir aussi blanc qu'un linge. Le corps de Louis était chaud contre le sien. Déjà, il la brûlait.

— Non, Louis, je t'en prie. Écoute. Prends au moins le temps de m'écouter ! Je veux te parler.

— Moi, pas. Mais puisqu'il le faut...

Il attendit. Elle reprit :

— Tu ne peux pas savoir comme je m'en suis voulu. J'ai beaucoup réfléchi. J'ai changé, tu sais.

— Je vois ça. Et pas pour le mieux.

— Je n'en peux plus, Louis. Ce n'est pas une vie. Ma seule consolation, c'est qu'à vivre comme ça, je suis certaine de mourir jeune.

— Que veux-tu que j'y fasse, que je pleure ?

Elle chercha à poser la main sur son bras. Une suite de minces bracelets se bouscula en tintant autour du sien, comme pour cacher les traces de brutalités subies. Elle se ravisa et leva plutôt la main vers sa propre épaule dont elle caressa du bout des doigts le tatouage en fleur de lys.

— Tu peux faire beaucoup. Beaucoup plus que tu ne le crois. Sors-moi d'ici, Louis. Emmène-moi avec toi. N'importe où, en autant que tu sois là. J'ai beaucoup réfléchi. Je t'aime. Je t'aime pour de vrai.

— Tu es folle ?

Il secoua son bras et dit :

— Ne me touche pas !

La main de Desdémone retomba. Elle dit, frénétique :

— Il n'y a plus que l'eau-de-vie qui m'intéresse. Maudite eau-de-vie qui porte si bien son nom. Parce que, quand je n'en ai plus, ma vie s'arrête. Mais si toi tu m'aimais, même juste un peu... tu sais, moi, je t'aime, mon Louis. Je t'ai toujours aimé. Si tu m'aimais, je me sentirais capable de devenir bonne. Non, ne t'en va pas. Écoute-moi. S'il te plaît, Louis, reste avec moi. Aide-moi.

Il retira sa dague qui épinglait encore le rat agonisant. L'animal tomba inerte à leurs pieds. Il posa le fil de son arme contre la gorge de Desdémone.

— Bon, c'est fini oui, les balivernes? Où sont-ils allés? demanda-t-il doucement.

Elle émit un sanglot nerveux et dit :

— Elle, je n'en sais rien.

— Et lui?

— À mon départ, il était encore là, sur la place. Tout seul.

Il recula et lui plaqua une pièce de monnaie dans la main.

— Tiens, tu boiras un coup à ma santé.

Il se détourna et s'en alla après avoir ramassé sa canne. Desdémone lâcha un cri qui tenait davantage du feulement et se laissa tomber à genoux dans une flaque d'eau croupie, le rideau de ses longs cheveux sales lui voilant le visage. Il entendit la pièce rouler sur les pavés.

Louis passa trois jours à arpenter toutes les rues de la ville. Mais sa fiancée demeura introuvable. Nul ne l'avait vue ou n'avait entendu parler d'elle. C'était comme si Jehanne avait disparu de la surface de la terre.

Chapitre XI

Les rivaux de la vieille tour

*U*ne semaine et demie plus tard

Lionel les voyait marcher tous les deux le long d'un sentier sinueux qui allait se perdre dans la colline. Il était mal à l'aise parmi les troncs monstrueux et moussus qui se terraient derrière un lourd brouillard blanc. «On se croirait dans la tapisserie de Margot», pensa-t-il distraitement. Parfois, un fût sombre surgissait pour aussitôt être englouti par des nuages errants. Le vent ignorait où aller, car il n'avait pour repères que d'occasionnels fragments de ciel ou de terre.

Louis emmenait Jehanne par le bras. Ce geste parut désagréable et possessif au moine, qui les suivait loin derrière sans qu'ils le remarquent. Ils pénétrèrent dans une clairière où flottait une sorte de crépuscule permanent à cause de l'épais lacis de branches qui, au-dessus de leurs têtes, formait une voûte. Jehanne se libéra de l'emprise de Louis pour aller se pencher au-dessus d'une jolie source dans laquelle cette forêt eût paru maudite. Sa trouvaille la mit en joie. Cela rappela à Lionel une autre fois où, à leur arrivée à Aspremont, des années plus tôt, elle avait fait la découverte d'un ruisseau. Le doux murmure de l'eau leur fit prendre conscience du silence qui régnait autour et de l'isolement total que celui-ci supposait.

Le religieux s'approcha et, dès lors, sa perspective se modifia : il se mit à percevoir les choses comme s'il était subitement devenu Jehanne. Louis attira son attention en faisant délibérément craquer une branchette sèche sous son pied. Jehanne se releva et lui fit face en souriant. Mais son sourire se cassa. Elle réalisa soudain que le visage du géant était pétrifié, comme enduit d'une glaise friable. Deux joyaux aux reflets de glace y scintillaient.

«Cours, Jehanne, va-t'en d'ici. Vite!» ordonna en vain la volonté de Lionel. Jehanne ne bougeait pas.

—Vous êtes tout blême, maître. Vous sentez-vous bien? demanda-t-elle avec inquiétude. Mais Louis ne parut pas l'entendre. Son regard froid lui passa à travers le corps comme si elle n'existait pas. Elle tressaillit.

— Que... que se passe-t-il?

Elle ressemblait à une biche qui, tout en se sachant atteinte d'un coup fatal, n'éprouvait pour un instant qu'un étonnement dépourvu de douleur physique. L'homme avança d'un pas. Une dague étincelait dans sa main droite. Son visage n'exprimait rien. Il dit, d'une voix neutre:

—Je ne t'aime pas.

— Quoi?

Un bruit de verre fracassé monta de la jolie source, et la voix de Jehanne alla s'y perdre:

—Maître, ce... ce n'est pas vrai?

Il alla se placer juste devant elle. D'une seule poussée dédaigneuse et brutale, il la fit trébucher par en arrière. Elle tomba assise parmi un fouillis de racines noueuses. Imperturbable, Louis se baissa pour l'immobiliser efficacement et sans aucun effort, comme si la panique de la jeune fille ne le concernait en rien. Comme si elle n'était qu'une chose. Il s'assit sur elle et retint l'une de ses mains avec le genou. La main demeurée libre chercha à serrer le poignet de l'homme en noir, mais celui-ci se dérobait sans cesse avec une patiente indifférence. Les gémissements inarticulés de Jehanne se transformèrent en cris terrifiés. Une grande main se plaqua contre sa joue et l'obligea à tourner la tête. Louis la maintint fermement dans cette position. Entre deux doigts presque noirs, elle put encore apercevoir le visage impassible penché sur elle, avec sa mèche de cheveux foncés si familière qui lui barrait toujours le front. Le bras droit de l'homme se leva. La lame brilla un instant au-dessus de sa gorge, puis redescendit en un éclair.

Lionel se réveilla en sursaut, couvert d'une sueur glacée.

Margot entendit vaguement de l'eau crépiter sur le plancher de la chambre de Lionel. Le broc qui l'avait contenue l'y suivit. Elle avait beau être habituée aux nuits blanches du moine, à ses incessantes allées et venues entre sa natte et sa table de travail, il ne faisait habituellement pas autant de bruit. Elle décida donc de se lever et d'aller vérifier. Elle prit une chandelle et alla cogner à sa porte.

— Mon père? Tout va bien là-dedans?

— Oui, oui, Margot, ça va. Je me suis mal réveillé, c'est tout. Désolé pour le broc.

— Ne vous en faites pas, ce sont des choses qui arrivent. Voulez-vous que je vous en monte un autre?

— Ne te dérange pas pour cela, ma fille. Où est le maître?

— Mais, en haut comme d'habitude, mon père. Il dort.

— Ah oui, c'est vrai.

— Dites donc, êtes-vous certain que ça va, vous?

Elle n'obtint pour toute réponse qu'un petit son étouffé. Peut-être s'était-il recouché. Elle décida de retourner faire de même.

Lionel n'avait pas regagné sa couche. Assis à son étude, il se prit la tête à deux mains. « Quel cauchemar. C'était comme... s'il ne sentait rien. Il ne la haïssait même pas. Elle se trouvait dans son chemin, c'est tout. Ce rêve ne m'appartient pas. Dieu, que donnerais-je pour ne pas l'avoir fait! » pensa-t-il.

Lorsque Louis était revenu seul à la ferme après deux semaines d'absence, il n'avait soufflé mot à personne. Il n'avait rien demandé non plus. Sam et Jehanne étaient partis ensemble à l'insu des domestiques, point final. Depuis, aucune nouvelle d'eux. Si on évitait avec soin de prononcer le mot enlèvement, chacun n'en pensait pas moins que là se trouvait la clef du mystère de leur disparition. C'était bien simple. Leur affection mutuelle qui datait de l'enfance était connue de tous. Une fois majeurs, les deux tourtereaux n'avaient donc eu qu'à attendre le moment propice pour filer et se marier en secret. À chaque nouveau jour qui passait, cette certitude prenait plus de force. Les habitants du manoir se laissaient volontiers rassurer par elle, car elle permettait de ne pas penser à une autre éventualité, beaucoup plus effrayante, celle-là. Pourtant, le père Lionel ne pouvait plus penser qu'à elle seule. Car lui, il savait. Et le cauchemar qu'il venait de faire semblait confirmer ses craintes. Louis avait-il tué Jehanne?

*

Comme toujours lorsqu'il cherchait en vain des réponses à ses questions, le père Lionel s'était rendu à l'église pour prier. Il était entré dans le petit édifice désert et était allé s'agenouiller devant le grand crucifix comme un simple fidèle. À peine cinq minutes s'étaient écoulées lorsqu'il entendit un bruit. Il se retourna et, d'abord, il ne vit rien; la plupart des cierges s'étant éteints, le chœur et la nef étaient tous deux plongés dans la pénombre.

Soudain, quelque chose qui ressemblait à un tas de linge sale remua par terre, dans un coin, et une main blanchâtre se tendit pour ouvrir la porte du confessionnal. Le bénédictin se leva avec hésitation.

— Qui va là? demanda-t-il nerveusement.

Une voix mâle enrouée par le manque d'usage répondit:

— Je ne peux pas parler. Pas comme ça. Confessez-moi.

Son devoir de pasteur lui dictait de ne jamais décliner semblable demande, même s'il était mort de peur. Lionel mit quelque temps à rattraper son esprit et à l'enchaîner sur terre. Dès ce moment, sa disponibilité devint totale. L'aumônier s'enferma donc dans le cagibi avec l'individu dont il était séparé par la cloison. En ouvrant la petite porte à glissière, il ne vit à nouveau par la grille que le capuchon rabattu et les hardes d'une saleté repoussante.

— Je t'écoute, mon fils, dit le moine d'une voix qui se voulait apaisante. La tête sous le capuchon remua vaguement et l'homme dit, négligeant l'acte de contrition:

— Mon père, je m'accuse de... j'ai... j'ai fait une bêtise.

Tremblant de la tête aux pieds, il se montra incapable de retenir ses sanglots plus longtemps et sa voix devint saccadée, tout juste compréhensible:

— Je savais qu'elle allait en souffrir, mais je l'ai quand même fait. Pour moi. Je voulais qu'elle me revienne. Et je crois que ça l'a tuée, mon père.

— Mais que...

La silhouette se redressa et abaissa son capuchon. Le père Lionel resta coi à la vue des boucles rousses, ternies. Il dit, tout bas:

— Samuel!

— Comprenez-vous ce que j'essaie de vous dire?

Fou de douleur, l'adolescent était méconnaissable. Il avait beaucoup maigri et l'angoisse déformait ses traits. Le père Lionel fut incapable de lui répondre.

— Vous avez tous cru que je l'avais emmenée avec moi pour la marier, hein? N'est-ce pas ce que vous avez pensé?

— Eh bien, à vrai dire, oui. Nous en étions même arrivés au point où nous l'espérions.

— Moi aussi. C'était mon intention. Mais, pour rendre cela possible, il me fallait un moyen de la débarrasser de *lui*. Ce moyen, je l'ai trouvé. J'ai su, moi, ce que vous autres n'avez pas eu le courage d'avouer à Jehanne. Je l'ai emmenée là-bas. Je le lui ai montré avec sa barre de fer dans les mains et je lui ai dit: «Vois, vois qui il est vraiment.»

— Ô mon Dieu.

Les mots coulaient de la bouche de Sam, entre ses dents serrées ▸t ses sanglots douloureux, avec toute la hargne qu'ils avaient ▸ontenue pendant des années.

— Une simple lettre lue à haute voix. C'est tout ce qu'il m'a ▸llu. Juste cela et je triomphais. Le temps d'un battement de cœur, ▸ai été l'homme le plus heureux du monde. Je me suis senti ▸ivulnérable, comme un grand oiseau en plein essor. C'était ▸ierveilleux. J'avais ma revanche et Jehanne allait enfin me revenir.

Il retint son souffle comme s'il cherchait à retenir également, ▸n instant de plus, l'extase fugace de ce souvenir. L'instant d'après, ▸ se tassa de nouveau sur lui-même, avec au cœur la peine d'avoir ▸erdu ce qu'il n'avait même pas gagné. Le poids de sa faute l'avait ▸abattu au sol, et Lionel sut dès lors que jamais plus Sam n'allait ▸ouvoir voler.

— Mais Jehanne ne m'est pas revenue, dit l'adolescent. Elle a ▸rié. Juste un petit cri d'animal blessé. Et elle s'est échappée. Je l'ai ▸erdue dans la foule et je ne l'ai plus retrouvée. J'ai passé des jours ▸ la chercher.

— Lui aussi l'a cherchée. Et peut-être souffre-t-il autant que toi.

— Je sais.

— Non, tu ne sais pas. Tu n'y as même pas pensé. Ta faute est ▸rave, Samuel. Tu as jeté le poids de ton égoïsme en travers du ▸lessein de Dieu, sans penser au mal que tu faisais à Jehanne. Sans ▸enser non plus au mal que tu lui faisais à lui, ce mal dont nous ▸oupçonnions tous l'existence sans oser l'avouer.

— Lui, il est capable de faire du mal.

— Oui, il l'est. Mais toi aussi.

Le silence qui suivit fut meublé des halètements nerveux de ▸am.

— Dieu n'a pas le choix comme tu l'avais, toi, reprit Lionel. Il te ▸iaisse donc te punir toi-même par là où tu as péché. Tu aimes ▸ehanne; or tu l'as perdue. Telle est ta pénitence. Pénitence qui est, ▸ar le fait même, la nôtre.

— S'est-elle suicidée, mon père?

Les cils du bénédictin s'ourlèrent de larmes. Il dit avec une ▸erveur accrue :

— Si cela est, nous finirons bien par le savoir. En attendant, mon ▸ils, tu vas prier très fort pour que ce ne soit pas le cas. Prie pour ▸on salut à elle autant que pour le tien.

— Oui, mon père.

— Je vais te donner l'absolution. Je sais ce qu'il t'en a coûté de

battre ta coulpe comme tu viens de le faire et je prierai pour qu
tu tires leçon de ta malveillance. Cependant, permets-moi de t
rappeler que si l'absolution t'accorde le pardon de Dieu, elle n
t'accorde pas forcément celui des hommes.

Sam avait brusquement levé la tête. Il avait compris.

— Ça, je le sais. Il ne faut pas qu'il me trouve. Je vous demand
asile.

*

Pendant les trois semaines qui suivirent, Louis écuma la région
sans succès. Le bourreau était maintenant presque convaincu qu
le couple avait quitté la Normandie. Il eût en effet été inconscien
de la part de Sam de s'être attardé dans le coin après un cou
pareil. Le seul détail qui demeurait inexplicable, c'était que
d'après Desdémone, Sam était resté seul sur la place après avoi
commis son méfait.

Avant de renoncer à ses recherches, Louis tenta un dernie
essai et envoya des émissaires qui revinrent bredouilles l'un aprè
l'autre. Aucun prêtre des alentours n'avait célébré de mariage à l
sauvette, et les cours d'eau des environs ne restituèrent pas d
cadavre.

La lettre arriva une fin d'après-midi, alors que l'on n'attendai
plus rien. Le courrier fut reçu par le père Lionel. D'après so
allure cléricale, le moine sut tout de suite à qui il avait affaire. Il n
pouvait s'agir d'une assignation du bayle. Mais le destinataire de l
missive était bien Louis.

Il cogna à la porte fermée de la grande pièce et entra san
attendre de réponse. Un gros matou commit l'indiscrétion de file
entre eux.

Louis était debout dans la cuve du bain, devant l'âtre. Lione
eut le temps d'apercevoir les griffures blanchies qu'avaient laissée
dans son dos les coups de scorpion reçus à l'adolescence. Le géan
éclaboussa partout le sol autour de la cuve en se penchant pou
ramasser en hâte une touaille* dont il se couvrit avant d
transpercer de ses yeux étincelants le moine fautif.

— N'éprouvez aucune honte de votre personne devant mo
mon fils. Mon regard est celui de Dieu.

Il secoua la lettre. Louis, qui tenait la serviette d'une mai
autour de sa taille, hésita imperceptiblement et dit :

— Allez m'attendre ailleurs.

— Bien. Je serai dans mon étude.

Quelques minutes plus tard, le bourreau à nouveau vêtu de
oir de la tête aux pieds vint trouver l'aumônier. Lui aussi entra
ans cogner et alla se planter devant Lionel qui était assis et qui
vait posé la lettre intacte sur la table. Louis la regarda sans y
oucher.

— Qu'est-ce que c'est que ce sceau?
— Ouvrez-la, mon fils, et je vais vous la lire.

Il prit la lettre et la descella. Ses yeux presque noirs
arcoururent les quelques lignes et tentèrent en vain d'y
econnaître quelque chose. Il la remit à Lionel, qui la déplia pour
re à voix haute:

Très cher maître Baillehache,

*J'espère que cette lettre vous trouvera en bonne santé. Je me
porte bien, moi aussi, soyez rassuré. Je suis consciente de vous
avoir laissé beaucoup trop longtemps dans l'inquiétude. Mais des
circonstances qui étaient hors de mon pouvoir ont fait en sorte que
j'ai été dans l'impossibilité de vous écrire avant. Ce temps d'arrêt
m'était, j'en suis maintenant persuadée, devenu nécessaire.*

*C'est donc après avoir mûrement réfléchi et longuement prié
dans le secret que j'ai le pénible devoir de vous annoncer
l'annulation de nos fiançailles, car j'ai senti l'appel irrésistible de
Dieu. Je me présenterai officiellement en tant que postulante à
l'abbaye aux Dames, où je réside actuellement, dans les prochains
jours, afin d'y continuer mon éducation spirituelle et morale qui
fut entreprise par le bon père Lionel.*

*Une fois que j'aurai pris le voile, des dispositions vous seront
communiquées quant à ce qu'il convient de faire de mes biens,
dont une partie est d'avance destinée à constituer ma dot[130].*

*Je vous prie de bien vouloir avoir la bonté de respecter mon
vœu qui est de me retirer du monde afin d'offrir ma vie en
sacrifice au doux Jésus. Vous, plus que quiconque, devez savoir
qu'Il est le seul refuge valable contre les atrocités de ce monde.
Encore une fois, pardonnez-moi si je vous ai fait de la peine. Ce
n'était pas mon but. Je vous promets de consacrer ma vie tout
entière à prier pour votre bonheur.*

Je demeure, cher maître, votre bien dévouée,
Jehanne d'Augignac

Lionel tendit la feuille à Louis, qui la prit machinalement. Il se
it qu'elle avait été de toute évidence rédigée avec le secours de
quelque bonne sœur. Ce style impersonnel ne ressemblait en rien

à la Jehanne qu'ils connaissaient tous. Songeur, le bourreau avai
levé les yeux sur la fenêtre fermée par laquelle s'infiltrait un peu d
la lumière défaillante de ce jour. Il écouta attentivement l
tambourinement que faisait la pluie morne contre le parchemi
ciré. Et soudain, le papier fut rejeté sur la table, comme s'il n
méritait pas même la destruction.

— Ce n'est qu'une bêtise, dit-il.

— Comment?

— Pas question que j'aille la supplier de revenir.

— Maître, comment pouvez-vous croire que je vous laisserais e
arriver là?

— Je n'ai rien demandé.

— Je sais, je sais! Vous ne demandez jamais rien, dit Lionel ave
exaspération.

Le moine se leva et marcha jusqu'à la fenêtre.

— Et cette maudite pluie qui n'arrête pas. Ces draperies son
elles sales? Il me semble qu'elles étaient blanches. Maître, qu'alle
vous faire?

Louis parut réfléchir sans quitter la lettre des yeux. Il all
s'asseoir à la place de Lionel. Le tabouret grinça. Il demanda :

— Vous savez pourquoi elle fait cela, n'est-ce pas? Et surtout,
cause de qui?

— Mais je... Oui, je le sais. N'existe-t-il donc aucun secret qui so
à votre épreuve? Dites-moi, comment l'avez-vous su?

— Vous avez vos secrets, j'ai les miens. Savez-vous où est Aitken

— Maître, je suis désolé. Le secret de la confession est inviolable

Lionel espérait ainsi détourner Louis d'une éventuell
intention d'interrogatoire. Pour mettre toutes les chances de so
côté, il se hâta de demander :

— Mais pourquoi ne pas m'avoir dit plus tôt que vous savie
pour Samuel?

Le bourreau haussa les épaules. Lionel reprit :

— C'est drôle, mais j'ai remarqué que, lorsque vous faites c
geste, cela ne veut pas forcément dire que vous ne savez pas
Auriez-vous une idée?

— Oui. Je vais répondre à cette lettre.

Stupéfait, le moine dut chercher un endroit où se rasseoir.
n'y avait que sa couche. Comme il avait besoin de s'éponger l
front, il pensa aux draperies, mais opta plutôt pour une chemis
abandonnée qu'il avait poussée du pied dans un coin.

— Eh bien, cela mérite réflexion, dit-il.

Ne trouvant pas d'endroit convenable pour poser la chemise,

a roula en boule et la cacha derrière un coffre où elle allait être oubliée pendant plusieurs semaines.

— C'est tout réfléchi, dit Louis en se levant et en désignant le tabouret au moine.

Ce dernier reprit sa place et prépara tout ce qu'il fallait pour écrire. Pendant ce temps, Louis attendait en marchant autour de l'étude, les mains dans le dos. Une fois, il s'arrêta pour soulever dans le pot de grès une plume de sarcelle mal taillée. Il dit :

— Au fait, je désire signer cette lettre. Vous m'apprendrez.

Lionel leva les yeux sur lui, interloqué. Il comprit subitement la raison de cette requête. Il ne pouvait être question d'utiliser le pictogramme de hache pour une lettre destinée à celle qui fuyait le bourreau. Cet homme, aussi terrible qu'il pût être, possédait parfois une délicatesse dont étaient dépourvus bien des gens ordinaires.

— D'accord. Allez-y, je note, dit Lionel.

Louis s'arrêta à sa hauteur et dicta assez lentement, sans toutefois répéter :

— À Jehanne d'Augignac, abbaye aux Dames, Caen. Damoiselle, vous n'avez pas à vous faire moniale sauf si c'est votre réel désir. Je m'en vais.

La plume de Lionel dansait avec aise sur le parchemin et y formait de petits traits qui étaient d'une précision gracieuse, presque féminine. Il retrempa son instrument dans l'encrier, le tint au-dessus de la feuille et attendit la suite.

— C'est tout, dit Louis, et il tendit la main pour avoir la plume.

— Euh... Si vous n'y voyez pas d'objection, je préférerais que vous n'utilisiez pas celle-ci. C'est ma meilleure et elle s'est faite à ma main.

— Comme vous voudrez. Maintenant, montrez-moi.

Il alla prendre la plume de sarcelle. Lionel se mit en quête d'une petite retaille de parchemin et se rassit.

— Que désirez-vous signer ? « Baillehache ? »

— Non, « Louis ».

Lionel le regarda, stupéfait. C'était là quelque chose de beaucoup plus précieux qu'il n'y paraissait car, d'instinct, personne ne désignait jamais le bourreau par son prénom.

— Très bien, dit le moine.

Louis s'accroupit à ses côtés et l'observa attentivement alors qu'il écrivait. Le moine lui céda ensuite sa place et lui apprit à former une à une les lettres de son court prénom, ce qui exigea beaucoup de patience de leur part à tous deux. Après quelques essais sur le vieux bout de parchemin, le bourreau se sentit prêt pour la lettre. Sourcils froncés, lèvres légèrement pincées, il fit crisser la plume. Lionel songea que, s'il avait été moins impressionnant, il eût ressemblé à un écolier modèle. Tout penché ainsi, avec la plume dans sa grosse patte, Louis devenait tout à coup plus humain, plus accessible, comme si un moule de plâtre, en se cassant, révélait la véritable nature de l'œuvre qu'il y avait à l'intérieur.

Le bourreau rejeta la plume négligemment et regarda sans le voir un lutrin sur lequel reposait un livre d'heures ouvert. Il dit :

— Bon. Je vous laisse apposer le cachet. Moi, je m'en vais boucler ma malle.

— Un instant, maître. S'il vous plaît. J'aurais auparavant deux faveurs à vous demander.

— Dites toujours.

— Accordez-moi une semaine avant de partir. Une semaine. C'est tout ce que je demande.

— Faux. Vous m'avez bien parlé de deux faveurs. Je réfléchirai à la première. Quelle est la seconde ?

— Celle de rajouter quelque chose à votre lettre sans exiger de moi que je vous en fasse lecture. Autrement dit, mon fils, je vous demande de m'accorder votre confiance.

Le bourreau sentit une main se poser sur son bras. Il sursauta et se tendit. Les mâchoires serrées, il se déroba en se redressant.

— Je n'aime pas qu'on me touche, dit-il en faisant face au bénédictin.

— Excusez-moi !

Louis referma le livre d'heures et l'empêcha de tomber de son lutrin. Lionel dit :

— Prenez le temps d'y réfléchir. J'attendrai votre réponse pour cela aussi.

— Inutile d'attendre. Il n'y a plus rien à dire. Finissez-en, que je fasse venir Toinot au plus vite. C'est lui qui portera la lettre.

Il sortit et referma la porte derrière lui, laissant Lionel seul. Le moine parcourut une nouvelle fois les quelques lignes qui lui avaient été dictées par le maître. « Ceci est loin de suffire, se dit-il avec désespoir, et partir n'est pas une solution. » Puisqu'il ne pouvait toucher à l'homme, il caressa d'une phalange la signature grossière, forte, ce *Louis* de parchemin qui, lui, se laissa faire. Jehanne était encore si jeune. Le changement d'écriture n'allait sûrement pas manquer d'attirer son attention, mais allait-elle être en mesure de comprendre toute la portée qu'il y avait dans ce petit nom, *Louis* ? Allait-elle comme lui y percevoir le même embryon d'amour? Combien difficile ce devait être pour lui de refouler pareilles émotions. Lionel soupira et se rassit.

« Et il faut maintenant que j'enfreigne sa volonté », se dit-il.

Lionel repoussa la troisième tentative de lettre qu'il destinait à Jehanne. Il soupira, se frotta les yeux et se leva. « Tous ces parchemins à gratter », songea-t-il en jetant un coup d'œil navré en direction de son étude. Il marcha jusqu'à la porte, mais sa main n'atteignit pas le petit levier qui actionnait le loquet. « Oh! et puis non. Ce sera encore pire de m'y rendre en personne. Bonté divine, comment se fait-il que j'aie autant de mal à m'y mettre ? »

Découragé, il se rassit et tira une nouvelle feuille à lui. Cette fois-ci devait être la bonne, car il ne lui restait plus rien d'autre pour écrire. Il s'en voulut de flancher en un moment pareil. Les mots indociles s'obstinaient à s'enfuir dès qu'il tentait de les coucher sur le parchemin, eux qui étaient habituellement si secourables. « Rien n'est plus ingrat que la prose lorsqu'on cherche à la déraciner du terreau fertile des idées qui l'ont vue naître. Ce qu'il me faudrait, c'est la poésie vénérable de la musique, qui sait si bien tout dire en peu de mots. Du chant et de la poésie pour traduire la prose sèche de Louis! Quelle idée saugrenue. Mais, à bien y penser, est-ce vraiment si saugrenu ? »

Il eut soudain envie de gribouiller deux ou trois phrases hâtives, de glisser le feuillet dans une sacoche préparée et de donner le tout à Toinot afin de l'oublier bien vite. Il repoussa la quatrième feuille intacte et s'empara d'une tablette de cire tellement chargée d'équations et de dessins en vrac qu'il n'y restait nulle part un pouce de surface libre. Un petit carré dans un coin isolait une demi-douzaine de calculs : il les étudia de nouveau et sourit de contentement. Ce serait faisable. C'était même la meilleure idée qu'il avait eue depuis longtemps. Un seul détail restait à régler.

On eût dit que d'avoir pensé à la musique lui avait fait du bien. Sans plus hésiter, il reprit la feuille et se mit à écrire.

Ma fille,

C'est de mon propre chef que je continue cette lettre. Rassure-toi, maître Baillehache n'en sait rien. À l'instant où je t'écris, il est en train de faire ses bagages. Il est réellement déterminé à partir.

Sans que tu aies à l'exprimer, je comprends le tourment qui est le tien. Je savais qu'un jour ou l'autre tu allais finir par l'apprendre. J'eusse seulement souhaité que cela se passe autrement. Je t'en prie, ne m'en veux pas d'avoir trop tardé à t'en parler.

En ce moment, j'invoque toutes sortes de raison pour le retenir. Il faut que tu saches pourquoi.

J'ai remarqué que tu n'as pas fait mention de Samuel dans ta lettre. C'est là faire preuve d'une discrétion qui est tout à ton honneur, mais il me faut t'avouer que j'en connais la raison intrinsèque. La grave erreur qu'a commise Samuel s'est retournée contre lui. D'une certaine façon, ton silence prolongé a été providentiel. C'est ce qui pouvait lui arriver de mieux. Tu le sais déjà, notre tâche actuelle consiste, entre autres, à aider le maître Baillehache à s'extraire du cercle infernal des vengeances sans fin dans lequel il a passé toute sa vie. Or, l'action de Samuel n'a fait que l'y replonger plus profondément encore. Les sentiments que ce garçon nourrit à ton égard ont beau être les plus beaux du monde, ils sont bien davantage qu'un péché, Jehanne. Ils sont un poison et ils entravent notre travail. Il faut que cela cesse. J'ose espérer que son geste méchant l'a suffisamment effrayé pour qu'il en tire une leçon profitable.

Maintenant, il me faut rappeler à ta mémoire ce dont nous avons discuté maintes et maintes fois. Sois bien certaine de la solidité de ta vocation religieuse avant de décider de t'engager à prendre le voile. Et, avant de prononcer ces vœux qui te lieront au meilleur homme qui fût jamais, je te demanderai une seule et unique fois de reconsidérer ceux qui peuvent encore te lier à un autre homme. Un homme qui, en dépit de ce que l'on est trop souvent porté à croire, n'est pas des plus mauvais.

*«*Nemo dat quod non habet.*» Nul ne donne ce qu'il n'a pas. Et pourtant, lui, il le fait. Je l'ai vu de mes yeux vu. Toi aussi, tu le vois en ce moment précis. Il n'y a qu'à bien regarder. Il a tenu à signer lui-même sa lettre. C'est comme ça avec lui; n'attends pas de tambours ni d'olifants de sa part, mais le geste est bien là. Il n'y a aucune raison logique qui puisse justifier sa peine. Je crois bien qu'il t'aime, Jehanne.*

C'est à nous et à nous seuls qu'il revient de lui donner cet amour qui lui a tant manqué toute sa vie. Un sage a dit: «L'amour abonde de pensées neuves et d'antiques mémoires[131].»

Quel que soit le chemin pour lequel tu choisiras d'opter, mon enfant, je prie nuit et jour pour que le Seigneur te bénisse et t'éclaire de Son infinie sagesse.

R.P. Lionel le Muet, osb

Il se hâta de cacheter le tout avant que Louis ne s'avisât d'entrer ans prévenir, comme il le faisait toujours. Le moine se trouva ortuné de ne pas avoir été interrompu dans sa laborieuse édaction, ni par lui ni par Toinot qui, étrangement, n'avait donné ucun signe de vie. Peut-être Louis ne l'avait-il pas appelé en fin de ompte.

Il se souvint alors des feuilles oubliées sur la table. Il en ›arcourut quelques-unes, les laissant tomber l'une après l'autre lans son énervement. Après avoir remis la main sur la tablette en ·ire qui attendait dessous, il refit le calcul une dernière fois afin l'en confirmer l'exactitude. Après quoi il entreprit la rédaction l'une seconde lettre sur son dernier feuillet neuf, beaucoup moins lélicate celle-là. Elle était adressée à l'abbesse du couvent où ésidait Jehanne et concernait cette histoire de dot.

Muni d'un cheval d'emprunt, Toinot chevaucha en direction de ïaen sous la pluie battante comme si sa vie en dépendait, ce qui ·tait en partie vrai. Louis avait fini par le retrouver un peu plus tôt ı l'auberge du Cheval noir d'Aspremont, et son allure avait assez lairement indiqué qu'il n'était pas d'humeur badine. Le lomestique s'était vu contraint de dessaouler au plus vite sous ›eine d'être plongé tête première dans l'auge de la placette.

— Et ne t'avise pas de te présenter à moi sans réponse, lui avait- l dit.

*

La semaine de sursis accordée par Louis s'écoula. Toinot ne evenait pas. Au milieu du septième jour, Louis sortit sa malle dans a cour sous le regard désolé du père Lionel.

Sam était de retour. Il avait été déconcerté d'apprendre par 'aumônier qu'il n'avait plus à craindre de représailles de la part de ∟ouis, auprès de qui Lionel avait intercédé en sa faveur. Le ›ourreau avait fini par consentir à déposer les armes. «Ne serait- ·e que pour éviter de me faire servir un prêche sur la niséricorde», avait-il expliqué sèchement. Cette bonne nouvelle ne ui apportait pourtant aucun réconfort. Il avait passé un certain emps à errer dans la cour comme une âme en peine. Il s'assit sur a malle de Louis et, en sa présence, il fit comme si de rien n'était. l défit les cordons de sa besace et s'empara d'un sachet ciré dans equel il plongea la main pour y prendre une sorte de mince ›eignet croustillant.

Lui qui s'était pétri de la certitude que le cœur de Jehanne allait bientôt guérir et que, grâce à son amour et à sa musique, il allait bien vite la débarrasser du mauvais souvenir du bourreau, se voyait soudain écarté en lieu et place de ce même bourreau, comme un torchon dont on ne voulait plus. Jehanne avait écrit à Louis et pas à lui. Il essayait bien de se raisonner, de se dire que la jeune fille le croyait peut-être parti de la ferme, son malaise persistait. À force de tourmenter le moine qui, lui, avait eu la lettre entre les mains, il avait fini par avoir une bonne idée de son contenu. Et, Lionel lui avait confirmé la chose : il n'y était nulle part fait mention de lui. C'était à Louis, cet être méprisable, qu'elle demandait pardon pour l'avoir quitté. C'était à Louis qu'elle recommandait de ne pas s'inquiéter. C'était pour Louis qu'elle promettait de prier. Et pour son vieil ami, rien. Pas un mot, pas même un dernier adieu.

Louis se tint soudain devant lui, projetant sur l'adolescent assis une ombre démesurée. Sam leva la tête.

— Je reviens d'une promenade qui m'a vraiment fait du bien. Il y a un nuage noir qui arrive du large. Un autre que vous, je veux dire. Il n'a pas réussi à me rattraper. Voulez-vous un beignet?

Il lui tendit son sac.

— Non.

Deux autres beignets dorés sortirent côte à côte et furent étêtés par la bouche gourmande de Sam, qui en examina pensivement l'intérieur blanc et tendre.

Louis demanda :

— Cette femme que tu as rencontrée en ville, t'a-t-elle dit quelque chose à mon propos?

Sam feignit de se gausser. Le beignet lui gratta hypocritement la gorge :

— Pensez-vous! Nous avions des sujets de conversation bien plus intéressants que celui-là. Pourquoi?

— Ça me regarde. Fais bien attention, Aitken. À malin, malin et demi. Peu m'importe ton âge, tu n'en demeures pas moins sous ma garde. S'il le faut, je saurai encore te remettre à ta place.

— Je crois que je n'ai plus faim. À mon grand regret, la compagnie de certaines gens me coupe l'appétit.

« Voilà qui est bien », songea Louis, et il dit :

— Mieux vaut couper ça qu'autre chose. Je n'aime pas ta tête, tu le sais.

— Votre tombereau ne devrait servir qu'à y fourcher de la brêlée. Comme ça, les gens chercheraient peut-être moins à vous éviter. Je dis bien peut-être. Allez, avouez-le, que ça vous intéresse de savoir ce que j'ai fait avec cette garce. Il n'y a aucune honte à ça, surtout quand on vient de perdre sa femme. Voulez-vous votre malle?

Le malotru ne reçut jamais le coup de poing qu'il eût indéniablement mérité : le galop d'un cheval dans l'allée fit se retourner le géant au moment où Sam, en tentant de se jeter hors de portée, tombait à la renverse en bas de son siège improvisé.

C'était Toinot. Louis s'en alla au-devant de lui alors qu'il descendait de cheval.

— Tu y as mis du temps, dit-il.

— Elle n'a eu aucune réponse à me donner avant. J'ai dû coucher à l'auberge.

— Je te dédommagerai. Alors?

— Ne vous donnez pas cette peine. Elle est vide, dit Toinot.

Il désignait sa sacoche qu'il laissa Louis lui prendre des mains pour y fouiller lui-même. Effectivement, il n'y avait rien à l'intérieur. Il leva un regard à la fois interrogateur et anxieux sur Toinot, qui en fut un peu décontenancé. L'émissaire s'éclaircit la gorge et dit :

— Elle m'a demandé de vous dire : «Venez.» C'est tout.

— «Venez.»

Tout le monde s'était réuni sur le pas de la porte et gardait respectueusement ses distances. Sam, dont les talons reposaient toujours sur le dessus de la malle, achevait de se redresser. Il n'en croyait pas ses oreilles. Louis se tourna vers lui et lui ordonna :

— Va apprêter mon cheval. Fais vite.

Pendant que l'adolescent se rendait à l'écurie tête basse, Louis retourna à l'intérieur afin d'y prendre sa canne. Il revint ouvrir sa malle et y préleva quelques effets de première nécessité dont il emplit ses deux sacs de selle. En guise de remerciement, il fit un simple signe de tête à Toinot. Mais personne n'était dupe. Le père Lionel s'approcha, tout sourire.

— Vous voyez, mon fils, le Seigneur vous récompense déjà d'avoir su faire preuve comme Lui d'une admirable mansuétude.

— Ouais. Plus tard, moine, plus tard.

Et il contourna hâtivement l'aumônier ravi avec un sac dans chaque main pour se rendre à l'écurie, dont Sam sortait justement en tirant Tonnerre par la bride. L'adolescent s'effaça, laissant Louis s'occuper lui-même d'attacher les courroies de ses sacs de selle. Il flatta le nez velouté de la bête et y posa sa main en coupe. Tonnerre lui donna un petit coup de tête affectueux. Il l'enfourcha et dit, aux habitants du manoir :

— Si je ne suis pas de retour avant demain, je vous ferai envoyer des nouvelles.

Et il partit au galop dans l'allée bordée de peupliers. Nul ne se rendit compte que Sam avait lui aussi pris la direction du village en courant à travers champs. Il avait tout soigneusement planifié pour le départ de son rival et ce qui venait de se produire n'était qu'une raison supplémentaire pour lui de se jurer de ne pas manquer son coup.

Après un arrêt au village et une fois la colline d'Aspremont entourée de ses champs derrière lui, Louis s'engagea dans un pays d'herbes hautes et de nombreux boqueteaux à fleur de chemin. Il retrouva un sentier qui serpentait à travers bois avant de se transformer en véritable chemin. C'était redevenu un lieu paisible où, en mai, abondait le muguet. Il arrivait à distinguer leurs jolies baies d'un rouge vif parmi des nids de fougères rousses qui embaumaient un peu plus loin à sa gauche, au bas d'une pente.

Cent pieds devant le cavalier lancé en plein galop, au beau milieu de la route, un tonnelet venu de nulle part roula devant lui. Au même instant, une flèche enflammée se logea dans l'objet fuyard. Un geyser de terre mêlée de cailloux monta avec un effrayant bruit de foudre. À demi assommé par l'explosion, Louis se porta contre l'encolure de Tonnerre. Une pluie de terre et de petites pierres fit disparaître le monde à leurs yeux. Tout devint chaos. Il n'y avait plus ni ciel ni terre, ni gauche ni droite. La première chose que l'homme entendit, à travers un bourdonnement d'oreilles lancinant et l'odeur inconnue de la poudre, fut Tonnerre qui hennissait d'effroi. La seconde d'après, il se cabrait et retombait. Louis claqua des dents et tenta de reprendre son assiette et de ne pas lâcher les guides avant que la bête ne se dresse à nouveau. La crinière noire du cheval lui fouetta le visage, l'aveuglant momentanément, et il se sentit glisser. Fou de frayeur face à un type d'agression inconnu de lui, Tonnerre décochait des ruades et secouait l'homme qui s'obstinait à s'accrocher à lui par les jambes.

Les attaches de la selle sans trousserin se rompirent net. Brutalement désarçonné, Louis débaula dans le fossé et au bas de la pente. Sa canne l'y suivit. Elle tomba un peu plus loin parmi les fougères, où un homme portant cagoule la ramassa. Étourdi, Louis s'assit et l'aperçut. Il s'agissait donc d'un guet-apens. Le bourreau bondit pour dégainer son épée, mais sa jambe gauche se déroba sous lui et il retomba. Le cagoulard en profita pour lui sauter dessus. Après lui avoir administré un coup de canne sur la tempe, il la posa en travers de la gorge du géant inanimé et se mit à appuyer dessus de tout son poids. Bouche bée et yeux révulsés, Louis étouffait. Son champ de vision se rétrécissait. Il se mit à donner de furieux coups de reins pour se débarrasser du bandit solitaire. Sa main droite se porta en avant et tenta d'empoigner le visage dissimulé de son agresseur, de le contraindre à lâcher prise en lui crevant les yeux. De l'autre main, il parvenait à dégainer sa dague.

Le bandit était manifestement sans expérience. Il avait mésestimé la force physique et l'endurance de sa victime. Au moment où Louis, qui luttait contre l'inconscience, allait lui planter sa dague dans le flanc, le brigand se rétracta afin d'écarter son bras armé d'un coup de canne. Suffoqué, le bourreau se rassit brusquement en saisissant aveuglément l'agresseur par ses vêtements et se mit à le rouer de coups de poing au ventre. L'assaillant grogna de douleur avant de parvenir avec peine à se libérer. Il fila sans demander son reste.

À bout de souffle, pris d'une toux inextinguible et la tête encore pleine de sifflements, Louis regarda autour de lui. Il n'y avait plus personne en vue. Tonnerre était parti. Il espéra ardemment que le cheval était indemne et qu'il avait repris seul le chemin du domaine. Il allait devoir rentrer, lui aussi. Mais pas tout de suite, non. C'était au-dessus de ses forces. Il se laissa choir parmi les fougères et les baies de muguet qui saignaient. Là, il s'accorda enfin le droit de perdre conscience.

*

Hiscoutine, le lendemain

— Allez-vous finir par me dire ce qui se passe? dit Jehanne à Lionel. Ce silence m'inquiète.

— Oui, je sais bien. Pardonne-moi si je ne suis point disert. Il y a là effectivement de quoi inquiéter, quant il s'agit de moi. Je réfléchissais.

Le petit pin secoua ses branches desquelles tombèrent mollement quelques paquets de neige mouillée. Jehanne sourit.

— C'est si bon d'être chez soi, dit-elle.

La première neige de la saison avait été abondante, mais à peine vingt-quatre heures après avoir tout recouvert, elle s'était mise à fondre en communiquant au paysage le doux parfum d'un mars lointain. Le père Lionel et Jehanne avaient décidé que c'était le printemps qui revenait leur faire un clin d'œil avant d'entreprendre son long périple vers le sud. Une balade en forêt était tout indiquée pour lui dire au revoir.

— Blandine a dû, elle, renoncer à sa promenade, dit Lione
C'est bien dommage. Mais tu ne peux pas imagine
l'amoncellement de lessive qu'il y a à faire là-dedans.

Il regarda en direction de la maison. Là où ils se trouvaien
l'aile des serviteurs avec sa cuisine pouvait se deviner à travers le
troncs humides. Lionel préférait ne pas trop penser à tous ce
habits noirs, dont certains étaient maculés de sang.

— Oh, sans doute devrais-je rentrer moi aussi. Ils savent tou
que je suis de retour, même s'ils ne m'ont pas encore vue.

Jehanne songeait tristement à la lourde tâche de maîtresse d
maison qui, graduellement, lui était enseignée par Margot et
laquelle elle aurait éventuellement à faire face dans son intégralité
Mais elle ne bougea pas. Elle taquina du pied un petit tas de neig
qui somnolait dans un creux du sentier. La journée était si douce
L'idée d'aller s'enfermer dans cette pièce minuscule, saturé
d'humidité par le cuveau d'eau bouillante, pour observer le trava
des domestiques lui faisait horreur.

— Ce n'est pas que je ne veux pas les voir, au contraire. Tout l
monde m'a tellement manqué. Lorsque Toinot est revenu à Cae
pour me faire le message que le maître avait fait une mauvais
chute, je me suis sentie encore plus ingrate d'être partie. Non, j
ne pourrais jamais me séparer de vous tous. Cela tient tou
simplement au fait que je n'ai pas envie de travailler aujourd'hui.

— Si tu attends que je te dise «N'y va pas», eh bien, voilà, je t
le dis. N'y va pas. Il y a déjà deux femmes dans ce réduit et je croi
qu'en introduire une de plus les obligerait à jeter des piles de ling
dehors pour lui faire de la place.

— Je vous crois.

Ils s'éloignèrent du domaine et trouvèrent un rocher entour
de racines sur lequel ils prirent place côte à côte.

— De plus, il est certaines choses dont je souhaite t'entretenir e
qui sont plus importantes que la lessive. En voici une première
Samuel est de retour, lui aussi.

— C'est vrai?

— Oui. Sais-tu ce que cela signifie?

— Mais pourquoi...

Ce disant, le regard de Jehanne erra parmi les branche
dénudées afin d'y repérer une pensée. Lorsqu'elle la trouva, ell
baissa la tête. Lionel dit:

— Tu vois. Je n'ai même pas besoin de te répondre.

Et il se tut, respectant un silence devenu nécessaire. Il remerci
secrètement la forêt de sa sérénité et de l'intimité qu'elle leu

procurait: personne n'était venu rôder jusqu'à l'endroit qu'ils occupaient. Seule une brise imprégnée par l'humidité de la neige ondante respirait entre les arbres, comme endormie. Jehanne ne se rendit pas compte qu'elle s'était mise à se bercer comme le fait l'instinct un tout-petit cherchant à apaiser son tourment. Soudain, elle se réfugia dans les bras du moine.

— Que puis-je faire, alors? Oui, c'est un bourrel*. Mais je découvre que je l'aime quand même. Est-il vraiment mauvais? Mon père, croyez-vous qu'il l'est?

— Toi, le crois-tu? demanda doucement Lionel en se frottant le nez sur la tête de Jehanne.

Il dit:

— Moi, non. «Car il n'a ni méprisé ni rejeté le misérable accablé; il ne s'est pas détourné de lui, il a entendu son appel[132]. »

— Il n'est pas rentré? demanda Jehanne qui, instinctivement, savait que Lionel avait fait référence à Louis.

— Pas encore. Nous n'avons aucune idée où il peut bien être.

La respiration du bois se modifia sous l'effet de quelque rêve secret. Lionel leva la tête et demanda:

— Au fait, j'y pense... T'ai-je déjà parlé du Chien?

Jehanne s'installa plus confortablement. La perspective d'un récit inédit l'alléchait déjà.

— Vous savez bien que non. Quel chien?

— Difficile à dire. C'était le Chien. Il n'a jamais accepté de porter un nom. C'était à l'époque où je m'étais mis en route pour Compostelle. Sans toi. Tu me manquais terriblement. Je venais de quitter un gîte des environs de Najera pour reprendre ma route. C'était, je m'en souviens encore, un chemin rougeâtre. Il ressemblait à une balafre dans la terre et j'avais crainte de marcher dessus... Mais je m'égare. Toujours est-il que, tard cette journée-là, j'avais atteint la lisière d'une petite pinède. J'allais quitter la route – avec soulagement – pour y passer la nuit quand je remarquai, là, dans le fossé, un grand chien épuisé, couché sur le flanc. Il était visiblement mal en point.

— Il était blessé?

— Affamé et brutalisé, plutôt. Le pauvre n'attendait plus qu'une chose, que la mort vînt le délivrer. Inutile de te dire que j'ai contraint la bête à manquer son rendez-vous avec cette vieille capricieuse.

Il rit un peu.

— Du coup, j'ai moi aussi manqué le mien. J'ai ramassé, nourri, lavé et soigné l'animal à l'endroit même où je l'ai trouvé et ce, plusieurs jours durant, afin de lui permettre de reprendre des forces. Il ne m'a laissé le toucher que pour le strict nécessaire. La moindre tentative de caresse s'est immanquablement soldée par un grognement ou une morsure de sommation.

— Il avait peur?

— J'en doute. Il est demeuré avec moi cinq ans. Et, en cinq ans, il n'est pas devenu plus affectueux. Il me suivait toujours de loin, tête basse, aussi méfiant qu'un loup. Si je m'arrêtais brusquement, il s'arrêtait aussi ou faisait un écart en grondant. Mais tu n'as jamais vu un meilleur chien de garde. Je partageais ma nourriture avec lui, même s'il n'a jamais accepté de la manger tant que je ne m'étais pas éloigné à distance respectueuse.

— Il a dû beaucoup souffrir.

— C'est ce que j'ai pensé et cela va de soi. Mais il y avait autre chose, reprit Lionel avec un regard étrange.

Il caressa distraitement du bout de ses longs doigts la mousse endormie qui poussait sur le rocher et continua, en retroussant la manche de sa coule :

— La dernière fois que j'ai essayé d'y toucher, il m'a mordu le bras avec une hargne terrible. Regarde la marque, juste ici. Je suis content de posséder un souvenir tangible du Chien. C'est aussi précieux pour moi qu'une image. Oui, c'est très ressemblant. Lorsque je regarde cette cicatrice, je le revois tel qu'il était : brun tacheté, tout à fait quelconque. Il était bâtard, laid et maigre. Il avait toujours l'air crasseux et la pelade lui rongeait les flancs. Ses yeux étaient petits et sans aucune profondeur, constamment sur le qui-vive. Une bête détestable, vraiment oubliée de Dieu. Il n'a jamais voulu admettre qu'il veillait sur moi la nuit. Je l'aimais.

— Comment avez-vous fait pour le garder?

— Contre toute attente, c'est lui qui ne m'a jamais quitté. Je m'interroge encore sur ses raisons. Il devait en avoir. Car il m'a suivi jusqu'à ta porte et est resté après.

— Vous voulez dire que... c'était lui? Guinefort? Mais oui, cela me revient, maintenant. Brun tacheté.

— C'était lui. Il a bien fallu que je lui trouve un nom, puisque Aedan avait lui aussi un chien.

Jehanne se souvint aussi d'un matin de l'hiver précédent quand Lionel s'était réveillé, stupéfait, avec à ses côtés le corps tout raide du Chien. Il avait lui-même creusé une fosse dans la terre à demi gelée. Et Lionel avait pleuré. Le moine reprit, comme s'il avait suivi les pensées de Jehanne :

410

— Rien ne me forçait à l'enterrer. Mais j'ai tenu à le faire. C'était pour compléter l'histoire, tu comprends?

Il se frotta pensivement le menton.

— Je peux encore sentir les glaçons alourdir ma barbe comme au moment de mon retour chez toi. Sans le Chien, ton fiancé ne m'aurait probablement pas trouvé à temps.

— J'ai du mal à vous imaginer portant une longue barbe.

— N'est-ce pas? Mais ce n'est pas le pire. Essaie de me représenter en moine taciturne. Tu verras, l'effet est saisissant.

— C'est drôle, mais il me semble qu'à moi vous me parliez là-bas, à l'abbaye. Mes souvenirs de vous ne sont pas muets.

— Pourtant, je l'étais. Tu devais être capable de percevoir au-delà des mots. Les enfants possèdent ce don.

— Peut-être bien. Qui a dit qu'un homme muet est ennuyeux comme la pluie?

— Crois-tu réellement que la pluie est ennuyeuse?

— Pas toujours.

— Il faut comprendre ce que la pluie a à dire. Tout comme moi, quand je ne parle pas. Ce qui est de plus en plus rare.

— Tant mieux!

— Ce n'est pas là l'avis de ton fiancé. Lui, il préférerait de loin me voir muet. Je dirais même qu'il tolère tout juste ma présence.

— Comme le Chien, laissa échapper Jehanne.

— Bravo. Tu as fait le lien, et c'était le but de mon histoire.

— Le lien? Je ne vous suis pas.

— À l'époque, j'étais loin de me douter que cet événement allait être utile à ma chère petite fille.

Il y eut un silence ému. Puis Jehanne dit:

— Je crois que maître Baillehache n'aime pas les animaux. Cela paraît moins évident avec les chats, qui sont discrets d'avance. Mais avec les chiens, il n'a qu'à les regarder dans les yeux pour qu'ils s'enlèvent de son chemin.

— Ils doivent savoir d'instinct qu'il vaut mieux éviter de lui chercher noise.

— C'est dommage, car moi, je suis folle des animaux.

— Il y a tant de choses que tu aimes et que lui n'aime pas. À un point tel que je me demande comment il se fait que vous parveniez à faire la conversation.

— Mon père!

— Non, ne dis rien. C'est inutile. J'ai compris. N'avons-nous pas tout dit? D'ailleurs, d'autres l'ont déjà dit avant nous. Et sans doute mieux que nous.

411

— Vraiment? Qui, par exemple?

— Tu souhaites vraiment que je parle encore? Voilà qui e
inquiétant. Eh bien, voilà: nous n'avons guère besoin de cherch
longtemps. Je songe à saint Pierre.

— Pierre? Je ne comprends pas. Cela m'étonne même un pe
Le maître ne cherche jamais à interpréter l'histoire sainte.

Assez curieusement, elle eût aimé que Louis fût là po
connaître son avis sur la question, même s'il eût sans doute trou
qu'ils parlaient d'abondance pour rien et que lui-même se f
contenté de pianoter sur son genou en attendant la fin c
l'échange.

— C'est secondaire dans le cas qui nous concerne, que Louis
désintéresse de l'histoire sainte. Et il est loin d'être le seul à ne p
tenter de comprendre. La vaste majorité des gens est tenue da
l'ignorance de ces choses. Tu es l'une des rares privilégiées, to
comme le sont certains nobles, et nous autres religieux. Nous seu
avons l'insigne privilège de nous interroger sur la teneur des text
sacrés sans avoir trop à craindre de représailles ou, pire,
damnation. Et encore, l'Église craint fort que certains d'entre no
finissent par en savoir trop. Je me demande d'ailleurs bie
pourquoi, car le but de son existence même n'est-il pas l'élévatic
de l'âme vers Dieu?

— Saint Pierre... dit Jehanne doucement.

— C'est vrai. J'y reviens. Merci de me rappeler à l'ordre. C'e
toujours ce qui m'arrive lorsque je ne prépare pas mes sermon
Bien. Référons-nous à l'Évangile: Jean semblait très proche c
Jésus. C'était, tu t'en souviens sûrement, celui que Jésus aima
Mais moi, j'ai toujours trouvé Pierre plus intéressant. Avec sc
fichu caractère, quelles prises de bec devait-il déclencher avec l
apôtres autour du feu de camp! Bref... Pourquoi ai-je la man
d'employer ce mot, bref, alors que je ne le suis jamais? Bref, disa
je, ce compagnon intéressant a renié son maître trois fois. Il en
même été prévenu d'avance par Jésus lui-même. Cela ne l
pourtant pas empêché de devenir son messager sur terre. On c
que la foi transporte les montagnes. J'y crois suffisamment po
avoir moi-même modifié des paysages. Cependant, on a fondé u
Église sur elle seule et c'est, à mon humble avis, une fausse piste

— Heureusement que personne d'autre ne vous entend!

— Ne te méprends pas sur le sens de mes paroles, Jehanne.
ne critique ni la foi ni l'Église. Ma cible est notre propre étroites
d'esprit. L'histoire humaine a souventes fois égaré une partie c
message de Jésus.

— « Aimez-vous les uns les autres », cita Jehanne.

— Juste ciel, pourquoi insistes-tu pour me faire parler, puisque tu as déjà tout saisi?

— Pas tout à fait. Je peux discerner le paysage, mais vous devez me montrer le chemin qui y mène.

— C'est si bien dit que j'accepte de poursuivre mon hérésie. D'après toi, que s'est-il passé dans la tête de Pierre quand le coq a chanté? D'avoir repoussé ainsi par peur des représailles l'ami qui l'aimait d'une façon absolue?

— Cela a dû être terrible.

— Plus terrible que tu ne le crois. La foi? Qu'aurait pu faire la foi en un moment pareil, hein? Elle n'a pas pu déplacer cette montagne-là. Regarde comme Pierre était prêt à perdre sa foi parce qu'il avait peur. Je pense que c'est au cours de ce moment-là de sa vie qu'il s'est véritablement transformé en *kepha*, en pierre inerte et froide sur laquelle, normalement, rien n'eût pu être bâti. Pierre s'apprêtait à ne devenir qu'un caillou stérile tout juste bon à se faire bousculer par les semelles des voyageurs. Mais voilà : quelque chose l'a sauvé in extremis.

Il prit un ton de confidence :

— Pierre n'est pas devenu le messager de Jésus parce qu'il avait foi en lui, mais bien parce qu'il l'aimait. L'amour, voilà la clef. La foi ne résiste pas à la trahison. L'amour, si.

— C'est pour cela qu'on dit que l'amour est plus fort que la mort.

— La mort était une trahison. Or, elle n'existe plus.

— Oh, j'ai la tête qui tourne et je suis heureuse d'être revenue.

— Et moi donc, de t'avoir à nouveau près de moi!

— Comment est-il?

— Il se remet bien. Pour le reste, c'est plutôt difficile à dire. Tu le connais. Mais je crois qu'il est conscient de ce qu'il a failli perdre. Tu en jugeras par toi-même, puisque nous l'attendons ce soir, pour le souper.

Elle se pelotonna contre lui et demanda :

— Et Sam?

Lionel soupira.

— Il ne s'est guère manifesté au cours des derniers jours. Je crains qu'il soit encore trop tôt pour se prononcer à son sujet. On dirait que le pardon que j'ai arraché au maître l'incommode au plus haut point. Tant mieux, c'est le but recherché.

Jehanne fit silence et s'égara un moment dans ses réflexions avant de dire :

— J'ai peur.

Margot se planta le nez dans une touaille* tout juste décroch(
de la corde à linge. Le mardi était jour de lessive et dans la maisc
avait sonné le rassemblement de toutes les nippes. Décembre,
plupart du temps si avare en brises tièdes, avait décidé de faire u
effort pour Margot, et la domestique peinait pour rentrer son pani(
plein. Elle se promit également de mettre de côté quelques préciei
radis en provenance des pays d'oc, ainsi que des verdures de fin c
saison pour le souper. «Ce Baillehache et ses hardes noires», se f
elle la remarque en montant dans la chambre de Louis quelqu(
exemplaires, tous pareils, de ces vêtements, ainsi qu'une aumusse
en serge* râpée, lustrée par l'usure. Elle leur ménagea une place si
l'une des étagères de la grande armoire et allait en refermer la por
lorsqu'elle tomba sur un petit objet en bois, de forme oblongue. El
s'en empara et l'étudia en fronçant les sourcils. Cela représentait u
phallus gravé muni d'une espèce de manche. Le panier néglig
s'inclina sur le côté et cracha une paire de touailles* brodées.
Jamais armoire ne fut refermée aussi promptement.

La première chose que demanda Lionel à son retour du villag
fut:
— L'Escot n'est pas encore rentré? J'ai faim de musique apr(
une journée pareille.
— Je ne l'ai pas vu, répondit Margot.
Il alla se laver les mains et la figure au seau qui était posé si
un tabouret, près de la porte.
— Le village ressemble à une fourmilière que l'on a dérang(
avec le bout d'un bâton. Cette température étonnamment clément
rend les gens un peu fous.
Il alla à sa chambre afin de se défaire de son froc qu'il roula e
boule pour le faire disparaître dans le baquet à lessive, qui n
demeurait jamais vide longtemps. Il passa un vêtement propre (
revint rejoindre Margot. La servante termina le rinçage d
quelques radis, s'essuya les mains sur son tablier et sortit de s
poche l'objet qu'elle avait trouvé dans l'armoire.
— Jetez donc un coup d'œil là-dessus, mon père.
— Qu'est-ce que c'est?
Une fois l'objet en question entre ses mains, il n'eut pas besoi
de l'analyser longtemps pour en découvrir la teneur.
— Ah, je vois, dit-il, et il le rendit à Margot.
Elle dit:

— Il pense déjà à cela... à l'accouplement. Ça va trop vite à mon goût. Et en plus ça, cette... cette chose, c'est contre nature, vous ne trouvez pas?

— Les temps changent, ma bonne amie.

— Vous pouvez le dire. Les mœurs aussi, on dirait. J'aurais été portée à croire que l'Église était contre de telles abominations.

Elle alla remettre l'objet dans sa cachette.

— Oh, elle l'est sans doute.

Lionel s'était assis à table et chantonnait tranquillement, le regard perdu sur les madriers du plafond.

— On le sait bien, vous, ça n'a guère l'air de vous déranger, lui reprocha Margot qui était de retour et poursuivait un radis ayant roulé par terre.

— Là n'est pas la question. Je crois que le maître a ses raisons. Ce n'est peut-être pas tant l'objet qu'il faut voir que l'intention qui se cache derrière.

— C'est-à-dire?

— Avec ce qu'elle a appris sur son compte, Jehanne craint désormais les contacts physiques avec lui. Il le sait. Tout me porte à croire qu'il essaie simplement de trouver un moyen de lui rendre la chose moins pénible en attendant qu'elle s'y soit habituée.

— Mon père, c'est un scandale de vous entendre parler de... de sexe d'une façon aussi désinvolte. Vous en plus, un homme d'Église!

— Mais je n'ai pas toujours été un homme d'Église, Margot. Il reste suffisamment en moi de ces soi-disant tares humaines pour comprendre celles des autres. Tiens, je songe au scandale que j'ai moi-même causé jadis lorsque je suis entré dans la vie d'une jolie jouvencelle par la grande porte...

— J'ignore de quoi vous voulez parler, mais il me semble que ce n'était pas pareil.

— Pour ses parents, ça l'était. Je n'étais pas celui qu'ils souhaitaient pour leur fille. C'est du pareil au même. Et pour eux aussi, ça allait trop vite. Les saisons ont dû leur voler autour de la tête. Ah, constamment, les choses changent autour de nous. Notre vie entière est composée de changements. Pourtant, nous ne nous y habituons jamais. Peux-tu me dire une chose, Margot? Pourquoi tant de radis?

— Maître Baillehache vient souper ce soir. Il raffole de cela et c'est sûrement la dernière fois que nous pourrons en manger cette année.

— Il a bien raison de les apprécier. Quoi de plus réjouissant à voir sur une table que ces petits excentriques blancs et piquants dans leur habit coloré?

Louis se manifesta au moment où Margot avait résolu de n plus l'attendre. Tout le monde était déjà attablé. Il boita légèrement en prenant appui sur sa canne et, presque entièremer dissimulé par son haut col, un bandage rigide lui protégeait le cou

— Seigneur Jésus, s'exclama Margot qui, comme tous les autre à l'exception du père Lionel, le revoyait pour la première foi depuis sa chute.

— Une foulure et un mal de gorge. Ce n'est rien de grave, dit- d'une voix enrouée, et il claudiqua jusqu'à sa place.

Sam était le seul à ne pas le dévisager. Louis sembla s'en rendr compte. Une fois assis, il se cala les reins contre le dossier de s chaise. Ses yeux retinrent un éclair tandis qu'il dit à Jehanne, tou en paraissant s'adresser davantage au père Lionel :

— C'est un accident. Je m'en allais vous voir et je suis mâ tombé.

Personne n'osa parler et Sam ne sut plus où regarder. L'attentio du religieux s'était portée vers l'adolescent qui s'était trahi facilement en affichant son air coupable. Le père Lionel dit :

— Nous savons cela, mon fils. Ou plutôt je l'ai su, puisque c'es moi que vous êtes venu trouver en premier. J'ai donc pris sur mo d'en informer tout le monde. Une chute de cheval, c'est bien cela

— Oui.

— Voilà qui est consternant.

Sam, qui se savait démasqué, adressa à Louis un sourir angélique, persistant. « Merci de prendre ma défense, crétin » songea-t-il. Les prunelles sombres, glaciales de Louis se posèrer sur lui précisément à ce moment-là, comme si quelque sortilège lu avait permis de lire dans ses pensées. Le jeune homme réprima u frisson.

— Et j'ose espérer que vous vous portez mieux ? demandait l moine sans cesser de surveiller Sam à la dérobée.

— Oui, oui, ça va, répondit Louis, qui songea : « Il aurait mieu valu que je n'aie pas du tout de voix pour ne pas être obligé d parler. »

Le père dit les grâces. Jehanne pria avec une ferveu inaccoutumée. Une fois la prière terminée, elle dit :

— Quel bonheur de vous revoir tous. Voilà qui me donne l'envi de prolonger ce repas, même une fois que la faim sera satisfaite.

Louis ne cessait de scruter Sam. Lionel répondit :

— Excellent hors-d'œuvre verbal, ma fille. J'ai une prédilectio pour ces tout petits plats qui nous laissent toujours avec l'envie d'e redemander. Pourrais-je avoir du pain, je vous prie ?

Après y avoir tracé une croix rituelle, Louis rompit une miche lui en tendit un morceau, après quoi il se servit. Margot éprouva ne grande satisfaction à le voir garnir son tranchoir avec tout ce 'elle avait mis sur la table.

Jehanne dit tout bas au père Lionel :

— Que n'ai-je le bonheur de vivre à la cour de la reine liénor[133] et d'avoir le droit d'être aimée de trois hommes...

— Je ne te reproche pas ce souhait, ma fille, dit Lionel. Il n'est as aussi scandaleux qu'il en a l'air.

Il dit tout haut, à l'intention de tous :

— L'époque florissante de l'amour courtois et du chevaleresque st révolue. Des cathédrales sont laissées en plan. Certaines le ront pour des années à venir et peut-être bien pour toujours. 'est que nous ne comprenons plus. Nous n'avons rien trouvé pour mplacer ce que nous avons perdu.

— Ça, c'est vrai. Ah, c'était le bon temps. On pourra dire que en aurai connu la fin, dit Margot, habituée aux conversations hilosophiques qui étaient souvent entreprises sans préambule.

— Non, je ne suis pas prêt à dire que c'était le bon temps. La ise actuelle a trop tendance à nous faire idéaliser le passé. Or, est une erreur. On se complaît dans l'idée qu'il n'y a plus de rands hommes aujourd'hui. Que l'avenir, s'il y en a un, sera ncore pire. Et si, pour une fois, on s'accordait le droit d'espérer ieux?

Ils prêtèrent volontiers l'oreille, trop heureux de la diversion, ar la tension entre Louis et Sam était trop tangible. Lionel expliqua :

— Nos parents ne voudraient pas vivre à notre place à nous, les unes de cette génération.

Sans s'en rendre compte, il s'identifiait à celle de Jehanne.

— Ils craignent notre ère perturbée et sans doute ont-ils raison. Iais pourquoi leur méfiance les empêche-t-elle de s'attarder aussi ir nos bonheurs? Peut-être connaissent-ils mal notre époque? Ne oient-ils que sa désillusion, sa résignation aux horreurs qui, certes, nt pris des proportions angoissantes?

Oublieux du repas à cause d'un autre type de jubilation ourmande due à la discussion, il continua :

— Mais ne parlons plus de cela. Il nous faut autre chose dans les athédrales pour que les générations futures se souviennent de ous. Je parle de menus détails. De ceux que chacun peut ollectionner à tout moment de sa vie et qui deviennent précieux ans retard. Ces petits détails sont hors du temps, car nos aïeux ont

très bien pu avoir les mêmes. Notre descendance trouvera peut-ê
dans un tiroir la même vieille broche de nacre égarée, l'ode
sucrée d'une tarte encore chaude que l'on vient de poser sur
rebord de la fenêtre, un brin de muguet dans les cheveux et l'ode
de la terre après une douce pluie d'été. Car les temps change
mais non les hommes. Je trouve inadmissible que l'on ne cherc
pas à immortaliser ces choses-là plutôt que la mort.

— C'est bien dit, mon père, dit Jehanne. Vous me donnez env
de créer quelque chose d'immortel avec mes souvenirs. Mais je n
vraiment aucune idée de la façon dont je pourrais m'y prendre.

— Laisse-moi faire ton portrait, lui proposa Sam.

Louis croqua un radis un peu fort qui le fit éternuer.

— À vos souhaits, lui dit Lionel.

— Merci, répondit Louis de sa voix éraillée.

Il but un peu de vin avec lenteur à cause du pansement q
nuisait un peu à sa déglutition. Le moine l'observa attentiveme
et dit :

— Une chose m'intrigue quand même, à propos de vo
accident, maître. A-t-on jamais entendu dire qu'une chute de chev
puisse entraîner une extinction de voix ?

Les radis étaient décidément forts ce soir-là, car Sam s'étouf
Blandine se leva et dit, d'une voix qui sonnait faux :

— Eh bien, je crois qu'une bonne tisane chaude au miel et
citron s'impose.

Lionel demanda :

— Pourrais-je en bénéficier aussi, douce abeille sucrée ? Je crai
d'avoir égaré ma vitalité quelque part dans l'évier plein de vaissel

Une fois le repas terminé, chacun s'en alla vaquer à s
occupations dans la cuisine ou dans la cour. Sam s'attarda afin
pouvoir retourner dans la pièce à vivre et dire un mot à Jehann
Elle était restée assise seule à table. Il s'appuya contre le mur.

— Où sont passées les fleurs, Jehanne ? demanda-t-il.

— Quelles fleurs ?

— Celles de Baillehache. Je ne les vois pas.

— Oh ! Il a rapporté des fleurs ? Je l'ignorais.

— Il n'en a pas rapporté, mie. Il ne t'a jamais donné de fleur

Là-dessus, il jeta une fleurette séchée devant elle. Au mêm
instant, Louis entra dans la pièce. Visiblement déçu de se fai
interrompre si tôt, Sam dit :

— Ah, vous êtes encore là, vous ? Vous avez certes une sale min
mais c'est quand même autre chose qu'une cheville que j'aurais
vous tordre.

418

L'adolescent se baissa à temps : la dague de Louis se ficha dans le mur avec un bruit sec, à la hauteur de sa gorge.

Jehanne cria et tout le monde vint à sa rescousse. Louis leva les mains en signe d'apaisement et dit :

— Du calme, du calme, tout va bien. Je n'ai fait que lui servir une sommation méritée.

Il ajouta, à l'adresse de Lionel :

— Parce que ça commence à bien faire.

Il prit Jehanne par le bras et l'entraîna dehors sans lui demander son avis.

— Va te faire voir, vieux corbeau, grogna Sam en lui faisant dans le dos un geste obscène.

Le vent étouffait ses cris et la pluie, ses larmes. Il n'avait plu que le temps de simuler une ondée estivale. À présent, la lanterne accrochée à la porte du manoir éclairait une bruine en suspension qui dénonçait novembre. Les pas arythmiques de l'ivrogne qui essayait de courir dans l'allée ne firent tressaillir que les peupliers somnolents.

Sam tituba jusqu'à la fenêtre de Jehanne et cogna doucement dans les volets.

— Jehanne, je t'en prie, laisse-moi entrer, supplia-t-il d'une voix retenue.

Inquiète, la jeune fille se leva et alla ouvrir sa fenêtre.

— Que fais-tu là à noqueter*, Sam ? Ils ont barré la porte en ton absence ? Mon Dieu, tu es tout gelé.

Elle le tira par le bras afin de l'aider à enjamber la fenêtre. Il ne lui fallut pas longtemps pour se rendre compte qu'il était passablement éméché.

— Il faut que je te parle.

— Mais oui, mais oui. Entre. Prends ma couverture et mets-toi au chaud. Viens t'asseoir là, sur le lit.

Il se laissa emmener sans offrir de résistance.

— Jehanne, je t'en conjure, ne l'épouse pas. C'est un monstre.

— Sam, nous en avons déjà parlé.

— Non, nous n'en avons pas assez parlé. Le moine et toi, vous m'avez toujours tenu à l'écart. Je n'avais jamais mon mot à dire. Mais si, j'ai quelque chose à dire. Pardieu, laisse-moi te le dire.

Il glissait sur ses mots comme sur des galets mouillés. Elle se mit à avoir peur de cet ami qui était en proie à une excitation éthylique. Le menton de Sam tremblait et de grosses larmes allaient se perdre dans ses boucles en désordre. Sa voix vacilla :

— Je ne suis qu'un raté, un lâche. Si j'avais été brave, j'y sera
allé jusqu'au bout. Pour toi.

— «Jusqu'au bout»? Sam, ne me dis pas que... que tu voulais.

— Oui, je voulais l'occire. Je le veux encore. S'il te plaît, gard
moi avec toi.

Jehanne ne dit rien. Elle avait été tentée de prendre pla
auprès de lui sur le lit, mais elle n'en fit rien non plus. Elle res
plantée devant lui. Il demanda :

— Tu m'en veux, n'est-ce pas?

La chatte qui dormait avec Jehanne grimpa sur les genoux d
jeune homme, mais elle n'apprécia pas son haleine et déci
d'écourter ses manifestations tendres. La jeune fille répondit :

— Comment pourrais-je t'en vouloir de m'aimer, mon dou
Sam? Mais j'ai si peur de... de...

Elle faillit renoncer à trouver de quoi exactement elle ava
peur, car les mots, choses trop mal dégauchies, refusaient de s
soumettre aux idées qui se bousculaient dans sa tête. Néanmoin
elle parvint à trouver ce qu'elle voulait dire dans quelque reco
oublié et elle put compléter :

— J'ai si peur de te perdre. À force de le haïr, tu es en train d
devenir pire que lui, Sam. Tu me fais peur.

Quelque chose se disloqua dans l'esprit de l'Escot. Rompu,
ferma les yeux et dit tout bas :

— Ah, ce que je suis fatigué. La femme que je ne cesse d
chercher partout, c'est une Jehanne. Mais à quoi bon? Il n'en exis
qu'une seule et c'est lui qui l'a.

Il commença à s'endormir.

— Sam, non. Je suis désolée, mais il faut que tu sortes. S'il falla
qu'on nous surprenne ensemble dans ma chambre! Allez, viens.

Elle le contraignit à se lever, ouvrit la porte et regarda à gauch
et à droite avant de s'engager dans le couloir en épaulant son am
Le père Lionel et Louis avaient toujours le don de se réveill
quand il ne le fallait pas. Fort heureusement, cette nuit-là, aucu
insomniaque ne traînait dans les parages. Elle ralluma un
chandelle à l'aide des braises de l'âtre et reconduisit Sam à s
chambre, dans l'aile. Il s'écrasa sur sa couche sans demander so
reste, par-dessus les couvertures. Il marmonna tristement :

— Je me demande comment ils se sentent, les oiseaux, dans l
airs.

Et il se mit à ronfler bruyamment.

Quelque chose retint Jehanne dans la chambrette en désordr
Sur un lutrin, une surprise l'attendait. Le portrait qu'avait commen

am à son insu était terminé. Il s'agissait d'un portrait non pas d'elle, mais de Louis, et il était d'un réalisme à couper le souffle. Elle leva bien haut sa chandelle et s'avança afin de mieux examiner l'œuvre. Le regard autoritaire de Baillehache avait pris vie sur le portrait, intense, légèrement sarcastique, comme il savait l'être si souvent. Jehanne haleta. Le regard du tourmenteur était braqué sur elle et il attendait, patient, impitoyable, la réponse à sa question avant de torturer à nouveau. Ces yeux bien réels se mirent à suivre chacun des mouvements de Jehanne à travers la chambre, même lorsque la jeune femme, pantelante, se mit à contourner de loin le prédateur peint pour rejoindre la porte. Ses pas rapides s'atténuèrent et, peu après, une porte se ferma, abandonnant un Louis imperturbable seul dans la chambre de l'ivrogne qu'était son créateur.

Elle fut incapable de se rendormir. Sa découverte du portrait semblait accentuer la sensation d'une présence terrifiante et pourtant forte, virile et désirable se tenant à ses côtés. N'y tenant plus, elle étouffa une plainte en enfouissant sa figure dans ses oreillers. « Mon Dieu, pourquoi me bouleverse-t-il autant? Et de plus en plus? Ce n'est jamais qu'un monstre. »

*

Jehanne et Louis se promenaient dans le sentier qui, quelques jours plus tôt, avait accueilli l'envolée lyrique si inspirante du père Lionel. Cet après-midi-là, cependant, l'air sentait à nouveau le nord. Aucun flocon n'était encore tombé, car le ciel avait été soigneusement astiqué par la froidure. La terre crissait sous leurs pas comme du sucre candi. Jehanne respectait la démarche ralentie de son fiancé dont la cheville pansée devait être ménagée par l'usage de la canne.

— Pardonnez-moi de vous avoir offensé par mon départ, dit la jeune fille, qui avait enfin cumulé assez de courage pour aborder le sujet.

— N'y pensez plus. Dites-moi plutôt votre désir.

— Mon désir?

Ce mot avait quelque chose d'étrange venant de sa bouche à lui. Cette bouche si avare en paroles allait-elle se montrer prodigue en baisers? Et qu'en était-il de ces mains faites pour torturer? Et ce regard fixe, insondable comme celui des créatures tourmentées qui étaient représentées sur les bas-reliefs des églises? Elle se rendait compte d'un seul coup à quel point l'aspect sinistre de Louis avait été occulté par son penchant naturel à ne voir que le côté positif des choses. Elle ne s'était jamais arrêtée auparavant à essayer de comprendre pourquo l'austère prestance de son fiancé l'avait effrayée parfois.

— C'est... d'être votre épouse et de vous rendre heureux, dit-ell d'une petite voix.

Il laissa un silence lourd s'immiscer entre eux à dessein, pui demanda :

— En êtes-vous certaine ?

Elle acquiesça faiblement. Comment se faisait-il que la seul présence de cet homme faisait s'effriter une à une toutes les belle certitudes du père Lionel ?

— Vous n'êtes pas... comme cela, dit-elle. Je sais qu'il peu encore exister pour vous un avenir différent.

— Il en a existé un. J'allais être boulanger. Le sort en a décid autrement.

— Je parle de maintenant, dit Jehanne en secouant la tête.

— Que voulez-vous dire, exactement ?

— Il est encore temps pour vous de devenir autre chose d'exercer un vrai métier qui n'inspire ni dégoût ni crainte.

— Vraiment ? Très bien. Dites-moi vite ce que je dois faire, di Louis d'un ton sarcastique.

— En reprenant votre vraie profession. Vous êtes boulanger c'est vrai. Mais oui, j'aurais dû m'en douter bien avant. Le four. L moulin. Votre pain qui est le meilleur que j'aie jamais mangé. Nou faisons de bonnes récoltes, faites-en du pain.

— Personne ne m'achètera de pain, fût-il le meilleur au monde Vous savez cela aussi bien que moi.

Jehanne dit, avec ferveur :

— Alors partons. Allons-nous-en vivre à un endroit où nul n sait qui vous êtes et recommençons à neuf.

— Figurez-vous que j'ai déjà eu cette idée il y a longtemps.

— Qu'est-ce qui vous a empêché de partir ?

— J'ai mes raisons et aucune envie d'en discuter.

— C'est donc que vous ne voulez pas ? Cela signifie que vou aimez tuer ?

— Ne soyez pas ridicule.

— Je tenais seulement à vous aider.

« Ou plutôt à mettre le nez dans mes affaires », songea-t-il. Loui n'avait aucune envie de lui avouer que désormais, trop de fable circulaient par tout le royaume à son sujet et que, en conséquence il allait lui être difficile, voire impossible d'aller incognito. Il dit :

— Ne vous en souciez pas. C'est comme ça et nul n'y peut rien

422

Louis se sentait perturbé par cet échange de confidences. Il avait la désagréable impression d'en avoir trop dit.

— À présent que vous connaissez mon métier, prenez soin d'y réfléchir avant de me répondre, demoiselle. Car nous n'en parlerons plus.

— J'ai toujours cru que les bourreaux étaient des êtres malpropres et impolis. Qu'ils ne savaient que se montrer violents, cruels, dénués de conscience.

— Beaucoup le sont, et nombreux sont ceux qui me perçoivent comme cela.

— Pas moi.

Il marqua un temps, avant de répondre :

— Je sais.

— Toutefois, qui vous blâmerait de l'être, étant donné la façon dont on vous traite?

— En général, les gens ont plutôt tendance à se montrer aimables avec moi.

Elle sourit, visiblement soulagée.

— C'est vrai?

— Oui. La crainte rend poli.

Les yeux de Louis scintillèrent comme si lui aussi souriait, à sa manière, sans pour autant que la joie modifiât ses traits. Il dit :

— Maintenant, dites-moi la vraie raison pour laquelle vous êtes revenue.

— C'est assez difficile à expliquer. Il y avait quelque chose de très fort. Cela me disait que c'était la chose à faire.

Les lèvres de Louis se retroussèrent en une ébauche de sourire et il pensa : « On appelle ça la tentation de la luxure, petite buse. Rien n'est plus dangereux. » C'était cela qui menait le monde, même si l'on faisait tout pour cacher la chose derrière d'autres noms qui n'étaient en définitive que déguisements hypocrites. Plus le temps passait, plus il se rendait compte à quel point il était choyé d'avoir été soustrait à ces détresses humaines avilissantes.

Jehanne poursuivit :

— J'éprouvais de la compassion pour vous. Comme si vous aviez eu besoin de quelque chose. De quelque chose de très important et qui vous fit défaut.

Le demi-sourire de Louis se cassa. Il se reprit rapidement et dit, d'un ton sec :

— Il y a autre chose que vous devez savoir : j'ai été contraint d'exercer ce métier pour avoir assailli un noble. Et ce noble, c'était

votre père. C'est à lui que je dois d'être un exécuteur. N'est-ce pa
là un juste retour des choses?

Il laissa la jeune fille accuser le coup, ce qu'elle fit avec u
désarroi silencieux. Elle ne lui demanda pas d'explications. Ce
saurait venir en son temps. Il ajouta:

— Maintenant, vous savez tout ce qu'il faut pour prendre ur
décision. Je vous accorde le choix de bon gré. Songez à ce que ce
représente si je pars.

— Vous voulez dire... Sam?

— Oui. N'est-ce pas lui que vous aimez?

L'adolescente regarda à terre. Ses yeux se remplirent de larme
Elle dut se mordre les lèvres pour ne pas pleurer. Il ne réagit pa
quand elle secoua vigoureusement la tête.

— Sam lutte, lui aussi. Cela fait peine à voir. Pourquoi est-ce
difficile? Ce jour-là, lorsqu'il vous a assailli, il avait beaucoup tro
bu. Je le sais, il me l'a dit. Cela l'a rendu malade. Maître, je sais qu'
cherche à vous nuire. Je vous en prie, pardonnez-lui.

Le bourreau fut pris au dépourvu. Curieusement, il se sent
davantage choqué par cet aveu que par ses affrontements ave
l'Escot. Il ralentit le pas.

— Lui aussi voudrait que je n'existe pas, dit-il. Les intrus comm
moi ne peuvent rien faire d'autre que se défendre.

Évitant de trop fixer sa fiancée avec ses yeux faits pou
foudroyer, il abaissa le regard pour vérifier le bandage rigide qu
formait une tache blanche incongrue autour de sa gorge. Pourtan
ce fut bien de la tristesse qu'elle vit en eux.

Il dit, tout bas:

— Ensuite, ils se le font reprocher.

Jehanne se posta devant lui. Elle qui, encore la minut
précédente, s'était trouvée aussi démunie face à ses deux homme
qu'un oisillon qui venait de naître se sentit devenir forte. Sur le to
de la dame qu'elle devenait, elle dit:

— Ce ne sont pas des fables. Vous m'avez décrit les choses tell
que vous les percevez. Chacun les perçoit à sa manière. Mill
personnes créent le monde mille fois. Et chacun de ces mondes-l
change un peu tous les jours.

Elle lui posa les mains sur les épaules.

— Vous avez besoin d'un jardin dans le vôtre.

Il cligna des yeux.

— Un jardin?

— Notre jardin. Soyons jardiniers tous les deux. Nous y feror ousser les plus jolies fleurs. Nous aurons des roses. Et l'une d'elles appellera Amour.

Elle ne put s'empêcher de songer que Sam eût apprécié cette llégorie. Louis, naturellement, n'en dit rien.

Un jardin. L'amour. Il leva la tête et chercha l'une des remières étoiles dans le bleu intense du ciel. Bientôt, il allait être n sécurité avec cette femme. Sa femme. Les bras de Jehanne lui ntourèrent le cou comme deux tentacules roses. Il baissa la tête. on esprit s'égara et se mit à détailler les fleurs brodées, à peine erceptibles dans la brunante, du corsage de sa fiancée.

— Chère Jehanne, dit-il.

— Je vous aime.

Leurs visages se rapprochèrent. « L'amour? » songea-t-il en lui aressant la nuque. Deux larmes se réfugièrent hâtivement dans la hevelure couleur de blé.

Au souper, Louis sortit quelque chose de sa poche et le remit à ehanne. Aucune parole ne fut échangée, ce qui incita Lionel à mettre tout bas un commentaire :

— Tiens, un cadeau. Il y a de ces fois où le mutisme du onhomme a quelque chose d'exaspérant. Il lui offre ce présent nattendu, paf, comme ça, sans un mot d'explication.

Il observa le couple et chuchota encore :

— En revanche, ce qu'il y a d'agréable avec lui, c'est qu'on n'a ratiquement pas besoin de parler.

— Sauf quand il y tient. Et c'est habituellement à partir de là que a se gâte, répondit Sam, lui aussi tout bas.

Dans le creux de sa main, Jehanne sentit le contact frais et doux 'un petit boîtier en bois. Elle en enleva le couvercle sur lequel une ose entière était gravée. Une cascade de billes en bois lui coula oucement dans la paume lorsqu'elle en retira un collier. C'était n bijou rustique, presque grossier. Mais cela même lui donnait un spect inexplicablement unique. Chacune des menues perles eintes en rouge sombre avait été taillée, poncée et percée à la main our l'enfilage, avant d'être sculptée de façon à y évoquer ébauche de pétales de roses. Tout le monde s'émerveilla du geste ui-même tout autant que du cadeau. Jehanne, incrédule, ne se ssait pas d'admirer le collier.

— Oh, maître, est-ce vous qui l'avez fait ?

— Oui. J'avais déjà fabriqué des perles de patenôtriers* avec des lés en ivoire, dans le temps.

Elle ne trouva rien à dire tellement elle était émue. Elle regarda

425

les mains puissantes de Louis, puis à nouveau les petites perles. Ell
ne pouvait que deviner la somme de travail qu'avait dû exiger l
fabrication de ce bijou. Il avait dû s'y consacrer en secret pendar
des mois, au long des nuits, à la seule lueur de la chandelle. E
c'était là un cadeau si personnel! Comment Louis, dont ell
connaissait les scrupules, avait-il trouvé le courage de le lui offr
devant tout le monde?

— C'est... il est magnifique, souffla-t-elle.

— Je suis content que ça vous plaise.

Jehanne se leva et alla se planter devant Louis. Elle lui tendit l
collier en souriant.

— La touche finale, c'est de me le mettre vous-même, dit-ell
radieuse.

Louis se leva et lui fit face. Il lui entoura les épaules pou
attacher le petit fermoir du collier, et tout le monde applaudi
Tout le monde sauf le père Lionel et Sam, qui se leva et battit e
retraite dans la cuisine sans refermer la porte derrière lui.

Le moine fut pris d'un léger vertige. Rien n'avait été dit. Mai
il avait maintenant la certitude que la grande demande, le gest
officiel, allait être pour ce soir-là. Il se leva de table et suivit San
dans la cuisine. Son malaise empira lorsqu'il s'aperçut que Loui
cherchait à l'intercepter depuis sa place.

— Accordez-moi un instant, lui dit-il vaguement.

Sam entrebâilla la porte et le regarda s'appuyer au rebord d
l'évier pour prendre de longues inspirations. Louis mis à part, le
autres ne remarquèrent rien de cette tension, le repas et le
conversations étant bien entrepris.

Lionel déglutit péniblement. Blême, il cherchait son souffle.

— Vous avez mal au cœur, mon père? demanda Sam.

— Oui, dit Lionel.

Une réponse aussi brève venant de lui ne pouvait manquer d
susciter l'inquiétude.

— J'appelle Margot, dit le jeune homme.

— Non, surtout pas.

— Elle peut vous préparer un remède.

— J'en doute. J'ai mal au cœur. Je n'ai pas dit que j'avais l
nausée.

Sam comprit. Ce mal de cœur, c'était de la peine.

— Dites-lui non. Refusez, dit Sam d'une voix sourde.

Des larmes brillèrent sous les cils du moine. Il prit une grand
inspiration, la retint comme une dernière chance, mais celle-c
s'enfuit cruellement. Lionel baissa la tête, vaincu.

— Mon père...

— Samuel. Regarde-les.

Le jeune Écossais obéit. Jehanne avait tendance à se porter en ~~ant~~, vers Louis, comme si son corps tout entier était relié à lui par ~~'~~invisibles connexions. La respiration de Sam siffla. Lionel dit :

— Dis-le, mon fils, si j'ai le droit d'aller contre cela.

— Vous n'avez qu'à leur refuser la bénédiction.

— Ce n'est pas aussi simple. As-tu songé à Jehanne ? Si je ne lui ~~o~~nne pas mon consentement, que fera-t-elle, d'après toi ?

— D'accord. Les peines d'amour, je connais. Mais cela demeure ~~n~~ moindre mal. Elle aura évité le pire.

— Non, Samuel, tu te trompes. Le mariage n'est qu'une ~~o~~rmalité. Si je le lui refuse, Jehanne partira tout de même avec ~~m~~aître Baillehache. Ils s'en iront trouver un autre prêtre qui, lui, ~~a~~cceptera de bénir leur union. Elle l'aime. Me mettre en travers du ~~c~~hemin de l'amour, ça, je ne le peux pas. Personne ne le peut.

— Moi, je le ferai ! Sacredieu, oui !

— Je te l'interdis.

Le religieux lorgna en direction de la tablée et constata avec ~~s~~atisfaction que le bon ordre y régnait davantage que dans la ~~c~~uisine. Il ne pouvait s'empêcher de voir en Sam un Tristan blessé, ~~e~~mpoisonné par son amour, une force de vie qui, sans cesse ~~c~~onfrontée au mal représenté par Louis, n'avait pour antidote que ~~l~~'amour d'Yseult, en l'occurrence Jehanne, celle-là même qui le ~~b~~lessait sans le vouloir. Car en elle s'incarnait la puissance à la fois ~~g~~uérisseuse et mortelle de l'amour.

Et Lionel devait affronter tout cela.

— Tu en serais capable, je le sais. Mais, Samuel, écoute-moi ~~b~~ien. Si quelqu'un doit intervenir, ce sera moi. Moi et personne ~~d~~'autre. C'est bien compris ?

— Mais il la tuera, dit Sam.

Une intense vie intérieure faisait chatoyer les yeux de Lionel.

— Non. Si le Caïn qu'il y a en lui venait à se manifester, je te ~~d~~onne l'assurance qu'il ne tuera personne d'autre que lui-même.

Pour clore cette discussion chaotique, il étendit la main d'un ~~g~~este patriarcal qui en imposait et dit :

— On ne touche pas à ça. Ne tente plus rien contre eux, mon ~~g~~arçon, je te le conseille. Sinon tu risques de le regretter toute ta vie. ~~S~~ouviens-toi des actes que tu as déjà commis et dont les conséquences ~~o~~nt failli être irrémédiables. Tu ne bénéficieras pas d'une telle chance ~~u~~ne autre fois. Enfin, n'oublie pas ceci : toi, tu es libre. Pas lui.

Lionel ne put s'empêcher de penser que, pour un minuscule

accroc au passé, Louis eût pu devenir quelqu'un de très différen
Il demanda :

— Tu le sais, n'est-ce pas?

Sam acquiesça en silence, soudain effrayé à l'idée qu'il pût êtı
chassé de la ferme et éloigné de Jehanne. Le bénédictin dit encorι

— Elle aussi, elle est libre. Comme toi. Si tu l'aimes un tant so
peu, je te demande de respecter sa décision. Retournons manger

Peu après leur retour dans la pièce à vivre, Louis se leva et all
se planter devant le moine, à l'autre bout de la table. Lionel repos
son bout de pain près de son écuelle et pensa distraitement: «Cε
habits noirs ne lui conviennent décidément pas. Ils le font paraîtı
beaucoup trop grand.» La voix du maître domina les papotages ι
les premiers borborygmes :

— Mon père.

Ce fut tout. Et cela suffit, car Lionel sursauta. C'était l
première fois que Louis l'appelait ainsi. L'aumônier se leva à so
tour et se laissa emmener par lui hors de la pièce.

Personne en vue. Il faisait nuit noire. Sam se hâta d'oubliε
l'exhortation du moine. Selon lui, la vision de Lionel était hors d
propos. Elle procédait d'une conception dépassée. Les poing
serrés, il avait ruminé sa vengeance tout en se rendant du cham
au manoir d'un bon pas. Évidemment, le père Lionel ne pouva
pas comprendre. Rien n'allait être modifié dans son plan malgr
les recommandations encore toutes fraîches. Sans manquer d
respect au religieux – le jeune homme l'estimait et ne mettaı
jamais en doute son autorité ni même ses discours excentriques
il estimait que pour cela et cela seulement, il faisait fausse route.

Sam s'arrêta sur le seuil de la maison et sortit la feuille de saug
de sa poche. Il la perça en trois points différents. Il y enfila l'un d
ses cheveux avec l'un de ceux de Jehanne et y mit le feu. Lε
talisman se consuma en quelques secondes et il lui sourit, satisfaiı

Tout de suite après, comme s'il s'agissait de quelque répons
machiavélique à son acte, la porte s'ouvrit et une main se plaqu
sur son épaule. L'Écossais fut poussé dehors avec force. Il s
retourna et vit Louis qui se penchait pour franchir le seuil.

— À ce que je vois, tu aimes jouer avec le feu. Mais prend
garde, Aitken. Moi aussi, j'aime ça et je t'ai à l'œil. Des fois qu
l'envie me prendrait de t'attacher des morceaux de soufre sous le
aisselles, d'y mettre le feu et de t'envoyer rouler dans les ronces. J
pourrais en apprendre beaucoup sur ton compte avec un pε
d'aide. Sorcellerie, Aitken. Sorcellerie.

— Dites-moi franchement. Qu'est-ce qui ne va pas avec vous?

Louis arracha l'un de ses propres cheveux, l'alluma au moyen de la lanterne et le fit tomber sur la petite tache de cendre qui étoilait sur le seuil. Après quoi, il mit brutalement le pied dessus.

— Pas de tes affaires. Fiche-moi le camp.

Louis se réveilla en sursaut. Le souffle du vent qui lui parvenait ténué par les ardoises et les planches du toit avait remplacé l'assourdissante rumeur de son cauchemar, toujours le même. L'homme qu'il venait de pendre était un homme en noir. C'était lui.

Il rabattit ses couvertures sur sa paillasse par l'un des coins et redressa distraitement la lourde courtepointe. «Pouvoir dormir seul encore», se dit-il, hanté par le souvenir spectral de son rêve. Ne pas se voir exposé à l'autre par la magie de la nuit. Ne pas avoir à redouter autant le réveil et les questions que le sommeil lui-même. Il sentit les gens de la petite d'Augignac l'enserrer. Il vit Jehanne couchée dans ce lit avec lui. Toutes les nuits. Il n'était pas fait pour se marier. «Dormir seul. Profites-en, parce qu'après...»

Il sut qu'il allait être incapable de se rendormir. Il se leva et s'habilla.

La nuit était devenue subitement si tiède qu'on en oubliait presque l'absence d'étoiles. Un vent fort faisait siffler l'archère de la tour d'une manière qui eût sonné lugubre aux oreilles de Sam s'il ne s'était pas endormi tout près de là, à même les planches brutes du chemin de ronde. Il avait encore bu et s'était exilé là afin de ne pas tenir la maisonnée éveillée toute la nuit avec ses gigues endiablées. La dernière avait eu finalement raison de lui plusieurs heures plus tôt. Sa cornemuse était tombée dans le tas de foin, effarouchant les chats qui s'étaient lovés dedans.

La porte s'ouvrit et claqua au vent sans le déranger. Les derniers chats décidèrent de sortir, incommodés par l'odeur nauséabonde d'huile noire que dégageait la silhouette qui venait d'entrer. Elle était à peine visible dans l'obscurité et ne demeura pas plus d'une minute dans la tour. Une fois ressortie, elle ramassa quelque chose qu'elle jeta négligemment à l'intérieur et s'éloigna.

Ce fut la toux bien plus que l'odeur qui arracha Sam à son sommeil artificiel. Il se redressa. Devant lui, le mur circulaire était éclairé par une lueur vacillante. De la fumée lui piqua les yeux.

— Au feu! cria-t-il en se précipitant vers l'échelle avant que les flammes, qui se répandaient avec une vitesse surnaturelle, ne lui

interdisent la seule issue possible. Personne n'avait dû l'entendr
le feu grondait déjà, donnant à la tour l'apparence d'une chemin
gigantesque. «Ma cornemuse», pensa-t-il soudain. Il voulut fai
demi-tour, mais il était déjà trop tard: le tas de foin venait de
transformer en brasier. Les flammes montaient haut
commençaient à lécher les piliers de soutien du chemin de ron
ainsi que l'échelle. Des étincelles jaillirent de la fournaise
manquèrent lui enflammer les cheveux. Il eut tout juste le tem
de bouler dehors.

— À l'aide! Au feu! Au feu!

Étouffé par ses sanglots et la fumée, il dut en rester l
Personne n'allait venir: la tour était construite trop loin de
maison et des bâtiments de ferme, ce qui, en conséquence, mett
ces derniers hors de danger. Nul ne devait être témoin du dran
non plus, à moins qu'un insomniaque chronique tel que le pè
Lionel ne se lève pour marcher jusqu'à une fenêtre de laquelle
pourrait apercevoir les lueurs. Et là encore, on n'allait pas exténu
tout le monde à puiser des seaux d'eau pour épargner ur
structure qui n'avait d'autre fonction que celle de servir d'aire c
jeu. Sam demeura donc affalé par terre et laissa ses larmes l
brouiller la vue. Il eut à peine le temps de s'interroger sur ce qi
avait bien pu se passer, car il se souvint d'avoir bien éteint so
esconse* avant de s'endormir.

— Aitken.

Cette voix douce, cet accent, Sam les reconnut. Tout cont
l'entrée incandescente de la tour se découpa la silhouette noire
immobile de Baillehache. Il brandissait quelque chose qi
ressemblait à une grosse perdrix au-dessus du feu qui atteigna
maintenant le seuil. C'était sa cornemuse.

— NON!

Le jeune homme s'élança vers Louis, dont la main s'ouvri
L'instrument tomba parmi les flammes en produisant une gerb
d'étincelles. Le bourreau fit un pas de côté et observa la scèn
Sam, impuissant, tendit la main en gémissant. La poche de l
cornemuse se flétrit et ses bourdons se dressèrent, comme pou
implorer le jeune musicien de lui venir en aide. Ils s'affaissèrei
ensuite rapidement et l'instrument se transforma en boule de fe
qui crépitait.

En se retournant, il vit le visage imperturbable, satanique d
Baillehache, que les flammes éclairaient par en dessous. Il s
précipita vers lui et chercha à l'empoigner. Louis recula d'un pas c
lui assena une gourmade*. Sam tituba, à demi assommé. Il cherch

430

nouveau à atteindre le bourreau, qui le frappa encore deux fois
e sa canne avec une cruelle efficacité. Ses jambes se dérobèrent
sous lui. Aucun des deux hommes ne s'était encore rendu compte
que le père Lionel assistait, malheureux, à cet affrontement, ni que,
peu à peu, des feux poussifs et isolés commençaient à les cerner à
cause des brandons qui tombaient du toit. Sam roula sur lui-même
et s'empara d'un fragment de pierre pointu dont il chercha à se
servir pour défigurer son adversaire. Mais Louis, sans se soucier du
danger, attrapa le poignet du garçon et lui tordit le bras en le tirant
à lui. Il lui expédia un soubriquet* afin de lui faire échapper le
caillou qui était parvenu à lacérer la manche de sa tunique. Sam
s'écroula près d'un petit feu, le visage ensanglanté. Baillehache
se tendit un peu. Lorsqu'il se fut assuré que l'Écossais renonçait à
se battre, il dit:

— Jehanne a choisi. C'est moi qu'elle veut. Remercie ton grand-
père d'être en vie, car s'il n'en tenait qu'à moi, je m'empresserais
de te faire rejoindre ta cornemuse.

Comme pour appuyer ces dires, le toit conique de la tour
s'effondra à l'intérieur de l'édifice. Ils levèrent les yeux vers le faîte
du bâtiment. Des flammes en jaillirent brièvement en ronflant de
plus belle et projetèrent des étincelles jusqu'à leurs pieds. Avec
cette nouvelle entrée d'air, le reste des structures de bois n'allait
pas tarder à se consumer.

Louis se détourna dans l'intention de s'en retourner au manoir,
lorsqu'il s'avisa de la présence des autres qui venaient d'arriver.
Tourmentée entre son désir d'aller au-devant de Sam qui était
encore à terre et d'attendre Louis qui s'en venait vers eux, Jehanne
sut se contrôler. Elle fit ce qui était convenable et ce qu'on
attendait à la voir faire. Margot et Toinot allèrent s'occuper de
Sam, qui voyait tout.

— Vous êtes blessé, dit Jehanne doucement à Louis.

— Ce n'est rien.

— La tour... c'est vous?

— Oui. Je l'ai prévenu. Encore une fois.

— Je... je suis désolée pour Sam. Son comportement me
dégoûte.

Des larmes se mêlèrent au sang sur les joues du jeune Écossais
que l'on raccompagnait. Elles y mordirent comme si elles
cherchaient à atteindre son cœur. Et son comportement, à
Baillehache, qu'en était-il? Il se rendait subitement compte que l'un
valait l'autre. L'avertissement du père Lionel se réalisait. Qu'allait-
il bien pouvoir faire pour se racheter aux yeux de celle qu'il aimait?

Louis retroussa sa manche. Jehanne détailla l'avant-bras, s[es] muscles noueux et les petits poils sombres qui n'arrivaient pas [à] camoufler quelques marques, certaines formant de petits trous à [la] surface de la peau, d'autres y traçant des lignes blanchâtres. Out[re] la coupure encore fraîche dont il ne s'inquiétait pas le moins [du] monde, son avant-bras droit portait une sorte de tatoua[ge] rougeâtre figurant une hache. Les yeux de Jehanne descendire[nt] au niveau du ventre plat et des hanches étroites de son fiancé. « [Un] homme de trente-trois ans, et qui a un corps de tigre », se disait-el[le] pendant que Louis, courtois, se laissait scruter. Il sembla[it] conscient de l'effet qu'il produisait sur elle.

Lionel, à demi habillé, les avait devancés. Il n'avait jamais [pu] perdre l'habitude de rester réveillé entre matines* et laudes[.] Louis ne fit que le regarder en s'avançant avec Jehanne sur [le] sentier. Elle tenait amoureusement son bras blessé au-dessus d[u] coude. Lionel ne fit rien, jusqu'à ce que le colosse l'eût dépassé.

— Mon fils, sans vous commander...

Louis s'arrêta et se retourna. Mais Lionel ne dit rien. « Comm[e] c'est curieux, se dit-il soudain. je n'avais jamais remarqu[é] auparavant cette espèce de tic qui lui retrousse les lèvres. On dira[it] un sourire carnassier. Firmin avait le même. Mais ce garçon e[st] incapable de rire. » Il sentit une grande fatigue s'étendre à part[ir] du creux de sa poitrine. Il attendit qu'elle se rende jusqu'aux yeu[x.] Ses paupières clignèrent.

— Qu'y a-t-il? demanda Louis calmement, comme s'il ne s'éta[it] rien passé.

— Je prierai pour que le Seigneur vous pardonne. Vous ne save[z] pas ce que vous faites.

— Il me semble avoir déjà entendu cela quelque part, dit Lou[is] en haussant les épaules avec indifférence.

Lionel se tourna vers Sam que l'on aidait à se relever et lui di[t] en s'efforçant de ne pas trop hausser le ton :

— Le fais-tu exprès, ma parole, pour gâcher tous nos efforts [à] essayer de le contenir?

— Non, dit Sam.

— Tu as le don de faire resurgir toute sa vindicte et ce qu'il y [a] de pire en lui. C'est l'exaspérante vérité. Je l'ai vu de mes yeux v[u.] Quand tu n'es pas là, Samuel, il arrive presque à se comporter d[e] façon normale.

Sam ne dit rien. Il s'avouait vaincu. Enroué par la peine et l[a] fumée, Lionel ajouta :

— Nous n'avons plus le choix. Il va falloir que tu t'en ailles.

*H*iscoutine, mai 1366

Margot se consacrait à planter plusieurs sachets de lavande dans le coffre en chêne rempli d'édredons, de draps, de taies brodées et de vêtements de nuit qu'elle et Jehanne avaient mis six ans à coudre. Ce coffre allait ensuite être transporté par Thierry et Hubert dans la chambre des maîtres, qui avait été récurée de fond en comble. Les anciens seigneurs d'Augignac n'avaient guère utilisé cette pièce; pourtant, elle avait été jusque-là laissée respectueusement inoccupée. Malgré le fait que cette chambre était la plus grande de la maison et qu'elle était munie de son âtre individuel, le mobilier en était des plus sommaires. À l'exception d'un grand lit à baldaquin et à courtines, elle était meublée avec ce coffre et la malle de Louis, une table avec deux coffres à dossier plus petits et deux chiffonniers installés de chaque côté du lit, avec chacun leur bougeoir. Un paravent cachait une étagère, un petit miroir d'étain poli et tout ce qu'il fallait pour faire sa toilette. Le nécessaire à raser et le petit miroir d'étain poli de Louis venaient d'y être apportés. Une porte fermée donnait accès au second bouge* du domaine; il se nichait tout contre le toit en pente. Louis n'allait pouvoir y entrer qu'en se pliant presque en deux. Tout au domaine avait été bâti en fonction de gens de taille normale. Il lui allait constamment faire preuve de vigilance pour ne pas s'assommer sur des colombages ou des linteaux de porte trop bas pour lui. Il en avait heureusement pris assez tôt l'habitude.

La jeune fille, qui pliait ses chemises de nuit neuves, jetait des coups d'œil de plus en plus anxieux à la servante. Lorsqu'elle tomba sur un vêtement différent, elle le secoua et le tint à bout de bras devant elle: il s'agissait d'une huque* de cariset* doublée qu'elle avait cousue en secret pour Louis. De facture simple, ce grand vêtement n'en possédait pas moins une petite touche de raffinement. Jehanne en avait brodé la cordelière, l'ourlet, les poignets et le col de pampres en fil vert sombre. Allait-il accepter de porter ceci? Même ces modestes garnitures qu'elle y avait mises l'année précédente lui semblèrent extravagantes. Elle replia le vêtement et le déposa dans le coffre avant d'en prendre un autre.

—J'espère au moins qu'elle lui fera, dit-elle. C'est dommage que nous n'ayons pas de vrai couturier au village.

Car les femmes n'avaient pas pu prendre les mesures de Louis

et s'étaient contentées de lui emprunter une de ses tuniques mise
la lessive pour concevoir un patron rudimentaire.

— N'ayez pas d'inquiétude, ma tourterelle. Soyez assurée que c
cadeau lui plaira beaucoup. Il ne dort qu'en chemise de lin, mêm
l'hiver, vous savez. Et là-haut, sous les combles, même avec u
brasero*, il ne fait guère chaud. Croyez-vous qu'il viendra faire u
tour aujourd'hui?

— Sûrement, puisqu'il n'est pas venu hier. Il sait que je vais l
disputer s'il passe plus d'une semaine sans venir me voir.

— Il doit avoir bien peur. Allez, lâchez ça, ma fille. Je me charg
du reste.

— Margot...

La main posée sur une des nouvelles chemises pliées, la jeun
fille se passa la langue sur les lèvres.

— Qu'est-ce qui ne va pas, ma tourterelle? Je vous trouve bie
pâle depuis le début de la belle saison. Serait-ce le mariage qui vou
tourmente?

Jehanne fit signe que oui et se mordit les lèvres avant de se jete
dans les bras de l'aimable vieille gouvernante.

Même dans son for intérieur, Margot refusait d'admettr
qu'elle avait bien pitié de sa petite Jeannette. Elle s'efforçai
pourtant d'aborder le sujet avec détachement, comme si cela eû
contribué à adoucir l'inéluctable. Elle savait d'avance que toute l
rigueur qu'on attendait d'une noble dame n'allait pas convenir à l
santé de ce petit pinson enjoué. Elle avait eu beau inoculer e
Jehanne tous les principes qui avaient cours, elle avait la certitud
que l'adolescente allait un jour ou l'autre en enfreindre la majeur
partie. Et un homme comme ce Baillehache n'allait sûrement pa
tolérer le moindre manquement. Elle reprit donc, tout en caressan
avec la tendresse d'une mère les bandeaux dorés de ses cheveux:

— Là, là, je serai toujours auprès de vous, ma fille. Mais dè
demain ce sera dans ses bras à lui qu'il vous faudra trouver refuge
Je sais que c'est difficile. Maître Baillehache n'est pas quelqu'u
qui se laisse connaître facilement. Mais vous pourriez être surprise
Soyez prévenante avec lui. Apprenez à découvrir les choses qui lu
plaisent et faites-les. Certains maris sont ivres et brutaux lors d
leur nuit de noces, mais pas tous. Je ne vous ai parlé de cela qu
pour vous préparer à cette éventualité. Il sera peut-être très doux.

— C'est vrai qu'il l'a toujours été. Je l'aime, j'ai hâte, mais e
même temps il me fait peur. C'est un bourrel*, Margot! J'en ai l
frisson à l'idée qu'il a sûrement exécuté des femmes comme moi.

— Et alors? Vous n'êtes pas condamnée à mort, que je sache?

— Je crois que si.

— Oh, oh, ça suffit maintenant. Vous allez me cesser tous ces enfantillages. Nous n'avons pas le choix, vous le savez aussi bien que moi.

— Où est le père Lionel?

— Il est à l'église du village avec votre futur mari.

Les épaules de Jehanne s'affaissèrent.

— Si je lui déplais, crois-tu qu'il me battra?

— Jehanne. C'est à lui qu'il vous faudra poser cette question. Souvenez-vous de ce dont nous avons parlé. Dès votre mariage, vous serez placée sous son autorité à lui. Il aura la permission de faire avec vous ce qu'il jugera bon de faire, que ce soit juste ou non. Vous lui devez fidélité et obéissance. Il vous faut dès maintenant accepter votre devoir qui est de vous donner à lui. Le dessein d'un couple est de concevoir des enfants pour assurer la continuité de la maison. De sa maison, bientôt.

Les paroles réconfortantes qu'elle avait attendues n'étaient pas venues. Devoir demander la permission à son «propriétaire» pour le moindre détail lui faisait horreur.

Elle se dégagea de l'étreinte de Margot et dit, avec un subit regain d'énergie :

— Je ferai de mon mieux. Voilà ce que je lui dirai. C'est sûr qu'il comprendra si je commets parfois des erreurs, n'est-ce pas? Ce n'est pas un monstre après tout.

Elle s'éloigna en tâchant de s'en convaincre.

Jehanne avait peur du lit et de la nuit. Même si elle n'avait qu'une vague conception de l'acte sexuel, elle pouvait déjà imaginer le visage contorsionné de Louis haletant au-dessus du sien. Elle se raidissait d'avance à l'idée d'avoir mal, d'avoir à être écrasée sous un corps d'homme possessif, vorace et secoué de spasmes convulsifs. Elle resta longtemps à l'entrée de la chambre, paralysée, des vêtements pliés dans les bras. Elle n'osait pas y entrer.

En tant qu'intendant, Lionel devait avoir l'œil à tout. Les arrangements pris en matière de testament avaient été une de ses responsabilités, Louis ayant consenti à une donation en faveur de Jehanne, le douaire*; la liste des invités au mariage en était une autre. Louis se doutait de la raison pour laquelle le moine l'avait fait mander à l'église, mais, sans un mot, il entra et attendit le bon vouloir de l'aumônier. «Il ne me demandera rien de lui-même, pensa Lionel. Avec lui, pas de question inutile du genre: "Vous vouliez me voir?"». Il se mit à énumérer, en suivant sur le bout des doigts:

—Nous disions: de votre côté, il pourrait y avoir Hugues, Clémence...

—Ça m'étonnerait qu'ils puissent venir.

—Ce n'est pas une raison pour ne pas les inviter. Qu'en est-il de votre employeur, cet homme d'Église, Friquet de quelque chose, qui est quoi déjà?

—Gouverneur. Il n'y sera pas, dit Louis.

—Bon. C'est aussi bien, car Margot en faisait une obsession. «On ne peut pas servir de bouilleux* à un tel invité», qu'elle disait. Ah! ah! «Et pourquoi pas?» lui ai-je demandé. Mais je n'ai jamais eu ma réponse là-dessus. Elle m'a traité d'insolent et m'a mis à la porte sous le prétexte qu'il ne restait plus d'eau de pluie dans le cuvier et que je devais sortir en puiser.

Les préparatifs allaient bon train. Les deux sièges ouvrés qui étaient placés côte à côte devant le chœur avaient été dépoussiérés et soigneusement polis à la cire d'abeille le matin même. Les deux hommes déambulaient lentement dans l'allée fraîche et silencieuse.

—Vous avez des anneaux? demanda le moine à Louis[134].

—Non. Je ne porte pas de bijoux.

—Mais Jehanne, elle, eût sans doute aimé en recevoir un, fit remarquer Lionel en souriant. Un autre, je dis bien.

—J'ai ceci, dit Louis.

Il sortit de sa poche une pièce de soie et la tendit au moine qui la déroula afin de bien la regarder.

—Mes armes, dit Louis en guise de précision.

En tant que roturier anobli, Louis avait choisi de conserver les armoiries qui lui avaient été données aux joutes de Saint-Sauveur-le-Vicomte, même si cela avait été par dérision. Sur fond noir, une potence et une échelle surmontées d'une hache rouge se démarquaient. C'était d'une simplicité presque archaïque, mais nul n'eût voulu posséder pareil emblème.

—C'est inusité, mais très approprié. Toutefois, cela ne risque-t-il pas de heurter l'âme sensible de votre dulcinée, voire de l'effaroucher?

—Elle sait déjà qui je suis. Cela convient-il, ou non?

Louis pointa la bande d'étoffe.

—Ce sera parfait. Tenez, reprenez-la. Elle est très inquiète, vous savez.

—Moi aussi. Et vous savez pourquoi.

Louis replia l'écusson et l'enfouit dans sa besace.

—Oui, je sais, dit Lionel doucement.

Il jeta un coup d'œil en direction de la porte de l'église et prit ouis par le bras.

— Quelqu'un pourrait entrer. Venez un peu par ici. Voilà. ntrons là-dedans. Nous y serons plus à l'aise.

Ils disparurent dans le confessionnal. Lionel ouvrit la petite orte qui séparait leurs deux visages. Louis reprit, comme s'il n'y vait pas eu d'interruption :

— Elle aussi saura bientôt.

— Et vous craignez qu'elle n'utilise ce prétexte pour faire nnuler le mariage.

C'était l'évidence, et lui-même y pensait depuis bien ongtemps. Pendant toutes ces années, Louis n'avait pu s'empêcher e ressentir un certain soulagement à l'idée de ce mariage, car cela gnifiait que personne n'était au courant de son impuissance. Peu e gens, en fait; il n'y avait que deux médecins juifs et quelques oines, dont Lionel lui-même. Si quelqu'un pouvait lui mettre des âtons dans les roues, c'était bien ce dernier. Pourtant, Lionel ne isait rien pour empêcher cette union. Pour une mystérieuse aison que Louis n'arrivait pas à s'expliquer, il l'encourageait, ême. Ce fut peut-être pour cela que Louis fit le choix de se ontrer honnête et qu'il avoua :

— Non. Je m'occupe de rendre cela impossible. Mais elle assera pour bréhaigne*.

— Que me dites-vous là?

— N'ai-je pas été suffisamment clair? Je vais la déflorer. Le ariage sera consommé. Il sera impossible de l'annuler[135].

Lionel repensa à l'objet oblong caché dans l'armoire et ne put éprimer un frisson à l'idée de ce à quoi allait possiblement essembler cet acte barbare, dénué de toute la sensualité charnelle u'était en droit d'attendre une jeune épouse toute disposée à imer son nouveau mari. Il soupira :

— Mon fils, c'est là chose très orgueilleuse de votre part que de nettre sur le dos de Jehanne la défaillance qui vous afflige. Il ne agit pas là seulement de sauver les apparences. Nous parlons ici 'une créature sensible et aimante qui vous sera donnée comme ompagne, non pas comme victime.

— Je ne lui ferai pas plus de mal que nécessaire. Je sais comment 'y prendre. Mais tout cela devra rester entre elle, vous et moi...

Il adopta un ton théâtral narquois avant de se lever.

— ... si vous tenez à ce que je sois bon et compréhensif envers lle.

— Maître, attendez.

Le bourreau consentit à se rasseoir.

Lionel réprimait avec peine son envie de saisir cet homme e[t] de le secouer, de l'extraire par la force de sa condition d'homm[e] machine qui en avait fait une créature égoïste et isolée. Il voulait l[u] montrer à quel point il se trouvait dans l'erreur depuis des année[s] qu'il était bien un humain relié aux autres d'une façon primordial[e] et poussé par les instincts de vie qu'il s'évertuait précisément san[s] cesse à renier. Ce qui lui était offert avec le mariage allait beaucou[p] plus loin que les seules conséquences sexuelles de sa nuit de noce[s] Il lui était enfin accordé l'immense faveur de pouvoir vivre dans u[n] milieu propice à évoluer.

— Qu'en est-il d'elle, justement? Y avez-vous pensé?

— Expliquez-vous.

— La vie, l'amour et l'élévation de l'âme ne sont qu'une seule e[t] même chose, mon fils. L'absence de sexualité et des plaisirs qu'ell[e] procure n'altère en rien cette force de vie là qui, elle, est beaucou[p] plus profondément enracinée, plus fondamentale.

— Je n'aurais pas dû vous demander de vous expliquer. Bon, j[e] suppose que vous voulez entendre ma confession, maintenant?

— Un instant, je n'ai pas fini. Elle vous aime. Et être aim[é] implique qu'il faut pouvoir aimer soi-même.

— Ouais.

— Elle attend beaucoup de vous. Si vous voulez un conseil... o[h] je sais, vous n'en voulez jamais... Il ne faut pas la décevoir. Song[e] à ce que cela signifie. Cela signifie qu'elle tient à vous en ta[nt] qu'homme, et que pour vous elle est prête à de nombreu[x] renoncements. Accordez-lui au moins la chance de vous prouve[r] cet amour.

— Ouais.

— J'espère que vous lui parlez davantage qu'à moi.

Louis songea à l'entretien qu'il avait eu avec Jehanne. Cel[a] l'avait troublé et il craignait de l'admettre. Tout de suite, il se m[it] sur la défensive:

— L'amour. Il n'y a rien de plus perfide, dit-il.

Le petit banc craqua sous le poids du bourreau. Lionel ajouta[:]

— Maître, j'ai voulu vous parler comme un ami, non pas comm[e] un prêtre. Vous ne vous sentez pas à votre place, ici.

C'était une affirmation. Louis dévisagea son interlocuteur san[s] rien dire. Pour une fois, il ne pouvait s'empêcher d'afficher so[n] étonnement.

— C'est bien, maître. Ne me mentez jamais, pas à moi.

Après un long silence, Louis finit par demander, avec hésitation[:]

— Bien... C'est tout?

Lionel le regarda un moment à travers le grillage du confessionnal. «Dieu, donnez-moi la force», se dit-il.

— Non. Non, ce n'est pas tout. J'ai encore à entendre votre confession générale comme vous me l'avez vous-même proposé. Mais, auparavant, j'aurais quelque chose à vous demander.

— Je vous écoute.

— Vous connaissez sûrement le commandement évangélique : «Tu aimeras ton prochain comme toi-même»?

— Oui.

— Que signifie-t-il pour vous, ce commandement, vous qui venez de me certifier que l'amour est perfide?

Louis observa le moine à la dérobée. Les choses se corsaient. Il n'aimait pas le tour qu'elles étaient en train de prendre. Lionel demanda encore :

— Iriez-vous jusqu'à prétendre que Jésus a tort de croire en l'amour?

— Ne me faites pas dire ce que je n'ai pas dit.

— Alors?

Le colosse parut réfléchir un moment et répondit :

— Je ne sais pas.

— Permettez-moi de vous poser la question autrement.

— Je préférerais me confesser.

— Ce que vous répondrez à ma question équivaudra à une confession. Et ma question, la voici : puisque vous n'aimez personne et ne laissez personne vous aimer, serait-ce que vous ne vous aimez pas vous-même?

Lionel sut qu'il avait fait mouche et il eut peur. Louis se leva brusquement. Ses doigts rudes s'accrochèrent au grillage, à la hauteur du visage du père Lionel, et menacèrent de l'arracher à la cloison. Le moine eut un mouvement de recul. Le colosse gronda :

— Ça suffit. Qu'est-ce que vous me voulez?

— S'il vous plaît... pas de ça ici.

— Ça n'est qu'une boîte.

D'un coup de pied, il ouvrit la porte du confessionnal.

— Mon fils, calmez-vous. Écoutez-moi. N'allez surtout pas croire que je doute de votre intégrité. Ce n'est pas cela. Mais vous me connaissez, je suis quelqu'un qui aime à soulever les roches afin de regarder ce qui s'y cache.

— Il n'y a rien sous les roches. Ça grouille d'insectes et ça ne vaut pas la peine d'être vu.

Lionel continua comme si Louis n'avait rien dit :

439

—Je passe ma vie à remettre même mes propres idéaux en cause. Ce que j'aimerais être capable de vivre la douceur de l'Éden au sixième jour, d'avoir le bonheur de savoir que tous mes sacrifices n'auront pas été vains...

Louis secoua la grille avec violence.

—Bon Dieu, taisez-vous! Un mot de plus et je... Arrêtez toutes ces questions. Dites-moi, si vous le savez, où est le plus grand bonheur. L'avez-vous trouvé dans vos chimères que vous ressassez depuis des années? Non? C'est donc que ça n'existe pas. Laissez tomber. Le seul vrai bonheur, c'est de ne plus penser, de se contenter de se battre jusqu'à ce qu'on finisse tous par en crever comme des chiens!

Alors qu'il sortait précipitamment du confessionnal, Louis s'y cogna la tête. Il se plaqua une main sur le front.

—Saleté de merde!

Tandis qu'il s'éloignait, Lionel dit, d'une voix tremblante:

—En un sens, j'ai obtenu ma réponse. Merci, mon fils. *Ego vos absolvo, in nomine Patris...*

C'était la dernière fois que Jehanne et Louis allaient se voir avant les épousailles. Dès la fin de leur promenade, ils allaient être séparés jusqu'au lendemain. Ils n'allaient se retrouver que devant l'autel. Les bans avaient été proclamés trois fois lors des offices à l'église paroissiale, et personne ne s'était opposé à leur union, pas même Sam qui avait été dûment maintenu à l'ordre. Le jeune Écossais avait obtenu de Lionel la permission spéciale d'assister à la cérémonie et aux réjouissances d'après, en autant qu'il consentît à bien se tenir.

Une brise de mai dérangea les fleurs fragiles d'un pommier. Un nuage de papillons roses se détacha de l'arbre, et la brise ainsi toute parfumée partit folâtrer plus loin en faisant frémir un groupe d'aubépines immaculées.

—À quoi pensez-vous, juste là? demanda-t-elle doucement comme pour s'assurer qu'elle l'avait bien suivi au-delà des pas.

—L'aimez-vous encore?

Jehanne baissa la tête et sourit timidement.

—Eh bien, vous alors! Vous êtes avare de mots, mais ceux que vous prononcez valent plus que bien des discours! Non, Louis pour la première fois, elle osait l'appeler par son prénom. Sam et moi, c'est fini. Ne lui en dites rien, surtout, mais il m'a fait une confidence. Depuis peu, il me parle sans arrêt d'aller rejoindre l'ost du roi en Espagne.

Louis se demanda s'il n'y avait pas anguille sous roche, car elle s'était un peu trop hâtée de lui confier ce secret. Il dit:

— Je lui ai fortement conseillé de partir après les noces.

Il ne regrettait rien. Il s'approcha d'elle. Sam allait être capable de se trouver une autre femme un jour. C'était un jeune homme normal, passionné, plutôt bien fait de sa personne. Mais lui, il ne trouverait jamais nulle part d'autre Jehanne. Elle dit:

— J'ai beaucoup pleuré, vous savez. Cet automne d'il y a deux ans aura vraiment été une saison pluvieuse pour moi. C'est pour cela que j'étais partie. Je n'avais envie de voir personne, vous comprenez?

— Oui. Ça va.

— J'avais besoin de temps, de m'éloigner. D'être seule un peu, même si je n'ai guère eu l'occasion de l'être.

— C'est moi que vous teniez à l'écart.

— Oh, Louis, ne m'en veuillez pas. Il le fallait. J'avais vraiment besoin de réfléchir. À votre sujet, justement.

Louis ne dit rien. Elle le regarda un moment avant de poursuivre.

— Dites-moi très franchement : vous abhorrez Sam, n'est-ce pas?

Il regarda ailleurs. Lui qui croyait ne plus jamais haïr quelqu'un autant qu'il avait haï Firmin se vit soudain confronté à ce qu'il éprouvait réellement envers le jeune Écossais.

— J'ai essayé de ne pas en venir là, dit-il.

— Est-ce à cause de moi?

— Oui.

Louis sut immédiatement qu'elle avait tout saisi, même ce que sa réponse n'exprimait pas.

— Pourquoi ne m'avez-vous rien dit?

— J'attendais.

Elle sourit en se demandant quelle sorte d'aveu un homme comme Louis allait bien pouvoir lui faire. Il n'avait rien du soupirant transi. La jeune femme n'eut pas à attendre longtemps pour avoir sa réponse. Maladroit, il lui prit la nuque et l'attira contre lui. Elle s'en émut et songea : « Il a attendu pour moi, je serai bien capable d'attendre pour lui. » Elle murmura :

— Si Sam s'en va, c'est pour vous laisser la place. J'aurais dû le savoir depuis longtemps, que c'était vous.

Depuis ses sept ans, Louis avait été pour elle un ami. Leur différence d'âge avait fait en sorte qu'il n'avait pu en être autrement. Elle demanda :

— Avez-vous déjà remarqué combien les chiffres peuvent être étranges, parfois?

— Que voulez-vous dire?

— Lorsque j'avais sept ans et vous vingt-six, j'étais encore une enfant alors que vous étiez déjà un homme. À présent, j'ai quatorze ans et vous trente-trois. Nous avons toujours dix-neuf ans de différence et pourtant nous sommes tous les deux adultes. La différence entre nous n'est plus aussi grande.

— C'est vrai.

— J'essaie de me faire à l'idée que vous êtes pour moi bien davantage qu'un ami. Cela me fait tout drôle en dedans. C'est à la fois nouveau et évident. En tout cas, c'est étourdissant.

Chapitre XII

*La licorne et la manticore**

spremont, 23 mai 1366

Ils se tenaient debout tous les deux en face de l'autel. La jeune femme portait une robe rouge neuve[136], dont un drapé soulevé avait pour but de créer l'illusion d'un ventre arrondi, gage de féminité et de beauté dont la nature ne pouvait avoir pourvu encore sa silhouette gracile. Elle était coiffée d'un fronteau d'orfroi orné des derniers muguets entremêlés avec un fin ruban de cartisane* et une petite parure en nacre qui retenait un voile léger sur ses cheveux demeurés libres. Le collier de Louis, tout simple, contrastait de façon étrange avec cette tenue. Le métayer était vêtu de l'un de ses austères habits noirs, son meilleur, dont la digne sobriété convenait assez bien à la solennité de l'instant. Seule sa dague pendait à sa ceinture. Jehanne et lui étaient à jeun comme l'exigeait la coutume.

En cette fin d'avant-midi, la petite église était bondée, saupoudrée par l'or fin de nombreux lampions. Il y avait même du monde à l'extérieur, pour la plupart des curieux venus de Caen pour assister au mariage de leur bourreau.

Le couple s'agenouilla devant le père Lionel à qui fut remis l'écusson en soie rouge plié. Tout en officiant, il surveillait l'expression de leurs visages. Curieusement, il trouva un peu de réconfort sur celui de Louis, dont la sévérité naturelle était demeurée imperturbable.

Jehanne ne put s'empêcher de jeter un regard derrière elle. Elle ne vit pas de cheveux roux dans l'assemblée.

Le célébrant déplia l'étoffe rouge et dit :

— Que le Créateur et le conservateur du genre humain, que le

Donneur de la grâce et de l'éternel salut fasse descendre Sa bénédiction sur cet objet, au nom du Père, du Fils et du Saint-Esprit. Ainsi soit-il.

Il invita le couple à se lever et attendit, l'écusson dans les mains. Louis prit la main glacée et tremblante de Jehanne et la souleva. À ce moment, les portes de l'église claquèrent. Tout le monde se retourna, mais seule Jehanne remarqua la tête rousse qui venait d'aller se perdre dans l'assistance. Lionel demanda:

— Quelqu'un aurait-il l'amabilité de rouvrir ces portes, je vous prie?

Presque toute l'assemblée se tordit le cou pour jeter un coup d'œil vers le fond de la nef. L'obligation de tenir les portes de l'église ouvertes pendant la cérémonie était l'un des détails fondamentaux du rituel; en effet, l'importance de l'échange public des consentements était si primordiale que la non-observance de ce seul détail pouvait conduire à l'annulation du mariage. Une femme distinguée se hâta d'aller rouvrir les battants. Inquiet, Louis reconnut Desdémone. Elle avait revêtu pour l'occasion une robe simple et de bon goût. À la voir, nul ne pouvait deviner ce qu'elle était, ou plutôt ce qu'elle avait été. Il ne semblait plus y avoir sur sa personne aucune trace de déchéance.

— Grand merci, lui dit l'aumônier.

Il enveloppa les deux mains du couple dans le tissu et dit à Louis:

— Répétez après moi: «Moi, Louis Ruest, je vous prends, Jehanne d'Augignac, en tant qu'épouse.»

Louis se tourna vers Jehanne, baissa les yeux sur elle et répéta les mots. Lionel continua à lui dicter ce qu'il fallait dire.

— Je promets de vous demeurer fidèle, de vous honorer et de vous protéger à tout jamais, dans la foi de Dieu.

Jehanne cligna des yeux. Elle se sentit tout à coup émerger d'un brouillard opaque.

— Ruest? demanda-t-elle faiblement.

— C'est mon vrai nom, dit-il tout bas.

Il avait oublié de le lui dire. Elle n'eut que davantage l'impression qu'elle s'apprêtait à lier son destin à celui d'un étranger, ce qu'il était en quelque sorte, malgré le fait qu'ils habitaient ensemble depuis des années. Elle baissa les yeux sur l'étoffe sous laquelle une main déjà dominatrice tenait fermement la sienne. Qui était-il donc, ce «Louis du ruisseau» qu'elle aimait sans le connaître? Existait-il réellement, ou n'avait-elle appris à aimer que l'image de l'homme derrière lequel «Louis qui donne la hache» s'était dissimulé? Et si elle faisait erreur?

Son regard se porta vers le bon visage du père Lionel. Lui, il ne

puvait s'être trompé. Il connaissait très bien les hommes. Elle se
puvint des rares échanges qu'elle avait pu avoir avec Louis. Elle
vit comment il avait su se montrer doux, aimable, prévenant
iême, en dépit d'une exquise maladresse. Non, elle avait bien un
eu peur, mais cette peur ne surpassait en rien l'affection qu'elle
prouvait pour ce géant redoutable à côté de qui elle avait encore
air d'une enfant. Il lui fallait seulement faire preuve de
iscernement et oublier le bourreau, Baillehache, pour n'épouser
ue l'homme, Louis Ruest. Elle inspira profondément et répéta
près le moine, avec ferveur, de sa jolie voix claire:

— Moi, Jehanne d'Augignac, je vous prends, Louis Ruest, en
int qu'époux. Je promets de vous demeurer fidèle, de vous obéir
: de veiller sur vous à tout jamais, dans la foi de Dieu[137].

Lionel s'avança et leva la main droite. Le couple baissa
spectueusement la tête tandis que le célébrant récitait:

— Seigneur Dieu, c'est sous Votre regard très bon et très
iiséricordieux que s'accomplit au sein de l'Église l'union
iatrimoniale de deux de Vos enfants. Là où mon nom de père ne
ert à rien, puisse le Vôtre veiller sur eux.

Il traça un signe de croix devant eux, en disant:

— Soyez désormais unis par les liens sacrés du mariage. Au nom
u Père et du Fils et du Saint-Esprit. Ainsi soit-il.

Et il recula, offrant à Louis un air amusé.

— Eh bien, cher maître, qu'attendez-vous pour achever de
:eller vos épousailles?

Des rires étonnés s'élevèrent de l'assemblée. Jehanne aussi eut
n petit rire nerveux. De sa main libre, Louis dénoua l'écharpe et
. mit à son bras. Il souleva le voile délicat dont le tulle s'accrocha
la peau rude de ses doigts. Il prit la jeune femme par les épaules,
:rrant inutilement sans s'en rendre compte, et se pencha pour lui
oser sur les lèvres un baiser furtif. Jehanne frissonna. Ce visage si
rès du sien, ces yeux fixes... Il la relâcha et ils se rassirent. La
élébration se poursuivit, mais Jehanne n'en saisit pas un mot. Elle
tait à Louis de fréquents coups d'œil en songeant: «Mon mari. Il
st mon mari. Quelle impression étrange. Tout vient de changer;
ourtant, il demeure le même homme, et moi, je demeure la même
mme. Ou alors, nous avons complètement changé tous les deux
t nous ne nous en sommes pas encore aperçus.»

Un gamin joyeux, petit frère de l'un de ceux qui avaient joué
vec Jehanne enfant, sonna la cloche à toute volée. Jehanne glissa
ne main timide au bras de Louis et ils remontèrent l'unique allée
isqu'aux portes où les attendait une pluie de pétales printaniers.

— Vive les mariés! criait-on de toutes parts.

Louis s'arrêta en haut des marches pour saluer les gens d'un bref signe de la main, marmonnant quelques mercis que seuls ses voisins immédiats durent entendre. Les gens se mirent à se bousculer autour d'eux pour leur offrir leurs félicitations. Parmi eux, beaucoup de citadins qui osaient s'approcher pour la première fois du bourreau. On eût dit que le mariage le rendait soudain moins effrayant, plus accessible. Quelques-uns lui serrèrent la main, mais la plupart se contentèrent de le féliciter verbalement de loin ou de lui donner une petite tape sur le bras. Par contre, tout le monde baisait la main de Jehanne ou serrait la douce créature dans leurs bras avec enthousiasme. Louis avait remarqué que Sam, un flacon à la main, avait fait la queue quatre fois de suite pour embrasser Jehanne sous l'hilarité de ses voisins qui le laissaient volontiers passer. Il décida de ne pas en faire de cas. Après tout, il fallait bien laisser les gens s'amuser un peu. Entre deux accolades, le feu aux joues, Jehanne se laissait pousser mollement contre Louis par des mains taquines.

Le père Lionel se faufila derrière le géant et lui fit faire volte face pour le coincer dans une puissante étreinte. Louis en fut si stupéfait qu'il se débattit un peu.

— Hum... mille excuses, je me suis un peu emporté. Toutes mes félicitations!

Sous un tonnerre de rires, il lui serra la main d'une façon très guindée, piqua le flacon de Sam pour en boire un coup et le lui remit avant d'aller étreindre Jehanne.

Le gouverneur Friquet de Fricamp porta la main à sa tonsure avant de tendre la main à son officier de justice et d'embrasser celle de Jehanne. Il dit:

— Tous mes vœux de bonheur, à tous les deux.

— Merci, dit Louis.

— J'ai pris la liberté de faire apporter à votre domaine, et ce, à votre insu bien sûr, quelques charretées de victuailles qui sauront contribuer à votre petite fête. Je vous saurais gré de bien vouloir le accepter en tant que cadeau personnel aux nouveaux mariés.

— Oh. Monseigneur, c'est bien trop de bonté, dit Jehanne.

— Il m'en coûte si peu, chère dame, pour avoir l'immense privilège d'assister à vos premiers instants de bonheur.

— On reconnaît bien là un homme de cour, dit Louis. D Friquet ricana et dit:

— Maître Baillehache, auriez-vous l'obligeance de mettre votre voix de stentor au service de la bringue qui nous attend?

446

Le bourreau fit un signe d'assentiment. Il éleva la main.

— Oyez, oyez!

Il attendit qu'un peu de silence s'installe et annonça :

— Nous vous attendons au domaine. Il y a de quoi festoyer pour tout le monde.

Ces paroles furent accueillies avec force acclamations. Des chaperons volèrent en l'air et se perdirent parmi des têtes qui n'étaient pas forcément les leurs.

On avait dressé et disposé en fer à cheval trois longues tables derrière la maison, dans un pré bordé d'arbres. La chaise à haut dossier de Louis était au centre de la table d'honneur. On avait déniché un second siège confortable à l'intention de l'épousée. À la droite et à la gauche de ces chaises munies de coussins étaient installés deux longs bancs. Des bancs semblables avaient été poussés devant les deux autres tables. La journée était splendide. Des quartiers de viande rôtissaient au-dessus du feu depuis plusieurs heures. D'autres marmites contenaient divers potages ou des sauces. Du pain bis attendait sur les tables avec des carafons de vin de Beaulne. Quelqu'un roula un vauplate* de bière jusqu'à l'aire qu'entouraient les tables.

La charrette décorée qui ramenait les jeunes mariés fut saluée par de nombreux invités qui se trouvaient déjà là et avaient offert leur aide aux serviteurs.

Le père Lionel, le bas de sa coule rendu poussiéreux par la promenade qui avait suivi la cérémonie, papillonnait d'un invité à l'autre. Il entraînait une dame d'allure très distinguée.

— Venez, venez et mettez-vous à l'aise, lui dit-il. Ce clan bavard que vous voyez là constitue l'abondante parentèle de Mathurin, l'un de nos bons paysans. Aucun des membres de sa famille n'est dangereux, hormis peut-être Mathurin lui-même.

— Eh, oh! J'ai entendu, mon père. Faites pas attention à ce qu'il vous raconte, celui-là, ma p'tite dame, dit Mathurin qui prêtait main-forte à Margot auprès des rôtis.

Lionel dit :

— Voyons, mon ami, lequel de nous deux est le plus mauvais perdant au trimard*?

— Oh et puis zut. Moi, je ne joue plus jamais avec un prêtre. On ne peut même pas jurer tranquille.

— On dit ça, on dit ça... Oh! regardez un peu qui vient là.

C'était Sam. Il était attiré par l'assortiment de petits flaconnages remplis d'eau-de-vie que l'on avait gracieusement mis à la disposition des ménestrels.

Entre-temps, la charrette arrivait. Elle s'immobilisa sous les vivats. Louis descendit le premier et offrit son bras à Jehanne. Elle s'empressa de le prendre après avoir rajusté sa troussoire* ouvragée. La dame distinguée, qui était Desdémone, remarqua :

— Admettons à sa décharge, en dépit de ce qu'il est, que c'est un homme courtois.

— En effet, dit Sam. Il se montre toujours très poli envers ceux qu'il raccourcit.

— Vraiment? Et à qui donc ai-je l'immense honneur de m'adresser? Il me semble t'avoir déjà vu quelque part.

— Moi aussi, je vous ai déjà vue. Et je sais où. Je m'appelle Somhairle Aitken.

— Hum, un Escot.

— Oui. Quoi! Ça vous embête? Qu'êtes-vous venue faire ici?

Elle éluda la question.

— À ce que je vois, tu fais partie des musiciens.

— Si on veut. Il ne me reste plus que ma voix. J'ai perdu ma cornemuse. Entre autres.

Sam jeta un regard amer en direction de la table d'honneur où des gens commençaient à prendre place à la suite des mariés.

Blandine s'approcha d'eux avec une cruche[138] qu'elle inclina. Elle versa de son contenu dans le gobelet des nouveaux mariés. Alléché par sa riche teinte dorée, Louis s'empressa d'y goûter. Il claqua la langue en signe d'appréciation. Son voisin Friquet de Fricamp lui fit un clin d'œil et dit :

— Une autre petite surprise que je vous réservais, maître, quelques futailles de cet excellent petit vin de rivière*, un breuvage divin produit par des hommes de Dieu. On m'a dit que vous aviez un faible pour celui d'Épernay, est-ce exact?

— Oui. Merci.

— Ainsi, on m'a bien renseigné. À propos, saviez-vous que Jeanne – pas la vôtre, mais bien l'épouse de Charles le Mauvais – s'est établie ici, en Normandie, à Évreux plus exactement, et a donné le jour à un garçon il y a tout juste un mois[139]?

— Non, je l'ignorais.

Le père Lionel, qui s'était discrètement éclipsé à l'intérieur le temps d'y prendre un paquet ficelé avec soin, s'approcha de la table d'honneur et dit à Friquet :

— Permettez, monseigneur, que je vous emprunte un court instant l'attention de nos mariés.

— Mais bien sûr, cher père. Joignez-vous donc à nos bavardages.

Partageons en vrais amis ce nectar et les idées qu'il ne manquera pas de nous sortir de la tête.

— Grand merci.

Le moine prit place à côté de Jehanne, à qui il remit son paquet.

— Pour vous deux, de la part de mon ami Flamel, qui m'a dit regretter de ne pouvoir être des nôtres aujourd'hui. Hélas, il ne pouvait se permettre d'effectuer ce voyage.

— Oh! mais c'est très aimable à lui d'y avoir pensé, dit Jehanne en posant le paquet entre Louis et elle-même pour le déballer.

C'était un livre splendide, abondamment illustré, qui faisait l'éloge des premiers Valois jusqu'à Jean le Bon. Il n'y était pas fait mention de Charles V en tant que roi, son avènement étant encore trop récent. Louis tira l'ouvrage à lui et en tourna les pages afin de regarder les images. On y voyait quantité de scènes relatives à la peste, aux combats et aux pourparlers entre mitrés et couronnés. Il trouva même une scène d'exécution qu'il examina avec minutie. Il le remit à Jehanne et commenta :

— On dirait que, dans les livres, tout a une allure moins ingrate. Même les bourreaux.

Lionel rit et répondit :

— Peut-être est-ce parce que les images sont trop belles? En tout cas, je puis vous certifier que les mots qui les accompagnent, eux, ne le sont pas toujours.

— C'est un très beau livre, dit Jehanne. J'ai hâte de le lire. Lorsque vous écrirez au sieur Flamel, faites-le-moi savoir, mon père. J'aimerais moi aussi lui écrire un mot de remerciement.

— Je n'y manquerai pas, ma fille.

Elle se mit à étudier une miniature qui représentait la Jacquerie. Louis se pencha aussi sur le livre et tapota l'image du doigt :

— Je reconnais ça. C'est la porte Saint-Antoine. Lui, celui qui a les clefs dans les mains, c'est Étienne Marcel, le prévôt des marchands. L'autre doit être Maillart.

— Je pourrai vous en faire la lecture.

— Non, ce n'est pas la peine pour ce bout-là. Je sais ce que c'est. J'y étais.

— Que me dites-vous là?

— J'étais à Paris quand c'est arrivé. Il y a des choses dans ce livre que je pourrais moi-même vous raconter. Tenez, ça par exemple.

Il tourna les pages et désigna une miniature où l'on voyait un homme en haillons, assis sur une cathèdre* et ceint d'une étrange

couronne rouge. Jehanne lut la légende qui avait été écrite au ba
de l'illustration et s'exclama:

— Guillaume Carle! Le chef des insurgés. J'en ai beaucou
entendu parler. Vous l'avez vu?

— Plus que ça. Je l'ai exécuté.

Jehanne blêmit. Il s'éclaircit la gorge, vaguement honteux de n
pas avoir réfléchi avant de lui montrer cela. Il lui reprit le livre de
mains pour trouver de quoi lui changer les idées.

— Tenez. Maupertuis.

— C'est vrai, je me souviens que vous nous en aviez parlé duran
notre séjour dans l'abri souterrain. C'était passionnant.

Des visages se tournèrent vers eux, soudain intéressés.

— Ouais, dit Louis, qui réclama d'autre vin pour ne pas avoir ;
faire récit de la chose comme un vantard encensant ses exploit
guerriers.

Il frotta pensivement ses lèvres minces avec le côté du pouce. I
se sentait tendu, incapable de se prélasser sur son trône malgr
l'apparente quiétude de son royaume. Un léger malaise palpitait a
creux de ses reins et il en connaissait trop bien la provenance: i
naissait de l'absence de tout désir sexuel, ou plus exactement d
son appréhension de voir Jehanne finir par se rendre compte qu
quelque chose ne tournait pas rond chez lui. Il se trouvait soudai
bête de s'être laissé entraîner dans cette histoire de mariage san
s'être mieux préparé à affronter ses conséquences; en outre, il avai
commis l'imprudence de s'être trop pris d'affection pour cett
créature frêle qui le déconcertait. Qu'allait-il arriver à Jehanne
maintenant, puisqu'il portait malheur? Et voilà qu'à présent, devan
le fait accompli, il s'étonnait de se sentir à l'étroit dans se
nouveaux vêtements d'homme marié. Il se souvint qu'il n
connaissait à peu près rien aux femmes. Même si Jehanne étai
différente, celles qu'il avait connues lui avaient toujours causé plu
de tort que de bien. La tête d'une femme est pleine de méandre
obscurs dans lesquels un homme peut s'égarer à tout jamais. Le
femmes possèdent un sixième sens qui leur fait voir les chose
autrement, les dimensions qui demeurent hors de portée d
champ visuel masculin. Louis craignait vaguement cette aptitude
comme d'ailleurs toute chose inconnue de lui. Pourtant, lui-mêm
se savait pourvu d'un sixième sens qui lui envoyait parfois de
mises en garde fort utiles. Ce jour-là, son sixième sens lui dicta
«Fais attention. Ne va pas trop loin. Surveille-la. Mais surtout
surveille-toi. »

Les estomacs se trouvèrent peu à peu préparés dans les règle de l'art pour l'assimilation des premières gourmandises, des aliments froids et humides qui étaient d'avance copieusement arrosés. Trop par certains, dont les rires gras émaillaient les bavardages. Tout le monde fut convié à table.

Desdémone était de fort méchante humeur. Elle avait tenté, jusque-là sans succès, de se trouver des raisons de ne pas l'être. Elle se demanda ce qu'elle était venue faire ici. C'était inutile, cela ne faisait que raviver sa vieille blessure. Quel espoir de vengeance avait-elle pu couver en secret? Ce n'était après tout qu'un stupide banquet de noces.

Elle en voulait à Bertine, la maquerelle, d'avoir semé le doute dans son esprit, elle qui lui avait certifié que le patron était bien loin de l'image qu'elle s'en était faite et qu'il lui fallait à tout prix, pour la sauvegarde de la meilleure maison close de Caen, user à bon escient des influences de ce bienfaiteur de jadis.

Pour Bertine, en dépit de son problème d'alcool persistant, Desdémone était une bonne fille. Sa meilleure. Elle n'avait jamais rechigné à l'ouvrage. Il n'y avait jamais eu rien de trop vil pour elle si le bien de la maison était en jeu, et en plus elle avait toujours trouvé du temps pour apporter à l'ordinaire de ses consœurs quelque amélioration. Au fil des ans, les deux femmes étaient devenues de grandes amies. Lorsque des puissants de ce monde s'étaient mis à fréquenter sa maison et à demander Desdémone, Bertine avait remplacé son statut de souteneuse par celui de courtisane. Mais comment oublier que, n'eût été du bourreau, elle fût demeurée infirme toute sa vie? Comment oublier le fait qu'il n'avait jamais exigé d'augmentation de taxe, alors qu'il savait très bien que la maison prospérait?

Desdémone avait prêté l'oreille à toutes les médisances de ces pique-écuelle obséquieux qui souriaient à Louis et lui faisaient des ronds de jambe. Lui, il avait l'air de bien les connaître et n'en faisait pas de cas. Il s'emplissait la gorge de bouilleux* ambré, chaud et onctueux, pour éviter d'avoir à parler. Mais, pour elle, le fait de savoir qu'ils étaient si nombreux à en médire était nouveau et prouvait que Bertine pouvait avoir tort. La patronne n'était qu'une personne parmi tant d'autres à s'être fait berner par lui. Avec elle, ça ne prenait plus. La rage au cœur, elle se sentait inattaquable. Peut-être n'était-elle venue que pour cela, afin de constater par elle-même à quel point elle le connaissait bien et comment il ne pouvait plus l'atteindre.

Elle se rendit à la table, mais l'un de ses escarpins décida de ne plus la suivre. Alors qu'elle se penchait pour le remettre, elle buta contre un postérieur d'homme. Plusieurs gouttes de vin doré tombèrent près d'elle.

— Oups! mille pardons, dame. Est-ce que ça va? demanda Sam en lui prenant le bras.

— Mais oui, ça va. Où est Baillehache? demanda-t-elle sèchement.

Sam le lui montra en le pointant du menton. Le bourreau n'avait pas bougé de sa place à la table d'honneur. Il dit, tout aussi sèchement:

— Jamais de ma vie je n'ai vu de couple aussi mal assorti. Comme le dit si bien le proverbe: «Vive les vieux ciseaux pour couper la soie!»

Il sourit, essuya une goutte de vin sucré qui s'insinuait sous son menton et examina plus attentivement cette femme distinguée qu'il reconnaissait pour l'avoir déjà vue dans une situation moins reluisante; elle n'était peut-être pas si vieille que ça après tout, quoique trop fardée, et elle serrait dans sa main une chaussure dispendieuse. Il ressentit pour elle une sympathie soudaine qu'il ne chercha même pas à dissimuler.

— Savez-vous que vous êtes ravissante? dit-il avec juste ce qu'il fallait d'accent pour communiquer un peu de finesse à sa remarque.

Le vin contribuait à y faire réapparaître des vestiges de gaélique. Desdémone en voulut à son cœur qui s'était mis à lui cogner plus fort dans la poitrine. Elle avait toujours eu un faible pour les adolescents et force lui était d'admettre que celui-là avait plutôt fière allure. De plus, il détestait Louis. C'était tout à son avantage. Elle ricana.

— Oh, ce que ces gamins des Hautes-Terres* peuvent être romantiques!

Elle posa son soulier par terre et enfonça le pied dedans avec une telle précipitation qu'en partant, elle perdit l'autre. Sam rougit, mais sourit à Lionel qui n'avait rien manqué de l'échange. L'Escot s'attabla à la place qui lui était réservée au bout de la table d'honneur; en tant qu'habitant du manoir, il jouissait de ce privilège, même s'il devait partir dès le lendemain. La place de Desdémone était presque à la jonction de sa table avec celle de Sam et il s'en montra extrêmement satisfait. Sam dit tout haut au moine:

— Elle m'a peut-être traité de gamin, mais son genre ne me déplaît pas du tout.

— Jeune impertinent, va! dit le bénédictin.

Pendant ce temps, Desdémone avait de nouveau perdu l

452

bourreau de vue. Il s'était levé à son insu et elle se mit à le chercher fébrilement des yeux. Une main douce se posa sur son bras et elle fut décontenancée de voir Jehanne en personne qui s'était dérangée pour venir lui offrir d'autre vin. Desdémone la remercia et poussa un profond soupir.

— Les serviteurs sont occupés et j'ai remarqué que vous aviez l'air fatigué, fit Jehanne.

— Je suis fourbue et j'ai mal aux pieds, dit-elle avec son habituelle franchise brutale.

— Dans ce cas, mettez-vous à l'aise. Ici, vous pourrez cacher vos pieds sous la table et retirer ces chaussures sans que personne ne vous voie.

Elle lui fit un clin d'œil malicieux. Desdémone eut un rire contraint. Ce ne fut pas consciemment que Jehanne prit place entre Sam et elle pour bavarder. Elle avait remarqué que cette femme était non seulement fatiguée, mais seule la plupart du temps. En outre, il y avait quelque chose de familier dans ce visage usé, amer.

— Je suis étonnée, dit-elle, de voir autant de monde, d'autant plus que Louis – ça me fait tout drôle de l'appeler comme ça – n'a plus de parenté directe et moi non plus. J'ai quand même eu le bonheur de rencontrer sa famille par alliance. Ils sont boulangers, vous le saviez? Il y a sa sœur, son mari et leurs enfants. Ils habitent loin, à Paris. Je dois avouer que je ne connais presque personne ici et j'ai envie de lier connaissance avec les invités. Il me semble vous avoir déjà vue quelque part, mais je n'arrive plus à me souvenir où.

Desdémone dut faire vite pour trouver de quoi justifier sa présence. Elle espéra que Louis allait avoir la décence de se montrer discret à son sujet. Elle dit:

— C'est très aimable à vous d'être venue me voir. Je suis la belle-sœur d'un cousin de ce boulanger et j'habite fort loin. Vous devez m'avoir confondue avec quelqu'un d'autre.

— Ah bon. C'est effectivement possible.

— Ça devient de plus en plus rare, des gens comme moi, dans les réunions de famille, à cause de la guerre.

Entre-temps, Louis avait regagné sa place. Ses prunelles s'attisèrent en se posant sur Sam et Desdémone, qui firent tous deux semblant de ne pas le remarquer. Mais Desdémone put éviter toute forme de représailles grâce au papotage anodin de la trop jolie mariée. Le père Lionel se joignit à elles, puis Hubert. Le français du jeune Écossais était redevenu presque impeccable et ce à quoi il l'employa fit tant rire la courtisane qu'elle ne regretta plus d'être venue.

Un peu plus tard, Sam à lui seul avait remplacé tous les autres auprès de Desdémone. Il flirtait si ouvertement avec elle que c'en était indécent. Assez rapidement, la tête de celle-ci se mit à tourner et le vin n'y contribua pas beaucoup. À présent, il lui souriait sans plus dire un mot. Soudain elle lui ordonna, alors que personne ne leur prêtait attention :

— Arrête-moi ça tout de suite, mon beau petit noceur ! Ton bredi-breda* nous fait continuellement repérer. Tu ne sais donc pas à qui tu as affaire ?

Sam abdiqua, non sans feindre une certaine déception. Car des gens s'étaient effectivement tournés vers eux. Il se leva et dit à voix haute :

— Bon, comme vous voudrez, ma belle. Je m'en fous. De toute façon, j'en aime une autre.

Il contourna la table et, d'un coup de hanches dans le dos, il poussa Louis qui enfonça le nez dans son gobelet en couvrant les alentours d'éclaboussures.

— Oups ! pardon. Plus le temps passe, plus le sol est inégal, vous ne trouvez pas ?

Tout le monde riait aux éclats. Éberlué, le bas de la figure dégoulinante, Louis n'eut pas le temps de se tourner et d'allonger la jambe pour faire à l'insolent un croche-patte bien mérité. Le vin lui piquait les muqueuses du nez et il fut pris d'une crise d'éternuements.

Desdémone avait tout compris. Et elle sut soudain qu'elle avait eu raison de se déplacer pour cette fête. Elle noya son sourire ravi dans sa coupe de vin.

Arrivèrent les premiers pâtés en croûte, accompagnés de poulardes glacées au miel servies avec des morceaux de pommes confits et légèrement saupoudrés de cannelle. En dépit des quartiers de viande qui tournaient sur leurs broches ou qui rôtissaient sur un gril – porc frais, agneau et veau, qui constituaient normalement l'apanage des maisons seigneuriales – on avait prévu de bons pot-au-feu. La basse-cour et le marché avaient fourni quelques oisons que Margot avait pourbouillis dans du lait avec un bâton de cannelle pour chaque volatile, presque toute sa provision de gousses de cardamome, une poignée de clous de girofle, trois petites racines de galanga et du sel. Elle avait ajouté les oisons dès les premiers bouillons de ce mélange, les avait laissés cuire dix minutes et les avait égouttés. Après quoi Blandine et elle les avaient encore salés et poivrés pour finalement les envelopper chacun dans deux feuilles de laurier et les cuire au four à pain qui avait été entretenu au chêne vert, le meilleur combustible qui fût. Louis avait dit raffoler des cailles cuites de cette façon et, à défaut de cailles, les oisons pouvaient aussi bien faire l'affaire.

— Bon, la fromentée*, maintenant, dit Margot en redoublant d'ardeur.

Elle s'affairait avec excitation aussi bien à la cuisine que dehors. Se sentant vaguement coupable, elle alla puiser dans la précieuse réserve de froment qui était la chasse gardée de Louis. À du lait, elle mélangea une abondance de jaunes d'œufs, du gingembre râpé, une pointe de safran, du sel et du poivre. Le tout fut mélangé et, le résultat s'avérant trop liquide, il fut passé dans un linge. Elle enduisit des moules de beurre, y dosa le froment, versa par-dessus la préparation en y ajoutant d'autres œufs battus. Une fois cuite au feu doux du four, cette fromentée* allait disparaître aussi promptement que le bouilleux*.

La chapelle du four ressemblait à la gueule béante d'un ogre vorace, jamais rassasié; en plus des moules de fromentée* et des oisons, Margot accommoda une généreuse frigousse* de sanglier au cidre à laquelle les deux cuisinières avaient travaillé dès le début des préparatifs. C'était grâce à Louis et à Toinot qu'ils pouvaient en manger, car ils étaient allés à la chasse l'avant-veille. Ce sanglier était donc une surprise inattendue. Personne n'avait eu besoin de savoir que la grosse femelle avait surgi de nulle part et chargé Louis, qu'elle l'avait renversé, et qu'il ne devait la vie qu'à sa dague. Toinot et lui avaient mangé ses marcassins sur place pour éviter de chagriner Jehanne.

Margot avait commencé par faire saisir des tranches prises dans la fesse dans une marmite et les avait vite retirées du feu. Elle avait doré des amandes dans le beurre, y avait ajouté de l'oignon, de l'ail, du sel, du poivre, et des herbes de Provence. Après avoir déglacé la marmite au cidre, elle avait attendu et fait une demi-glace avec du fond de veau. Après un moment, les tranches étaient retournées dans la marmite avec le reste du jus de cuisson. À présent, le four embaumait.

— On aurait pu laisser la frigousse* mijoter dans l'âtre, mais c'est meilleur ainsi, expliqua la gouvernante à sa fille, qui s'occupait à filtrer l'hypocras*. De toute façon, le four chauffait déjà.

Friquet de Fricamp n'avait pas lésiné: il leur avait ramené du luxueux sucre de Chypre, des amandes, des figues et des raisins secs. Blandine se régala d'avance tout au long de la préparation d'un taillis de fruits secs. Elle mit à chauffer du lait d'amandes et y ajouta le sucre de canne avec des miettes de pain sec. Elle laissa ce mélange cuire pour lui permettre d'épaissir. Pendant ce temps, elle épépina et enleva avec soin, un par un, chacun des raisins secs de leurs grappes pour ensuite les recueillir dans un bol dont elle alla verser le contenu avec les figues coupées grossièrement dans la petite marmite. Elle laissa cuire à feu très doux et versa le précieux mélange dans des terrines pour le mettre à refroidir afin qu'il pût être tranché.

On fit honneur à chacun de ces plats. Le festin dura tout l'après-midi. Lorsque le soleil couchant, en hommage aux nouveaux mariés, se mit à répandre des fresques magnifiques, les muses s'éveillèrent en même temps que la brise parfumée du crépuscule. Les écuelles vides furent dédaignées au profit des gobelets de vins capiteux qui, eux, ne tarissaient pas, et les esprits s'échauffaient alors que le fond de l'air fraîchissait. Des instruments de musique se mirent à jouer des fragments de mélodies. Parmi les conversations de plus en plus animées, ils soliloquaient et semblaient se plaire dans leurs propos. Les ménestrels qui, jusque-là, étaient répartis au hasard parmi les invités se rassemblèrent avec vièles*, psaltérions*, saqueboutes* expérimentales, rebecs*, flûtes, chalémies*, tambourins et tout le reste parmi les feux de braises et les broches carbonisées, dans l'aire vacante qu'entouraient les tables. Quelqu'un s'était même donné la peine d'apporter une petite harpe. Seul Sam ne bougea pas de sa place. Les musiciens se concertèrent et, d'un commun accord, ils attaquèrent les premières gigues de la veillée.

— Allez, allez, bande de paresseux! cria l'un d'eux. Bougez-vous donc un brin, c'est bon pour la digestion!

Mais les mariés ne faisant pas mine de vouloir se lever, nul autre ne le fit et la gigue endiablée ne fit danser que les cœurs.

Jehanne regarda Louis. Elle avait remarqué que beaucoup d'autres faisaient comme elle et lui jetaient de fréquents coups d'œil. Louis ne souriait pas. Il ne voulait pas danser. Sans les stimuli de l'alcool, cela n'eût pas été aussi pénible à Jehanne. Elle avait envie de s'amuser. Elle lui demanda pour la dixième fois:

— Est-ce que ça va?

Et, pour la dixième fois, il répondit:

— Oui.

Après un moment, elle se risqua enfin à demander:

— J'ai le diable au corps. On va danser?

Il tourna la tête vers elle. Sans savoir pourquoi, elle en fut intimidée. Elle croisa les mains sur son giron et baissa la tête.

— Pas tout de suite, dit-il.

— D'accord.

Il voyait bien qu'elle en était déçue et chercha une façon de lui faire oublier cette déconvenue. Il prit son gobelet de vin et le porta aux lèvres de Jehanne. D'abord surprise par ce geste romantique, elle ne fit que lui sourire. Elle but une gorgée et dit :

— C'est drôle, on dirait que le vin est meilleur, bu de cette façon. Tenez, laissez-moi vous faire essayer.

Elle réclama le gobelet et l'approcha des lèvres de son mari, qui en but plusieurs généreuses gorgées. Elle rit et retira le gobelet.

— Mais arrêtez, goinfre! Vous allez le finir!

— C'est vrai qu'il est meilleur, dit-il.

Et il emprisonna les deux mains de la jeune femme autour du gobelet pour le porter de nouveau à ses lèvres. Après qu'elle en eut bu elle aussi plusieurs gorgées, il ramena le gobelet vers lui.

— Ah! ah! Je vous ai bien eu! dit-elle. Il n'y en a plus.

— Si, il en reste.

Il fit tourner le gobelet dans leurs mains et posa les lèvres là où elle avait posé les siennes afin de boire les toutes dernières gouttes. Ils se regardèrent. Le feu monta aux joues de Jehanne.

— Hé! Regardez un peu ce qui se passe par là avec nos amoureux! cria un ménestrel ravi. Tout le monde se mit à acclamer le couple et la musique reprit de plus belle. Louis héla Blandine et réclama d'autre vin. Jehanne jubila lorsqu'elle vit le pied de Sam battre la mesure. Mais le pied fut promptement ramené à l'ordre dès que le jeune homme s'en aperçut. Il adressa au couple un air de reproche. Jehanne lui dit :

— Vas-y, Sam. Joue-nous de ta musique, toi aussi.

— Bonne idée, dit Louis.

L'Escot n'osait refuser quoi que ce fût à son amie. Il se leva et se rendit dans l'aire, sa tête cuivrée ébouriffée par la brise qui forcissait. Ses bras ballants semblaient désœuvrés sans son inséparable cornemuse. Un flacon plat dépassait de la poche de ses chausses.

La brunante tombée, le monde s'installa comme pour attendre. Le dernier oiseau laissa son trille suspendu et ne le termina pas, tout souci artistique s'étant interrompu pour la nuit. Louis imita son univers : il attendit, lui aussi. Tous les convives avaient atteint divers stades d'ébriété, y compris Louis lui-même. Pour la première fois de sa vie, il se sentait disposé à s'y abandonner un peu. Il s'appuya légèrement de travers contre le dossier de sa chaise pour observer les chanteurs, sans s'apercevoir que Jehanne s'était levée pour aller grignoter une pâtisserie citronnée. Lui aussi quitta sa

457

place pour un banc plus près du feu et se versa du vin. Sa femme revint vers lui et lui fit face en se léchant les doigts. Elle s'accroupit et ses bras lui entourèrent les épaules, l'obligeant à se pencher un peu. Il baissa la tête. Les fleurs ornant le fronteau qui la couronnait frémirent sous son souffle. Il sentit qu'une main fine lui soulevait le menton et dégrafait son col. Il fut si étonné de cette audace qu'il la laissa faire.

— C'est tout chaud, dit-elle en faisant un trait vertical le long de sa pomme d'Adam.

Elle se releva légèrement. Des cheveux fous chatouillèrent la figure de Louis alors que les lèvres de Jehanne se posaient partout sur sa gorge comme des papillons errants. C'était une caresse innocente, déconcertante. La jeune femme butinait délicatement, s'imprégnait de son odeur mâle, à la fois familière et nouvelle, une odeur de terre qu'assagissait celle du savon domestique. C'était celle de son mari, et elle l'aimait. Elle sentit les mains de Louis lui prendre la taille et il se baissa pour l'embrasser timidement, à peine une caresse d'oiseau-mouche sur une fleur inconnue. Les baisers de Jehanne sentaient le citron.

Sam se matérialisa soudain près du feu central. Il avait enfilé une chemise de femme maculée de taches sombres. Louis regarda Jehanne en fronçant les sourcils. Incrédule, elle dit :

— C'est donc lui qui m'a pris cette chemise de nuit. Il m'en manquait une depuis... depuis l'incendie de la tour.

Elle fixa Louis sans y croire tandis que Sam déclamait, avec emphase :

— Moi, le chevalier Saldebreuil, j'ai croisé le fer contre l'ennemi bardé de plates au péril de ma vie avec seulement, pour toute armure, la chemise de ma douce Aliénor. Or, me voici vaincu, blessé, couvert du sang et des larmes de ma défaite pour avoir relevé votre défi, ma reine. Il me restera l'exquise consolation de trépasser dans votre lingerie.

Il s'inclina sous les applaudissements et retira la chemise. Il exposa son torse nu aux lueurs du feu. Certains durent apercevoir dans son dos les marques laissées deux ans auparavant par le roseau coupant. Il s'avança en direction du couple. Il remit la chemise à Jehanne et lui demanda, tout bas :

— Serai-je donc votre chevalier ?

Avant même de songer à ce qu'elle faisait, Jehanne se leva et passa la chemise tachée par-dessus sa robe d'apparat[140], sous le regard désapprobateur de Louis, le sourire en coin de Desdémone et de nouveaux applaudissements hésitants. Sam mit un genou en

458

rre et fit le baisemain à Jehanne, après quoi il se releva et se
ourna vers Louis.

— Seigneur Baillehache, heureux vainqueur, permettez que
otre belle dame se joigne à moi le temps d'un chant, d'un seul,
uisque désormais c'est votre voix qui bercera ses nuits.

Les ménestrels s'esclaffèrent. Ils s'installèrent avec leurs
struments et attendirent, souriant à Louis dont le maintien était
eaucoup moins roide que d'habitude. Il se passa machinalement
index sur les lèvres.

— Faites donc, dit-il, magnanime.

Jehanne se jeta à son cou et l'embrassa bruyamment sur la
ouche. Des applaudissements enthousiastes crépitèrent et
lusieurs en profitèrent pour trinquer encore à la santé du maître.

— Emmène-moi dans ta musique, Sam, dit Jehanne.

Sam chuchota le titre de la pièce à ses comparses et la musique
ommença. Il ne s'agissait que d'un court refrain en ladino,
oujours le même, mais qui allait en accélérant jusqu'à ce que les
hanteurs en perdent le fil. C'était une comptine très entraînante
ont Jehanne connaissait les paroles, mais non la signification. Ils
hantèrent ensemble. Plusieurs pieds commencèrent à suivre le
ythme.

« Rahelica baila
Moxo Nico Canta
Los ratones godros
Eyos dan las palmas[141]. »*

Louis se redressa et observa les deux chanteurs avec attention.
a main suivait distraitement la cadence sur la longière* froissée. Il
tudia comment leurs regards s'agrippaient l'un à l'autre avec toute
 ferveur d'un adieu. C'était comme si Sam était monté à bord
'une nef invisible alors qu'elle demeurait sur le quai.

Louis vida son hanap d'un trait et se leva. Personne ne
emarqua qu'il s'en allait calmement vers la maison d'un bon pas,
ut occupé que l'on était à battre la mesure.

Son espoir de se retrouver seul fut rapidement déçu, car
landine était à la cuisine en train de parer des légumes pour le
otage du lendemain.

---

41. Le ladino est de l'ancien espagnol. Ce refrain séfarade est traditionnel. On peut le
traduire par : « Rachel chante / Moxo Nico danse / Les gros rats tapent dans les
mains… »

— Avez-vous besoin de quelque chose, maître?

— Non.

Il allait battre en retraite, mais fut intercepté à la porte par le père Lionel.

— Ah, vous voilà. Seriez-vous contrarié?

— Non. Je m'en venais pisser. Y a-t-il autre chose que vous voudriez savoir?

— Bravo. Jamais je n'ai vu pareille maîtrise de soi. C'est à la fois admirable et très utile. Vraiment. Mais gare à vous : c'est aussi une prison.

— Je ne comprends pas.

— Oh, je crois que si, vous comprenez. Vous ne toucherez pas à Samuel ce soir. N'ayez crainte. Demain, il sera parti.

Lionel leva l'index et ses yeux sombres, sans avertissement, vrillèrent ceux du bourreau.

— Votre pire ennemi : votre pensée, dit-il.

Son bras redescendit, lentement, mais son regard tint bon. Louis comprit et releva le défi. Blandine fut seule témoin de ce duel. Elle avait oublié ses légumes qui attendaient encore d'être apprêtés. Lionel lui parut soudain plus grand, plus impressionnant. Louis cligna des yeux et finalement abaissa son regard. Il ressortit en claquant la porte.

Le moine se laissa tomber mollement sur un tabouret et Blandine lui servit un peu de bouillon.

— Il fallait bien que je trouve le courage de le faire pour Samuel, dit-il à la servante. Il en allait de sa vie.

— Miséricorde, il existe donc quelqu'un d'assez solide pour le mater.

— Encore faut-il en trouver la force. Je me demande d'où j'ai bien pu obtenir celle-là.

Dehors, une nouvelle musique s'éleva subitement par-dessus le refrain qui commençait à manifester des signes d'essoufflement. La voix de celui qui chantait était pure, flexible. On l'eût dite extraite du vent lui-même. Tout le monde en resta un instant interdit avant de se rendre compte que c'était Louis qui chantait et non le firmament. Il avait grimpé sur la table, son gobelet à la main. Ses pieds froissaient la longière* délaissée.

« Venez, ma belle, parmi les fleurs
Venez, ma licorne, prendre mon cœur
Dans mon beau jardin, je me languis
J'attends mon âme, et me flétris. »

Les instruments de musique se bousculèrent un peu avant de parvenir à prendre leur place dans le brusque changement de mélodie. Sam, lui, posait un regard incrédule sur cette incroyable apparition. Le Faucheur savait chanter. Et cette voix, Dieu du ciel, cette voix... Elle ne pouvait lui appartenir. Pas à lui. Il l'avait volée à une victime. C'était un pur sacrilège. Et Louis continuait à chanter en regardant Jehanne.

> *« Pourquoi, ma belle, me fuyez-vous?*
> *Votre beauté m'a mis à genoux*
> *Je prie, licorne, avec ardeur*
> *J'ai grand désir de votre blancheur. »*

Le père Lionel s'était furtivement rapproché du feu. Il écoutait, tête inclinée, l'air recueilli. C'était beaucoup plus qu'il n'avait osé espérer. C'en était presque effrayant. Il était impensable que l'ivresse fût seule en cause, car Louis ne laissait jamais rien grignoter ses inhibitions. Et pourtant... « De tous les chants, pourquoi celui-ci? A-t-il seulement conscience de ce qu'il est en train d'avouer? » songea-t-il.

Il regarda Sam. « La voilà, ta revanche, mon garçon. Ne cherche plus. Ta haine ne te sert à rien. Si tu tiens absolument à torturer un exécutionnaire, fais-le avec de l'amour et vois toi-même le résultat. »

Le moine leva les yeux sur le bourreau et essaya d'examiner ses traits sans se faire voir. Et ce qu'il y vit ressemblait à un appel à l'aide. Il soupira profondément. « Seigneur, c'est bien ça. Il le sait. Et il l'accepte. Pour la première fois, Baillehache nous permet de voir Louis. » Il jeta un coup d'œil à Jehanne. La jeune femme, les yeux brillants d'émotion, s'éloignait des ménestrels et se rapprochait imperceptiblement de la table sur laquelle Louis était perché. Lionel se dit: « Douce Adélie. N'es-tu pas contente? Moi, je le suis. Elle saura réussir là où j'ai échoué, j'en suis sûr. »

> *« Vous, pure et belle, mais moi si vil*
> *Pourrai-je espérer, été fragile*
> *Que vous me voudrez, que vous m'aimerez?*
> *La peur me glace, s'en vient janvier. »*

Une voix de ténor s'était jointe à celle du baryton. Louis vacilla et en chercha l'origine. Sans arrêter de chanter, il vit que c'était Lionel et éleva son gobelet.

« Voyez, licorne, ma jolie femme
Voyez donc comment brûle ma flamme
À vous, lumière, mon mois de mai
J'offre mon souffle à tout jamais. »

Dans toute cette spontanéité, les deux hommes chantaient ave
un accord parfait. Sam lui-même avait déniché quelque part u
tambourin qui communiquait à la mélodie lancinante un rythm
furieux, pressant. Jehanne en était le réceptacle avide et Louis
l'émetteur, un émetteur si puissant qu'il avait même réussi
entraîner son rival dans une sorte de transe. C'était devenu entr
les trois hommes un moment de communion absolue que seule l
musique avait pu rendre possible. Les invités écoutaient ce chan
avec dévotion, comme s'ils avaient intuitivement conscience de l
grande valeur d'un aveu que leur hôte n'eût jamais consenti san
l'apport de la musique. Louis était un ménestrel dans l'âme.

Il tendit sa grande main. Jehanne s'avança encore. L'appel étai
irrésistible.

« Entrez, licorne, dans mon jardin
De la manticore* soyez le bien
Si, ma belle femme, vous me baisez
La douleur en moi sera apaisée. »

Accompagné de rires surpris, Louis sauta en bas de la table e
chancela avec beaucoup de dignité jusqu'à Jehanne dont il prit l
main. Le chant s'arrêta là. Jehanne emprisonna Louis dans un
étreinte si forte qu'il en resta figé. La fin du chant laissa Lionel a
bord de l'abîme.

— Maintenant, je vais danser avec ma femme, dit Louis.

Il tourna la tête en direction des ménestrels et dit :

— Hum... choisissez quelque chose de lent. J'ai été un pe
audacieux et je ne connais rien à la danse.

Les musiciens s'esclaffèrent.

— Vous gagneriez à vous saouler plus souvent, compère, dit Sam

Louis et Jehanne ouvrirent enfin le bal avec une danse qui n
ressemblait à rien de connu, mais la proximité qu'exigeait Louis d
sa partenaire eût scandalisé tout autre prêtre que Lionel, qu
souriait béatement aux premières étoiles. Jehanne fut étonné
d'apprécier ce qui ressemblait davantage à une douce étreinte qu'
une danse. Le visage tanné de Louis était toujours aussi dur, mai

ne lueur d'amusement éclairait ses prunelles sombres. On eût dit
ue ses yeux, au moins, savaient sourire. Elle lui caressa l'épaule.

— Vous êtes plutôt séduisant, vous savez, dit-elle.

Louis émit un grognement. C'était une sorte de ricanement,
ais dénué de la qualité libératrice d'un vrai rire.

— «Plutôt»? En voilà un compliment honnête, dit-il.

— C'est la vérité. Les gens ne prennent pas le temps de bien
ous regarder parce qu'ils vous craignent. Mon Dieu, s'ils savaient
e qui leur échappe! Vous m'avez agréablement surprise, ce soir.

Louis ressentit à nouveau cette vague angoisse, celle d'avoir
aissé les choses aller trop loin. Son regard devint fuyant. Il erra
our se poser quelque part par-dessus l'épaule de Jehanne. Elle vit
ela et corrigea, avec précipitation:

— Pardon. Ai-je dit quelque chose de déplacé?

— Non.

— Il faut que je vous dise... Je... j'apprécie beaucoup votre
élicatesse.

— Ah?

— Oui. C'est vrai. C'est que j'ai entendu... tellement d'histoires.

— Quel genre d'histoires?

Elle baissa honteusement la tête. Sans qu'elle sût pourquoi, elle
tait réticente à lui avouer ce qu'elle avait entendu dire par Margot,
ais aussi ce que lui avait dit l'une de ses copines d'adolescence, la
ille du cordonnier. Elle avait douze ans à l'époque, et cela l'avait
rofondément dégoûtée: «Mon Martin avait ses mains partout sur
oi, et sous mon corsage, encore! Il me baisait si goulûment que
avais l'impression d'être son repas, et j'étais point contre», lui
vait-elle raconté d'un air ravi.

Jehanne se demanda si elle allait voir les choses différemment
quatorze ans, et avec cet homme distingué qu'elle aimait, qu'elle
ésirait ardemment tout en ne parvenant pas à s'imaginer lui
ervant de repas.

Louis avait baissé les yeux sur elle. Il attendait. L'un de ses bras
ui entourait respectueusement la taille, tandis que son autre main
vait pris la sienne. Ainsi se tenaient-ils très proches l'un de l'autre
ans s'étreindre. Sa main libre à elle s'était posée sur son épaule.
Des mèches de cheveux sombres lui effleuraient les doigts.

— C'est bien, dit-il, l'invitant à poursuivre.

— Cela m'inquiète un peu. Vous comprenez? Je n'y connais
ien.

Pendant une seconde, la jeune femme eut envie de lui
emander si lui y connaissait quelque chose. Mais elle se mordit les

463

lèvres. Il avait trente-trois ans. Margot l'avait assurée qu'au mariag
la plupart des hommes possédaient déjà une certaine expérienc
sexuelle. Nul ne pouvait cependant se douter comment, depuis s
fiançailles, Louis avait pu acquérir la sienne. Dans son cas, l
cachots de Caen avaient remplacé le bordel. Il y avait consac
davantage de temps à l'étude de l'anatomie féminine et de ce q
était susceptible de leur plaire.

— N'ayez pas de souci. Je m'occupe de tout, dit-il.

Avec n'importe qui d'autre qu'elle, son ignorance relative
propos des femmes l'aurait inquiété. Mais il savait que Jehanne n
connaissait pas vraiment d'autre homme à qui elle aurait pu l
comparer.

— Oh, j'ai confiance en vous. Vous êtes si bon avec moi.

Elle espéra qu'il allait se souvenir de ce compliment si pa
mégarde elle finissait par commettre quelque bévue. Elle devait con
tamment se rappeler à l'ordre et éviter de chercher Sam des yeux.

La tendre mélodie se termina. Il garda Jehanne un insta
supplémentaire auprès de lui en lui serrant la nuque, puis il dit, e
la libérant:

— Retournons.

Abandonnant l'aire de danse à des couples plus fringants, i
retournèrent s'asseoir. Jehanne se lova contre lui. Elle ne lui laiss
pas le temps de se soucier de Desdémone, qui n'avait cessé de l
épier. Le vent coucha les fleurs du pré que la nuit faisa
semblables, confondant leur parfum avec celui des gens et du vin.

De nombreux convives finirent par rouler sous les tables. Un
bagarre avait éclaté parmi les ménestrels, dont Sam, et certair
finirent par s'endormir, pêle-mêle à même le sol dans u
enchevêtrement de bras, de jambes et de manches de luth.
quelques pas de là, un buisson s'agitait et grognait de manièr
suspecte, complice inavoué de mystérieux ébats. Il n'y avait plu
personne à table, et même les serviteurs s'étaient retirés.

Au plus noir de la nuit, Louis aida son épouse à se leve
Jehanne obéit. Une petite main glissa entre les jambes de son ma
et effleura cette bosse étrangère qui l'avait tant effrayée un pe
plus tôt. Elle ricana, soulagée par sa bravoure avinée, et se mou
contre lui. Il la prit par les poignets et lui entoura les épaules d'u
bras pour l'empêcher de tomber et il la guida jusqu'à la maison.

Ceux qui tenaient encore debout essayèrent de les suivre jusqu
dans la chambre, mais, heureusement, le couple en sema plusieur
en route. Jehanne se laissa mollement guider jusqu'à la porte su

quelle on avait accroché une couronne de fleurs et de feuillages. Le père Lionel fut seul autorisé à entrer avec eux dans la chambre nuptiale, le temps d'une bénédiction du lit et des mariés. Le moine ressortit et les laissa seuls. Louis mit le loquet sur la porte.

— Ton pipeau contre mon tambourin qu'elle crie d'ici à ce que j'aie fini ma chope, chuchota une voix à la fenêtre.

— Tenu, dit une autre.

— Vos gueules, dit celle, rauque, de Sam.

Les volets s'ouvrirent brusquement devant eux. Des mains anonymes projetèrent à la tête de Sam un plein seau d'eau froide, ce qui fut suivi du seau lui-même.

— Sacré bon Dieu de Faucheur! cria Sam, titubant sous le seau.

La tête de Louis apparut à la fenêtre.

— Allez donc un peu voir ailleurs si on y est.

Les volets claquèrent sur les rires gras des compères ménestrels qui avaient accompagné Sam. Ils sifflèrent Louis et l'acclamèrent avant de s'en retourner boire un coup.

La chambre conjugale était décorée de guirlandes de fleurs qui faisaient une ronde autour du lit à la lueur des chandelles. Des pétales et des épis de blé avaient été semés sur l'édredon parfumé à la lavande par Margot qui, ce faisant, avait ressuscité d'anciennes pratiques païennes. De délicats flacons piriformes qui sentaient bon avaient été mis bien en évidence sur une étagère. Des choses de femme. Il crut reconnaître parmi elles un parfum d'ambre gris*.

Un peu hébétée, la mariée écarta les courtines et s'assit sur le lit en duvet d'oie où des carreaux* bombés, eux aussi rembourrés de duvet d'oie, invitaient le couple aux secrets de la nuit. Elle se laissa imprégner par les riches teintes fauves de la tapisserie de Margot qui avait été accrochée à la tête du baldaquin.

— J'ai quelque chose pour vous, dit-elle soudain en se relevant. Elle marcha jusqu'au coffre et l'ouvrit pour en sortir la huque* qu'elle vint timidement lui remettre. Louis la déplia un peu afin de voir ce que c'était.

— Avec cela, vous n'aurez plus froid à votre lever. Est-ce qu'elle vous plaît?

— Oui. Merci.

Il disparut un moment derrière le paravent et en ressortit vêtu de la huque*, attachée par son cordon, par-dessus son sous-vêtement de lin. Jehanne lui sourit.

— Elle vous va bien. Cela se porte ainsi, dit-elle.

Et, pour le taquiner, elle entreprit de dénouer le cordon. Il eut un mouvement de recul et la fixa intensément.

— Oh, pardon... Ce n'était pas pour vous manquer de respect

Jehanne l'avait toujours connu habillé de noir de la tête au pieds. Cela lui fit une drôle d'impression de le voir arborer quelqu chose de pâle et de plus léger.

À son tour, la nouvelle mariée disparut derrière le paraven Elle y demeura plus longtemps que lui pour faire inutilement toilette, se mouillant d'eau de lavande alors qu'elle avait déjà pr un bain additionné d'eau de fleur d'oranger, du jus d'un citro reconnu pour son effet dégraissant, et de sauge fraîch préalablement bouillis et infusés ensemble. La jeune femm effarouchée cherchait à retarder le plus possible l'instant à la fo désiré et redouté. Elle brossa ses longs cheveux interminableme avant d'en faire une tresse. Elle s'attendait à ce que Loui impatient, l'appelât ou vînt abattre le paravent pour la tirer jusqu' la couche, mais il n'en fit rien. Elle l'entendit ouvrir les volets et mettre les crochets afin que le vent ne les fît pas claquer. demeura là, à regarder palpiter les dernières braises des feux d camp. Rien d'autre ne bougeait plus dans la cour, hormis le ve qui vint taquiner ses cheveux. Près de la cour, dans un étang pou l'heure invisible, les grenouilles s'étaient réunies et avaient pris relève des ménestrels.

Un craquement le fit se retourner. Une forme blanche auréolé de tulle s'avançait lentement dans la chambre. Jehanne avait enfi des mules et un vêtement de nuit presque transparent qu s'attachait sur le devant par des petits cordons faits pour êtr détachés.

Louis ne voulait rien brusquer. Il laissa sa femme entreprendr ce qu'elle semblait désirer plus que tout au monde, soit un exploration approfondie de la chambre conjugale. Quand elle e eut terminé, elle se retourna vers Louis, qui avait eu la patienc d'attendre. Elle proposa avec un empressement exagérémer servile de ranger ses effets à lui.

— Non. Je m'en occuperai plus tard.

Il ne songea pas un instant qu'elle pouvait chercher à gagne du temps, à ne pas voir survenir tout de suite l'inévitable issue d cette journée qui était censée être la plus belle de sa vie. Ell ressentait soudain le besoin de prendre le temps d'y repenser, de s faire à l'idée. Elle qui, au matin encore, pouvait se permettre d grimper aux arbres sans trop susciter de réprobation, voilà qu'el se retrouvait subitement dans la peau d'une dame, d'une femm mariée. Et son mari était là, il la regardait et il attendait de couche avec elle.

Jehanne tâcha de se raisonner. Elle avait eu sept ans pour se préparer à ce moment. Elle n'avait plus d'excuses. Son éducation stricte reprit le dessus. Son nouveau statut d'épouse impliquait dorénavant un certain sens du devoir. De plus, sa soif de connaître de nouvelles caresses, la douceur et la patience silencieuse de Louis eurent raison de ses dernières réticences. Elle s'avança vers lui. Elle libéra sa longue natte lâche qu'elle avait enroulée pour la protéger de l'eau et garda les yeux baissés. Elle croisa les mains sur sa poitrine, car le vent gonflait sa chemise mince, lui donnant déjà l'impression d'être nue.

Louis ne bougea pas. Si Jehanne n'avait tant désiré cet homme sans trop savoir exactement ce qu'elle en désirait, le regard scrutateur qu'il posait sur elle l'eût sans doute terrorisée. Mais elle se laissa l'examiner, ce qu'il fit avec une curiosité non feinte : à la lueur des chandelles, la peau de la pucelle semblait faite d'une cire très pure. De petites boucles folâtres s'échappaient déjà de sa natte pour souligner la délicatesse de son cou et pour encadrer son visage aux joues veloutées. Cette grâce juvénile, un peu craintive, même un roc n'eût pu y rester insensible. Louis avait beau ne plus éprouver les pulsions sexuelles menant à l'érection, il savait reconnaître la valeur de l'offrande qui lui était faite. Il se délecta de la pureté sculpturale, parfaite de ce jeune corps, perfection que, pour une fois, il n'était pas contraint de détruire. Et c'était à lui. Quelque chose de nouveau, de différent l'enivrait. Lui qui s'était fait à l'idée de ne jamais avoir d'autres contacts sociaux que ceux de sa pratique, donc essentiellement centrés sur des échanges négatifs, ressentait tout à coup le besoin pour lui inexplicable de toucher quelqu'un pour une autre raison que celle d'infliger de la douleur. Mais en même temps que ce nouvel émoi se réveillait la crainte d'un refus, d'un échec.

Il s'approcha un peu. Jehanne retint son souffle et fut tentée de reculer. Il s'arrêta.

— S'il vous plaît... J'ai peur, commença-t-elle.

Il lui tendit la main. Hésitante, elle finit par consentir et marcha jusqu'à lui. Il l'enlaça à peine, comme il l'avait fait pour la danse. Il pouvait voir que Jehanne haletait, sa poitrine s'élevant et s'abaissant rapidement sous le tissu délicat de sa chemise. Il dit, d'un ton apaisant :

— Je ne vous obligerai pas à faire quoi que ce soit cette nuit, Jehanne. Il y a un moyen de contourner la chose. Si vous ne le voulez pas, dites-moi non maintenant et je m'en irai. Personne n'en saura rien.

Elle se mordit les lèvres et le regarda dans les yeux comme si elle implorait son aide.

— Si je ne le veux pas? Mais, c'est l'objectif du sacrement.

— Ne vous occupez pas de ça. Ma question est: Me voulez-vous oui ou non? Si c'est non, je respecterai votre désir et j'irai dormir dans mon ancienne chambre.

— Vous feriez cela?

— Oui. Quelle que soit votre réponse, je vous demande de vous souvenir que je vous ai posé la question. Que je vous ai offert ce choix.

— Bien sûr, mais... pourquoi me l'offrez-vous? Qu'essayez-vous donc de me dire?

— Vous savez très bien de quoi je parle.

— Bien sûr, mais... je... c'est que je ne m'y connais guère en ces choses.

— Moi, si.

— Alors... s'il vous plaît, montrez-moi, supplia-t-elle tout bas.

Il savait que la plupart des maris se donnaient rarement la peine d'être aussi prévenants. Mais il avait envie de se montrer délicat avec elle. Cela eut l'air de la rassurer. Lui aussi fut rassuré par sa réponse.

— J'irai doucement, Jehanne, ne vous inquiétez pas, dit-il à son oreille. Plus doucement que les autres hommes. Savez-vous pourquoi?

— N-non.

Le vent les frôlait avec impudence sous leurs vêtements. L'étreinte de Louis devint plus précise. Ses mains commencèrent à lui caresser les flancs. Il se pencha pour nicher son visage au creux de son cou.

— Parce que je saurai garder le contrôle de mon corps pour écouter ce que me dira le vôtre.

Louis avait conservé la plupart des aspects de sa maladresse d'adolescent. S'il était conscient de son manque d'expérience doublé de la quasi-absence de désir physique qui pouvait jouer en sa défaveur, il savait aussi que s'il s'y prenait bien, cet état de choses risquait de s'avérer un précieux acquis. Il suffisait d'utiliser cette neutralité à bon escient, en sachant se montrer réceptif aux réactions de sa partenaire. Après tout, se disait-il, il en allait du plaisir comme de la torture.

— Si vous n'aimez pas cela, vous n'avez qu'à me le dire et je cesserai aussitôt, dit-il, et il l'attira davantage contre lui. Ses mains larges descendirent sur les hanches qui, même si elles étaient un peu étroites, possédaient néanmoins une courbe agréable.

— D'accord?

— Oui, dit-elle.

Deux petites mains se rejoignirent derrière la nuque de son mari. Il cligna des yeux, un instant surpris par des caresses qui lui semblaient venues de nulle part. Il en avait perdu l'habitude, ses uniques échanges charnels depuis vingt ans s'étant produits avec des femmes qui étaient immobilisées pour quelque interrogatoire. Cela le déconcertait un peu de sentir ces doigts qui butinaient dans les cheveux. Troublé, il ne savait que faire de ce corps de femme en attente. Il se laissa envelopper de son odeur d'herbe tendre et de pétales et baissa la tête pour embrasser Jehanne. Tout d'abord, elle se laissa faire. Louis ne se découragea pas de sa passivité et ne se demanda même pas s'il s'y prenait correctement.

Il ne s'aperçut pas tout de suite qu'il dénouait un à un les cordonnets de sa robe de nuit. Jehanne se mit graduellement à réagir et répondit à ses baisers. Les mains calleuses achevèrent de détacher les petits rubans et s'immiscèrent sous la chemise mince. La peau de Jehanne était soyeuse et rose. «C'est donc cela, une licorne», pensa-t-il distraitement, s'étonnant lui-même d'avoir eu pareille réflexion.

Il la souleva et l'emmena jusqu'à la couche nuptiale. La jeune femme se hâta de se soustraire aux caresses de son mari, le temps de grimper à quatre pattes dans le grand lit inconnu à l'aide d'un petit escabeau. Elle s'inséra un peu craintivement entre les draps propres, tout neufs. Les courtines se refermèrent sur elle seule et, soudain troublée, elle eut envie de lui dire de ne pas aller plus loin.

— N'ayez pas peur. Je ne vous ferai aucun mal.

Jehanne sursauta et chercha d'instinct à trouver l'origine toute proche de la voix qui semblait avoir répondu à sa pensée. Louis écarta les courtines et abaissa sur elle son regard de bourreau. La jeune femme se recula dans ses carreaux*, intimidée. Louis dit:

— Je sais ce qui vous effraie. Efforcez-vous de ne pas y penser. Faites comme si vous l'ignoriez toujours.

Elle fit un petit signe d'assentiment nerveux.

Après avoir enlevé sa huque*, il se pencha au-dessus d'elle. Il lui arracha les couvertures des mains et ouvrit les pans de sa chemise de nuit, exposant sa poitrine à l'air frais de la chambre. Sa main remonta contre le ventre plat et se mit en quête d'un petit sein qu'elle emprisonna. Jehanne, jusque-là immobile, tressaillit. Il sentit le mamelon se durcir sous sa paume et il se mit à le taquiner. Lui aussi était rose, comme un petit bouton de fleur prêt à éclore. Jehanne échappa un soupir grelottant. À demi assise contre les

469

carreaux*, elle lui empoigna les cheveux et se poussa afin de lui ménager une place. Elle souleva la partie de l'édredon qui n'avait pas été dérangée, l'invitant timidement à s'étendre auprès d'elle. Il commença par s'y asseoir, sans manifester l'intention de se déshabiller. Jehanne sentit le matelas se creuser sous le poids de l'homme et retint son souffle. Elle brûlait de sentir contre sa peau la chaleur de celle de Louis. Soudain, il roula sur lui-même et l'enfourcha. Il était lourd. Son poids l'enfonça dans le matelas, l'étouffa et, paradoxalement, fit déferler en elle d'exquises vagues de désir. Alors que le matelas et les carreaux* formaient tout autour de sa silhouette un nid profond dont elle devint captive, elle tressaillit encore et, inquiète, se cramponna à lui de ses bras graciles. Timidement, elle tenta de soulever sa chemise à lui, mais n'arriva qu'à glisser sa main sous son col ouvert. Elle effleura du bout des doigts les muscles durs, noueux comme du bois, qui se tendaient entre le cou et l'épaule. Il émanait de ce petit endroit une impression de force physique à l'état brut, pour le moment contenue. La pénombre rendait son visage spectral. Deux gemmes sombres y scintillaient.

Une joue moite de larmes se pressa contre son cou.

— Je vous aime tant, Louis. Restez toujours avec moi.

Elle ferma les yeux et s'abandonna sous la coupe de délices nouvelles, intenses, produites par des mains calleuses qui exploraient sa chair semée de grains ambrés. Louis ne semblait pas être conscient d'une brutalité autoritaire qui lui était naturelle. Il paraissait ignorer que Jehanne pouvait elle aussi éprouver le besoin de le toucher. Il lui souleva le bassin pour lui enlever son blanchet*, toujours sans songer à retirer son propre vêtement. Il ne lui laissait pas le temps de se remettre d'une caresse qu'il en commençait une autre, plus ardente encore. Il prit son visage entre ses mains et la regarda avant de réclamer goulûment ses lèvres. Possessif, il se pressa durement contre elle, si bien qu'elle eut peur d'en suffoquer.

La grande main lui massa doucement la nuque et, soudain, il lui empoigna les cheveux, rejetant sa tête par en arrière. Jehanne haleta. Les lèvres minces de Louis papillonnèrent sur sa gorge offerte. Elle frémit violemment de désir et d'angoisse à la pensée de celui à qui elle se donnait, lui, l'intouchable, celui dont on évitait autant que possible de croiser la route parce que lui seul détenait ce pouvoir terrifiant de tuer son prochain au nom de tous. Et c'était lui, ce donneur de mort, qui la faisait vivre comme elle n'avait jamais vécu. Lui, le donneur de mort, savait éveiller en elle s pulsions donneuses de vie pour lesquelles son corps de femme était longuement préparé.

Une main rose errante essaya à nouveau d'atteindre le ordonnet qui attachait la chemise de l'homme. Elle se referma dessus avec adoration.

Louis lâcha les cheveux captifs, se déroba et tira Jehanne par les chevilles, la forçant à s'étendre complètement. Il se rassit dessus à califourchon et s'empara brutalement des deux poignets de sa femme, qu'il maintint croisés d'une seule main au-dessus de sa tête, sur les carreaux* qu'il eut la prévenance de replacer dessous. De sa main libre, il lui dégagea les épaules afin de poursuivre ses caresses.

— Oh, Louis, gémit Jehanne.

Il s'étendit sur elle et déposa sur sa peau une chaîne de petits baisers qui relia sa bouche à l'un de ses seins. Elle geignit lorsque Louis souffla dessus. Les lèvres minces, dures de l'homme effleurèrent son mamelon érigé et s'en emparèrent. Il le téta et tira dessus sans rudesse, avant de faire de même avec l'autre. Pendant ce temps, ses mains avaient retroussé la chemise ouverte vers ses bras pour caresser les hanches et les cuisses fermes. Et elle sentait les cheveux raides de Louis lui effleurer l'abdomen, et elle sentait les doigts rudes de Louis lui caresser les cuisses en remontant lentement.

Louis était satisfait et même un peu fier de ce qu'il avait accompli jusque-là. D'anciens souvenirs d'Églantine s'étaient hypocritement immiscés entre eux comme le vent l'avait fait précédemment : cela lui faisait inconsciemment adopter envers Jehanne les égards d'un amant au lieu de sa seule objectivité de physicien*. Sans lâcher le mamelon qu'il tétait toujours, Louis écarta un peu les jambes de Jehanne afin de caresser l'intérieur tiède de ses cuisses. Un effleurement eut l'air d'être accidentel, même s'il ne le fut pas.

— Oh!

Jehanne se raidit et chercha à se rasseoir.

— Tout va bien, dit-il.

Mais il la libéra et se rassit sur elle. Elle se souleva sur un coude et dit :

— Laissez-moi aussi vous plaire, Louis.

— Ceci me plaît.

— Pourquoi n'enlevez-vous pas votre chemise? Pourrai-je voir votre... votre...

Elle chercha un mot convenable. N'en trouvant pas, elle demanda :

— Parce que c'est comme cela qu'on fait, non?

— Laissez-moi faire.

Elle se mordilla les lèvres, mais osa quand même insister :

— J'aimerais sentir votre peau contre la mienne. Montrez-vous moi, Louis. Je vous en prie.

Il suspendit tout geste mais ne la quitta pas des yeux. Il ava espéré ne pas avoir à en venir là dès la première nuit. Il craigna que cela n'aille tout compromettre.

— Mieux vaut ne pas trop me regarder. J'ai des blessures. C n'est pas beau à voir, dit-il.

— S'il vous plaît.

— Bon. Tant pis. Je vous aurai prévenue.

Son ton avait subitement changé et était redevenu sec, t qu'elle le lui connaissait. Il se redressa et prit subtilement Jehann en tenailles entre ses deux genoux. Il retira sa chemise de lin défit son sous-vêtement qu'il laissa tomber à côté de lui sur le l défait, exposant sa nudité sous la faible lueur du chaleil*. So torse, ses bras et ses cuisses étaient striés de cicatrices, certaine pâles, d'autres sombres. La jeune femme examina les vestiges de longue gale qui subsistait sur la plaie que lui avait infligée San Elle avait emprisonné quelques poils qui tiraient un peu. D'autr poils foncés et clairsemés bouclaient sur la poitrine ample. I descendaient le long de l'estomac et de l'abdomen plat en s raréfiant jusqu'à ne former plus qu'une mince ligne qui s'en alla rejoindre la toison mystérieuse de l'aine où nichait le bourgeo dont la taille rendit la jeune femme anxieuse. Là aussi, il y avait un cicatrice. Une petite chose en relief dont le réseau veiné rappela une toile d'araignée. Cette marque n'avait pas l'air aussi effrayai que bien d'autres qu'il avait par tout le corps.

— Oh, mon Dieu, dit Jehanne tout bas, la main sur la bouche.

— Pour votre gouverne, j'en ai autant dans le dos, dit-il ave amertume.

Il laissa le regard horrifié de sa femme parcourir son corp comme une injure, comme le signe avant-coureur du rejet. Il serr les mâchoires et demeura immobile, se tenant prêt, s'il le fallait, abandonner ses bonnes résolutions et à la prendre de force. Ma les yeux de Jehanne s'emplirent de larmes. Elle s'assit à son tour e d'un index timide, suivit le tracé d'une estafilade blanchâtre qui l courait le long de l'épaule gauche. Surpris, il se laissa faire et suiv le doigt des yeux. Voilà qui était inattendu. Sans savoir pourquoi, dit :

— J'ai été frappé à une joute. C'est l'une de mes trois blessure

472

obles. Vous avez l'œil pour les reconnaître. Le reste ne vaut pas la
eine d'être vu.

— Louis... que... que vous est-il arrivé?

— Toutes sortes de choses.

Il détourna son attention des anciennes brûlures qu'il avait au
ras, n'ayant aucune envie de lui relater son séjour avec les
énitents ou les sévices paternels, et il désigna sa cuisse droite,
insi que son flanc gauche, en précisant:

— Maupertuis. Il y a dix ans.

— Et le reste?

— Rien d'important. Laissez tomber.

— Non. Je veux savoir. Dites-le-moi. Je suis votre femme et
estime que j'ai droit à la vérité.

— Oh, et puis merde. Ça ne se voit pas, ce que c'est? Non? Des
oups de scorpion et des marques de torture. Voilà, vous êtes
ontente?

Le menton de Jehanne se mit à trembler. Livide, elle eut elle-
nême l'air mortellement blessée. Louis dit:

— Je vous avais avertie.

Il s'apprêtait à lui ordonner: «Maintenant recouchez-vous,
[u'on en finisse», mais elle l'attira à elle pour l'étreindre
ortement.

— Non, non, ne vous méprenez pas.

— Hein?

Il ne comprenait plus rien. Jehanne écrasa une larme naissante
n clignant des yeux et dit:

— Comme vous avez dû avoir mal dans la vie. Louis, j'ignorais
[u'on ait pu... Vous êtes si fort. Jamais je n'aurais pu imaginer... Si
'avais su avant... Cela change tout.

— Comment?

— Vous savez. Vous savez ce que vous faites. Je veux dire... vous
·n êtes conscient, lorsque vous... là-bas, à Caen.

Jehanne caressa avec dévotion la zone suturée. Elle semblait
incèrement souffrir pour lui et cette empathie le mit beaucoup
olus mal à l'aise que la rebuffade à laquelle il s'était attendu. La
ompassion, c'était habituellement réservé aux victimes, pas à lui.
.ui, il n'avait été que l'enfant indigne qu'on avait puni parce qu'il
e méritait, il n'avait été que le prisonnier offert en sacrifice par
on père qui n'avait jamais voulu de lui. Mais il y avait autre chose
lans ce que sa femme venait de dire qui le dérangeait beaucoup. Il
1'était pas sûr de comprendre tout à fait ce qu'elle éprouvait pour
ui.

Jehanne s'inclina pour poser tendrement les lèvres sur la cicatrice de l'épaule tandis qu'une main tendre errait le long de l'abdomen de Louis et descendait imperceptiblement. Ces premiers attouchements timides de Jehanne le rendirent nerveux. À sa souvenance, personne ne l'avait plus touché là depuis près de vingt ans. Il n'eût jamais cru que cela pouvait susciter en lui autant d'angoisse, mais il se contraignit à l'immobilité. Doucement, Jehanne glissa ses mains tremblantes sous ses organes génitaux et s'inclina pour les regarder de plus près, telle une enfant curieuse. Il retint son souffle, mais la laissa faire. Il savait qu'elle n'avait jamais vu ceux d'un adulte et que cela faisait partie intégrante des prémisses de la vie sexuelle. Il se souvint que lui-même avait fait ce genre d'examen avec sa chère Églantine jadis, et elle avec lui. Pourtant il ne pouvait s'empêcher d'en ressentir un fort malaise, car son souvenir évoquait deux adolescents, alors que maintenant il avait devant lui une jeune femme dont il eût pu être le père. Le père.

Jehanne caressa l'organe tiède et le pressa contre sa joue afin d'en sentir la peau nervurée par la cicatrice. Instinctivement, il saisit la jeune femme par les cheveux, mais il se retint de tirer. Il abaissa son regard sur elle et expliqua, d'une voix rauque:

— Normalement, lorsque vous faites cela à un homme, il durcit.

La main fureteuse hésita sous le pénis flasque. Jehanne demanda:

— Alors, pourquoi il ne... Vous n'aimez pas?

— Ce n'est pas cela. Il y a longtemps, c'était pendant la peste, on m'a brûlé là et j'ai été laissé pour mort. Des moines m'ont secouru. Ils m'ont soigné au mieux, mais ça... Je ne sais pas... Il y a longtemps que ça ne me le fait plus.

La voix lui manqua et il déglutit péniblement. Jehanne ne pouvait s'imaginer combien cette confidence lui coûtait. Elle le prit à nouveau dans ses bras. Il ne répondit pas à son étreinte. Il tremblait.

— Pas un mot là-dessus. À personne!

— Non, bien sûr.

— J'ai retrouvé celui qui m'a fait ça. Il n'existe plus.

Elle se recula pour lui jeter un regard effrayé.

— Est-ce vous qui...

— Oui.

Elle secoua vigoureusement la tête pour en chasser cette atrocité et le serra encore contre elle d'une façon fervente, protectrice. Elle lui embrassa de nouveau l'épaule et dit:

— N'y pensez plus, Louis. C'est celui qui vous a fait tout ce mal que j'ai en horreur, pas vous. Je vous aime. Que m'importent ces marques, puisque pour moi il n'y a pas d'homme plus séduisant ni plus admirable que vous. Mon souhait le plus cher est de vous faire oublier toute cette souffrance et de vous rendre heureux.

Il se calma quelque peu et comprit qu'il avait eu raison : nulle part ailleurs il ne pouvait exister une autre Jehanne. Il la prit dans ses bras, des bras dont l'étreinte pouvait aussi bien être protectrice que fatale.

— Resterez-vous avec moi comme ceci toute la nuit ? demanda-t-elle.

— Oui, dit-il.

Et il la recoucha doucement. Elle s'accrocha à lui comme elle avait coutume de le faire, enfant. Il était grand et solide comme un chêne, et ce chêne fut intimidé par cette réaction passionnée, presque enfantine.

— Je vais faire attention, Jehanne, mais vous aurez quand même une petite douleur. Cela ne durera pas et n'arrivera qu'une fois, je vous le promets.

— Je sais, j'ai été prévenue. C'est mon pucelage. Vous êtes mon mari, il vous appartient.

— Bien.

Il s'étonna du fait qu'elle s'abstint de lui poser d'autres questions à propos de son impuissance. Peut-être n'avait-elle pas d'idée précise sur ce qu'il s'apprêtait à faire. Il ne pouvait se douter que, dans l'esprit de Jehanne, embrumé de désir et d'émoi, tout cela était confus, sans importance. Elle songeait vaguement que, en dépit de son handicap, il connaissait un moyen de s'y prendre autrement pour s'accoupler avec elle.

Il se recoucha sur sa femme et lui écarta les jambes. D'une main brusque qui acheva de défaire sa natte, il lui saisit les cheveux, la força à tourner la tête et nicha son visage contre le cou tiède, palpitant, tandis que son autre main lui effleurait doucement la vulve. Les hanches de Jehanne se soulevèrent contre lui. Il caressa de nouveau les boucles soyeuses dont il sentit l'humidité. Sa paume chaude se posa tout contre le mince écu de mousse dorée et il chuchota à Jehanne de petites choses rassurantes à l'oreille tout en lui mordillant le cou, l'empêchant toujours de tourner la tête vers lui. Les effleurements se transformèrent graduellement en massage. Deux doigts inquisiteurs s'étaient mis à explorer son intimité d'une façon insupportable. Elle gémit. Il l'explorait, avec une insistance de plus en plus pressante, à la recherche de ce qu'il

voulait prendre au plus profond d'elle-même et qu'elle voulait ta
lui donner. Pour une raison mystérieuse, ancienne, qui émergeait
la surface de sa conscience, elle ne souhaitait plus qu'une chose a
monde : ne faire qu'un avec cet homme, se fondre en lui, dans u
but sublime de création.

— Là, c'est bien, ma petite. On y est presque, dit-il d'une voix douc

Jehanne sentit entre ses jambes une moiteur tiède. Elle le
écarta davantage et ondula sous lui en gémissant de plus en plu
Elle entoura les reins de Louis avec ses jambes. Il reçut un coup d
talon dans le dos et les ongles de Jehanne lui tracèrent sur l'épaul
une rangée de griffures.

Son visage pantelant toujours tourné vers la courtine, Jehann
eut vaguement conscience du retrait des doigts trempés de so
mari. Il remua un peu, comme s'il s'étirait pour prendre quelqu
chose à côté de lui. Un objet étranger, froid, dur et ruguer
l'effleura soudain. Elle tressaillit.

— Doucement, murmura la voix apaisante de Louis, dont l
main qui retenait sa tête fit une ébauche de caresse sans toutefo
lui permettre de la bouger. Elle sentit l'objet lui écarter fortemer
les lèvres. Il commença à s'introduire en elle. Jehanne eut u
instant de panique.

— Non, c'est trop gros, dit-elle en essayant de se débattre, sar
succès.

— Du calme, Jehanne. Tout ira bien. Je suis là. Détendez-vou
Ça ne sera pas long, dit Louis.

Il poussa l'objet intrus plus avant. Jehanne le sentit envah
complètement son vagin à l'instant même où quelque chose s
rompit en elle. Elle cria à la fois de douleur et de jouissance.

— Là, on y est. C'est fini.

Il imprima à l'objet texturé le mouvement de va-et-vient d'un
pénétration. Les vagues de plaisir se déchaînèrent en Jehanne et l
secouèrent comme l'esquif frêle qu'elle était. Elles engloutirent s
douleur comme si elle n'avait été que le fruit de son imagination

À bout de souffle, le cœur prêt à éclater, Jehanne s'affaissa.
retira discrètement l'objet et y substitua à nouveau sa main. Un pe
de glaire mêlée de sang s'écoula entre ses doigts. Il libéra doucemer
la tête de sa femme, qui tourna vers lui un regard étoilé, tou
imprégné des larmes qu'y avait laissées l'orgasme. Elle nicha so
visage contre son cou nu et y sanglota, en proie à des tremblement
musculaires. Louis caressa son front et ses cheveux moites. Elle s
mit à tracer sur sa poitrine d'indéfinissables dessins en émettant un
suite de petits sons, comme une incantation millénaire.

— Oh, Louis, j'ignorais que l'on pouvait éprouver quelque
chose d'aussi merveilleux. Merci.

Il échappa une espèce de grognement et elle finit par se rendre
compte que c'était son rire.

— Vous, alors!

Et elle s'esclaffa, elle aussi.

Il attendit qu'elle s'assoupisse avant de faire de même.

Un carreau* mou s'abattit sur la tête de Sam qui grommela
avant de tirer son agresseur par la cheville. La pagaille qui
s'ensuivit eut le même effet que le tocsin matinal dans le manoir
jusque-là silencieux. Sam se mit sur pied et frotta son dos
courbaturé: la paillasse trop mince qu'on lui avait prêtée n'avait
pas très bien rempli sa fonction. Partout autour de lui, dans la
grande pièce et même au pied de l'escalier, des formes immobiles
étaient encore étendues. Quelques-unes commençaient à remuer.

— Ôtez-vous de là, mon bon père, sinon je vous marche dessus,
fit-il.

Il attendit que le moine roule sur lui-même afin de lui
permettre de passer pour sortir. Lionel n'avait pas perdu sa
capacité de bien récupérer sur un sol dur: il avait abandonné
chambrette et matelas aux dos douillets et s'était laissé choir sans
inquiétude dans un passage avec une seule couverture et sa natte.

Des voix enrouées venues de l'extérieur tirèrent le nouveau
marié de son sommeil agité. Il sentit contre sa joue le bout d'un nez
frais et quelques cheveux épars. Il y avait quelque chose du chat
chez la jeune femme qui, à demi éveillée, se lovait contre lui et
marmonnait sans conviction. Louis se leva et endossa sa chemise
avant d'aller jeter un coup d'œil à la fenêtre.

— Levez-vous, dit-il soudain à Jehanne.

Ce ton péremptoire acheva de réveiller la mariée, qui se hâta
d'obéir et d'enfiler sa chemise de nuit froissée. Elle n'eut guère le
loisir de s'attarder à ses courbatures, ni à la douleur qui subsistait
au creux de son ventre, presque entre ses jambes. Elle repoussa ses
cheveux emmêlés. Louis arracha le drap qui recouvrait leur
matelas de plumes.

— Que faites-vous? demanda-t-elle.

Sans répondre, Louis emporta le drap à la fenêtre et le déploya
au vent. Il le maintint fermement en place par un bout et referma
les volets dessus. Il se retourna vers elle. Déjà, des acclamations et
quelques grivoiseries répondaient à son geste.

— Pour les empêcher de venir nous chercher tout de suite, d
il. J'ai à vous parler.

— Je vous écoute.

D'un signe de la main, il l'invita à s'asseoir au bord du lit.
marcha à travers la chambre et commença méthodiquement à
mettre de l'ordre sans même y penser. Il tira sur l'une d
guirlandes, empressé, semblait-il, à faire disparaître au plus vi
tout vestige festif. Jehanne jeta un coup d'œil à la tablette où il av
soigneusement rangé ses propres effets. Ils eussent pu apparten
à n'importe qui. Jehanne était montée une fois dans l'ancien
chambre de Louis. Elle avait constaté qu'il en allait des obje
comme des pensées et des sentiments : Louis en prenait un so
jaloux et veillait le plus possible à ne pas y ajouter de touc
personnelle. Sa façon de faire du ménage était stérile et rigide. S
petit plat à barbe et son blaireau étaient rangés de la même faç
sur la tablette que s'ils n'avaient pas été déménagés. Il passa la ma
sur son meuble de chevet afin d'en chasser une poussiè
imaginaire et vint s'asseoir à côté de sa femme.

— Ce que je vous ai dit cette nuit doit, je vous le rappelle, rest
entre nous. Hormis deux physiciens*, l'infirmier et l'abbé d
monastère où j'ai été soigné, une seule autre personne vivante e
au courant. Aucun de ceux-là n'en dira rien. Si j'apprends que ce
s'est su, je saurai qui aura parlé.

— Vous pouvez me faire confiance, Louis. Je ne vous trahirai pa

— Je l'espère pour vous. Maintenant, écoutez-moi bien, car il y
autre chose qui ne vous est probablement pas encore venu
l'esprit. Cela signifie que nous ne pourrons pas avoir d'enfants.

Les yeux de Jehanne s'écarquillèrent. Elle n'y ava
effectivement pas songé. Il poursuivait :

— C'est un mal pour un bien, en ce qui me concerne.

— Mais n'est-ce pas là le but premier du mariage ? Pourquoi n'e
aurons-nous pas ?

— Ai-je vraiment besoin de vous l'expliquer ?

Jehanne rougit et baissa les yeux sur ses mains croisées.

— Je ne suis pas en mesure de vous transmettre ma semence.

— Mais...

— Vous serez bréhaigne*. C'est compris ? Si quelqu'un est ass
indécent pour aborder le sujet, comportez-vous comme si je vo
pénétrais normalement.

Dits d'une manière aussi impersonnelle, ces termes cr
prenaient une tonalité plus odieuse encore. Louis se détourna pou
aller faire sa toilette derrière le paravent avant de s'habiller.

— Mais moi, je voudrais avoir des enfants, dit Jehanne iblement.

Elle était au bord des larmes. Cette nouvelle était encore plus ifficile à accepter après la nuit qu'elle venait de passer.

— Renoncez-y. Aussi bien vous faire à cette idée tout de suite. Si otre besoin de vous vider le cœur devenait trop fort, épanchez-le uprès du moine. Il est l'autre personne qui est dans le secret. Moi, ne veux plus en entendre parler.

Son mari alla se planter devant elle. Il était de nouveau vêtu 'un habit noir propre. Mais il tenait à la main sa ceinture de cuir ouge sombre. Au lieu de la mettre, il la laissa tomber sur le giron e la jeune mariée qui pleurait tout bas. Jehanne sursauta.

— Ce qui vous attend si vous défiez mon autorité, dit-il en aissant les yeux pour la fixer intensément.

Jehanne retint son souffle et n'osa pas bouger.

— Quoi?

Il ordonna:

— Debout.

Avant de se lever, la jeune femme dut prendre la ceinture pour empêcher de tomber. Elle n'avait aucune envie d'y toucher et elle 'empressa de la lui poser dans la main qu'il tendait pour la écupérer. Le bourreau, imprévisible, sema la confusion dans esprit de son épouse en l'étreignant affectueusement. Elle soupira t s'abandonna à lui, reconnaissante. Il sentit ses mains un peu remblantes qui lui pétrirent les épaules. Il prit sa ceinture par les eux extrémités afin d'en faire une boucle. De sa main gauche, il etint Jehanne contre lui par la nuque et souleva sa chemise. Elle ursauta au contact du cuir frais dont il caressa son dos dénudé.

— Louis, non...

La ceinture cessa ses effleurements et se mit à frapper oucement, répétitivement un même endroit dans le dos velouté le la petite femme.

— Notre mariage est consommé, Jehanne. Il ne sera pas annulé. t vous êtes bréhaigne*, répéta-t-il de sa même voix grave, calme, rrésistible. Elle gémit et ne put s'empêcher de se tortiller, car les etits coups de ceinture commençaient à être douloureux.

— Et si l'envie vous prenait un jour de tenter tout de même otre chance...

La ceinture interrompit ses menaces. Il en abandonna l'un des outs pour plaquer la boucle d'étain froid contre sa peau rougie, près quoi il la lui tint à la hauteur des yeux.

479

— Vous voyez ceci? Je puis vous garantir que ça vaut bien le barbes du fouet.

Jehanne crut défaillir. Sam avait donc dit vrai. Mais Louis ava toujours su se montrer si aimable avec elle. Maintenant, le masqu pouvait tomber, il avait obtenu ce qu'il voulait. Elle sentit tous le espoirs qu'elle avait fondés sur lui s'étioler comme neige d'avr dont l'eau s'écoula le long de ses joues.

— Me suis-je bien fait comprendre, Jehanne? demanda Louis.

Elle parvint à répondre:

— Oui.

Pour l'apaiser, il la pressa fortement contre lui, la contraignai à enfouir son visage ruisselant contre l'étoffe noire de so vêtement. Il lui frotta amicalement le haut du dos avant de l donner quelques petites tapes.

— Bien. Tenez.

Il la relâcha et lui tendit à nouveau sa ceinture.

— Mettez-la-moi, dit-il.

Et il écarta un peu les bras.

Elle obéit maladroitement, les mains tremblantes. Il la prit pa les épaules pour la conduire jusqu'au paravent afin qu'elle pût son tour se rafraîchir.

— Soyez sans crainte, Jehanne. Je suis quelqu'un de toléran Vous savez cela, n'est-ce pas?

Elle acquiesça. Il poursuivit:

— Je ne suis pas du genre à châtier à tort et à travers. Quand j le fais, c'est toujours pour une raison valable. Vous savez cela auss

— Oui.

— Bien. Puisque vous voilà désormais sous mon autorité, il n'e tient qu'à vous que je n'aie jamais à le faire. Vous êtes d'une natur assez délicate et il me déplairait beaucoup d'avoir un jour à vou punir.

Avant d'aller derrière le paravent, Jehanne lui fit timidemen face et lui demanda:

— Je... je vous promets que je ferai de mon mieux. Mais vou m'y aiderez, n'est-ce pas?

— Bien sûr.

Il la prit par la nuque et lui déposa un petit baiser sur le fron

— Faites ce que je dis et tout ira bien.

Dehors, Sam fixait d'un regard blessé, haineux, le drap qui s déployait au vent telle une bannière effrontée. Au centre de l pièce en lin un peu froissée s'étoilait une petite tache de sang.

Notes

. Arpajon est située à 30 kilomètres au sud de Paris.

. Aspremont : ce nom existe, mais il se réfère à des endroits qui sont sans rapport avec cette histoire. Ce village d'Aspremont est fictif. L'existence de villages fantômes est l'une des autres conséquences des ravages de la peste de 1348.

. Nicolas Flamel (vers 1330 ou 1340-1418), riche bourgeois parisien qui fut libraire, érudit et philanthrope. À sa mort, il devint une figure de légende. Aujourd'hui encore, on le considère comme l'un des alchimistes les plus célèbres.

. Hiscoutine : domaine fictif.

. *Aedan* est la forme gaélique d'Adam, et *Somhairle* est la forme gaélique de Samuel.

. Guillaume le Conquérant (vers 1027-1087), duc de Normandie (1035-1087) : Il défit le roi Harold II, conquit l'Angleterre au cours de la célèbre bataille de Hastings et en devint le roi (1066-1087).

. En cas d'absence d'héritiers mâles, une fille ou une épouse pouvait hériter, mais on se hâtait habituellement de lui imposer un mari ou un tuteur qui bénéficiait des legs à sa place.

. Référence à *Ni vous sans moi, ni moi sans vous*, lai de Marie de France (seconde moitié du XIIᵉ s.) sur *Tristan et Iseult*.

. *Seanair* : grand-père, en gaélique.

0. Saint-Sauveur-le-Vicomte appartenait au seigneur et chevalier Godefroy d'Harcourt, dit le Boiteux. Né vers 1310, ce seigneur du Cotentin était, en bon Normand, rebelle à l'autorité centralisatrice de

481

la France. Le 18 juillet 1356, il scella une charte dans laquelle il reconnaissait Édouard III pour roi de France et lui faisait hommage en tant que son suzerain légitime; par la même occasion, il léguait au roi d'Angleterre toutes ses possessions de Normandie, notamment la forteresse de Saint-Sauveur qui était réputée imprenable.

11. La présence de Charles de Navarre à Saint-Sauveur-le-Vicomte à cette date est fictive. Charles y était déjà passé au cours de son adolescence.

12. Isabeau d'Harcourt est un personnage fictif. Elle n'a donc pas de lien avec le Bascot ou Bascon de Mareuil, qui est un célèbre routier Godefroy d'Harcourt, dit le Boiteux (vers 1310-novembre 1356), est l'oncle de Jean d'Harcourt qui fut décapité à Rouen. Il est chevalier seigneur de Saint-Sauveur-le-Vicomte. Il croyait que le Navarrais descendant direct des derniers Capétiens, eût dû régner sur la France. Par conséquent, on peut supposer que les occupants du château à l'époque qui nous concerne partageaient les mêmes vues. Il est donc plausible que le roi de Navarre y ait fait un séjour après le décès du Boiteux. Godefroy fut banni de France en 1343; il prit le parti d'Édouard III et se battit contre les Français à Crécy et à Poitiers. Il fut tué au combat près de Coutances. Jean Chandos prit possession du château de Saint-Sauveur au nom d'Édouard en 1361

13. L'épouse de Charles II et donc reine de Navarre était Jeanne de France.

14. Les allumettes soufrées ne furent inventées qu'au XVe siècle.

15. Cette sentence est extraite du canon 29 du second concile œcuménique de Latran (1123-1215) qui condamne l'usage de l'arbalète.

16. Le personnage de Philippe d'Asnières est fictif. Cependant, il existe bien un Jean d'Asnières, avocat au Parlement de Paris. C'est lui qui prononça l'acte d'accusation d'Enguerrand de Marigny (1265-1315). Il fut aussi le coadjuteur et recteur du royaume sous Philippe le Bel.

17. Au départ, l'utilité supposée de l'héraldique était simplement d'aider les combattants à se reconnaître entre eux.
Un nombre limité de couleurs est employé en héraldique. Il y a d'abord les métaux : or (jaune) et argent (blanc), puis les émaux gueules (rouge), sinople (vert), azur (bleu), sable (noir) et pourpre (violet). La règle élémentaire de leur utilisation est le contraste. On ne peut donc mettre émail sur émail ou métal sur métal. En cela déjà le blason de Louis est incorrectement conçu. Cependant, le cas de

ces deux émaux superposés n'est pas unique. Si l'on songe que les premiers blasons ne devaient être que des planches peintes et assemblées, parfois recouvertes de la fourrure de tel ou tel animal, il est facile de comprendre le pourquoi de leurs dessins géométriques très simples. Il est possible aussi que les premières partitions puissent représenter des coups d'épée sur le bouclier. Les quatre partitions les plus élémentaires sont les plus nobles. Le blason de Louis possède un champ entièrement noir par dérision. Ce qui constituerait un signe de noblesse en soi est ridiculisé d'abord par l'application fautive des règles de l'héraldique, ensuite par les objets qui y apparaissent. Si la hache, comme les autres armes, est typique, celle d'un bourreau ainsi que les potences et les échelles s'y font plutôt rares.

La façon de lire un blason est elle aussi très réglementée. Le descriptif donné par l'individu dans le texte n'est pas tout à fait dans les normes. C'est un manque de respect flagrant de sa part, et dont Louis fait l'objet.

18. Bertrand Guesclin ou du Guesclin (1320-1380): Breton dévoué au service du futur roi de France, Charles V, de qui il recevra quantité d'honneurs.

19. Garin de Beaumont: templier âgé qui s'est lié d'amitié avec Louis et que ce dernier a été obligé d'exécuter (voir tome I).

20. Châtelet d'Olite: résidence des rois de Navarre. Ce château existe encore; il est devenu un hôtel.

21. Le gingembre fut l'épice la plus largement utilisée dans la cuisine médiévale. Elle était, comme la plupart des autres épices – clou de girofle, cannelle, muscade entre autres – considérée comme aphrodisiaque. Il en allait de même de la moelle et de la cantharide. Le mets proposé ici servait donc un but précis.

22. Au Moyen Âge, les procédés de distillation étaient souvent mal maîtrisés. On compensait le goût plus ou moins réussi des alcools par l'addition de jus, d'épices, de sucres ou de crème. Cela a sans aucun doute contribué à la mise au point de liqueurs dont nous dégustons aujourd'hui l'infinité de variantes.

23. Le médecin était fréquemment appelé par la justice afin d'effectuer ce genre d'examens. Il se prononçait aussi, en examinant le col utérin, sur la virginité d'une femme avant qu'elle se marie.

24. Il est question ici du roi de Navarre qui, rappelons-le, possédait plusieurs villes et domaines en Normandie.

25. Bertine est une prostituée dont Louis a soigné le bras (voir tome I). Rappelons que l'exécuteur avait à charge d'éviter les abus dans les maisons closes de la ville où il exerçait.

26. Les alleutiers, ou allodiers, étaient des propriétaires laïcs libres qui ne dépendaient de personne. Parfois, en vue d'obtenir la protection du seigneur local, ils consentaient à échanger leur alleu contre un fief libre, ce qui faisait d'eux des vavasseurs*; en effet, leur liberté avait un coût, car ils ne pouvaient compter que sur eux-mêmes pour avoir du secours en cas de besoin.

Même si Louis n'est pas à proprement parler anobli, c'est au XIVe s. que la noblesse put s'ouvrir à des roturiers; l'anoblissement des non-nobles par les rois et les princes se mit alors en place. En raison du contexte politique, économique et démographique, d'anciennes familles avaient disparu; en conséquence, de nouveaux venus, issus notamment du monde du droit, du commerce et de la finance, y furent introduits.

Charles de Navarre avait le droit d'octroyer des terres à ses gens en certains endroits de Normandie et d'Île-de-France qui lui appartenaient en propre ou presque, puisqu'il était pour eux vassal du roi de France. Mais, depuis le traité de Mantes, signé en 1355, le Mauvais régnait en maître sur de nombreux fragments du royaume, dont le précieux port de Cherbourg. Il est à noter qu'à travers ce pays morcelé certaines villes telles que Coutances et Caen étaient demeurées françaises. Avec une telle ambiguïté dans les juridictions et compte tenu de l'allégeance de certaines familles locales aux deux royautés, la réelle appartenance du domaine concédé à Louis risque donc d'être très floue à cette époque de grandes perturbations.

27. Robert Canolles : il s'agit plutôt de Robert Knolles ou Knollis (1325-1407), soldat anglais envoyé en Bretagne où il fut fait prisonnier. Une fois élargi, il devint routier et ses méfaits furent notoires. Il servit sous Charles de Navarre et prit la tête des Compagnies de routiers, des bandits qui dévastèrent la vallée de la Loire.

28. Les privilèges substantiels accordés aux Normands avaient été consignés dans la Charte aux Normands, une ordonnance faite par Philippe le Bel en 1314 et complétée en 1315 par son fils, Louis le Hutin. Ces avantages firent le mécontentement des successeurs de la dynastie des Valois : la mise en circulation de fausse monnaie étant l'une des activités notoires des rois de France, les Normands avaient exigé que soit rétablie dans leur duché l'ancienne monnaie de saint

Louis. Ils avaient également obtenu que soient abolies tailles et subventions; que l'appel à l'ost des feudataires royaux soit réduit à l'accomplissement du seul service obligatoire; qu'aucun Normand libre ne soit soumis à la torture; que les épaves soient laissées aux seigneurs côtiers et que l'Échiquier de Rouen soit la seule cour de justice apte à juger les Normands.

9. La bataille de Bannockburn eut lieu en 1314.

0. Philippe le Hardi (1342-1384), l'un des fils du roi de France Jean le Bon. Il fut duc de Bourgogne et se démarqua par sa bravoure à la bataille de Poitiers.

. Il s'agit d'une méthode datant du néolithique : on écrasait le grain en déplaçant des deux mains un broyeur de granit sur une partie dormante. Le granit permet de moudre du grain sans qu'il y tombe de résidus, contrairement aux premières meules de pierre-silex qui, elles, produisaient des particules de pierre.

2. «Par Dieu, elle est beaucoup trop douce pour cet homme.»

3. «Grâces soient rendues à Dieu.»

4. Paroles attribuées à sainte Catherine de Sienne (1347-1380). Cette mystique italienne décida le pape Grégoire XI à quitter Avignon pour Rome et lutta pour mettre fin au Grand Schisme d'Occident.

5. Le palais des rois de Navarre se trouve à Estella; c'est un relais important sur le chemin de Compostelle.

6. Saint Guinefort : martyr canin qui fut vénéré dans la forêt de Rimite dans la Dombes, près de Lyon. Comme bien des légendes, celle-ci a une origine païenne. Selon la version christianisée, le chien Guinefort avait sauvé le fils unique de son seigneur d'un serpent qui s'en était dangereusement approché – l'enfant en question était alors bébé. Le seigneur avait trouvé le chien maculé de sang et le bébé tout près. Il en était venu un peu trop rapidement à une conclusion erronée et il avait tué la pauvre bête sans prendre le temps de constater que le bébé était indemne. Réalisant son erreur, il fut pris de regrets. Le chien mort fut jeté dans un puits que le seigneur fit boucher ensuite. La forêt poussa, le château disparut, mais, pendant des siècles, les gens continuèrent à visiter le lieu pour avoir recours au chien afin qu'il sauve leurs enfants.

7. Jn 6,38.

8. De nombreux établissements monastiques désignaient un aumônier

responsable de la distribution des aumônes et destiné à voyager ⟨
à s'établir dans de tels milieux défavorisés.

39. Il s'agit d'une tradition chrétienne authentique dont l'honne⟨
revenait au *pater familias*. C'est donc dire que l'aumôni⟨
reconnaissait Louis comme tel.

40. Règle de saint Benoît, R-66.

41. Il s'agit ici de proches de Charles de Navarre qui étaient restés l⟨
bas pour administrer le royaume.

42. Formule du Canon de Hugues de Saint-Victor (mort en 1141), ci⟨
et approuvé par saint Bonaventure.

43. Le gui et le houx sont des plantes dont le feuillage demeure vert
longueur d'année. Au Moyen Âge, on utilisait ces verdures po⟨
décorer la maison pendant la saison froide. Les Celtes attribuaie⟨
des vertus magiques au gui; symbole sexuel aussi bien féminin qu⟨
masculin, il avait la propriété de favoriser la fécondité. Sa présen⟨
à la table des fiançailles n'est donc pas fortuite. Aujourd'hui encor⟨
on perpétue cette idée en échangeant des baisers sous le gui.

44. La plupart des maisons rurales étaient, encore au XVe s., démuni⟨
de cheminée.

45. On moissonnait surtout à la faucille. Les variantes en étaie⟨
nombreuses, dentelées ou non. La faux, elle, servait à la fenaiso⟨
Cet outil était réservé à des spécialistes.

46. Calais: cette ville demeura une tête de pont pour les invasio⟨
anglaises durant toute la guerre de Cent Ans. Elle ne fut reprise p⟨
la France qu'en 1558.

47. «Le seigneur (mot français déformé). Par saint Georges, où est ⟨
seigneur?»

48. «D'où diable cela vient-il?»

49. «Sale enfant de chienne!»

50. «Non, attends…»

51. «Laisse-le, laisse-le. N'est-ce pas là un formidable bâtard? Il va⟨
presque la peine d'être gardé en vie. Ce sera merveille que de vo⟨
mourir un aussi brave homme.»

52. «Tant mieux pour toi, alors. Montre-moi où sont ton argent et to⟨
vin.»

53. «… et tes femmes!»

54. «C'est ça. Fais ce qu'on te dit et peut-être qu'on te laissera vivre. D'accord?»

55. «Comment?»

56. «Maudit Franklin*.»

57. «Non. C'est le roi Édouard, et on vient pour le voir porter la couronne des Capet!»

58. «C'est moi ton chef, Franklin*. James de Pipe, pour te servir. Ami de Dieu, ennemi de tout le monde.»
    Cette phrase fut réellement utilisée par l'un des chefs de ces pillards qui étaient de toute nation mais se disaient Anglais. Ils se nommaient eux-mêmes les Tard-Venus, ce qui faisait référence aux brigandages passés de la jacquerie.
    James de Pipe, un routier anglais, occupa Rupierre, près de Caen, en février 1362, donc un peu moins d'un an et demi après cet incident, qui est fictif.

59. «Il y a un moine qui approche.»

60. «Dieu vous bénisse, mes enfants», avec un très fort accent.

61. «Mon fils.»

62. «Quel culot, ces Franklins*!»

63. «Poussez-vous, père.»

64. «Non.»

65. «Poussez-vous, ou bien je l'égorge tout de suite.»

66. «Non. Vous ne voulez pas faire ça», avec accent.

67. «On parie que je le veux?»

68. «S'il vous plaît, accordez-moi un moment afin que je me confie à vous. Je vous en supplie», avec accent.

69. «Oh, d'accord. Mais faites vite.»

70. «Écoutez ça, vieux copains : notre seigneur est un bourreau!»

71. Sir William Wallace : héros de l'indépendance écossaise (1270-1305). Il lutta farouchement contre le roi anglais d'alors, Édouard Ier. Il fut arrêté et condamné à la décapitation.

72. «Les gentilshommes d'abord!»

73. «Mick, Un-Œil, avec nous. Vous autres, compagnons, allez jeter un coup d'œil du côté de ce petit village galeux en bas de la colline. Oh, et en chemin, vérifiez donc la grange, d'accord?»

74. « J'aime bien écouter parler français, mais trop, ça finit par me donner mal à la tête. »

75. « Crache tes sous. »

76. « Que… »

77. « Tout ce que tu as, hein? Sacré menteur. »

78. Humbert des Romains (1200-1277), prieur dominicain réputé.

79. D'après sainte Catherine de Sienne (1347-1380).

80. La corde à danser remonterait à l'Antiquité, à l'époque où Égyptiens et Chinois commencèrent à tresser le chanvre pour en faire de longues cordes.

81. Cette réglementation fut mise en vigueur environ un an plus tard, soit vers 1362.

82. L'attaque d'Orly eut lieu le Vendredi saint, 3 avril 1360.

83. Pèdre (Pedro, Pierre) dit le Cruel, roi de Castille (1334-1369). Il commença à régner en 1350 et fut assassiné. Son frère, Enrique de Trastamare, convoitait son trône.
    L'Espagne peut être coupée en cinq : le royaume d'Aragon, la Navarre, le Portugal, la Castille, et le royaume maure de Grenade.

84. Blanche de Bourbon : elle fut très brièvement reine de Castille. Nièce de la reine de France, Jeanne de Bourbon, elle naquit en 1338. En 1353, elle épousa Pedro de Castille et trouva la mort d'une façon mystérieuse à Medina-Sidonia entre le 14 mai et la fin de juillet 1361. Elle n'avait que vingt-six ans. Certains auteurs prétendent qu'elle est morte de la peste. Mais les soupçons pèsent d'autant plus facilement sur Pedro qu'il était reconnu pour sa cruauté; de plus, il avait pour maîtresse la dona Maria de Padilla.

85. Mont-Saint-Michel : île située entre la Normandie et la Bretagne. Cet ancien lieu de culte celte est chrétien depuis plus de mille ans. Aubert, évêque d'Avranches, y fit déplacer un gros rocher (menhir ou cromlech) pour construire la première chapelle. Des bénédictins y furent installés en 966 par Richard Ier Sans Peur, duc de Normandie (942-996).

86. Il s'agit du tout premier emploi de l'artillerie dans une bataille.

87. Le jour de la cessation de cette trêve était en fait passé depuis peu, car il avait été fixé au jeudi 26 mai 1362, jour de l'Ascension.

8. Les cheveux foncés de Louis n'étaient pas bien vus à une époque où l'idéal de beauté était plutôt la blondeur.

9. Depuis longtemps déjà, on amendait le sol par brûlis, marnages ou chaulages. Pour la fumure, au XIᵉ s., on disposait directement les déjections des animaux dans les jardins. Mais, au XIVᵉ s., on commença à élaborer du vrai fumier en faisant fermenter paille et déjections à raison de cinq parts pour une.

10. Captal de Buch : son vrai nom était Jean de Grailly. Après la bataille de Cocherel, il s'est fait conseiller, par les reines Blanche, Jeanne de Navarre et Jeanne d'Évreux, de se montrer enclin à servir le roi de France. Ce dernier en avait fait son chambellan et l'avait comblé de faveurs. Son titre vient de capitalis, qui signifie «chef», «capitaine».

11. Torture authentique – pour ne pas dire étrange – qui était pratiquée dans l'ancienne France, au délice des chèvres.

12. Bertrand du Guesclin reçut cette nomination le 13 décembre 1358.

13. Ce fut Philippe VI qui entreprit la construction du château de Vincennes. Il existait déjà en 1329. L'érection du gigantesque donjon fut mise en œuvre dès 1337. Mais, en 1362, l'édifice n'était toujours pas achevé; pour cela, il fallut attendre 1370.

14. La poudre était un mélange de salpêtre, de soufre et de charbon de bois. Le salpêtre étant plus lourd que les autres ingrédients, il avait tendance à descendre dans le fond des contenants, des barils pour la plupart, alors que le charbon remontait à la surface.

15. Les Lys furent choisis par Louis VII (v. 1120-1180) pour symboliser la royauté. Ce fut également lui qui décida du rituel du couronnement.

16. L'étiquette exigeait qu'un roi de France ne porte jamais le noir en deuil. Son devoir lui dictait de se vêtir en rouge : manteau, robe et chaperon. Les reines, quant à elles, portaient le deuil en couleur tannée, c'est-à-dire sombre, ou en blanc.

17. Jeanne de Bourbon était la fille de Pierre Iᵉʳ, tué à Poitiers, et d'Isabelle de Valois, sœur de Philippe VI. Elle naquit le 23 février 1338, la même année que son cousin Charles de Normandie, le futur roi Charles V, qu'elle épousa le 8 février 1350.

18. Les chroniqueurs s'accordent à signaler que «Noël!» était le cri de joie du peuple, auquel aurait succédé «Vive le Roi!».

99. Au départ, ces tours étaient destinées à être surmontées de longues flèches terminées par une croix. Ce sont les malheurs du XIVe s. qu en ont décidé autrement.

100. De nombreux endroits avaient été occupés par les Anglais et le Navarrais. La plupart recouvrèrent leur liberté en 1364 et au déb de l'année suivante, y compris Saint-Sauveur-le-Vicomte.
Charles de Navarre récupéra ses biens de Normandie grâce à u traité de paix négocié par Philippe de Navarre, traité qui fut concl le 24 octobre 1364.

101. Au temps de Jean le Bon, Robert le Coq (1310-1368) fut avocat a Parlement de Paris, membre du Conseil secret, puis maître de requêtes de l'Hôtel; il fut chanoine d'Amiens et évêque de Laon ave rang de duc et pair; député aux états généraux de 1356, qui l permirent d'ailleurs de semer la pagaille. Il fut le complice avoué d roi de Navarre après le meurtre de Charles d'Espagne en 1354. Ce fu aussi lui qui convainquit le futur Charles V que son père lui voulait d mal, ce qui mena au banquet de Rouen, avec toutes ses conséquence Il fut assez rusé pour arriver à s'en sortir indemne, mais d'autre furent impliqués à sa place.
Il eût normalement dû être pair de France, mais puisqu'il était dévou à Charles de Navarre, Geoffroy II le Meingre fut élu à sa place. L Coq avait trouvé refuge à l'évêché de Calahorra, en Espagne.

102. Sainte Geneviève: protectrice de Paris contre Atilla (420-512). Un abbaye lui est dédiée sur la montagne du même nom.

103. Au Moyen Âge, la majorité était fixée à quatorze ans pour le garçons et à douze ans pour les filles.

104. Louis a ici recours à une punition typiquement militaire, à cett différence près que, dans l'armée, on utilisait par moquerie un vr cheval de bois. Il s'agissait là d'une blague cruelle, car les solda qui subissaient ce genre de châtiment étaient plutôt dans l'infanteri donc reconnus comme étant de piètres cavaliers.

105. Les condamnés plus jeunes recevaient les verges en guise d châtiment corporel. Il s'agissait d'un instrument qui se composa d'un long manche auquel étaient attachées des branches de boulea Il était conçu de façon à administrer des coups sur une grand surface.

106. «Toutes blessent, la dernière tue.»

107. La bataille d'Auray eut lieu le 29 septembre 1364. Elle est l'un de

nombreux affrontements entre Français et Anglais au cours de la guerre de Cent Ans.

108. Charles de Blois: Charles de Châtillon, duc de Bretagne (1319-1364). Il était le neveu de Philippe VI de Valois.

109. Montfort: duc breton qui était à la tête de la bataille d'Auray, du côté anglais. À ne pas confondre avec le plus connu duc Jean de Montfort qui, lui, est décédé en 1345.

110. Il s'agit ici d'une danse macabre dont les représentations picturales apparaissent davantage vers le XVe s. Ce phénomène s'inscrit dans cette transformation de la sensibilité humaine face à la mort, avec cette notion égalitaire voulant qu'elle finisse par rendre tout le monde semblable, quels que soient le rang et l'âge.

111. La faux était utilisée exclusivement pour la fenaison et était habituellement réservée à des spécialistes. Elle n'a vraiment été employée pour la moisson qu'au cours du XIXe s.

112. Le plain-chant fut longtemps la forme de chant la plus répandue. Il consiste en une ligne mélodique seule que peuvent chanter une ou plusieurs personnes.

113. La même assonance entre verge et vierge existe en latin: virgo, pour vierge, et virga, pour petite branche, mais aussi verge.

114. Les bourreaux étaient traditionnellement chargés de frapper à mort les chiens errants.

115. Ce portrait, œuvre d'un artiste anonyme, est reconnu comme étant la première véritable peinture de l'art occidental. Il date de 1359 et est aujourd'hui exposé au Musée du Louvre.

116. Tostes: le mot toast est d'origine française.

117. De ce geste, qui est une coutume ancienne, provient l'expression porter un toast.

118. Au Moyen Âge, les livres étaient rarement alignés debout, afin d'éviter que les pages en parchemin n'en soient déformées. On empilait donc les livres à plat.

119. Guillaume de Machaut (v. 1300-1377): poète, compositeur français et chanoine de Reims. Il fut l'un des créateurs de l'École polyphonique française et domina le XIVe s.

120. Cette méthode traditionnelle des régions humides remonte au IVe s. Pour extraire les grains de leurs épis, l'Europe se partageait entre battage et dépiquage. Le battage au fléau articulé tel que décrit dans

le texte remonte à la fin de l'Antiquité. Le dépiquage et le foulage se pratiquaient plus dans le Sud.

121. « Je chevauchais l'autre jour / Sur la rive de la Seine. / Je vis auprès d'un verger / Une dame plus blanche que laine; / Elle se mit à entonner un chant / Suave, d'une voix douce. / Je l'entendis dire et chanter / Tout doucement : / 'Honni soit celui qui me fit donner / à un vilain!' »

    Moniot de Paris, XIIIe s., tel que cité et traduit dans : STRADA, Grantjoie – ménestrels de grands chemins, Analekta AN 2 8811 (disque compact).

    Il est à noter que le mot vilain est ici à prendre dans son sens ancien, c'est-à-dire paysan libre.

122. Les petits larcins étaient passibles de cette peine. Cela identifiait le voleur comme tel. Cette forme de châtiment est due à Philippe VI.

    Les propos rapportés au sujet de Louis sont atypiques, car les bourreaux étaient habituellement réticents à exécuter des femmes.

123. Saint Martin de Tours (vers 315-397) : d'abord soldat de la garde impériale, il se convertit et fonda divers monastères, dont Ligugé. Selon la légende, il aurait un jour coupé son manteau en deux afin de le partager avec un pauvre.

124. À cause de leur stature et de leur tempérament, on permettait normalement aux femmes de s'asseoir sur une chaise. C'est par simple manque d'habitude d'avoir à exécuter une femme que Louis n'a pas pensé à cela pour Isabeau.

125. Soulignons que Philippe a été exécuté après Isabeau parce qu'il était le plus coupable des deux. On procédait toujours de cette façon pour accentuer l'effet de peur produit par le châtiment, puisque ce condamné avait le temps de voir ses complices mourir avant que son tour ne vînt.

126. Le retentum pouvait aussi être administré sur la poitrine. Dans le cas d'une mise à mort par le bûcher, le bourreau pouvait se servir d'une longue hampe munie d'un crochet avec lequel il transperçait le cœur du supplicié avant que la fumée ne l'étouffât trop, ou encore il tirait sur une corde fine mais solide attachée autour du cou de la victime pour l'étrangler.

127. Adaptation d'une parole du pape Célestin, prédécesseur de Boniface VIII, à ce dernier. Boniface est effectivement mort « fou ».

128. Visant d'abord et avant tout à impressionner Desdémone, Louis n'a

cependant pas choisi ces mots au hasard. Il a voulu dire : «Pour les siècles des siècles, je te maudis et te condamne à l'enfer.» Mais sa connaissance du latin étant presque nulle, il n'a pas composé une vraie phrase. Il n'a réuni que les expressions «Pour les siècles des siècles», «je», «pendu par le cou», «enfer», «malédiction» et «toi». En plus de consciemment exploiter son apparence physique imposante, Louis sait profiter du fait que ses pairs baignent encore dans les vestiges d'anciennes croyances en des choses magiques. Il arrivait effectivement que le bas peuple connaisse mal le christianisme et qu'il le mélange sans trop s'en rendre compte à des pratiques païennes venues du fond des âges.

29. Au XIVᵉ s., l'hérésie était un crime de lèse-majesté. Cela signifie qu'il relevait davantage des tribunaux royaux que de l'Inquisition, qui disparaissait alors assez rapidement. Toutefois, elle ne fut pas sans laisser derrière elle certaines règles qui continuèrent d'être appliquées par la procédure pénale laïque au XIVᵉ s.

La personne accusée d'hérésie devait être interrogée, c'est-à-dire soumise à la torture, mais elle ne devait pas en périr. Son aveu devait être ensuite confirmé par une autre source. Si l'accusé s'amendait, soit en abjurant, en reconnaissant ses erreurs ou en entamant processions expiatoires et pèlerinages, il était pardonné. S'il devenait relaps, c'est-à-dire, s'il retombait dans son hérésie après avoir abjuré, il était livré au bras séculier, ce qui équivalait presque invariablement à une condamnation à mort.

Le supplice du bûcher ne faisait pas que causer une mort horrible; selon la foi chrétienne, la destruction du corps physique par le feu privait également la personne concernée de tout espoir de résurrection corporelle.,

La procédure inquisitoriale antihérétique pouvait être engagée de trois manières différentes, mais celle qui fut le plus couramment pratiquée, et dont Louis fait ici mention, s'appelle *inquisitio*. Il s'agit de la dénonciation et non de l'inquisition au sens strict. Sa condition préalable devait être l'existence pour l'accusé d'une mauvaise réputation, la *mala forma*. C'était le cas de Desdémone, à cause de son statut de prostituée. À partir du pontificat d'Innocent IV (v. 1195-1254, pape de 1243 à 1254), la procédure put être engagée sur un simple soupçon, soit *sine infamia*.

C'est à Avignon, par la bulle *Super illius specula* de 1326, que Jean XXII (1316-1334) confirma le lien qui allait associer pendant plusieurs siècles la sorcellerie à l'hérésie. Cette réforme permit aux inquisiteurs de poursuivre ceux qui étaient accusés de la pratiquer.

130. Les communautés monastiques féminines n'étaient ouvertes qu'au femmes de haut rang. Il y avait une dot à payer que seules les bie nanties pouvaient se permettre d'acquitter. À cette époque où l'accè aux écoles était refusé aux femmes, le couvent était habituellemer le seul endroit où elles avaient la possibilité de recevoir u enseignement digne de mention.

131. Parole de Raimond Lulle, franciscain (v. 1235-1315).

132. Ps 22,25.

133. Aliénor d'Aquitaine (1122-1204) fut deux fois reine. D'abord épous du roi Louis VII, qui la répudia, elle épousa Henri II Plantagenêt qu devint roi d'Angleterre en 1154. Elle fut également mère de trois roi: Jean Sans Terre (1167-1216), roi d'Angleterre et successeur de so frère de 1199 à 1216; Richard Cœur de Lion (1157-1199), rc d'Angleterre de 1189 à 1199; Philippe-Auguste (1165-1223), roi d France de 1180 à 1223.
    La cour d'Aliénor fut l'un des hauts lieux de la *fin'amor*, de l'amou courtois.

134. L'usage d'anneaux de mariage s'était largement répandu depuis a moins quatre siècles. Cependant, ils n'étaient pas absolumer indispensables pour valider une alliance. Ce pouvait être tout autr échange d'objets symboliques ou un simple serment verba prononcé devant témoins. À bien des endroits, le prêtre n remplaçait que depuis peu le notaire pour sceller les union matrimoniales.
    Selon un principe édicté par le Concile de Latran (1139), les épou s'administraient le sacrement eux-mêmes; l'union devenait possibl à partir du moment où les époux consentants la réclamaient. Mêm si la présence du prêtre et de témoins était requise au XIVe s., c n'était pas le cas dans les églises chrétiennes primitives. Cependan l'accord des parents et l'échange public des consentements étaier destinés à rehausser le caractère honnête du mariage, et l'Églis elle-même encourageait la publication des bans. La bénédiction d mariage par un prêtre, qui agissait lui aussi comme témoi permettait de célébrer la messe en son honneur. La messe n'e devenue obligatoire qu'en vertu d'un décret de Charlemagne.

135. La consommation du mariage (*copula carnalis*) légitime le relations sexuelles entre époux; elle valide leur union «en une seul chair» aux yeux de l'Église.

136. La robe de mariée blanche, symbole de virginité basé su

l'Immaculée-Conception, ne date que de 1830. On utilisait généralement une robe des grandes occasions qui allait pouvoir resservir. Le rouge était fréquemment choisi parce qu'il s'agissait de la teinture la plus dispendieuse qu'on pouvait parfois se permettre d'obtenir.

Le hennin, c'est-à-dire la haute coiffe pointue ornée d'un voile, ne sera en vogue que dans la seconde moitié du XVe s.

137. Pour des raisons d'ordre pratique, les mariages avaient surtout lieu en février, mai, juin, juillet et novembre. Il fallait éviter que la date n'entre en conflit avec les gros travaux de l'été ou de la moisson, de même qu'avec le carême et l'avent.

Le rituel était diversifié et adapté par l'Église selon des usages locaux, dont certains existent encore de nos jours. La cérémonie se déroule systématiquement à l'intérieur de l'église seulement depuis le XVIIe s.

138. Dans le Nord, on nommait cruches des récipients qui servaient d'intermédiaire entre le tonneau et le pichet.

139. Il s'agit de Pierre, né le 5 avril 1366.

140. Ces gestes, y compris celui de Jehanne, sont basés sur un épisode classique de l'amour courtois impliquant la légendaire Aliénor d'Aquitaine, digne petite-fille du troubadour Guillaume IX, et ce chevalier Saldebreuil qui, blessé pour n'avoir porté pour se défendre que la chemise de nuit de son aimée, fut conduit à la chambre d'Aliénor. La reine le soigna elle-même et endossa la lingerie déchiquetée et sanglante par-dessus sa robe.

141. Le ladino est de l'ancien espagnol. Ce refrain est un traditionnel séfarade dont la traduction est : « Rachel chante / Moxo Nico danse / Les gros rats tapent dans les mains… »

Extrait de : *Les Jongleurs de la mandragore*, Gibraltar, disque compact autodistribué, #JM20022.

Glossaire

guilaneuf, n. m. Ancêtre européen de la guignolée québécoise.

leoir, n. m. Chemin de ronde.

mbre gris, Concrétion intestinale des cachalots.

migaut, n. m. Cordon qui passait dans une coulisse et fermait la fente ratiquée sur le devant de l'encolure d'un vêtement pour permettre le assage de la tête. Les chemises et les robes des femmes étaient munies 'un amigaut.

ndain, n. m. Rangée de grains ou de céréales fauchées et mises au échage à même le sol.

rchegaie, n. f. Sorte de javelot, plus petit qu'un épieu.

rmer les lèvres, Se dit d'un cheval qui résiste aux contraintes de attelage en couvrant les barres de ses lèvres, ce qui rend l'appui du ors trop ferme. Lorsqu'il «arme», il se défend contre l'appui du mors n tendant l'encolure et en pointant du nez, ou en abaissant la tête pour 'encapuchonner, (rapprocher le bas de la tête vers le poitrail).

rchonner, v. intr. Bander l'arc. ‖ Par extension, avoir une érection.

umusse, n. f. Type de cape.. ‖ Sorte de bonnet ou de chaperon fourré ue portent en particulier les chanoines.

aunée, n. f. Grande herbe médicinale à fleurs jaunes et à fortes racines, parente des pâquerettes et autres marguerites. Originaire d'Italie, elle fu abondamment cultivée dans les jardins médiévaux. Elle était fort appréciée pour ses nombreuses vertus. On employait surtout sa racine, notamment pour purifier les entrailles.

avertin, n. m. Maladie de l'esprit qui vire à la fureur.. ‖ Individu atteint de ce mal.

Beelzeboul ou **Belzébuth**, n. pr. L'un des surnoms attribués au diable. I n'y a qu'un pas à franchir pour l'attribuer aussi à celui qui s'occupe d'un gibet.

behourd, n. m. Escrime au bâton, mais désigne aussi tout combat.

blanchet, n. m. Sous-vêtement porté par les femmes, particulièrement pendant leurs règles.

bonhomme sept heures, Cette appellation a pour origine le terme anglais *bone setter*, c'est-à-dire rebouteux. Il s'agit de l'une des occupations traditionnelles des bourreaux, qui servent eux aussi de méchants pour assagir les enfants trop turbulents. Il serait très plausible étant donné l'entourage anglophone auquel Jehanne est exposée, compte tenu de la présence des deux Écossais dans la maison et des Anglais en France, qu'un tel terme déformé ait pu faire son apparition dans son langage de la même façon qu'il l'a fait au Québec, d'où est issu ce personnage de légende.

bordeau, n. m. Bordel, lieu de prostitution, synonyme de *lupanar*. (diminutif de *borde*, petite cabane).

bouge, n. m. Étroit lieu d'aisance.

bougran, n. m. Drap grossier qui ressemble à de la bure.

bouilleux, n. m. Soupe à la farine. Il s'agit de farine de froment délayée dans du lait, assaisonnée de sucre, de safran, de miel, de vin doux, d'aromates, de beurre ou de graisse et de jaunes d'œufs. C'est un plat très apprécié des Normands.

bourrel, n. m. Bourreau.

boutefeu, n. m. Longue baguette munie d'un tissu rougeoyant.

boutehors, n. m. Dernier service d'un repas, lorsque la table est desservie. Il signifie littéralement « met-dehors ».

brasero, n. m. Récipient métallique percé de trous. Destiné à contenir les braises pour le chauffage, il est habituellement posé sur un trépied.

bredi-breda (faire du), Faire vite en s'emmêlant.

bréhaigne, adj. Femme qui ne peut concevoir d'enfant.

brelan, n. m. Ancêtre du poker. Au XIVe s., il se jouait à trois dés, tout comme le **trimard**.

brigantine, n. f. Habit de guerre formé de petites plates recouvertes d'un vêtement. Elle fut d'abord portée par des piétons, et son nom provient des troupes de brigands du XIVe s. Elle consistait en un agencement de lames en métal traitées contre la rouille et disposées entre deux couches de vêtements; la couche intérieure était faite de toile ou de cuir, et la couche extérieure, de velours ou d'étoffe de soie.

brocart, n. m. Étoffe de soie sur laquelle une seconde trame dessine des motifs en relief, souvent exécutés en fil d'or ou d'argent.

Brocéliande, n. pr. Vaste forêt de Bretagne habitée, selon les romans de la Table ronde, par l'enchanteur Merlin.

broigne, n. f. Pièce d'armure. Cuirasse faite de cuir et d'anneaux de fer cousus, employée dès le XIIe s.

bugne, n. f. Pâtisserie frite semblable à un beigne.

cale, n. f. Pièce de l'armure. Coiffe en laine qui servait à protéger la tête.

calebasse, n. f. Fruit du calebassier, de la famille des cucurbitacées, provenant du pays catalan qui, évidé, fut utilisé comme gourde dès l'Antiquité.

calette, n. f. Sorte de bonnet protégeant la tête et les oreilles et dont les pans se nouaient sous le menton.

camelin, n. m. Laine précieuse en poils de chameau, ou imitation.

camocas, n. m. Variété de soie précieuse. Le camocas et le sandal ressemblent au taffetas. Le **samit**, quant à lui, a plutôt la consistance du satin.

cariset, n. m. Grosse **serge** flamande.

carreau, n. m. Oreiller.

cartisane, n. f. Type de dentelle.

cathèdre, n. f. Siège à haut dossier richement orné, fréquemment réservé à un évêque lorsqu'il est dans une église, d'où le mot «cathédrale».

cévade, n. f. Avoine.

cervelière, n. f. Pièce de l'armure. Sorte de coiffure, en mailles ou en plates de fer, enveloppant la partie supérieure du crâne comme une calotte.

chaleil, n. m. Petite lampe plate, souvent en cuivre, à mèche exposée, suspendue sous le ciel de lit* (baldaquin); on la laissait allumée toute la nuit.

chalémie, n. f. Type de flûte à son nasillard, puissant et plutôt violent. Son nom provient de *calamus*, c'est-à-dire «roseau». Elle origine du Moyen-Orient comme de nombreux autres instruments et sonorités qui furent importés par les croisés à partir du XIe s. La chalémie s'évase au bout. Elle a sept trous et possède une anche double.

Chandeleur, n. pr. f., Cette fête était un peu l'équivalent de notre jour de la marmotte, mais on observait plutôt le comportement d'un ours qui sortait de sa tanière. Cette fête marquait la transition entre l'hiver et le début du printemps.

chantel (porter l'écu en), Porter le bouclier de façon à ce qu'on en voie les armes.

chasière, n. f. Du latin *caseus*, fromage. Lieu servant à égoutter le fromage.

hasseton, n. m. Grand-duc.

haubage, n. m. Méthode de battage des céréales qui consiste à frapper les javelles sur un mur ou une planche.

henevière, n. f. Culture de chanvre.

hevalet, n. m. Banc de torture utilisé lors des interrogatoires; avec un, deux ou quatre opérateurs à chaque bout, selon les modèles, cet instrument pouvait élonger une victime jusqu'à la dislocation de ses membres. L'administration de la question et des châtiments corporels fut interdite à certains bourreaux, plus tard, lorsque la fonction devint mieux réglementée. Il ne semble pas exister une telle distinction au Moyen Âge.

hiel de lit, baldaquin.

claidheamh mr, Se prononce «cliv mor». Claymore en gaélique. Cela signifie *grande épée*. Cette arme est reconnue comme étant l'épée traditionnelle d'Écosse.

cloche, n. f. Long manteau de voyage fendu devant et derrière.

colletin, n. m. Partie de l'armure qui protège la gorge.

companagium, Ce qui accompagne le pain. Le mot «companage» était aussi utilisé.

conroi, n. m. Formation militaire.

coquillard, n. m. Qui porte l'insigne du pèlerin de Compostelle.

couvrechef, n. m. Bande de linon qui faisait office de soutien-gorge, épinglée, nouée ou faufilée par la chambrière.

crédence, n. f. Étagère qui sert à ranger les objets du culte.

cubitière, n. f. Pièce d'armure qui protège le coude.

culvert, n. m. Déformation de *collibert*, en latin: *collibertus*. Les colliberts étaient originaires d'une manse, donc affranchis du servage; ils étaient dotés d'une terre plutôt exiguë; ils étaient habilités à témoigner en justice contre les hommes libres. Mais la misère et les charges devinrent si lourdes que ces paysans soi-disant libres retournèrent bientôt au servage dans des proportions variables. Les plus tenaces disparurent au XIIIe s. Le nom de «culvert» devint graduellement une forme d'injure, aussi bien de la part des non-libres qui les jalousaient que des libres qui estimaient leur présence abusive.

douaire, n. m. Droit assuré de l'épouse de jouir, après la mort de l'époux, d'une partie des biens qui, le jour du mariage, devenaient la propriété de l'homme. Il peut consister en une rente en nature ou en argent. Ce droit porte sur les biens propres du mari qu'il possède le jour du mariage, mais également sur les biens acquis par succession ou donation. Le douaire est acquis par la consommation du mariage et n'e[st] dû à la femme que si elle survit à son époux. C'est un droit viager que la veuve conserve toute sa vie, même si elle se remarie.
Ce droit avait cours en Normandie.

drap naïf, Étoffe dont la chaîne et la trame sont de la même qualité.

droit de havage, Taxe créée spécialement à l'intention des exécuteurs, car leurs gages en tant que tels étaient trop aléatoires et les eussent laissés dans la misère. Les bourreaux n'étaient rémunérés que lorsqu'ils avaient à exercer leur office. Ce privilège était une sorte d'impôt à lever en nature certains jours prédéterminés. Octroyé par les villes et le roi, il permettait à l'exécuteur d'obtenir une poignée ou un morceau de toutes les marchandises amenées aux halles.

écrouelles, n. f. pl. Inflammation et abcès d'origine tuberculeuse qui atteint surtout les ganglions lymphatiques du cou. Traditionnellement, le roi de France était le seul à être en mesure de guérir les gens atteints de cette maladie par imposition des mains. Une fois par an, il consentait à procurer cette faveur à quelques privilégiés, la plupart du temps à la porte d'une église.

embrasser l'écu, Passer l'avant-bras dans les **énarmes**, c'est-à-dire les courroies.

engobe, n. m. Revêtement à base d'argile liquéfiée, appliqué sur la totalité ou une partie d'un vase.

escarboucle, n. f. Charbon brillant.

sconse, n. f. Sorte de lanterne sourde en usage au Moyen Âge.

Escots, n. pr. Écossais.

esteuf, n. m. Petite balle pour jouer à la longue paume. Ancêtre du mot *teuf.*

ex-voto, n. m. Cadeau qu'on remet au saint visité.

aine, n. f. Fruit du hêtre. On s'en servait fréquemment pour engraisser es porcs.

ardelle, n. f. Sac en peau de daim.

audesteuil, n. m. Ancienne forme de *fauteuil.*

auperdrieux, n. m. Busard des marais qui chasse les perdrix.

ferrailler, v. Se battre à l'épée ou au sabre.

feuille, n. f. Tranchoir de boucher.

fibule, n. f. Sorte d'agrafe, ancêtre du bouton. Les premiers boutons datent du début du XIIIe s.

fistule, n. f. Canal artificiel servant à relier de façon anormale deux viscères entre eux ou un viscère avec la peau.

floternel, n. m. Manteau court et ajusté porté par les hommes.

fond de bain, Serviette.

formariage, n. m. Mariage entre des personnes de conditions différentes.

foutir, v. *Foutre* en ancien français.

frigousse, n. f. Mets, repas.

Franklin, n. pr. Sobriquet donné aux Français par les Anglais.

fromentée, n. f. Bouillie composée avec de la farine de froment.

génitoires, n. m. pl. Organes génitaux masculins, plus spécialement les bourses.

gens de sac et de corde, De la racaille. Référence à l'exécution par noyade : le sac pour y emprisonner la victime, et la corde pour le fermer. Il se peut aussi que la corde fasse simplement référence à la pendaison.

glaçure, glaçuré(e), n. f. et adj. Enduit vitrifié qui recouvre les céramiques, les rendant imperméables et jouant un rôle dans leur décoration.

Goddon, n. pr. Surnom péjoratif utilisé à l'époque pour désigner les Anglais, de la même façon que le terme *Franklin* était attribué aux Français.

godendag, n. m. Traduction approximative de *bonjour*. Cette arme d'hast était fabriquée avec une lame épaisse, un coutre de charrue. L'existence de cette arme d'un maniement particulier se limite au XIVe s.

gourmade, n. f. Coup violent sur la tête, plus rude qu'une gifle.

guisarme, n. f. Arme d'hast en usage à partir du XIIIe s., mais qui existait possiblement dès le début du XIIe. Elle servait à piquer, à tailler et à désarçonner. Dans la mêlée, c'était l'arme idéale du fantassin contre le cavalier.

gyrovague (moine), n. m. Vagabond spirituel qui passait d'un monastère à l'autre sous prétexte de rechercher une observance idéale. En fait, il parasitait l'abbaye où il s'arrêtait en abusant de son hospitalité sans offrir un peu de travail en retour et sans se soumettre à la discipline des autres. Ces moines étaient redoutés de la société, qu'elle fût ou non cloîtrée.

halbran, n. m. Espèce de canard.

hamadryade, n. f. Nymphe qui a pour logis un arbre qui meurt avec elle.

Hautes-Terres, L'Écosse.

hennin, n. m. Haute coiffure conique portée par les nobles dames vers la fin du Moyen Âge.

obereau, n. m. Petit oiseau de proie et, par extension, mince
entilhomme campagnard.

oqueton, n. m. Type de cotte.

ourds, n. m. Sorte de tribunes.

ouseaux, n. m. pl. Hautes guêtres en cuir pour monter à cheval.

oussement, n. m. Sorte de housse qui servait à recouvrir le dos et les
ancs d'un cheval, sous la selle, mais par-dessus les pièces d'armure
il en portait. Le houssement du cheval était parfois aux couleurs de
on propriétaire.

uque, n. f. Sorte de robe de chambre courte, doublée d'hermine, portée
ar les hommes.

ypocras, n. m. Vin sucré dans lequel ont longtemps macéré des épices,
abituellement un mélange de cardamome, de cannelle et de gingembre.

aque jazequéné, Cotte garnie d'anneaux de fer rarement assemblés les
ns aux autres, mais plus fréquemment cousus sur un vêtement de peau.

eu de moulin, Jeu de société qui se pratiquait avec une planche et des
ions spécialement conçus à cet effet.

eu de Wibold, Wibold fut un prélat français né à Cambrai en 965.
vêque d'Arras et de Cambrai, il inventa un jeu semblable au jeu de
oie, mais dont les figures représentaient des vertus.

audes, n. f. pl. Vers trois heures ou le lever du jour.

ongaigne, n. f. Couloir qui menait aux latrines, parfois munies d'une
ouble porte.

ongbow, n. m. Formé de deux mots anglais. D'une force qui pouvait
épasser les 70 kg, le *longbow* ou grand arc avait une portée maximale
e 270 mètres, et un bon archer pouvait décocher de dix à douze flèches
n une minute.

ongière, n. f. Nappe très vaste qui, retroussée en bordure autour des
ables, servait à s'essuyer la bouche et les mains.

loudier, n. m. Paysan.

mainbour, n. m. Du germanique latinisé *mundeburium*. Protection accordée par un seigneur à un homme libre qui s'est remis à lui.

malebouche, n. f. Médisance. ‖ Personnage du *Roman de la Rose*, la médisance personnifiée.

manches ridées as las, Manches fendues sur toute la longueur du bras et lacées par des cordons terminés par une aiguillette.

mantelets, n. m. pl. Rideaux des litières.

manticore, n. f. Animal mythologique possédant le corps et les quatre pattes d'un lion, une tête d'homme – sa mâchoire étant cependant équipée de trois rangées de dents – et une queue de scorpion munie d'aiguillons venimeux. La manticore est une bête extrêmement cruelle qu s'attaque aussi bien aux humains qu'aux autres animaux. Tout comme le sphinx, elle donne parfois à sa future proie une énigme à résoudre.

massole, n. f. Type de masse.

matines, n. f. pl. Office nocturne, la plus importante et la première des heures canoniales, entre minuit et le lever du jour.

ménétrier, n. m. Ménestrel. Le ménestrel jonglait et chantait des airs déjà existants tandis que le trouvère popularisait la chanson de geste, le poème épique relatant les exploits militaires et les événements historiques. Tous deux se sont répandus dans le nord de la France après la vogue des célèbres troubadours du Midi.

messe ardente, Messe de minuit.

mire, n. m. Médecin.

morah, Mot hébreu qui possède un double sens : il est à la fois employé comme attribut de Dieu et représente une attitude archaïque où Dieu est à la fois terrible et sublime.

nigousse, n. f. En breton, *an ini cozh*, c'est-à-dire *le vieux*. Ce terme déformé tiré d'une chanson fut fréquemment utilisé à l'époque pour désigner les Bretons.

queter, v. intr. Errer la nuit en frissonnant de froid.

nouer l'aiguillette, Rendre impuissant par maléfice.

œufs heaumés, Œufs dont on avait laissé la coquille intacte pour n'en souffler que le blanc avant de les cuire au four.

orteil, n. m. Espace compris entre la muraille et la douve.

ost, n. m. Armée royale. Les barons, chevaliers et hommes d'armes devaient à la couronne un service militaire de 40 jours.

palefrenier, n. m. Homme qui soigne et panse les chevaux.

pas-de-souris, n. m. Petit escalier dérobé qu'on trouvait dans certains châteaux.

patenôtrier, n. m. Chapelet.

penaille, n. f. Terme de mépris désignant collectivement les moines. ‖ Haillon, loque.

petau, n. m. Paysan.

phlegmasie, n. f. Inflammation.

physicien, n. m. À prendre ici dans le sens ancien de *médecin*.

plumail, n. m. Plumet. ‖ Cimier de plumes. ‖ Plumeau pour épousseter.

postil, n. m. Porte de village.

potron, n. m. Derrière, cul d'une personne.

pourbouillir, v. Bouillir.

psaltérion, n. m. Instrument à cordes pincées. Il se compose d'un boîtier plat de forme trapézoïdale ou triangulaire.

Puer Natus, «Un enfant nous est né»; chant grégorien de Noël.

quintaine, n. f. Mannequin monté sur un pivot et équipé d'une masse d'armes pendant au bout d'une chaîne ainsi que d'un bouclier. Le cavalier au galop devait atteindre le bouclier de la quintaine avec sa lance. Cet outil était rudimentaire mais pourtant très ingénieux puisqu'il imitait à merveille la réaction d'un adversaire : en effet, si l'assaillant qui avait réussi à frapper ne s'éloignait pas assez rapidement, la quintaine tournoyait et frappait rudement le cavalier dans le dos.

rebec, n. m. Ancêtre du violon.

retable, n. m. Ornement sculpté contre lequel est appuyé l'autel. Il fait donc face au prêtre qui, à l'époque, célébrait la messe le dos tourné à la foule.

ribaudaille, n. f. De ribaud : bandit, fripouille.

Rogations, De *rogare*, demander. Rassemblement dont le but était de prier pour avoir de bonnes récoltes.

rouelle, n. f. Figure d'une roue que les Juifs devaient porter cousue sur leur vêtement. Cette marque de discrimination leur avait été attribuée en 1106, au concile de Latran. Selon les provinces, les garçons devaient la porter à partir de sept ou quatorze ans, les filles à partir de sept ou douze ans.

sacra pagina, Livre sacré.

sang de navet, Expression injurieuse de l'époque. Elle s'applique d'autant mieux ici, dans l'esprit d'Aedan, que Louis est d'origine parisienne. Il était notoire que les Parisiens raffolaient de navet.

saqueboute, n. f. Ancêtre du trombone.

satanin, n. m. Étoffe brillante semblable au satin.

seanair, n. pr. Grand-père en gaélique.

serge, n. f. Étoffe de laine unie à texture croisée.

sicaire, n. m. Tueur à gages.

signole, n. f. Manivelle d'un treuil.

ople, adj. Vert, en langage héraldique.

ubriquet, n. m. Au XIVᵉ s., coup de poing au menton. Aujourd'hui, dit *uppercut*.

bellion, n. m. Ancien officier public équivalant approximativement à notaire subalterne.

bles (jouer aux), Ancêtre du jeu de jacquet, aussi connu sous le nom glais de *backgammon*.

rge, n. f. Pièce de l'armure. Bouclier de petites dimensions, ainsi mmé parce qu'il était en cuir bouilli (*tergum*).

ureau d'airain, L'airain est un ancien alliage de cuivre. Phalarès, ran d'Agrigente en Sicile (vers 570-554 av. J.-C.) faisait chauffer à anc la grande effigie d'un taureau qui était faite en plaques de cet liage. Il y faisait ensuite introduire des condamnés qui y brûlaient vifs. eurs cris d'agonie sortaient par la gueule ouverte du terrible strument. Déformés, ils produisaient d'affreux meuglements.

ériaque, n. m. Boisson à base d'épices, de vin et de venin de vipère.

erce, Neuf heures.

nel, n. m. Pièce principale d'un donjon ou d'un château. Elle servait salle à dîner, de vivoir et le seigneur y rendait la justice.

ise, n. f. Mesure de longueur valant environ six pieds, ou 1,8 mètre.

uaille, n. f. Serviette.

ansi, n. m. Figure sculptée représentant à l'époque médiévale un mort n décomposition.

ef, n. m. Tente conique soutenue par un mât central.

imard, n. m. Jeu de hasard qui se pratiquait à trois dés.

roussoire, n. f. Agrafe dont les femmes se servaient pour relever leur be.

vauplate, n. m. Fût de bois volumineux d'usage spécifiquement normand.

vavasseur, n. m. À l'origine, le vavasseur était un propriétaire terrien d'alleux ne dépendant de personne, sauf du roi. Un alleu était une terre dont les droits de celui qui la possédait n'étaient pas limités par une autorité supérieure. Voir note 25.

veautre, n. m. Chien de chasse.

ventre (faire ventre), Se bomber, comme une structure qui est sur le point de tomber en ruine.

vergette, n. f. Petite lance que l'on projetait d'une seule main.

videcoq, n. m. Bécasse.

vièle, n. f. Ancêtre du violon.

vin de rivière, Vin qui arrivait par voie d'eau.

vouge, n. m. Arme dont l'embout est une sorte de hachoir; c'est l'ancêtre de la hallebarde. La **guisarme**, à l'origine, était une serpe de bûcheron. Ces deux armes devinrent des armes d'hast, c'est-à-dire qu'elles furent munies d'un long manche en vue d'un usage guerrier. La majorité des armes de ce type dérivent d'outils de paysans, tels la faux, le couteau ou la hache. Hormis la **guisarme** et le vouge, les principales armes d'hast sont la pertuisane, le fauchard, la hallebarde et la pique.

Table des matières

DISTRIBUTEURS EXCLUSIFS

Distributeur pour le Canada et les États-Unis
LES MESSAGERIES ADP
MONTRÉAL (Canada)
Téléphone : (450) 640-1234 ou 1 800 771-3022
Télécopieur : (450) 640-1251 ou 1 800 603-0433
www.messageries-adp.com

Distributeur pour la France et autres pays européens
HISTOIRE ET DOCUMENTS
CHENNEVIÈRES (France)
Téléphone : 01 45 76 77 41
Télécopieur : 01 45 93 34 70
www.histoire-et-documents.fr

Distributeur pour la Suisse
TRANSAT S.A.
GENÈVE
Téléphone : 022/342 77 40
Télécopieur : 022/343 46 46

Dépôts légaux
Bibliothèque nationale du Canada
Bibliothèque et Archives nationales du Québec, 2008
Imprimé au Canada

Imprimé sur Rolland Enviro100, contenant
100% de fibres recyclées postconsommation,
certifié Éco-Logo, Procédé sans chlore, FSC
Recyclé et fabriqué à partir d'énergie biogaz.